『戦後改革期文部省実験学校資料集成　第Ⅱ期』解題

水原　克敏

1．経験主義から系統主義への転換

本資料集成には、昭和二六年学習指導要領改訂以降昭和三三年改訂に至る過程の文部省初等教育実験学校の研究報告書及び研究発表要項を収録した。研究報告書は、初等教育研究資料第1集から第25集まで、かつ研究発表要項は昭和二八年度・二九年度発表のものである。初等教育資料の内容は、教育課程、国語、算数、理科、社会、音楽、図画工作、家庭、特別教育活動、図書館教育などほぼ全教科・領域に及んでいるが、目立つのは、国語と算数のつまずきをなくして基礎学力を高めるための実験研究で、国語九冊、算数八冊に及んでいる。また、全教科に共通しているのは、教科内容の習得率を高めるための系統的な内容・方法の研究である。当時としては、かなり詳細に実験データをとりながら、その成果をしっかり検証して、残った研究課題を析出するなど、二〇一六年現在の研究指定校の実験や検証に比較すると、はるかに信頼性の高い実験研究を進めていることに驚かされる。

この時期の実験学校の成果は、戦後改革期の経験主義教育から系統主義教育への転換を示すもので、教科内容の系統性を確保して能率的で効果的な教育を目指していたことが確認できる。なお、昭和三二年に特設された道徳については、実験学校が指定されていなかったのか、研究報告書は出版されていない。

2．初等教育研究資料第1集から第25集

収録資料1『初等教育研究資料第1集　児童生徒の漢字を書く能力とその基準』

本書は、「漢字をどの程度に書くことができるか」について、昭和二五・二六年に小・中学校の児童生徒を対象に調査した報告書である。小・中九年間に「読み書き」ができるように学ばせる漢字は八八一字で、どの漢字がどの程度に習得されているか、どの漢字をどう間違えて書くのか、国語の教科書による学習は、漢字習得にどれほどの力をもつか、を調査することで、漢字の学年配当への示唆を得ること、及び漢字学習を測定する検査法を得ることができたという。調査対象校は小学校が一〇校、中学校が一一校で、全学年約一〇〇〇名である。もう一つの調査「基準を設けるための調査」があり、同様に全二〇校が対象とされ、簡便に一〇〇字程度のテストで学習成果を評価する方法が試行されている。テスト問題の内容と方法の詳細は、実際に本書を見てもらいたいが、興味深いのは、どのように児童生徒が間違うかを一字一字収録して、その指導法を注意していることである。なお、最後の章では、「ひらがなの読み書き」について、昭和二二年に実施された小学校第一・二学年を対象のテスト結果も収録されてい

る。戦前とちがって、カタカナではなく、「ひらがな」から学習を開始したことの検証であるが、これも興味深い。

収録資料２『初等教育研究資料第２集　算数　実験学校の研究報告（１）』

大島文義初等中等教育課長は、報告書の「刊行にあたって」で、「文部省において実験学校を設け、各教科の基礎的なことがらについて、実験的研究をしようと努力してきました」という。また「まえがき」で、和田義信初等教育課文部事務官は、「実験的研究とはいえ、実際に指導してみたという程度を出ないのが、わが国における一般の現状ではないかと考える。ここにあげている研究は、こどものつまずきの原因を推定しては、これを実証していくという科学的な方法によって研究を進めての成果である。研究の成果を見て、これをさしたるものではないと考える人があるかもしれない。しかし、このような小さいことの研究にも、いかにくわしい計画のもとに、実験し、実証することが必要であるかを考えて頂きたい」と実験学校の趣旨を明らかにしている。本書の第Ⅰ部は千葉市立検見川小学校の「誤算についての研究」、第Ⅱ部は、千葉大学付属第一小学校の「事実問題の解決にあたって、こどものつまずく点とその理由」、そして第Ⅲ部は、山梨県教育庁指導主事弥津忠則による「学業不振児の計算指導」である。

収録資料３『初等教育研究資料第３集　算数　実験学校の研究報告（２）』

報告書の「まえがき」で、初等教育課文部事務官和田義信は、「誤算の研究としては、誤算の類型とその原因とを追及することも必要であるが、それと同様に重要なことは、誤算をするこどもを作らないようにすることである。いわば、ふつうの学習指導において、どのようなことに気をつけ、どのように指導したらよいかについて研究することが重要である」として、同報告書では、文部省実験学校の千葉市立検見川小学校の報告一件だけを収録した。昨年度の研究は第２集の通りで、誤算の型を一二種類に分類し、これを解決する前提として、①繰上がりのある加法ができる、②掛け算九九ができる、③数の大きさを理解している、④乗法の意味がわかる、⑤加法で単位をそろえられる、⑥筆算の順序がわかる、という六条件をあげていたが、これをふまえて指導したものの「失敗」に終わり、第二次挑戦をした報告書である。「能力別のグループ学習」指導の研究へと至っている。

収録資料４『初等教育研究資料第４集　算数　実験学校の研究報告（３）』

昨年度までは、理解事項六点の条件が必要であることと、能力別学習の方法が効果をあげることとを立証した。本年度は、（1）指導計画の立案において、（a）子どもの側にたって、生活が累積的発展的であって、子どもの進歩に飛躍をなくしたい。要するに一段一段、具体的に累積して理解できるよう立案した。（b）算数をうまく使って、生活改善や問題解決ができるようにした。（c）めいめいが、自分の力を発揮して成功の喜びを味わえるように、つまずいている障碍を早く発見し克服させた。（2）指導計画に、演算の意味がわかり、計算の手続きがわかるように立案した。誤算のひとつは、二つの数量の関係がわからないと演算の意味がわからないこと、もう一つは式の答えを出す手続きがわからないことによるからである。（3）学習を進めるに当たっては、（a）教師は子供の学習に示唆するように発問すること、（b）ひとり残らずの子どもを生かすように様々な考えをとりあげ、（c）評価を大切にして臨機応変に対応した。（4）理解が成立したとは（a）どんな過程を通るか、（b）理解を成立させる方法を発見した。検見川小学校としては、過去三年間の研究で一応の見通しをもつことができたという結論である。

収録資料5『初等教育研究資料第5集　音楽科　実験学校の研究報告（1）』

音楽科の実験学校は、昭和二五年度から三年間、横浜国立大学学芸学部付属鎌倉小学校に、また昭和二六年度には鎌倉市立玉縄小学校と東京都中野区立江古田小学校に、そして昭和二七年度には仙台市立南材木町小学校に委嘱してきたという。本書では、鎌倉小学校だけの報告で、児童の読譜能力の発達に関する実験的研究である。第Ⅰ部は、昭和二五年度の「リズムおよび階名素読に関する研究」で、第三学年で「急に伸びる」、ヘ長調・ト長調の階名素読の能力は「四年ごろから伸びる」という結論である。第Ⅱ部は、昭和二六年度「新曲をどのように階名唱できるか」で、第三学年は新曲階名唱はじゅうぶん学習できる能力をもつ、第四学年以降はハ長調は可能であるという結論である。最後に「補　児童の音楽的発達を促進させるものは何か」についての考察がある。

収録資料6『初等教育研究資料第6集　児童生徒のかなの読み書き能力』

戦前昭和一六年度以降の「アサヒ読本」では、第一学年前期はカタカナ、後期にひらがな、第二学年以上は、外来語・人名・地名以外はすべて漢字交じりひらがな文であったが、昭和二二年度以降、第一学年からひらがな文、漢字交じりひらがな文、第二学年からカタカナ学習もするという順序に変更した。法律や新聞・雑誌・絵本など一般社会で漢字交じりひらがな文が使用されていることと、第一学年で三種の文字学習が負担であり、学力向上の面も考慮された結果である。そのような事情で開始されたかなの読み書きについて、一般の小中学校六五校、一六〇〇〇名を対象に能力調査したのが本報告書である。読む能力を一〇〇としたときに、漢字の書き能力は第六学年で六二・七%、カタカナは八六・三%、ひらがなは九五・九%である。

収録資料7『初等教育研究資料第7集　児童の計算力と誤答』

本書は、「計算をする力がどのくらいついているか、また、正しく答えられない児童は、どんな点でつまずき、どういう誤答を出しているかなどを見るために、昭和二六年二月に小学校児童五一七三人について調べた」報告書である。２／５が都市部、３／５が農山漁村の子供で、小学校一年生から六年生まで男子（二〇六二名）女子（二五七一名）で、加減乗除の計算力が対象である。整数の加法は、三年生の正答率が九一%で、それ以降は増していない。減法は少し低い正答率だが傾向は同じ。乗法は三年の終わりで九三%、九九算はほぼ完全に習得している。除法は六年で八三%である。さらに小数では加減乗除とも二〇%ほど落ち、分数になると三〇%ほど落ちる。同報告書は、計算力の全国調査をふまえ「おもな誤答の原因」を各学年の「答」に即して解釈している。「誤答」は児童のどのような考え方の結果生じているのか、その推論が実に妥当で、全国の教員がこれを踏まえて指導することが期待されている。

収録資料8『初等教育研究資料第8集　算数　実験学校の研究報告（4）』

本書は実験学校検見川小学校の算数科指導の方法が、全国的に見た場合「客観的によい方法であるかどうかを明かにするために、全国に協力学校をつのって行った実験指導の成果をまとめたもの」である（初等教育課長大島文義）。検見川小学校が、二位数に近い基数をかける計算についての誤算の型と原因をつきとめたので、さらに「ひとり残らずの子どもに理解できるようにするにはどうしたらよいか」について、全国八九校（うち千葉県下四〇校）に実験協力校を依頼し協議会を開いて実践を指導した。全学級数一八七、児童数は八六九三名を動員した大実験で、昭和二八年度分の実験が本書にまとめられたのである。第3集で明らかにされた六条件を確実に指導し、また、誤算にA型からL型まで一二型があることをふまえ、その上で、能力別学習グループの展開が求められた。予備調査によって「能力段階」を四段階に分ける方法も検見川小学校の方法で指導された。この実験結果は成功で、正解率を大きく挙げたことが報告されている。

収録資料９『初等教育研究資料第９集　算数　実験学校の研究報告（５）』

本書は、昭和二五年以来、研究してきた文部省実験学校千葉市立検見川小学校の昭和二八・二九年度の成果報告であり、かつ、協力実験学校の成果報告も収集して三章構成である。同校は「能力に応じた指導法」を追究し、「能力段階から、一段ずつ高める」という仕方で「ひとり残らずの子どもを伸ばす」ことに成功したが、「もっとかんたんに子どもの手ぎわをみて、能力段階を切る客観的な方法を見出すことができないか」と考察を進める。次に、「演算の意味を理解するための学習の場」の大切さについても論じている。「買いもの」の単元では「買物についての学習の場」を設定したことが成功したという。また、指導時間はどの位がよいか、最初は一四時間かかったが一一時間までに縮少してきたという。指導で大事なことは、「既成数学を説明して、形式的にわからせようとしないで、子どもが自分で数学を創造していくように指導する」ことが大切で、そのために「始めの一斉学習」（一五分）次に「個別学習」（二五分）そして「終りの一斉学習」（五分）を提案している。なお、計算では、文章題など「かかれた問題を解く力」が課題とされている。それは「計算の意味を本当に理解しているかにかかっていると捉えている。

収録資料10『初等教育研究資料第10集　算数　実験学校の研究報告（６）』

鎌倉市立御成小学校及び静岡県湖西町立鷲津小学校の昭和二六年から二八年までの三年間の研究報告書である。算数教育で、反復練習した場合の練習曲線を調べることで、その指導の効果的な方法を研究した。知能をABCDEの五段階に分けて計算の反復練習の効果を測定するなどして、一〇回くらいの反復練習が「停滞もなく、上昇率もよい」。練習曲線は、静粛な時、褒賞された時、四～五回練習して一回休んだ直後などに「勾配の上昇」があり、やかましかった時、体調が悪い時、落ち着かない時、学習環境が変化した時、薄暗い時、連休があったとき、叱られた時などに「下降」する。「永続する能力」を育成する上では、「一〇回目頃の成績」が「一つの目安」であり、「反復練習」は一〇回必要である。なお練習は一回五分である。

収録資料11『初等教育研究資料第11集　国語　実験学校の研究報告（１）』

昭和二九年度の実験学校として、東京都大田区立久原小学校と神奈川県高座郡御所見小学校の二校の研究報告で、「最少の時間と努力で、かたかなの修得率を高めるには、どのように指導するのが有効か」という課題である。この時期の研究はいずれも、効果的で能率的な教育成果を出す研究である。今回の研究には前史があるので、その総括がなされている。問題は、カタカナの教育をいつどのように始めるべきか、ということで、（１）学習指導要領通り二年からでいいか、（２）一年の後半からか、（３）一年の初めからか、その場合、ひらがなの教育との関係はどうするかという問題になる。両校とも、役割を分担し、かつ校内でもコース分けなどして実験した結果、工夫をこらすならば、一年生からカタカナの一部を学習させることは困難ではないが、「ひらがなをひととおり学習したあとで始めるのがぐあいがよい」ということであった。

収録資料12『初等教育研究資料第12集　読解のつまずきとその指導（1）』

昭和二七年二月から三月にかけて、全国一〇校の小学校二六〇名を対象に、七〇語からなる文章を与えて、五分間黙読して、その後一問ごとに解答を求める形式で、その文中にある漢字が読めるか、意味のわからない語句があるか、文章の表現法が児童の読解にどんな影響があるかが調査された。その報告書が第1部で、第2部は実験学校の栃木県日光市立清滝小学校による指導報告書となっている。1．全体的な文脈に沿っての語句指導、2．語句を前後関係的に読むことの指導、3．言いかえに終わらない辞書利用の指導、という三点を重視して、各学年ごとに、教科書内容に沿って、読解の児童の解答例を挙げつつ、その正解率と具体的な指導の仕方を報告している。

収録資料13『初等教育研究資料第13集　教育課程　実験学校の研究報告』

東京学芸大学付属世田谷小学校と神奈川県足柄上郡福沢小学校とが、昭和二七年四月から昭和三〇年三月までの実験的研究「教育の全体計画は、どのように立てるのが、こどもの学習に有効か」に関する報告書である。「この主題は、どうしたら統一ある指導計画のもとに、調和のとれた人間形成ができるか」ということである。世田谷小学校は、問題解決を志向する問題課程（理科・社会）と基礎課程（国・算・音・図工・家庭・体育）と実践課程とを設定しているが、課題は基礎課程で習得させるべき基礎能力・技能を分析し、問題課程につなぐことである。福沢小学校は、単元学習と教科以外の活動そして基礎学習の連関で、その場合、民主主義的な社会を目指す子ども像が大きな位置を占める教育課程構成をめざしている。

参照　拙著「戦後改革期におけるコア・カリキュラムの開発研究―東京学芸大学附属小学校の『複合型カリキュラム』―」（早稲田大学教育・総合科学学術院『学術研究』第63号、二〇一五年三月）、「文部省実験学校の教科型カリキュラムの研究開発―福沢小学校と世田谷小学校―」（『早稲田大学大学院教育学研究科紀要』№26、二〇一六年三月）

収録資料14『初等教育研究資料第14集　頭声発声指導の研究―音楽科実験学校の研究報告（2）』

昭和二七年から二九年までの三年にわたる仙台市立南材木町小学校の実験的研究の報告書である。昭和二六年改訂の小学校学習指導要領音楽科編で、小学校の唱歌指導は「頭声発声」を主体にすることが明示されたが、それはどのような声でどう指導すればよいのか、これを研究することは、「わが国でははじめての試み」であったという。全児童の発声調査の試行錯誤を経て、指導目標として、a横隔膜呼吸に慣れさせる、b共鳴をつかませる、cのびのび歌わせる、ことに行き着くが、低学年と男児の指導が困難な壁であった。「だれが聞いても納得のいく美しさの条件を備えた声」を求めて、「頭声にみがきをかける」など、その指導方法・段階の開発を経て、①全声域を通じて、澄んだ美しさ、輝くような明るさ、張りのある力強さがあり、②共鳴のある豊かな声、③高音が楽に歌える声、④曲想を十分に表現できる柔軟性のある声を表現させることに辿りついたという報告書である。

収録資料15『初等教育研究資料第15集　算数　実験学校の研究報告（7）』

第Ⅰ部は、千葉市立検見川小学校、第Ⅱ部は、信州大学付属長野小学校の研究成果である。検見川小学校は昭和二五年以来六カ年に亘る研究で、すでに実験学校の研究報告（1）～（5）で経過が報告されている。本研究では、第四学年における「二位数×基数」の指導を中心にして、「能力差のある」「ひとりの残されたこどももつくらないような指導法を確立すること」をねらいとしたもので、本年度では、「指導計画の時数をさらに短縮できないか」「ほかの教材についても学習の能率を上げることができないか」、そして文章題の計算問題では「どんな問題が残るか」を追究した。第Ⅱ部では、個々の計算はできても、「生活問題は解けず、算数を実際の生活に役だてることのできない子ども」への対応である。とりあげる「生活素材」「数範囲」「記述形式」「条件の過多」などについて追究し、つまずきの原因を研究したものである。

収録資料16『初等教育研究資料第16集　小学校社会科における単元の展開と評価の研究』

昭和二八・二九年度の二カ年にわたって、「社会科の学習過程と結びついた評価のしかた」について、東京都文京区立窪町小学校が実験学校として研究した報告書である。評価は様々な視点から総合的にすべきであるが、同校では、（1）評価の対象を知的な理解の側面に限定する。（2）単元終了後や学期末に行う評価ではなく学習過程と結びついた評価の仕方はどうあるべきかを追究した。例えば、第五学年「工業の発達」の単元学習では、代表的な工業地帯を覚える理解もあれば、「機械生産の普及発達は、人々の生活に多くの利便をもたらした反面、工場に働く人々の安全その他昔にはみられなかった新しい社会の問題を発生させた」という理解もある。後者のような広く総合的な理解に至らせるために、グループに分けた討議の意見分析などをすることで、学習過程に即した評価を試みている。

収録資料17『初等教育研究資料第17集　国語　実験学校の研究報告（2）』

昭和三〇年度の実験学校神奈川県藤沢市立御所見小学校の研究成果報告書である。「一年でかたかなを学習させる場合に、いつごろから始めるのがいちばん有効か、その場合の学習指導はどのような方法で進めるのが効果的か」を課題とした。その場合、「かたかなの指導と並行して、遅れたこどもに対するひらがなの指導を、どう進めたらよいか」ということも追究した。実験は、Aコースは九月から指導、Bコースは一一月から指導、そしてCコースは一月から指導という三コースに分けて展開した。結論として、「ひらがなをひととおり学習し、ひらがなの習得過程が定着の段階にきたときに始めるのがよい」とした。Aコースでの読み九六％、書き八七％であるが、一一月から開始したBコースも「指導も容易であり、修得率もAコースとそれほど差がな」いので、「優劣は決めにくい」という結論となった。

収録資料18『初等教育研究資料第18集　読解のつまずきとその指導（2）』

第12集の『読解のつまずきとその指導（1）』では、内容の理解度が、各学年が六〇％台に達しているのに、第三学年だけ五〇％であったことの原因を探るために、この企画が新たになされた。第三学年の読解文は、他の学年とちがって対話文で、行間を説明する地の文の無いことが原因ではないか、ついては、その意味では詩も同様の構造にあるので、対話文と詩をテスト材料にして、栃木県日光市立清滝小学校の全学年約一〇〇〇名を対象に昭和三〇年一月に調査した。教材を最初に五分間黙読させ、その後に一問ごとに教師が問題を読んで答えを記述させている。今回の調査では顕著な問題はでなかったが、「文章の種類が正答率を左右する要因として、強く働いているのではなく、むしろ文章の構造そのものの方が要因となっているのではあるまいか」と結論している。最後の章では、「ペニシリンを作り上げた人々」を教材に、「実験学校における指導記録」が掲載されている。

収録資料19『初等教育研究資料第19集　漢字の学習指導に関する研究』

本書は三部から成り、第Ⅰ部は　栃木県日光市立清滝小学校の調査報告、第Ⅱ部は、新潟県南魚沼郡西五十沢小学校の報告、そして第Ⅲ部は、徳島大学学芸学部三木助教授による「漢字の学習指導に関する理論的研究」論文である。清滝小学校は、漢字の読み書き正答率の調査で、読みが第一～三学年が七〇～八五%、第四～六学年が四五～五三%、さらに書きは、どの学年も読みの五〇%に落ちる。各学年で書き正答率三〇%以下の漢字数を見ると、配当漢字数に占める割合が、第二学年四九%、第三学年七〇%、第四・五学年は九〇%もある。小学校にとって漢字の修得がいかに難しいかがわかる。西五十沢小学校では、その学習指導の工夫として、教科・教科外も含めて漢字を使用すること、計画的に練習すること、絶えず記憶を呼び起こす活動をさせることを挙げて、「機械的」なドリルは効果が薄いとしている。漢字が言葉として働く場面を利用してこそ正答率があがると報告している。三木の論文では、「効果的で能率的な学習法」を追究し、全学年漢字八八一字を、各学年にどのように配当するか、一年から六年まで、四〇、一〇六、一六七、一八五、二一四、一六九と提案している。

収録資料20『初等教育研究資料第20集　国語　実験学校の研究報告（3）』

昭和三一年度実験学校の神奈川県藤沢市立御所見小学校（農村地区）と東京都墨田区立中川小学校（都市地区）の「ことばのきまりに関する意識と能力の調査」報告である。調査項目は、1、各学年の児童は平均して、どれぐらいの長さのセンテンスで文章を書いているか。2、それらの文章で、長短によって、指導すべき問題点は発見されないか。3、ひとまとまりの文章の中に、平均してどれぐらいの数の接続詞及び接続助詞を使っているか。また、接続詞と接続助詞の使い方との間にどのような関係が見られるか。4、各学年の児童は、どのような種類の接続詞と接続助詞を、どんな風にして使っているか、という四項目である。低学年は単文の羅列文、中学年では、接続助詞を使って、だらだら文を書く子が多い。高学年では、文字数が少ない割に、接続助詞数が多く使われ、重文複文と高度になっている。文の数が多い者は、比較的表現力の発達した者に多いという報告である。

収録資料21『初等教育研究資料第21集　色彩学習の範囲と系統の研究―図画工作実験学校の研究報告（1）』

東京教育大学付属小学校が昭和三〇・三一年度の二カ年にわたる実験学校として進めた、「色彩学習の範囲と系統の研究」に関する報告書である。色彩学習については、「理解に関する内容」があると同時に「感覚の修練による内容」があるが、「指導の立場から」これらを統合して「内容の系統」を究明することが目的である。これを（1）配色の関心の傾向、（2）造形学習における色彩指導の位置と関連、（3）表現における色彩の傾向、（4）色彩感覚の発達傾向から見た配色学習の範囲と系統、（5）色彩学習における理解教材の範囲と系統、という五つの観点から追究したのである。

収録資料22『初等教育研究資料第22集　家庭科　実験学校の研究報告（1）』

東京都台東区立浅草小学校が昭和三一・三二年度の二カ年にわたって「家庭科の指導計画の作成」について研究した報告書である。昭和三一年改訂の学習指導要領家庭科編では、目標・内容も第五・六学年一括して示されていたので、これを学年別に分けて指導するにはどうするかを課題としたのである。ところが昭和三三年改訂となり昭和三六年度から実施となるので、実験報告の趣旨が合致しないところも出て来てしまったという。それでもかなり参考に価するという文部省の評価によって出版されたのである。同校は、独自の「家庭科学習内容の系列表」を作成し、地域の家庭生活の実態も調査することで指導計画案をまとめている。同校のカリキュラムは、問題解決の実践力におき、習慣形成・生活運営・教科学習の三コースで人間形成をめざし、教科では問題解決力育成に重点を置いているので、家庭科はそれらの具体的な技能・習慣を習得させるものとして重要な役割を果たしている。

収録資料23『初等教育研究資料第23集　小学校特別教育活動の効果的な運営』

昭和三三年学習指導要領改訂によって、昭和三六年度より教育課程の四領域（教科・道徳・学校行事・特別教育活動）のひとつとしてすべての学校で実施されることになったので、「特別教育活動の効果的な運営」について、東京都練馬区立関町小学校が実験学校として昭和三三・三四度年の二カ年の成果を研究報告したものである。特別教育活動の領域は、昭和二二年度学習指導要領では「自由研究」、昭和二六年度改訂では「教科以外の活動」であったが、「内容がばく然」としているとして、児童会活動・学級会活動・クラブ活動の三活動をすべての学校で行うべきものと規定されるに至った。実験研究では、教科・道徳・学校行事との関連づけをはかりながら、教育課程全体としての調和が重視された。施設・設備と時間配分が課題として報告された。

収録資料24『初等教育研究資料第24集　小学校ローマ字指導資料』

昭和三三年学習指導要領改訂によって、昭和三六年度以降、第四学年以上の各学年でローマ字が必修となったので、その効果的な学習法はいかにあるべきか、お茶の水女子大学教育学部付属小学校に委嘱して実験をしたのが本報告書である。昭和二六年度改訂では、小学校第三学年あるいは四学年から各学年で四〇時間ずつ学習させて、総計一二〇～一六〇時間が配分されていたが、昭和三三年改訂では第四～六学年で二〇時間、一〇時間、一〇時間、総計四〇時間に削減されたので、この時間配分で、どのような学習指導が効果的か実験したのである。同校では、実験の都合上、第四学年ではなく第三学年を二つに分けて二〇時間の指導を試みた結果、従来の半分の時間でも、「今までと同じ程度には、じゅうぶん、やれそうだという見込み」がついたと結論している。

収録資料25『初等教育研究資料第25集　構成学習における指導内容の範囲と系列―図画工作実験学校の研究報告』

昭和三二・三三・三四年度の三カ年にわたる実験学校として指定された東京教育大学付属小学校の「構成学習における指導内容の範囲と系列」に関する報告書である。昭和三三年改訂による三六年度実施に向けた準備の意味も持つことになった実験研究である。構成学習に関わるのは平面的と立体的のものがあり、かつ心象的と機能的なものがあるので、これを縦軸・横軸で分類すると四種の領域になる。例えば絵画の構成は平面的であるが、心象的なものもあれば機能的なものもあり、彫塑は立体的であり、かつ心象的と機能的なものがある。そのほか図案・工作でも構成学習が必要である。絵画・彫塑・図案・工作における「構成学習の内容をどのような系列を立ててとらえていったらよいか」、その場合に、色・形・感覚・用具・

材料・機能・構造・表現方法の観点から問題を追究したのである。

3．文部省初等教育実験学校の研究発表

収録資料26　文部省初等中等教育局初等教育課『昭和28年度　文部省初等教育実験学校　研究発表要項　昭和29年5月』

文部省が実験学校を設けて実験研究に着手したのは、昭和二一年度に「教科書局実験学校」として発足したことに始まるという。以後、初等中等教育局初等教育課で、初等教育実験学校を指定し、数年来定期的に発表会を開催してきたが、本書は昭和二八年度の概要をまとめたものである。目次を見ると、教育課程（二校）、国語（五校）、社会（一校）、理科（一校）、算数（七校）、音楽（二校）、複式学級（一校）、図画工作（一校）、幼稚園（一校）、視聴覚（二校）の一〇領域で二三校が発表している。全体を貫いている方向性は、児童生徒がつまずいている問題をいかにクリアし、能率的に教育効果を高めるにはどうすればよいか、ということである。一言でいえば、それぞれの教科領域に即した内容の系統性をいかに立てるかという課題である。

収録資料27　文部省初等中等教育局初等教育課『昭和29年度　文部省初等教育実験学校　研究発表要項』

本書の表紙には「昭和30年度」と表記されているが、それは誤植で昭和二九年度の報告書である。実験学校の発表会は昭和二四年度から公開され、六回目になるという。目次を見ると、教育課程（二校）、国語（三校）、社会（一校）、音楽（二校）、視聴覚（二校）、家庭（一校）、算数（一校）、学校図書館（二校）、幼稚園（一校）である。幼稚園については、目次に欠落があり、「5才児における身体的及び知的発達とその指導　東京学芸大学付属幼稚園　184（頁）」と入るべきである。前年度の発表要項にも同付属幼稚園が実験学校に指定されているが、この頃から幼稚園教育のカリキュラムの在り方が問題視され、昭和三一年に幼稚園教育要領が規定されることになる。

参照　拙著「幼稚園教育課程の基準とモデルカリキュラムに関する歴史的考察」（白梅学園大学子ども学研究所「子ども学」編集委員会『子ども学』2号　二〇一四年五月）

また、学校図書館については、小学校のみならず中学校の調査報告「義務教育の終期迄にどのような図書館経験を与えたらよいか」が報告されているのが注目される。

解題執筆者紹介

水原克敏　みずはら・かつとし

現在　早稲田大学教育・総合科学学術院教職研究科特任教授

主著　『近代日本教員養成史研究』　風間書房　一九九〇年
『現代日本の教育課程改革』　風間書房　一九九二年
『近代日本カリキュラム政策史研究』　風間書房　一九九七年
『現代日本教育課程改革』（中国語・方明生訳）
中国・教育科学出版社　世界課程与教学新理論文庫　二〇〇五年
History of National Curriculum Standards Reform in JaPan
Tohoku University Press, 2011

編　『自分～私がわたしを創る～』　東北大学出版会　二〇〇一年
『自分～わたしを拓く～』　東北大学出版会　二〇〇三年
『戦後改革期文部省実験学校資料集成』全九巻　不二出版　二〇一五～二〇一六年

共編　『学校を考えるっておもしろい!!教養としての教育学～ＴＡと共に授業を創る～』
東北大学出版会　二〇一一年

監修　『自分Ⅲ～わたしから私たちへ～』　東北大学出版会　二〇〇四年

共著　『新しい時代の教育課程』　有斐閣　二〇〇五年

初等教育研究資料第I集

児童生徒の漢字を書く能力とその基準

文部省

児童生徒の漢字を書く能力とその基準

文部省

ま え が き

この書物は，漢字をどの程度に書くことができるかについて，昭和25年と，昭和26年との早春に，小学校の児童と，中学校の生徒とを調査した結果の報告書である。

前の小学校でも，国民学校でも，尋常科，または，初等科の6年間に，1300字あまりの漢字を，児童に学ばせたのであるが，昭和23年からは，義務教育の期間，すなわち，小学校と中学校との9年間に，読むことも，書くこともできるようになるまで学ばせようという漢字は881字だけにされた。

それで，児童生徒の漢字を学ぶ負担は，前よりはるかに減ったのであるがそれにしても，よりどころのある計画に基いて指導するのでなければ，義務教育期間に読み書きともにできるように学ばせるという目あてを遂げることのできるはずはない。そこで，漢字指導の計画を立てるにも，方法を考えるにも，また，指導の効果を判定するにも役だつ資料を得たいと願って，まず児童生徒が，この881字の漢字を，どの程度に書くことができるかについて調査したのである。

乏しい経費と労力とによって行ったために，不完全なところも多いのであるが，この調査によって，881字のどの漢字が，児童生徒に，どの程度に習得されているか，児童生徒は，どの漢字をどうまちがえて書くか，国語の教科書による学習は，漢字の習得にどれほどの力を持つか，などのあらましを明らかにすることができ，漢字の学年配当への示唆も得た。また，児童生徒の漢字の学習が，どの程度に進んだかを，手軽に測定する検査法も設けることができた。

児童生徒の漢字の習得は，国語教科書の漢字の出し方によっても変るし，

学習指導の方法によっても変る。したがって，いつまでもこの調査の結果をいだいて，児童生徒の漢字の習得はこうであるといっていることはできない。しかし，将来国語の教科書や指導法が改善されて，児童生徒の漢字の習得が高まれば，この調査の結果と比べて，どれだけ高まったかを知ることができる。

なお，この書物の末尾には，昭和22年4月，ひらがなの読み書きについて，小学校の1，2年生を調査した結果を付け加えた。漢字の調査と似た結果が出ていて，照し合わせると，おもしろいからである。

これらの調査には，計画の初めから，整理の終りまでを貫いて，下記の係官が携わったのであるが，調査については，本文の中に掲げた小学校・中学校，数十校の，まごころのこもった協力を受けた。ここに調査の結果を報告するにあたって，どの学校にも深い謝意をささげる。

文部省初等中等教育局初等教育課　文部事務官　松本順之
文部省初等中等教育局初等教育課　文部事務官　沖山光
文部省初等中等教育局初等教育課　文部事務官　中野俊夫
文部省初等中等教育局初等教育課　臨時筆生　百瀬光子

児童生徒の漢字を書く能力とその基準　目次

目　次

1. 調査の目的

昭和21年に，国民の日常使用する漢字として，当用漢字1850字が選ばれた。さらに，昭和23年に，義務教育期間に，読むことも，書くこともできるように指導する必要のある漢字として，当用漢字の中から，881字が選ばれた。当用漢字別表の漢字がそれで，俗に教育漢字といわれるものである。

外国のこどもが，自分の国の文字を覚えるのと，わが国のこどもが漢字を覚えるのと，どちらが，どれほどむずかしいかは，わからないが，とにかく漢字を学ぶことは，わが国のこどもにとって，ずいぶんほねのおれる仕事であるに違いない。

このむずかしい学習を，これまでは，小学校の6年間に，1300字あまりの漢字について，児童に行わせてきたのである。それが，義務教育の9年間に，881字になったのであるから，児童生徒の負担は，ずっと軽くなったわけで，したがって，児童生徒は，これまで漢字の学習に使っていた力を，漢字以外の学習にまわすことができるわけである。

しかし，それにしても，漢字を学ぶことはむずかしい仕事なのであるから

(1) 国語の教科書には，どの学年に，881字の漢字のうち，どの字と，どの字を，合計幾字新しく提出するのが適当であるか。

すなわち，881字を学年にどう配当するかが問題になる。学年に適当に配当されるのでなければ，義務教育期間に，881字を読み書きともにできるようにな .まで学習することを，児童生徒に望むことはできないからである。

この問題を，じゅうぶんな科学的資料に基いて，合理的に解決することはなかなかできることでないが，881字の漢字を，現在の指導と学習の状態で児童生徒が，どの程度に読むことができ，書くことができるかを明らかにす

ることができれば，漢字の学年配当を考える一つの手がかりになる。そこで読み書きの両方を調査したいと思ったのであるが，整理の手数，そのほかの事情を考えて，児童生徒の漢字を書く能力の調査だけにとどめた。

読むことと，書くこととのうちで，書くことを採って調査したのは，読めても書けない字は多いが，書くことができて読めないという字は，いくらもないであろうから，どれだけ書けるかを調査するほうが，児童生徒の漢字の習得を厳密に知ることができると考えたからである。漢字を読むことと，書くこととの間には，かなり高い正相関があるであろうから，一字一字の漢字について，書くむずかしさがわかれば，その漢字を読むむずかしさも，ほぼ，見当がつくと思ったのである。

書く能力について調査すれば，児童生徒が，漢字をどうまちがえて書くかがわかる。したがって，

（2） 一字一字の漢字について，どんな点に気をつけて指導すればいいか。

がわかる。児童生徒の誤字の実態を知って，漢字指導の留意点を考えることが，この調査の第2のねらいであった。

次に，指導者としては，児童生徒が漢字をどれだけ習得したかを，ときどき考査することが必要である。この場合，義務教育の期間に覚えてしまわなければならない漢字の，どれだけを習得したかと考えるには，上学年では，881字の全部を書かせなければならない。しかし，これはおびただしい手数のかかることである。

また，手数をかけても，自分の担任している児童生徒の学習の成果が，もっと広い地域の児童生徒の学習の成果と比べると，すぐれているのか，劣っているのかはわからない。そこで，

（3） もっと少ない字数で，基準を設けて，児童生徒の漢字を書く能力が学年相応の発達を遂げているかどうかなどのことを，手軽に判定できるようにしたい。

これが，この調査の第3の目的であった。

なお，この書物の終りには，児童がひらがなをどんなに覚えるかを調査した結果を掲げた。この調査は，昭和22年の4月と7月とに，そのときの第1学年生と，第2学年生に行ったものである。1年生を調査したのは，これらの児童は，この年から，かたかなを学ばずに，すぐにひらがなを学ぶことになったので，その発達の様子を見たいと思ったからである。

また，2年生を調査したのは，これらの児童が，1年生の第2学期の末からひらがなを学んで，第1学年を修了するまでに，どんな発達を遂げたかを知って，かたかなを学ばずに，ひらがなを学ぶ1年生を指導する参考資料にしたいと思ったからである。

ひらがなについては，読み書きの両方を調査した。このひらがなについての調査は，調査の対象にした学校も，調査の方法も，漢字についての調査とは，まったく違うのであるが，これらのことは，漢字のそれとは，切り離して，後にまとめて述べる。

2. 調査した期日・学校・児童生徒数

881 字の教育漢字を，児童生徒がどれだけ書けるか，どんなにまちがえるかの調査と，漢字を書く能力の基準を設けるための調査とは，1年を隔てて別なときに行った。その期日，調査の対象になった学校，児童生徒数は，次のとおりである。

(A) 881 字の調査

(1) 期日 881 字の調査は，昭和 25 年の 2 月下旬から，3 月上旬にかけて行った。

(2) 学校 調査の対象になった学校は，次のとおりである。

小学校 計 10 校

長野県 田口小学校 中塩田小学校 城山小学校 福島小学校

千葉県 本町小学校 根郷小学校 嚶鳴小学校 高神小学校 八積小学校 鴨川小学校

中学校 計 11 校

長野県 小諸中学校 坂城中学校 綿内中学校 下氷鉋中学校 清水中学校

千葉県 千葉市第三中学校 根郷中学校 嚶鳴中学校 銚子第二中学校 八積中学校 鴨川中学校

(3) 児童生徒数 調査した児童生徒の数は第1表に示した。小学校の第1学年から，中学校の第 3 学年まで，どの学年も，男子 500 人，女子 500 人，計 1000 人の資料を集めようとねらったのであるが，小学校の第 3 学年以外はどの学年も，これより少しずつ減っている。

これは，後にも述べるように，その学校の，そのときの学級編成のまま，

学級単位に調査したためでもあるが，また，881 字の全部の調査に出席した

第 1 表 881 字について調査した児童生徒の数

学年 男女	I	II	III	IV	V	VI	VII	VIII	IX	計
男	468	417	506	397	407	434	420	410	391	3850
女	481	436	497	432	376	415	420	407	394	3858
計	949	853	1003	829	783	849	840	817	785	7708

もの以外の成績は，整理から除いたためでもある。そんなわけで，調査した児童生徒の総数は，男子 3850 人，女子 3858 人，計 7708 人になった。

(B) 基準を設けるための調査

(1) 期日 児童生徒の漢字を書く能力の基準を設けるための調査は，881 字の調査より，ほぼ，1年遅れて，昭和 26 年の 1 月下旬から，2 月の上旬にかけて行った。

(2) 学校 調査の対象になった学校は，次のとおりである。

小学校 計 10 校

福島県 福島第四小学校 川崎小学校

茨城県 大子小学校

千葉県 八積小学校 鴨川小学校

長野県 城山小学校 福島小学校

静岡県 小泉小学校

和歌山県 高松小学校 印南小学校

中学校 計 10 校

福島県 福島第四中学校 川崎中学校

茨城県 大子中学校

千葉県	八積中学校	鴨川中学校
長野県	綿内中学校	清水中学校
静岡県	小泉中学校	
和歌山県	西和中学校	富田中学校

(3) 児童生徒数　漢字を書く能力の基準を設けるために調査した児童生徒の数は，第2表に示した。この調査では，小学校の第1学年から，中学校の第3学年まで，どの学年も，男子250人，女子250人，計500人ほどの成績を集める計画で，学校を選んだのであるが，881字の調査の項で述べたのと同じ原因のために，やはり，どの学年も500人に達しなかった。児童生徒の総数は，男子2025人，女子2005人，計4030人である。

第 2 表　基準を設けるために調査した児童生徒の数

学年／男女	I	II	III	IV	V	VI	VII	VIII	IX	計
男	229	227	224	230	223	224	198	234	236	2025
女	233	227	250	226	231	202	208	224	204	2005
計	462	454	474	456	454	426	406	458	440	4030

(C) 備　　考

上に述べたように，881字についての調査も，基準を設けるための調査も，学年末に行った。これは，児童生徒が，その学年を修了するときの，漢字を書く能力を知りたいと思ったからである。

児童生徒の数は，どの学年も，全体のほぼ5分の2が都市のこどもで，5分の3が農・山・漁村のこどもであるようにした。しかし，どの学校でも，特別の学級編成になっていないかぎり，その学校の，そのときの学級編成で，

学級を単位にして調査したのである。その学校の同じ学年のすべての学級から，厳密にその学年を代表する児童生徒を選ぶということはしなかったのである。

学校は，とりわけ国語の指導にすぐれている学校でないという条件で，おのおのの県の教育委員会から，推薦してもらった。したがって，調査する地域も，おのおのの地域の学校も，統計的処理を加えて選んだのではない。

それで，この調査には，見本の選び方に議論の余地があるといわなければならない。しかし，この調査を計画したときの事情のもとで，許される最良の方法を採ったつもりである。

3. 881字の調査方法

これまでは，881字の調査と，基準を設けるための調査と，いっしょに述べてきたが，これから後は，わかりやすくするために，両者を分けて述べる。

(A) 問題の作り方

881字の漢字は，後に掲げるように，文章の中に入れて，完成法に似た形で与えた。すなわち，漢字を書かせる箇所は，かっこで囲んであけて，その右側に，かなで，書かせる漢字を示した。

881字の漢字は，135問の中に入れ，これを16枚に分けて印刷した。どの紙にも，算用数字と，ひらがなのほかは使わなかった。

どの漢字を，どういう読み方で，また，どういうことばで出すかは，小学校の国語の教科書に出ている漢字は，教科書の用例に従った。それも，それぞれの漢字が，はじめて使われたときのことばによった。

135問の中に漢字を出す順序は，小学校の国語の教科書に出ている漢字は第1学年の教科書に出ている漢字を初めに出して，だいたい，学年を追って第6学年の教科書に出ている漢字を最後に出した。小学校の国語の教科書に出ていない漢字は，その後に加えた。

(B) 書かせ方

児童生徒に漢字を書かせることと，このあらましの整理をすることとは，その学校に依頼した。したがって，漢字を書かせることは，小学校では，学級担任の教師が，中学校では，おもに国語担任の教師があたってくださったことと思う。

どの学年の児童生徒にも16枚の調査用紙（135問の全部）を与えて，小学校の低学年でも，書けそうな字のある問題は，全部やらせた。しかし，低学年（たとえば，1年生）では，どの問題までやるかを決めることは，その学校に任かせた。

また，16枚を幾度に分けて書かせるかも，その学校に任かせた。一日のうちの，どの時間に実施するか，どれだけの時間をかけるかも，その学校の自由にした。

どの問題も，教師が読んでやって，適当に説明し，文の意味をよくわからせて，漢字を書かせたのであるが，答え方は，第1問の，

あかちゃんの　（て）は　（ちい）さい。

を板書して，かっこの中に，「て」という漢字と，「ちいさい」という漢字とを書くのであることを理解させた。そうして，調査用紙（問題）に，まず「手」を書かせて，ほとんど全部のこどもが「手」を書いてしまったところを見定めて，「小」を書かせた。つまり，どの字も，一字一字書かせたのである。

意味のわかりにくいと思える字，考え違えると思える字は，たとえば，

「（はな）のたかい　てんぐの　めん」（第80問）の「はな」は，顔にある「鼻」である。

「ゆう（かん）しんぶん」（第89問）の「かん」は，書物や，新聞や，雑誌を刷って出す場合に使う字で，「発刊」「刊行」などとも使う。

「（かん）わじ（てん）」（第89問）の「かん」は，漢字の「漢」である。

などのように，適当に説明して，どの字を書くのかを理解させた。必要に応じて，問題に音で出ている字は，訓を示し，訓で出ている字は音を示し，そのほか，用例も示して，考え違えて別な字を書くもののないようにした。

しかし，字画を暗示するような説明は，いっさいしないよう，また，漢字はいっさい板書しないようにした。

このほか，この調査のために，児童生徒に，特別に指導したり，学習させたりしないこと，また，児童生徒に調査の目的を了解させて，幾度にも分けて調査しても，児童生徒が自分の成績を上げるために，家庭で平常以上に書取り練習をすることのないようにすること，遅進児の成績を除かないことなどを，学校に依頼した。

これらのことは，どの学校でも，また，どの学級でも一様に行われるように，「調査のてびき」を印刷して，調査者の全部に配ったばかりでなく，調査する全部の学校に，係官が出張して，調査者に直接説明して，調査の条件が狂わないように依頼した。

漢字を書く能力の調査としては，漢字の読み方，または，ことばと結びつけて調査することもできる。たとえば，「雨」を「あめ」と読んで書かせるのと，「あきさめ（秋雨）」ということばの中で書かせるのと，「しゅうう」と読んで書かせるのとでは，正しく書くことのできるものの数が，どう違うかと考えるような場合である。しかし，これはここに報告する調査とは，目的の違う調査である。

ここで報告する調査では，死んだ漢字を書かせることにならないために，文の中のことばとして書かせたのであるが，読むことから離れて，漢字がどれだけ書けるかを知ることを，ひたすらにねらったのである。音も，訓も示し，また，できるだけ多くの用例を示して書かせる方法を採ったのは，このためである。

(C) 整理のしかた

一応の整理は，それぞれの学校に依頼したのであるが，どの字を正しい字と見るかについては，旧字体でも，新字体でも，正答とみた。また，旧字体や，新字体でなくても，社会で広く書かれている字は正答とみた。

たとえば，「学」は，「學」と書いても，また「斈」と書いても正答とみたのである。それであるから，後に掲げる表に，「学」を正しく書いた児童生徒が，どの学年では，いくパーセントあるという数字が出ていても，「学」を書いたものだけの数ではない。

正しく書かれた字を調べただけでなく，一字一字について，どうまちがえて書いたかをも調べた。児童生徒の書く「誤字の実態」を調査したのである。これについては，どうまちがえたものが幾人あるというように，誤字の一々について，まちがえた人数を記録してもらうことを，学校に依頼したのであるが，厳密な度数の記録された学校は少なかった。

それで，「誤答の実態」については，だいたいの傾向を知ることができただけで，詳しい度数分布表を作って，考察することはできなかった。

881字の一字一字について，誤字の一点一画が違うごとに数えわけることは，非常な手数のかかることであるから，この結果になるのはやむを得ないことであった。

(D) 漢字の提出回数

多くの児童生徒が正しく書く字があるし，正しく書くものがいくらもない字もあるとすれば，そういう違いはなぜできるのか。この問題に明るさを与える一つのともしびになると考えて，国語の教科書に，どの字が幾度出ているかを，学年別に調べた。

また，国語の教科書の漢字の提出回数を調べて，児童生徒の習得と比べれば，児童生徒の漢字の習得に対して，国語の教科書がどんな力を持つかも，ある程度わかるし，おしなべていうと，国語の教科書に，漢字をどのように出せばいいかについても，なにかの示唆が得られると考えたのである。

漢字の提出回数は，小学校の第1学年から，中学校の第3学年までの，文部省著作の国語教科書のほかに，民間著作の，日本書籍国語編修委員会著，日本書籍株式会社発行，白いほの船（３年上），あらし（３年下）と，日本新教育研究会著，学校図書株式会社発行，こくご，三，四と，教育図書研究会著，学校図書株式会社発行，二年生のこくご，上，中，下と，新教育実践研究所編，二葉株式会社発行，こくごのほん，一，二とについて調べた。調査した学校で，昭和24年度に使われていた教科書は，これだけであった。

これらの教科書に出ている漢字については，どう読んであるかも調べたのであるが，児童生徒の漢字の習得と考え合わせるには，提出回数だけを使った。（Ｂ）の項で述べたように，この調査では，読みと結びついた調査になることを避けたからである。

（E） 児童生徒に与えた問題

881字を書かせた問題は，次のとおりである。12ポイントの縦組みで印刷した。

おとこ・おんな　（なまえ）

1. あかちゃんの (て)は (ちい)さい。
2. ぼくは (ほん)を (こ)さつ もって いる。
3. おかの (うえ)から (おなん)の (こ)が かけて くる。
4. (ろく)に (し)を たすと (じゆう)に なる。
5. (く)から (に)を ひくと (しち)に なる。
6. いちばん たかい (やま)の (みぎ)がわに (つき)が でた。
7. (おとこ)のこが (はち)にん (かわ)で およいで いる。
8. (おお)きな にもつを (ひだり)てに もった (ひと)が やって くる。
9. さむい (きた)かぜが (しろ)い ゆきを ふらせた。
10. (いち)にの (さん)で いっしょに (め)を あけて おみやげを み

た。

11. お(ひ)さまの てって いる のはらで (みみ)の ながい うさぎが (あお)い くさを たべて (くち)を うごかして いる。
12. (がっこう)の うら(もん)は (ひがし)の (ほう)に あって (くろ)く ぬってある。
13. ぼくは (しょう)がつから びょうきで (やす)んで いたが，やっと (せんかい) して (げんき)に なった。
14. (みず)の (なか)に いても なつは あついのか いけの こいが (き)の (した)の ひかげに あつまって いる。
15. いち(ねん)は，はる，(なつ)，(あき)，(ふゆ)の し(き)に わかれて いる。
16. がくよう(ひん)に (ふじゆう)しないのは，(ちち)や (はは)の おかげです。
17. (せんせい)の あいずで (れつ)を つくって (しゅっぱつ)した。
18. おおきな こえで「(ひ)の (ようじん)」と いうと，(いえ)の なかから「ごくろうさん」と いう (へん)じが きこえた。
19. (き)りとった (あか)い (はな)を，(おとうと)と (はん)ぶんずつに わけようと (おも)って いる。
20. あなたは，(うを)や (むし)の (な)を たくさん (し)って いますか。
21. (そら)には なん(びゃく) なん(ぜん)と いう (ほし)が (ひか)って いる。
22. (かぜ)や (あめ)が ひどい (ちから)で，(と)に ふきつけるので ゆっくり (しょくじ)も できない。
23. きょうは (くも)が (おお)い。(やま)も たかい。いつも みえる (うみ)の むこうの (しま)も みえない。

24. なだかい (せかい)どうわを よんで その (はなし)を (さくぶん)に (か)くのです。せい(と)は みんな (こえ)も ださないで (く)しんして (かんが)えて いる。(かみ)に (じ)を かく (おと)だけが きこえる。

25. わたしの (むら)は，いちばん (はや)く お(こめ)や (むぎ)を きょうしつ した。

26. つき(よ)の ばんに (まち)へ いった。(みち)に (いし)ころが あって あるくのに こまった。

27. (てん)の (おう)さまは，(ゆき)で こまって いる，(はやし)の なかの こ(とり)の (おや)こを (あん)ぜんに まもって やりました。

28. (みやこ)の おばさんから お(ねがい)して おいた あみものに つかう (うつく)しい (いと)を もらいました。おかあさんが お(れい)を (もう)しました。

29. むらの (にし)と (みなみ)に まつ(はら)が ある。

30. ふた(くみ)に わかれて きょうそう した。だれかが「よう(い)は いいぞ」と いった。

31. (さむ)い (あさ)だった。じ(どう)しゃが，せき(たん)を つんで，(みせ)の まえを (とお)った。

32. (らいしゅう) みんなで (たす)けあって，がっ(きゅうしんぶん)を つくる ことに なった。どんな (さいりょう)が でて くるか たのしみだ。

33. こく(ご)の (じかん)に，みんな (あつま)って (だい)いち(ごう)を はっ(こう) する (そうだん)を した。

34. (こん)や おん(がくかい)が あります。(わたくし)は (がっしょうたい)の ひとりですが，(びょう)きで でられません。

35. おいしい (にく)を かんづめに する (こうじょう)は，でんしゃの

(しゅうてん)の (えき)から (ちか)い ところに あります。

36. しん(ぱい) して いた (とお)くの ともだちから (きねん)の ず(が)と (しゃしん)を (おく)って きました。

37. お(ひる)に なった。(きょうしつ)の (いり)ぐちから (あか)るい (かお)をした こどもが でて くる。

38. (の)はらには，きれいな かわが (なが)れて いた。(つち)まみれに なって (あそ)んで いた (いもうと)と，にんき(もの)の こ(いぬ)が (いき)を はずませて (くさ)の うえを かけて きた。

39. わたしたちは (まい)にち うちに (かえ)ってから ともだちと (おな)じ (もんだい)を (べんきょう) して いる。

40. はやく (へいわ)に なれば いい。(きせん)や (ひ)こう(き)に (の)って せかいじゅう (たび)が したい。

41. (ほう)がた でした。(ふる)い (ぼう)えん(きょう)で (もり)の ほうを のぞいて いたら，(ふか)い (たに)の ほうから こちらに (むか)って (ある)いて くる ひとを はっ(けん) した。

42. どんよりと くもって (おんど)が さがった。いつのまにか ゆきが ふって いち(めん)に (ぎん)の せかいのように なって いる。(ち)めんも きの(は)も (でんちゅう)の あたまも まっしろだ。

43. し(かく)な と(けいだい)の うえには，いろいろな どう(ぐ)が (やく)にたつ ことを (ま)って いる。

44. えきには (かい)さつ，(かもつ)，(に)もつはこびなど いろいろな (うけもち)の ひとが いる。

45. (ひろ)い (せいてつじょ)では きかいが (いのち)の ある ものの ように ぶんぶん (ま)りながら (かつ)どう して いる。

46. うまに のって きょうそう した。むこうの (いわ)が (けっしょう)てん

だ。(りょう)ほうとも (ま)けぎらいの (せいしつ)だから，(お)いこされまいと がんばって いる。うまも (ひ)に あせを にじませて いる。

47. (きん)いろの くるみの (み)が (くび)を ふる ように して (ね)もとの ほうへ (お)ちて きた。

48. はな(や)は おがわの (きし)に (す)んで いる。いえには はなの (え)の かんばんが でて いる。

49. (た)うえの くろうは，はげしい (うん)どう (い)じょうに つかれる。よるは みんな (し)んだ ように ねる。

50. (みぶん)は あまり よくないが，お(ちゃ)やの あの (かん)しんな こどもの ねがいに (かみ)さまは きっと (よろこ)んで (こた)えて くださるに ちがいない。

51. (は)れた にち(よう)の (ここ)でした。(あに)と (あね)と いっしょに どうぶつ(えん)に いきました。

52. (きゃくせき)は (まん)いんだった。オペラの (じょきょく)の (えん)そうが はじまった。みんな (ねつ)しんに きいて いた。

53. ぼくは じ(てん)しゃで きしゃの ほん(せん)に そった (けん)どうを (てい)しゃじょうの ほうへ かなりの (そく)どで はしって いた。(よこ)みちから (ろう)じんの (のうふ)が ふいに でて きたので，ぼくは あわてて (せい)どうを かけて (きゅう)てい(し)を した。

54. (せん)そうは しない。こく(みん)の すべてが きょう(よう)も あり，じん(かく)も たかければ せい(よう)の ひとからも (しん)らい されて (こうふく)に なれると (よげん) できる。

55. ざっしの こう(こく)を みて，いくしゅ(るい)もの (たね)を (か)っ

た。

56. くさばなを(にわ)に (う)えた。はなが (ひら)くまでの (そだ)つ ようすを，(かんさつちょう)に かきとめて おこう。

57. おとうとを まって いると (そつぎょうしき)の (うた)が こう(しゃ)の に(かい)から きこえて きた。ざいがく(とう)じの (おん)しの かおと ともに そのひの (じょうけい)が こころに おもいだされて きた。

58. (は)しゃが かわの (じ)りゅうに かけた (はし)の (いた)を ふみならして わたった。それから，(さか)を (のぼ)って (みなと)の しゅっ(ちょう)しょの ほうへ はしって いった。

59. (がい)こくから か(ぞく)づれで この かい(しゃ)の (こう)くうきの (ていき)びんを (り)よう して くる ひとが，(すくな)くない。

60. そろいの (ふく)を (き)た や(きゅう)の せんしゅが，(いさ)ましい がっ(き)の あいずで (ない)やに (せい)れつ した。

61. (ちゅう)い して いたのですが (みずうみ)の (かい)を とるとき (ゆび)を きったのでしょう。(ち)が でて いました。

62. せみの こは なつに なると ち(ひょう)に でて きて (かわ)を ぬぐ。

63. (ざつ)そうの なかに (あじ)の いい みの なる いちごが はえて いたので (はたけ)に (い)しょく した。

64. でん(とう)と (たいよう)では ひかりの つよさが ちがう。

65. りょうほうの (すう)の (たんい)を おなじに して けい(さん) なさい。

66. にもつが (おも)いので お(てら)で やすんで お(ゆ)を (の)んだ。

67. (あつ)い き(こう)の うえに (やく) ご(まん)と いう いなごの むれ

に (がい)を (くわ)えられた。この——(せん)の こんどの ひがいは だいいち(じ)の ときより ひどくて，さくもつは (う)りものに ならないと (じゅ)じんが (せつ)めい した。

68. おみやの (はい)でんで さいばんを ひらいた。さいばん(かん)は おんどりで ある。おんどりは どうぶつほご(きょう)かいの ひとの いけんを (もと)める ことに した。

69. ちょっけいの (みじ)かい (は)ぐるまが (ぜん)どの はぐるまと たがいに (あたま)を かみあわせて いち(びょう)に いっ(かい) まわると いう ほう(ほう)で (き)いろい (あぶら)を しぼって いる。

70. どんな (けんきゅう)でも (けいけん)だけでは (ようい)に (せいこう) しない。(か)がく(てき)な (りろん)に したがわなければ (しっぱい) する。その (れい)は いくらも ある。

71. みんしゅしゅ(ぎ)は，(ぎ)かいや (けん)ぽうだけで なしとげられる ものでは ない。ぶん(しょう)を (よ)んで ことばを (おぼ)えるだけでも できない。まして (せい)いの ない (ひせきにん)な こくみんの あいだに それが (しん)ぽ するとは おもわれない。

72. わたしたちの そん(けい) する B(せん)きょう(し)が ひさしぶりに きます。かん(しゃ)と (かん)げい(しゅくが)とを かねた かいが (こう)かい(どう)で ひらかれます。その(さい) あなたが，かい(いん)の (そう)(だい)に なって かんげいの (じ)を のべて ください。

73. (さい)ごに わたしの かん(そう)を のべます。きみの いけんに ぜん(たい)としては (はんたい)どころか (さん)せいですが，こまかい (ぶ)ぶんに ついては (き)ぼうが あります。

74. どんな いなかの むら(ざと)にも，うたや (し)が あり，(でん)せつが あり，(そ)せんの (のこ)した (れきし)が あります。

それを あなたの (とく)いの (きよ)らかな (ちょう)しで，(ぞう)わに かいて もらえば，すばらしい (ひょう)ばんに なると おもいます。

75. (げん)ざい あなたの (せっ)けい(ず)どおりの (しょく)きが，くみたてられたら (べん)りな すばらしい き(かい)として，りっぱな せい(せき)を おさめ，(い)ふくと (げいじゅつ)との (かんけい)は (あさ)いどころか，これまでより ずっと ふかく なるでしょう。

76. (ぎょ)せんに モーターを (と)りつけて，(し)うんてんを した。モーターは (かる)い ひびきを あたりに (ひろ)げて (じゅん)ちょうに まわり(つづ)けて いる。いままでの (くら)い きもちも (き)えさった。

77. どんなに てん(ねん)の (さん)ぶつが あっても，や(さい) ひとつ つくる (はたら)きも しないで あそぶ しゅう(かん)に とらわれて いたのでは，ふところでで (ほう)ねんを ねがうような もので やがて (かい)けつ しきれない (かな)しい めを みなければ ならないでしょう。

78. (さん)ぽの かえりに どう(ろ)わきの Mだいがくの うんどうじょうで (りく)じょう(せん)しゅを とりかこんで (えんけい)に なった がくせい(しょ)くんが おうえん(き)を ふって うたって いるのを みかけた。

79. (きょ)ねん じょう(きょう) した とき，とないでも せい(けつ)さと けん(ちく)の てんで (ゆう)めいな びょう(いん)と としょ(かん)とを みました。それは でんしゃの てい(りゅう)じょうの すぐ わきに ありました。

80. (ゆう)の　めんを　みせてもらった。(ふい)らしい　おんなの　めん，(はな)の　たかい　てんぐの　めん，(ほそ)い　かおの　めん，(つめた)い　かんじの　する　めんなど　いろいろ　みせて　もらったが，どれが　よく　できて　いるのか　(くべつ)は　つかなかった。

81. うつくしい　けしきを　あらわした　じょう(とう)の　(はん)がを　みて　いると　なんとも　いわれない　へいわの　ぶん(か)を　おもいださせる。

82. (うし)を　よんだ　はい(く)が　あるが，きせつは　いつか　わからない。まだ　(れんしゅう)が　たらない　ところに　げん(いん)が　あるのだろうか。

83. やくしょの　めい(れい)で　びょういんに　はいった。ようやく　(い)しゃが　(たい)いんを　(しょう)ち　するまでに　よく　なった。(きょう)どうの　びょうしつから　じぶんの　(つつ)みを　もって　そとに　でた。(いけ)に　あたたかい　ひが　(て)って　いる。はるの　き(せつ)に　なった。

84. かなり　ち(しき)の　ある　ひとでも，(しゅうい)に　ひきずられて　(しゅう)きょうと　(めい)しんとを　とりちがえて，(けんこう)じょう　と　りかえしの　つかない　(けつか)を，まねく　ことが　ある。

85. きょう(じゅ)の　(しょく)に　あった　D(はくし)は　ながい　あいだ　の　(ど)りょくと　く(ろう)の　けっか　(じゅん)しんな　(せい)しんを　がくせいの　あいだに　つくりあげた。そのため　あの　がっこうの　(きしゅく)しゃは，(きそく)ただしい　(どく)とくな　ものと　して　げん(ざい)でも　(かく)ちに　ひょうばんで　ある。

86. せん(そう)が　おわった　(ちょく)ごから　がいこくじんに　(せつ)するので　えいごで　はなす　(ひつよう)が　おおく　なった。そのため　さい

(しょ)は　へただった　かいわが　よほど　じょう(たつ)　して　きた。

87. い(ち)として　こっ(きょう)の　ちかくに　ある　この　(ぼく)じょう　いっ(たい)は，きこうの　(へん)かも　あまり　なく，(えい)せい　その　(た)の　(じょうけん)も　よく，(ぎ)じゅつの　(とく)べつに　すぐれた　ひとも　いるので，つくりだす　しなは　ぶん(りょう)に　おいても，うまさの　てんに　おいても　この　くにの　(ひょうじゅん)と　されて　いる。

88. (ほけん)がいしゃの　ひだり(がわ)に　あるのが　はい(きゅう)しょで，その　となりは　もと　(ぐん)じんだった　ひとが　はじめた　(やき)ものやです。いち(ばん)　ひだりが　(わた)やです。

89. ゆう(かん)しんぶんに　(えい)ごと　(かん)わの　じ(てん)の　こうこくが　でて　いた。

90. ほんやは，(じん)たんなどを　うって　いる　(しょう)てんの　となりで　(こう)つうの　べんりな　ところに　ある。ほしい　ほんが　あったが　あいにく　おかねが　いっ(せん)も　なかった。

91. ぎん(がけい)の　なん(おく)と　いう　ほしの　むれは　たがいの　(いん)りょくに　よって　なんおくせい(き)もの　あいだ　つりあいを　たもって　いる。

92. ほっきょくの　たんけんや　(そく)りょうは，いつも　いのちがけである。(ひょう)ざんに　はさまれて　くるしんだ(すえ)，この　しぜんの　げん(しょう)の　ために，(ころ)され　うみの　(そこ)に　ほうむられる　ことも　ある。

93. せい(ふ)の　かいあげた　あの　が(ぞう)が　すばらしい　ひょうばんだったと　いう　おしらせを　よんで，こう(えい)に　おもいます。せ

んせいの　こきょう(くん)を　まもって，ますます　(しゅ)ぎょうに　はげむ　つもりです。

94. きゅう(しほう)の　ある　(こう)ざんは　その　(けん)りが　べつの　かいしゃの　てに　うつり，きかいの　こしょうも　かい(ふく)　して　かつどうを　はじめた。ぼくは　この　ことを　がっこうしんぶんの　ニュースに　(へん)しゅう　した。

95. おおわしが　かぜを　まき(おこ)して　おそいかかって　くる。しょうねんは　おもわず　たん(とう)を　にぎりしめた。

96. ことばの　おわりが　いろいろに　かわるものに　どう(し)が　ある。

97. おおきな　と(し)に　なると　それだけ　やくしょの　(ひ)ようも　おおく　なって　くる。

98. しん(りょく)の　こ(だち)の　あいだを　あるきながら　ノーベル(しょう)を　うけた　ひとびとに　ついて　B(くん)と　(とう)ろん　した。

99. (たか)く　そびえた　きの　(みき)に　てを　さし(の)べて　みた。この　きが　(め)こ　(なん)ねんかんか　(ひ)じょうに　こん(なん)な　(さい)がいなどに　うちかって，こんにちの　(じょうたい)を　(みちび)いたと　おもうと　(そん)けい　したい　きもちに　なった。

100. しょくぶつや　こうぶつを　のう(りつ)てきに　(さい)しゅう　するには，あらたに　かい(ほう)　された　Bやまに　いく　ほうが　(こう)かが　ある。Bやまは，みちも　(ひ)かくてき　よく，ちか(し)げんも　ほう(ふ)で，ことに　(どう)の　こうせきが　おおい。

101. (おう)ようもんだいを　(かく)じつに　とくには　(つね)に　(てき)とうな　(み)ちすうを　(つか)う　ことで　ある。

102. ラジオは　(せいじ)や　けい(ざい)や　どう(とく)や，(ふ)じんの　も

んだいなど　ある　(てい)どの　もんだいを　われわれに　(てい)きょうして　くれる。

103. (こう)てい(へい)かは，えい(へい)の　(ご)えいも　なく，じゅう(しん)も　つれないで，(きゅう)ていを　でられ　われわれ　(せんしゅう)の　ごえを　(あ)びて　(おう)らい　される。(じゅう)らいに　みられなかったことだ。

104. (こく)るいや　(こめ)や，(やく)ひんなどの　ひつ(じゅ)ひんが　(ゆ)にゅう　されて，(さく)ねんより　おおく　(ほ)きゅう　された。はやく　(わ)が　くにの　(ぼう)えきを　はっ(てん)(ぼうちょう)させて　(こく)さいしん(ぜん)に　のりだそう。

105. せかいの　へいわ(けん)せつは，くにと　くにとの　(てき)みかたを　のりこえた　(あつ)い　(ゆう)じょうに　よって　きずかれて　いく。

106. われわれは　(えいきゅう)に　(ぶ)きを　すてたのだから，(ちゅうこう)やこじんの　り(えき)に　たいする　かい(しゃく)も　とうぜん　かわってくる。

107. (ぼう)りょくや　(は)かいてきな　(せい)りょくに　よく(あつ)されないで，あたらしい　(き)ばんに　たつ　ただしい　(はんだん)に　よつて，この　(こん)らんを　(ぼう)し　する　ことに　つとめよう。

108. (たけ)は　みきが　(くだ)に　なって　いるので，ゆきが　ふり(つ)もっても　(お)れない。かれは　これを　みて　(ふん)きし，へい(そ)の　(まず)しさに　たえて，(ひ)きに　ながれず　(あく)に　(おか)されず，(こころざし)を　たかくして　(さい)きょを　はかった。

109. じ(こ)の　(あく)する　ちいさい　(とうは)の　りえきに　こころを　(う)ちこんで　おおきな　(だん)たいの　(とう)いつを　みだすのは，きん(し)がんに　にた　(さく)で　ある。どう　(べん)かい　しても　ぜ

ん(りょう)な　こくみんと　しての　はん(せい)を　(か)いて　いると
いう　(いん)しょうと　(こ)かいとを　あたえる。

110. (こう)どうは　がっこうの　(そう)りつと　どうじに　Aしの　ちから
で　できた。こんにち　せつ(び)も　ととのい　ますます　(そん)ざい
の　(か)ちが　(みと)められる。Aしは　きかいを　せい(ぞう)　する
こうじょうを　けい(えい)　して　いたが，いふくや　じゅう(きょ)を
かざらず　(う)えるような　ねっしんさで　(きん)べんに　むらに
つくした　(せい)じんの　ような　ひとだった。

111. さん(みゃく)も　(はる)の　(いろ)を　(しめ)し，くさや　きも　しん(め)
を　ふき(はじ)めた。ひとの　いい　えん(てい)は，きょうも　(し)ごと
が　ひまなのか　(こ)えた　いぬと　その(へん)の　と(どう)を　つれ
て，しんだ　(つま)の　(はか ほ い)りに　いくらしい。つまを　なくして
からの　かれは　その　(はい)どんを　(かた)く　(まち)って，すきな
(さけ)も　のまず，ひまが　あれば　かれの　ニュースを　(ほとけ)に
(ほう)こく　するのを　ぎ(む)と　して　いるのだ。いたって　(つみ)の
ない　ろうじんで　ある。かれは　また，とぼしい　(ちん)ぎんの
(たくわ)えの　なかから　(ふ)きんの　きの(どく)な　ひとたちに　(そん)
とくも　かんがえず　(さいふ)の　そこを　はたく　きとくな　ひとで
も　ある。

112. がっこうを　たてる　ために　きょういく(い)いんかいが　だした　よ
さんは，けんの　ざいせいに　せい(げん)が　あるので，けんかいで
(か)けつ　されるか　(ひ)けつ　されるか　わからない。はんぶんに
(へ)らされるかも　しれない。ざいせいの　ことで　あるから　そ
の　(ぜ)ひは　ろんぜられない。

113. ゆうびんかわせの　(しょう)しょを　ひろった。きん(がく)は　(いつ)せん

(に)ひゃくえんと　かいて　あった。すぐ　けいさつへ　(さ)しだし
た。

114. (い)と　(ちょう)を　やんで　いた　おとこが　あったが，ともだちに
(すす)められて　いままでの　せいかつに　おおきな　かい(かく)を
おこない，つとめの　あいまには　うんどうを　(か)ねて　たはた
を　(たがや)し，なつは　すい(えい)など　して，ちかごろは　(しごく)　け
んこうに　なった。

115. むかし　ある　くにの　(りょう)どの，のうみんの　どう(めい)に　たい(しょ)
するため，こくおうが　けらいを　(まね)いて　そうだん　したが，
ぎろんが　まちまちで　まったく　(しゅうしゅう)が　つかなかった。

116. げん(じ)ものがたりには　とうじの　(きゅう)ちゅうに　おける　(き)
ぞくの　せいかつが，(ちょ)しゃの　すばらしい　ぶんがくてきな
(さい)のうに　よって　かかれて　いる。その　(こう)そうの　おおき
な　ことや，びょうしゃの　こまかい　ことなど，げんざいの　つう
(ぞく)しょうせつとは　くらべものに　ならない。

117. (そうこ)の　まえの　きの　きり(かぶ)の　わきに　つみあげられた
(たわら)の　うえには　ねこが　ねて　いる。うらの　かわに　(のぞ)
んだ　えんがわでは，おばあさんが　つけものの　(しお)を　はかっ
て　いる。ちかくの　てらからは，おぼう(さま)の　おきょうの　こえ
が　(しず)かに　ながれて　くる。もうすぐ　ひる(めし)どきに　な
る。

118. みずは　すいそと　(さん)そとから　なる　(えき)たいで　ある。

119. Aむらでは　トラホームが　きゅうに　ふえた。(がん)かの　いしゃ
の　はなしに　よれば，(しょう)わに　なってからの　さいこうの　き
(ろく)だそうだ。

120. かれは こうじょうに (しゅう)しょく して，(せん)もんに きかいを あつかって いる。きかいが (い)じょうな おとを たてると，かれは すぐに きかいを とめて こしょうを (の)ぞく。その ため いままでに いくにんかの いのちが (すくわ)れた。

121. むかしの ほう(りつ)を みると (のうぜい)には，(きぬ)などを おさめたもので ある ことが わかる。

122. (ふく)ぎちょうには，せん(きょ)の けっか さいこうの (ひょう)すうを えた ひとを (すい)せん する。

123. ゆうびん(きょく)ちょうと いっしょに きゅうこう(けん)を かいに えきへ でた。えきには のぼりれっ(しゃ)が ついて いた。

124. さむさの (きび)しい シベリヤでは まだ とおく (こ)きょうの にくしんを おもって いる ひとたちが いる。

125. ちかごろ (じ)どうの ちのう(けんさ)が ひろく おこなわれる ように なって きた。

126. じろうに よく (に)た こが さん(りん)しゃに のって いる。

127. てんのうさまも こう(ごう)さまも われわれと おなじように，この こんらん した しゃかいの うつりかわりを (かん)じて おられるに ちがいない。

128. おお(くら)しょうは しゅとして こっかの ざいせいを つかさどる ちゅう(おう)の きかんで ある。

129. かれは これまで つう(やく)を して いたと (の)べて いるが，(かり)に そうだと すれば そうした きょうようの ある ひとが，(か)した かねを (ばい)に して かえせなどと いう はずが ない。

130. いかに (きゅう)しきな ひとで あっても (こ)じんの じゆうを

みとめないのは (ぜつ)たいに (ゆる)せない。

131. (はし)る ことでは Aぐみが つよいが (たま)いれでは (ぎゃく)に Bぐみが つよい。こどもぎんこうに (あず)けて ある かねの へい(きん)は あまり ちがわない。

132. よう(さん)の いそがしさが すむと むらの (まつり)が はじまる。(よきょう)に でる ひとが おおいので (し)かいしゃと (しょう)せられる わたしも ほねが おれる。

133. (まご)の もりを するので (あし)の (よわ)い おばあさんの くろうは (ふで)でも (した)でも あらわせない。

134. いん(さつ)じょの たろうくんに (か)りた ほんを ほう(か)ご かえしに いった。たろうくんは かぜで ねて いた。ねつは とれたが しょく(よく)が ないので，(かん)ぜんに なおるまでは がっこうを やすむと いう ことで けっせき(とどけ)を あずけられた。

135. ちずを (かく)だい して も(けい)を つくって いる。みんなが (きょう)そうで いそぐのだが ちせいの (ふく)ざつな ところも (りゃく)さないので，いつ できあがるか (ぎ)もんで ある。しかし ソ(れん)と たいへいようの ひろいのには おどろいた。

4.　正しく書かれた漢字の数

この（4）から（7）までは，881字について調査した結果を述べるのであるが，この（4）では，調査した児童，または，生徒の全体では，881字のうち，幾字を正しく書いたか，また，おしなべていうと，児童生徒はひとりが幾字を正しく書いたことになるかということについて述べる。

この881字は，義務教育の間に，読むことも，書くことも，ともにできるように指導するという漢字なのであるが，この調査を行った昭和25年の春，中学校の卒業をまじかにひかえていた生徒は，この期待にそうことができていたであろうか。また，この年の春，それぞれの学年を修了する時期にあった児童生徒は，この期待にそう漢字学習の歩みを，どこまで進めていたか。さらに，これらの児童生徒の漢字学習の発達は，学年によって，なにかの特徴を見せるであろうか。ここでは，これらのことについて述べるのである。

(A)　正しく書かれた漢字の総数と算術平均

義務教育を終るまでに，読み書きともにできるように学習させるという，881字の漢字の幾字を，児童生徒は正しく書くと見ていいか，また，この字

第 3 表　正しく書かれた漢字の数の算術平均

学　　年	I	II	III	IV	V	VI	VII	VIII	IX
(a) 字数（算術平均）	27	91	173	216	325	470	571	611	721
(b) a の学年増加	27	64	82	43	109	145	101	40	110
(c) 881を100とみればaは	3.1	10.3	19.6	24.5	36.9	53.3	64.8	69.4	81.9
(d) c の学年増加	3.1	7.2	9.3	4.9	12.4	16.4	11.5	4.6	12.5

数は，学年の進むにつれて，どれだけ増すであろうか。第3表は，このことを示すものである。

この調査は，学年を修了する時期に行ったのであるが，第3表を見ると，義務教育を終る時期において，まだ，881字を覚えてしまっていないものの多いことがわかる。

第3表の a 欄と，b 欄を見ると，小学校の第1学年を修了するときには，おしなべていうと，27字，すなわち，881字の3.1パーセントの漢字を，正しく書くことができる。これが第2学年の初めの漢字の基礎学力である。第6学年の算術平均は，470字で，これは881字の53.3パーセントであるから，児童は881字の，ほぼ半数を正しく書くことができるようになって，中学校に進むということができる。

中学校を卒業する生徒の正しく書くことのできる字数は，おしなべていうと721字で，881字の82パーセントだけである。もっとも，721字は平均値であるから，全部の生徒が721字しか書けないというわけではない。中には，881字の全部を正しく書いた生徒もいるのである。そこで，義務教育の期間に，881字を読み書きともにできるように学ばせるということを，少数の優良な児童生徒だけに望むのならば，漢字の学習は，今の状態で満足していいのである。

しかし，義務教育を受ける間に，881字を読むことも，書くことも，ともにできるようになるということを，全部，または，大部分の児童生徒に望むのならば，この721字は，ほぼ，881字にならなければならない。したがって，中学校の課程を修了する現在の生徒の習得は，漢字を書くという点から，おしなべていうと，160字，すなわち，881字の18パーセント足らないのである。それで，学年を追って，教科書に漢字をどれだけ出すか，一字一字の漢字については，どう指導するかなどの問題を，新しく研究することが

必要である。

なお，第3表の b 欄と，d 欄とを見ると，児童生徒の漢字を書く力の発達は，かなり不規則であることがわかる。小学校の第4学年と，中学校の第2学年とは，正しく書けた字数が，前の学年より，40字ほどふえているだけである。この不規則は，第1図のAのグラフを見ると，いっそうよくわかる。

第 1 図　正しく書かれた字数

A　算術平均（百分率）
B　総　字　数（百分率）

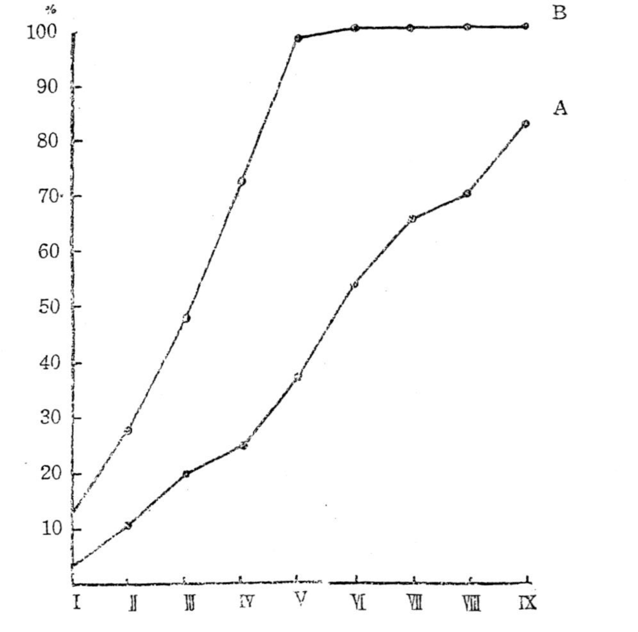

第1図のAは，第3表の c 欄の数値を図示したものであるが，これによれば，小学校の第1学年から，第3学年までと，第5,6学年と，中学校の第3学年で

急な発達を見せている。

漢字を書く力が，なぜ，こういう不則規な発達を遂げるかということは，国語の教科書に，漢字がどんなに出ているかということと合わせて，次の項で考えたい。しかし，第3表と第1図とによれば，漢字を書く力は，小学校の第5,6学年で，著しい発達を遂げるようである。このことは，ここで注目しておきたい。

上には，児童生徒が正しく書いた漢字の数の算術平均を，学年別にうかがったのであるが，第4表は，児童生徒が正しく書いた漢字の総数は，学年とともに，どんなに増すかを示したものである。

第 4 表　正しく書かれた漢字の総数

学　年	I	II	III	IV	V	VI	VII	VIII	IX
(a) 字　数	112	241	417	639	863	881	881	881	881
(b) 881を100とみればaは	12.7	27.4	47.3	72.5	98.0	100	100	100	100
(c) b の学年の増加	12.7	14.7	19.9	25.2	25.5	2.0	0	0	0

総数といっても，それぞれの学年の0.5パーセント以上の児童生徒が正しく書いた漢字の総数なので，正しく書いた児童生徒の数が0.5パーセントに満たない漢字は除いた。つまり，1000 人のうちで， 4 人だけが正しく書いたというような漢字は省いたのである。

第3表と，第4表とを比べて述べると，小学校の第1学年では，おしなべていうと，どの児童も27字ずつ正しく書いたことになるが，正しく書かれた字数の総数は112字になるのである。また，第6学年では，おしなべていうと，881字の53パーセントほどを，正しく書くことができるだけであるが，0.5パーセント以上の6年生が正しく書いた漢字を集めると，881字，すなわち，100パーセントになるのである。

第1図のBのグラフは，第4表の b 欄の数値を図示したものであるが，第3表と第4表，第1図のAとBとを比べて気のつくことは，正しく書かれた字数の算術平均では，小学校の第4学年は，前後の学年より，増加量が著しく低いが，正しく書いた漢字の総数では，第5学年とともに，最も高い増加を見せていることである。

これらのことは，後に改めて考察することにして，ここでは，第4学年も，漢字を書くという点で，著しい発達を遂げることに目をつけておきたい。第3表では，第5学年と，第6学年の発達に注目したが，第4表では，第4学年の発達に注目したいのである。

なお，第4表では，小学校の第6学年以後は，漢字を書く力は，総字数からいうと，少しも発達しないかのように見えるが，これは，この調査では，いわゆる教育漢字だけについて調べたからで，小学校の上学年から後は，881字以外の漢字に向かって発達しているに違いない。

(B) ま と め

(1) 昭和24年度（すなわち，昭和25年3月）に義務教育を終ったものは，義務教育期間に読み書きともにできるように指導すると定められた漢字のうち，おしなべていうと，721字しか正しく書けない。義務教育を終る生徒の全部，または，大部分が，881字を正しく書くことを望むのであれば，160字足らない。

(2) 児童生徒が正しく書いた漢字の総数からいうと，小学校の第6学年で881字になる。

(3) 正しく書かれた漢字の数の学年の算術平均でいうと，小学校の第5，6学年で，著しい発達を遂げる。小学校の第4学年と，中学校の第2学年との発達は，目だって低い。

(4) しかし，正しく書かれた漢字の総数でいうと，小学校の第4学年の発達は第5学年とともに，著しく高い。

(C) 漢字とその正答率

次の表は，小学校の第1学年では，「山」は，81—85パーセントの児童が正しく書くし，「上」は，76—80パーセントの児童が正しく書くなどの意味を持つ。どの学年でも，正しく書いた児童生徒の数が5パーセントに満たない字は省いてある。I—IXは学年を示す。VII，VIII，IX は中学校の第1,2,3学年である。一字一字の漢字の，いっそう詳しい正答率は巻末に示す。

I

(正答率)	(漢　字)
81—85	山
76—80	上
71—75	一中子
66—70	三川大六人月
61—65	目五十二九白木本日
56—60	八七手
51—55	四
46—50	口耳
41—45	青下火花
36—40	小年女水赤
31—35	雨冬
26—30	早右空男田風
21—25	左雲秋雪金
16—20	士林草

11—15　谷学北村

6—10　生正光校犬先朝少春森石道力紙

1—5　門母西虫近礼思声父音王鳥米車竹夕町心天用東今元役色麦休千明高私原百出晴方牛糸組走野世銀

Ⅱ

(正答率)	(漢字)
96—100	山
91—95	中一人川三学本上口小
86—90	手女下花月八子校十門大水五六白右
81—85	九町左目生二木七男空四
76—80	日雨赤年世冬先
71—75	糸石光北力米気思火話林
66—70	母界元正星耳風
61—65	声用天組王父雪文村方休
56—60	紙品早青心鳥海黒田名金虫東
51—55	雲島出西半土字夜百
46—50	書千作麦魚家夏列
41—45	道音由返考全
36—40	自不発申南弟森原知波切
31—35	食多礼親事秋春意苦安徒
26—30	戸快高足都
21—25	色季竹私
16—20	円国走犬立
11—15	友語草車
6—10	時野明間夕入兄汽船葉駅岩厚

1—5　牛聞首体見今図平近朝動号美谷旅行内毛毎写新会以室来配和画鳴遠通昭教曜根荷晴級乗記寺己助京電玉岸池改算工者角第屋流持酒刀念少古炭真運太司万宮住物師機鏡飛氷点店

Ⅲ

(正答率)	(漢字)
96—100	人大川山女子中水上一口本手九小男月六
91—95	下八五三校学町二目十日花木七生空白年雨左力四
86—90	右石光田先世火北糸赤思冬米耳門気正用声青
81—85	風組母元話方雪森父早虫海紙音
76—80	界王朝私道土家村名金鳥休
71—75	林文星東夜魚雲弟助字島半西
66—70	黒動考心戸近電計草千屋夏夕
61—65	葉天時台作号帰店古毎切明来秋南
56—60	会百品語新書岸喜角遠入見野遊原自
51—55	顔聞役出平申楽発和由神住茶兄船麦向苦肉命
46—50	今親答材活通第点寒息列不昼根多汽具行間礼週妹岩犬銀波知美首食
41—45	工意毛谷両荷受流集柱乗相勉級唱合地度歩
36—40	温持面絵問高強死分同事願感返談飛題安配料春実炭
31—35	駅画運終教望全場竹室隊馬物色鉄
26—30	鏡写徒決機車鳴病所身性
21—25	勝旅季念改送真記貨走快足
16—20	晴追以広貨深立円牛都歌社負舎
11—15	落者外帳寺万庭午曜後体友太前国頭
6—10	製待形暗少玉池進内転姉銭橋供畑京卒長察業線観

1—5　刀県候労図式勇市何君注算球細着客交昭宮老永主働席油州酒選取氷湯化園粉詩薬黄部表重科銅様言昨陽幸洋整湖告里究軍氏清数利加貝童旗練習浅横番研恩司夫士節漁血各鼻回郡英当給保才満覚式祭坂約信皮

IV

(正答率)	(漢　　字)
96—100	山川女人中上小本子六口下学水月目木手男花六五白一
91—95	雨校生空八日町年二三九十七風冬四先米気左右石母青赤
86—90	光元思森田北方土東兄村組用火刀虫門林耳西
81—85	父家世正天雪時黒草話朝早海音王糸界
76—80	秋金平文名鳥南夜道晴夕千私声星間夏
71—75	心野麦紙雲犬和会半語葉楽
66—70	魚字近毎美百品休店茶動戸帰作馬通
61—65	考電貝遊明岸原屋島午曜谷
56—60	寺流顔計親地出竹答太数食古新高根
51—55	事弟返入今畑勉歩岩自集台切列算申遠書不強頭
46—50	船春角運内面工色万向勇分器由礼庭害実安外波油陽鳴幸知号
41—45	聞発度加牛同多首寒歌毛落登乗主社黄持絵全足湖車肉場汽感週神広円
36—40	客炭教息相休見銀昼受助室物両駅池銭京来夫第妹血苦飛橋洋福具
31—35	里曲住重表皮図味県点待園前坂協球予言転線少後機帳終服活
26—30	配意横役急深談行農位回記画情級国刀景章市身求死湯燈者
21—25	貨送約温歯単写指立命雑走友荷着止告都追負所願民法姉開君植季
16—20	港利病整砂清族格売拝問旅何昭支舎買移暑科卒隊候注労信説老徒材例次宮鉄

11—15　業供形飲養種速公交合保席停様念酒柱勝玉唱航郡商研育節官良州究省愛決理句式詩氷戦化判部制

6—10　長使題害士完満熱進観察当快給倍望皇類守局才働鏡各以短泳賞習階番演板河迷等団細別仕軍

1—5　改代可永治漁訓真芽始婦読現他料辺院薬志達央序仁希員銅氏直末祭製久届旧測児絹価英暗丁失張案有課後博委引刷史庫周粉個共関豊預録定性成能似導孝逆絶館恩取忠童副典初歴照区兵借富許容再液輪浅弱悪投善徳筆鼻健済胃毒賀期昨舌武億常験質認芸選純幹義静功無堂検倉均順示費結刊技眼敗特否宿因府反経飯政去塩式宅仕管陸未臣額脈側續消欠訳災我調囲固資建冷祝己令練便放非造

V

(正答率)	(漢　　字)
96—100	女山上下川人一六木水本子中八五月口白小日九六二手男学花目七生三年十石雨校先四赤母米光町
91—95	用父空田私天林村左青朝力北兄右東思世火冬時方森音組気風元
86—90	界千早土西平名和道秋間話野海家心雪虫正王夕金耳糸語文草黒島
81—85	鳥声葉星百雲会半原魚作動竹休夏外南晴字門寺
76—80	高夜美曜馬数出計歌工地算毎弟明親古答食戸里犬牛
71—75	勉帰体遊考入内茶品船根強紙庭店午面書銭屋新君楽顔分近見通電畑事実社
66—70	室台教岩毛谷神全由万池勇自発市今不立流集岸陽病運図
61—65	意号県京切聞麦春向落苦円来色感幸炭害場安返首重夫持州黄住貝度太愛乗角遠
56—60	広頭画昼波前知国園形申鳴身福足寒命客級妹少助具線同週息科車橋両汽老活成

51—55 第後刀絵役暗回友清列姉死深歩席帳転洋多進横民物者記受写銀

46—50 働何油功材行悲相細肉部員皮理満習句業駅卒主指待礼良研

41—45 所読交温問代信昭式有買味究念史育次旅湖曲終点農長賀加祝坂談番植詩荷表題化氷

36—40 真別玉追負都取合約球節秒陸位配器血決登去湯求徒章季望板法郡

31—35 練送歯消供注種売急開宮利区伝単機失走反義当院歴公士言引願商直

26—30 想唱浅順短給英着責情共勝才鉄軍任労因無総柱続治包料衣賞漁熱散迷服類階希鼻便様予舎説的止織童使等

21—25 観忠路官飲照質軽戦祖支能調詞貨冷覚仁医械承飛航選暑格協察以得酒速産各末易快族富港守識験景性保関婦整他恩果塩仕敗例係

16—20 久対停初容投改経豊製菜健栄可告政兵薬現省術結昨鏡演賛堂達積庫悪議設序評謝漢河最

11—15 隊永費団期芸粉局令然退央康氏孝努燈弱変億館試辺害牧委比静候欠誠祭定打制博紀起留武我建銅災師緑績徳論防則始志周必養精

6—10 底刊再張移修残倍側非旗余完折件未宿筆測条増状雑判泳鉱放特連宗副居標府児検険辞印諸囲技幹皇系倉脈築布常衛臣復善往職要輪帯慣歓解憲展殺毒量置像応在版過際接規態象燃争導管拝厚典寄営群綿討権貯低難敬税宣造授独

1—5 飯個価勤浴眼訓純勢染素焼党益採統圧破存貿芽効敵犯己示尊済派補奮輸貧潔均適視備準程編陛鏡票衆資認除従延講査丁基聖後誤拾境断需課仏付創属策司率积混暴報罪刷提弁俵胃舌護律暘確壱穀故務型孫構財参領挙是限禁至肥絹差録複証券推減借液式蚕招興額絶専旧訳賃処妻蔵否株極納収領救述貸固損著似許墓拡仮衛

4. 正しく書かれた漢字の数

VI

（正答率）　（漢　字）

96—100 山女川人上月水中男本年大下学子校雨木日花六手米生目村白五空一小世母先八口石三私町光九林北父二右界青朝時赤方冬左七天兄風

91—95 四平森組十春火気力田東話思秋音間和語用元海土耳草高野太正竹夏色西雪島家糸文会虫道品千黒雲外

86—90 門金夕島早作動名百明魚地心勉美原星工字紙食犬牛王弟数今寺親声庭新面半夜計足車楽馬休教戸福晴南神

81—85 事歌算葉毎強考集遊古根内真度店顔幸入船曜午流近通電谷岩茶来室毛屋場画分陽台出

76—80 勇不聞発答体肉角運遠君民号広見貝首書社池回少切夫由市愛安供銭客図化細線研同老岸波汽落意感死乗国

71—75 写妹交自銀昭第週何実橋業刀向給里頭暗重麦知歩板深寒級油士究記後帰州全昼助病園立身席科横持命万熱問球洋炭材荷物清

66—70 多植皮育住前主息京円題卒坂転湯両友温返受活反礼行農帳申軍姉黄送読他念番末喜英県節血役畑保習働員売進指戦相引

61—65 鳴迷別様利苦所都合句旅者表着形走配史位式部機秒法玉果有買季的詩単列種良望満注理等仕具湖取舎味想

56—60 成商登結便約終以祖酒点失柱才短信徒器料駅飛悲陸消負質直守調治現急希最係浅

51—55 待氏識説関各当曲類伝照求歴紀追開仁鏡港特義章労鉄区加路散可決争暑給対宮豊代長連唱練去漢談漁郡婦医因像初

46—50 必恩官省無起察術観定産性億側院帯選包共族館博辺弱次達氷宗焼粉言景府要系歯政勝周富使賛衣願階燈努止支芸敗

41—45 賞任倍囲変械河童続久綿賀薬投刊冷泳純停鉱留期牧鼻服則功責静速養能底総比兵標祭然

36—40 織害公祝堂張輪例典庫得菜精残移在格論情険設量央永貨銅健局技航予始製栄職塩飲準覚謝誠修条敬置師候順

31—35 件協象試験芽訓軽宿示評績経建憲告我独衛令防康編忠築整諸授測脈容孝旗児完俵過議印昨

26—30 災筆辞輪費常規徳解復非承放易雑難皇武詞改団飯績版幹志寄倉応善管境退毒接副隊厚

21—25 権殺欠際打宣未刷演委講課護悪案布舌臣群浴胃慣個似司仏制貿液故拝勢折絹競往眼

16—20 判増妻討序型状潔展後許緑券丁陛居査確態敵済均造票腸欲墓素資参採断導孫益蔵効破蚕借従余務検延快

11—15 額旧律営再絶貯象混株尊報税程差勧興率拡付至圧低提肥略適複固党財録已述罪燃訳存専誤損貸著減仮暴否除挙備兼基毛禁是革質

6—10 証納拾疑招逆価補領異穀酸貴需耕犯構統限积視極預厳俗創届式称聖救貧認推盟策弁欲属遺処派勤収就奮臨

Ⅶ

（正答率）　（漢　字）

96—100 上下口木中水天本山町日米校目月女子空川石一雨父大私男朝三村九手五八学林世元十花生界二春田冬色先力年気六光入方兄土森虫秋母小白青東赤時外犬海七

91—95 和糸風西用足高音右左北野火竹心草夕組千早話車魚百数名工文間作地思四雪南島品動戸耳神古紙君夜雲金黒鳥宇美道度新英寺語半晴店正面出

86—90 夏親明声葉王池食入供肉休家庭牛民習書少計分星馬流岩考答会弟

導波何原電通化油見谷勉毛勇死教麦門根同安図里屋来頭室昭国午寒内

81—85 今集熱茶遊立様歌細夫炭不平切交主万強発銀太近客広顔病銭後都回算植前曜運仕球社首画血岸落重台番板洋毎弱福申味幸命船第働全線体意題感愛取自聞週

76—80 横黄研軍市活陽向他円妹姉農遠席実多楽場究昼友温貝乗戦的保州守有暗育苦住知畑清橋商皮号由京読種害行科身両直粉持因形材単受士照深走現級

71—75 業員理柱注酒秒以利助指陸引節着老礼果句役園練等転買静位角筆起湯区坂帰物息歩必院悲想法詩返刀進真県季売約記類急荷表質絵悪連玉末鳴帳問要消短別産徒使服料部

66—70 送最投結始史無性曲所便側争塩飛常反鉄写念式成者舎官配加負合点浅器列治宮府脈駅卒開特相芽素湖機路散給薬漁待医

61—65 包毒害婦終在速港倍説健泳賞郡局我長調失言願酸汽族綿量識冷定各雑液才階祖暑紀歴章畫旅兵富河示仁康選変辺達政支労飯止館伝衣予

56—60 良歯信初比過詞去然求央像追満登焼省輪個銅対景当功義氷関祭囲燈次唱非格栄永底菜故望積共飲希残丁候氏億続例決軽係周告任久折責牧諸

51—55 刊養迷職皇張費衛移期置情忠勝防管談械公児査芸団技論具検恩課議導宿完可布燃堂競参順代博武努賛能鏡童敗貧則打験純庫

46—50 鉱殺似胃志経未快製協令宗精後孝覚件貨象修適演居専委放祝印演鼻帯災造敬倉制察勢建術観賀俵典謝師副接許緑標規設険討墓群条境幹状留解退

41—45 容仏案測憲孫絹績率評航慣試改応舌難得圧営低復券易系判停増昨

眼資独久整拝型浴価毛態往準固寄授耕肥厚臣築序録編罪益破織

36—40　徳隊旗腸務司総絶額損均借際述差付報誠済招式限著輸妻基承尊潔展株確

31—35　届断採講禁訳異税程敵訓貯余貴権従略陛旧善挙複財蚕貿除存効党否領拾預再暴

26—30　護備己辞延票衆律統質収納証犯貸視提刷遺宣至補逆歓派疑蔵

21—25　混構推誤釈認救弁極厳仮版拡興減称勤盟属

16—20　就需欲是処革兼穀創俗策

11—15　奮臨勧聖

Ⅷ

（正答率）　　（漢　字）

96—100　一下女石川上村口中水五山雨町本目米木父天人平九男二生六私六校花月子空日先赤三学年海十世春四光朝白手用八元力冬気界林秋左虫兄小土母七東方時高田北早草森西外間右千魚百組青足名和話音思火南半風神犬

91—95　竹作牛黒糸耳戸雪家金色夕語品工文君道字鳥地会野車心美島紙寺民面動古内王波雲岩夜供星晴肉交英馬数池夏店親庭今弟少油様分入食明原門考教書出何葉

86—90　太谷化電新流声度不正国銭里安死史血根事毎屋社頭昭休近計午弱市取茶同室命万後軍集勇通銀主球立顔毛病都強仕線板答歌来前切多他回寒岸習重夫発

81—85　申陸客治植炭深皮洋見幸細励苦番算運熱保広楽的第落知園聞自黄円静商勉愛号体全老福図研由向曜暗遠麦船利意材活遊首感貝有現姉台横助題究政週場戦乗級住陽走式業連農席詩清

76—80　画注身法妹味我昼友反指育詞表念引粉筆単起物争員句礼脈帳便守

実買種両行荷産歴路塩帰院喜受坂理急服持着酒位橋角畑故科区性記駅別銅官氏常所負京送短玉鉄類説合府練質加料消役季問州形

71—75　卒節転歩県祖央無照飛士悪真賞湖悲売読約機柱直相特息徒対湯飯末想終汽舎部最列等者浅階散港絵進始紀薬温点速秒仏因返然芽使各開綿倍液婦酸辺投局果曲配害

66—70　康鳴包胃調以衣在格億刀資去必雑郡宮要才量泳止兵焼族底旅嚢労器結歯宗定医過側選伝祭成素仁毒示願非絹失残軽章談保健術堂河長希

61—65　久関職例良望鉱館写共言児変牧諸給後比貨識待候省課漢庫漁初養移導豊燈破満造菜当暑志追求囲信令予冷唱衛械団皇師公管告武永登殺敬芸景

56—60　災期倉支忠防打幹輪完舌肥積周次製勢具童接像応続似迷論査布議功験技貧置固折未任件順個許米宿決俵代可能鏡張解察退丁参則競

51—55　賛飲印厚博達鼻済委副腸氷状罪株墓演精富責織建復努険典額条築帯付徳航停費緑快試経観放燃昨純境専報制勝旧敗検眼券

46—50　恩評圧規設居適覚型刊独往象責善述改展孫営修税拝孝増借祝討判授欠難招低著敵態謝留隊尊訳賀浴絶己届録際系妻異率断慣輸限

41—45　協得総臣刷務憲暴蚕律群案寄均統差貿基蔵採納禁証預潔序耕備再司整陛貯講票除

36—40　価辞挙測準績財略拡標誠衆旗確遺程慣編質存逆従益複領余容延易党提損貸

31—35　権混承極推訓犯盟視版護効疑創至俗収救仮毛派認興

26—30　属勤補弁構否革式就聖欲減拾兼宣誤策

21—25　歓厳奮釈処穀是需勧臨称

IX

（正答率）　　　（漢　　字）

96—100 米山人石上川大口本天水月女一男兄雨父和平学木中生三五方私日空光東赤校海子力八町冬林九下母先田用魚時六世君心春火夕千二土手秋音花虫四元朝十気村北界名文西森年寺早思小品話百神池右外左目高糸白耳南青古色金竹美間親草道店半字肉今入風作地工牛犬家黒流雪分組車安出語交会声

91—95 七足王戸供少頭回野命油夏歌岩新紙食雲馬化午習不治室明考近広前立晴内動客面業英市軍夜血主何波計島民原門来書星昭屋反里細弱自鳥発庭弟国寒電太同申答仕万有茶後運曜休谷板顔炭円苦葉句社知式教度通争重根暗見死他友保味毛病身銀銭岸首利守数都服働深吏由皮開事遠助台産取老現礼集楽持政戦陸注幸卒府様

86—90 秒粉指静番落線意切麦住研的球多級物勇合受姉遊着士植船理位義体常向清育勉洋正引毎説我強週活路図種院福坂舎久賞農商横練実両算区悪愛夫行席筆売走消酒乗全詩官京買黄妹画局悲無芽陽投別場宮果村機徒最列員所橋加柱究念負結貝号起送開法希熱便散感各園急第宗節題荷非科湯綿季約単絵倍直役使真銅永雑章性短

81—85 等個団対害進因形労故才兵相仁諸定選薬照飛去質読豊駅温転表部詞記衣央完皇階歴氏県願鉄想必仏港包祖辺返息帳要比過間終成湖康術歩格底調在側軽給健言浅昼族速示止然後医告良曲連例関議失芸帰任類待特末汽堂旅液料重職令養敬候望求紀点残害泳始論焼伝歯億武唱館係塩省者毒居公

76—80 角初続絹談接以能河則志連識胃技鳴婦冷期破囲変燈税量予飯配器州満周当折決代忠放脈査導責殺打信支共委挙典造追布墓功応賛玉牧畑資登倉管許経参祭氷鉱競修似像築絶酸努製順師貨憲精可勢菜

博宿建長

71—75 退適舌漁児栄規貸営討暑恩条徳状罪尊復評張覚鏡景漢課圧設災昨富存刊象固副次判験司肥快件独印演輪授増借態賀積案迷基素敗衛貧刀検勝況解幹防務拝限述臣専緑写移燃察益眼際置謝額領試観納

66—70 飲付純陽孫慣賃厚律具訓鼻境断得旧依織郡展達妻券孝権改浴難済異招協準往貿標報未測善録群隊備著価帯訳救票情航旗余低陛統械停編貴敵己逆総型確党

61—65 丁株留従率刷均派財寄就険系程容績略序承拡誠耕創講整認損潔再視効推盟暴差証欠採至蔵禁賃混易提制預

56—60 適除辞宅否輸届極貯興誤犯護聖式蚕兼

51—55 収俗宣拾勤歓积補減複称衆革構延版厳仮弁

46—50 是需欲疑穀属

41—45 策奮処

36—40 勧臨

5. 国語教科書と漢字の習得

児童生徒が漢字を覚えるのは，その漢字にどこかで触れるからである。そうして，その「どこか」は，（1）教科書，（2）教科書以外の読み物，（3）社会的環境（地名・人名・屋号・商品名等）であろう。

しかし，ここでは，児童生徒が漢字を正しく書くことができるようになるために，国語の教科書がどれほど役にたっているかについて考えたい。

(A) 国語の教科書に出ている漢字の数

調査の方法のところで述べたように，昭和24年度に，この調査を行った学校で，使われていた国語の教科書に，どんな漢字が幾度出ているかを，学年を追って調べた。第5表はその漢字の数である。

第5表は，いわゆる教育漢字881字が，国語の教科書に幾字出ているかということだけを示した。中学校の国語の教科書には，このほかに，教育漢字以外の当用漢字が807字出ているのであるが，これについては後に述べる。

第5表の *a* 欄を見ると，それぞれの学年に新しく出ている教育漢字の数は，ずいぶん不規則である。小学校の第1学年の字数が少ないのは，ひらがなの

第 5 表　国語教科書に出ている教育漢字の数

学　　年	I	II	III	IV	V	VI	VII	VIII	IX
(*a*) この学年に新しく出た漢字の数	50	131	187	85	106	96	187	25	6
(*b*) この学年までに出た漢字の数	50	181	368	453	559	655	842	867	873
(*c*) 881 を 100 とみれば *b* は	5.7	20.5	41.8	51.4	63.4	74.4	95.6	98.4	99.1
(*d*) *c* の学年増加	5.7	14.8	21.3	9.6	12.0	11.0	21.2	2.8	.7

負担を考えたものであるし，第4学年の字数が少ないのは，ローマ字の負担を考えたものであると考えられる。しかし，小学校の第3学年と，中学校の第1学年に新しく出された字数（187字づつ）がいちばん多く，これに次いで，小学校の第2学年の字数（131字）が多い。そうして，小学校の第5，6学年の新出漢字の数は，これよりはるかに少ない。

なお，第5表の *b* 欄と，*c* 欄とを見ると，小学校の第4学年で，881字のほぼ半数が出ていることがわかる。そうして，中学校の第3学年までに国語の教科書に提出された漢字の数は，881字の99.1パーセントで，教育漢字のうちで出ていない字が8字ある。この8字は，

副・壱・票・歪・貿・毅・是・酸

である。

(B) 漢字の提出と習得

この項では，国語の教科書で漢字を学ぶということが，漢字を覚える上に，どんな力を持つかという立場から，この調査で得られた資料について考えたい。

第6表は，国語の教科書に出ている漢字の数と，5パーセント以上の児童生徒が正しく書いた漢字の数とを，並べて掲げたものである。

a 欄の数値は，その学年まで（その学年も含む）に，国語の教科書に出ている漢字の数で，第5表の *b* 欄の数値である。

b 欄の数値は，その学年までの国語の教科書には出ているが，正しく書くことのできた児童生徒の数が，その学年の全体の児童生徒の0.5パーセントに達しなかった漢字の数で，つまり，国語の教科書には，小学校の第3学年までに368字の漢字が出ているが，その368字の中には，3年生のほとんどだれもが書くことのできなかつた字が36字あるというようなことを示す。

c 欄の数値は，その学年までの国語の教科書に出ている字で，その学年の児童生徒の 0.5 パーセント以上が正しく書いた漢字の数で，d 欄の数値は，この字数の学年の増加を示す。小学校の 2 年生は，1 年生より，正しく書いた字数が 121 字多いし，3 年生は 2 年生より，163 字多いなどのことを示すのである。

第 6 表　漢字の提出と正しく書かれた漢字の数

学　年	I	II	III	IV	V	VI	VII	VIII	IX
(a) その学年までに教科書に出ている漢字数	50	181	368	453	559	655	842	867	873
(b) 教科書に出ているが書けない漢字の数	2	12	36	8	0	0	0	0	0
(c) 教科書に出ていて書けた漢字の数	48	169	332	445	559	655	842	867	873
(d) c の学年増加	48	121	163	113	114	96	187	25	6
(e) 教科書に出ていなくて書けた漢字の数	64	72	85	194	304	226	39	14	8
(f) e の学年増減	64	8	13	109	110	−78	−187	−25	− 6
(g) 正しく書けた漢字の総数	112	241	417	639	863	881	881	881	881
(h) g の学年増加	112	129	176	222	224	18	0	0	0

e 欄の数値は，その学年までの国語の教科書には出ていないが，その学年の 0.5 パーセント以上の児童生徒が正しく書くことのできた漢字の数で，f 欄の数値は，この字数の学年の増減を示す。

g 欄の数値は，それぞれの学年の 0.5 パーセント以上の児童生徒が正しく書くことのできた漢字の総数で，第 4 表の a 欄の数値である。そうして，h 欄の数値は，この字数の学年の増加を示したもので，第 4 表では，881 字に対する百分率で示したが，第 6 表では実数を掲げた。

第 6 表の b 欄を見ると，その学年までの国語の教科書には出ているが，その学年の児童の，ほとんどだれもが書くことのできなかった漢字が，小学校の第 1 学年に 2 字，第 2 学年に 12 字，第 3 学年に 36 字，第 4 学年に 8 字ある。

この漢字は，次ぎのとおりである。I—IV は学年を示し，かっこの中の数字は，その学年までの提出回数を示す。たいていの字は，提出回数がきわめて少ない。

I　立（1）　足（3）

II　面（1）　場（1）　氏（1）　急（1）　芽（1）　前（3）
馬（4）　地（6）　分（7）　路（10）　次（14）　長（19）

III　種（1）　商（1）　別（1）　短（1）　類（1）　失（1）
芽（1）　公（2）　堂（2）　弱（2）　筆（2）　借（2）
折（2）　低（2）　港（3）　航（3）　農（4）　売（5）
起（5）　接（5）　員（6）　投（6）　悪（6）　孫（6）
陸（7）　位（8）　始（8）　置（8）　泳（9）　路（10）
急（13）　打（13）　開（15）　次（21）　使（24）　引（51）

IV　折（2）　低（2）　接（5）　起（5）　打（5）　孫（6）
置（8）　路（10）

第 6 表の e 欄の数値を見ると，その学年までの国語の教科書に出ていないが，その学年の 0.5 パーセント以上の児童生徒が正しく書く漢字が，小学校の第 1 学年では 64 字，第 4 学年では 194 字，第 5 学年では 304 字ある。

f 欄の数値は，e 欄の字数の増減を，学年を追って示したものであるが，これを見るには，次のことを考えに入れなければならない。小学校の 1 年生は，国語の教科書に出ていない教育漢字のうち，64 字を正しく書くのであるし，2 年生は 72 字正しく書くのであるから，その差は 8 字になるのであるが，2 年生の 72 字の中には，1 年生の 64 字が，そのままはいっているのではない。

1 年生の 64 字の大部分は，2 年生も正しく書いているに違いないのであるが，その中の 2 年生の国語の教科書に出ている漢字は，c 欄の字数の中にはいってしまって，e 欄の 72 字の中にははいっていないのである。それで，f 欄の 2 年生の 8 字は，1 年生の 64 字のそのままの字の上に，2 年生になると，新しく 8 字加わるという意味の 8 ではない。2 年生の 72 字の中には，1 年生の 64 字の中にない字が幾字あるかという意味ならば，8 字より，ずっと多いはずである。

それはともかく，第 6 表の e 欄と，f 欄との数値を見て，目だつことは，国語の教科書には出ていない漢字で，児童生徒の正しく書く字の数が，小学校の第 4 学年から急にふえていることである。これは，小学校の第 4 学年あたりから，読書力と読書欲が高まって，国語の教科書以外の読み物を読みあさるようになるためではあるまいか。

また，小学校の第 4 学年から，ローマ字の指導が始まるので，この学年では，ローマ字の負担が，漢字の習得を低めるのではないかと思えるが，第 6 表の結果からいうと，そういうことはあるにしても，少ないといっていいようである。

第 3 表では，小学校の 4 年生が正しく書くことのできた漢字の数の算術平均は 216 字で，学年の増加（b 欄）は，中学校の第 2 学年とともに，きわめて少ないのであるが，4 年生のこの結果は，ローマ字の負担ということのほかに，もっと大きな原因があるのではないかと思える。このことは，後に改めて述べる。

なお，第 6 表の e 欄と，f 欄とを見ると，国語の教科書以外から得た漢字の総数は，小学校の第 5 学年でいちばん多く（304 字），第 6 学年ではよほど減って（−79），中学校の生徒では，きわめてわずかな字数になっている。しかし，これは第 6 学年以上の児童生徒は，国語の教科書以外から覚える漢字の数が少なくなるとか，ほとんどなくなるとかいうことを示すものではない。

第 6 表の e 欄と，f 欄との数値は，児童生徒が国語の教科書以外から覚えた漢字の総数であるが，第 9 表によって，その算術平均を見ると，第 6 学年は，第 5 学年より，ずっと字数がふえている。すなわち，おしなべていうと，4 年生は国語の教科書以外から，漢字を 10 字得ていることになるが，5 年生は 28 字，6 年生は 47 字得ていることになって，5 年生は 4 年生より 18 字多く，6 年生は 5 年生より 19 字多い。

次に，第 6 表を見ても，第 9 表を見ても，中学校の第 1 学年以上は，国語の教科書以外から得た字数が著しく減っている。しかし，これは，この調査では，881 字のいわゆる教育漢字だけについて調査したから，こういう結果になったのにすぎない。

中学校の生徒はもとより，小学校の 6 年生でも，また，5 年生でも，教育漢字以外の多くの当用漢字を，国語の教科書以外から得ているに違いないのであるが，その字数は，第 6 表にも，第 9 表にも出ていないのである。

こういうように述べてくると，児童生徒が漢字を覚えることには，国語の教科書は，大きな力を及ぼさないように聞えるかもしれないが，そうではない。

第 6 表の c 欄の字数と，e 欄の字数とを比べると，国語の教科書を学ぶことが，児童生徒の漢字の習得に及ぼす力を，ある程度うかがうことができる。

もっとも，第 6 表の c 欄の字数と，e 欄の字数，または，その比率を，そのまま，児童生徒が，国語の教科書から漢字を覚えるのと，国語の教科書以外から漢字を覚えるのとの指数と見ることはできない。それは，この調査では，教育漢字以外の当用漢字については調べていないからでもあるが，当用漢字の全体について調べたにしても，国語の教科書に出ている字を正しく書くことができたのは，国語の教科書を学んだだけのためであるとはいえないからである。

国語の教科書に出ていなくて正しく書くことのできた漢字は，国語の教科書以外で覚えたに違いない。しかし，国語の教科書に出ている漢字を正しく書くことができたのは，国語の教科書で学んだためであろうが，それだけでなく，国語の教科書以外で触れたためでもあるかもしれない。

そのようなわけで，国語の教科書で学ぶことが，児童生徒の漢字の習得にどれだけ役だつかを考えるには，第6表の c 欄の字数は，よほど割り引いて考えなくてはいけないということになる。それならば，この c 欄の字数は，どの程度に割り引いて考えればいいのかということになるが，これはもとよりわからない。しかし，割り引いて考えるにしても，第7，8，9表を見ると，国語の教科書で学ぶことのほうが，児童生徒の漢字の習得に，大きな力になっていることは疑えない。

国語の教科書に出ていなくて，児童生徒が正しく書けるという漢字は，総数からいうと，第6表に掲げたように，かなり多いのであるが，一字一字についていうと，正しく書いた児童生徒の数の多い字は，いくらもない。

第7表は，小学校の第1学年についていえば，1年生が国語の教科書以外から得ている漢字は，64字あるが，そのうち41字は，0.5—5.4パーセントの児童が正しく書いただけであるなどのことを示すものである。

第7表を見ると，0.5—5.4パーセントの児童が正しく書いただけである字が，第1学年には，64字中41字，第2学年には72字中64字，第3学年には，85字中69字，第4学年には，194字中148字，第5学年には，304字中138字ある。

どの学年でも，30パーセント以上の児童生徒が正しく書いたという字はいくらもない。すなわち，児童生徒は，国語の教科書以外から，めいめい別々に，少しずつの漢字を習得しているだけなのであるが，これを寄せ集めると，

第6表の e 欄と，第7表の計の欄の字数になるのである。

したがって，小学校の高学年の児童や，中学校の生徒は，国語の教科書以

第7表　国語教科書に出ていなくて正しく書かれた漢字の正答率

正答率＼学年	I	II	III	IV	V	VI	VII	VIII	IX
76—80	—	—	—	—	—	2	—	—	1
71—75	—	—	—	—	2	1	—	2	1
66—70	—	—	—	—	—	—	1	—	2
61—65	—	—	—	—	—	4	5	1	—
56—60	—	—	—	—	—	1	2	—	2
51—55	—	—	—	—	1	4	2	3	—
46—50	—	—	—	—	1	3	5	—	2
41—45	—	—	—	1	2	8	6	4	—
36—40	1	—	—	2	2	5	4	—	—
31—35	—	—	—	1	5	13	6	2	—
26—30	2	—	—	1	8	19	2	—	—
21—25	2	—	—	1	17	25	1	2	—
16—20	2	1	4	3	15	39	3	—	—
11—15	2	1	3	16	33	56	2	—	—
6—10	14	6	9	21	80	46	—	—	—
1—5	41	64	69	148	138	—	—	—	—
計	64	72	85	194	304	226	39	14	8

外から，教育漢字以外の当用漢字も覚えているであろうということを考えに入れて解釈すれば，第6表の e 欄と，第7表の計の欄との字数は，漢字を習得する児童生徒の能力を，ある程度まで示すと見ていいが，児童生徒の漢字

の習得に，国語の教科書の学習が及ぼす力を疑う資料になることのできる数値ではない。

細かく集計して，詳しく検討する手数を省いて，おおざっぱな議論を進めてきたのであるが，漢字の数を減らして新しく編修した国語の教科書（文部省著作）が使われたのは，昭和22年度からであるから，この調査を行った昭和24年度の，小学校の上学年の児童と，中学校の生徒は，昭和21年度までは，古い教科書を学んでいる。したがって，これらの児童生徒は，昭和22年度以後の国語の教科書には出ていない漢字を，昭和21年度までの教科書から得ていることも考えなければならない。この調査で，国語の教科書に出ているとか，いないとかいっているのは，昭和24年度に使われていた教科書についていっているのである。

それぞれの学年の国語の教科書には出ていないが，その学年の 31 パーセント以上の児童生徒が正しく書いた漢字は，次のとおりである。Ⅰ—Ⅸ は学年を示す。

Ⅰ　右

Ⅳ　円銭里京

Ⅴ　銭君刀昭交良供郡士当板反直

Ⅵ　君昭供良様仕央酒郡仁可連薬祭倍賞省富兵久静比辺昨永銅完局塩忠庫我脈児示積防孝俵印過

Ⅶ　郡塩仁我液酸良銅皇庫臣副委災壱固后俵券陛肥司旧均輸貿蚕複貴敵妻

Ⅷ　液酸庫副旧券均貿蚕票壱陛

Ⅸ　副酸貿票壱蚕穀是

第7表の度数分布をつづめていえば，国語の教科書に出ていない漢字は，児童生徒が正しく書くことができても，その一字一字についていえば，たいていの字は，きわめてわずかな児童生徒が書けるだけであるということになる。

第8表は国語の教科書に出ている漢字の正答率と漢字の数とを学年別に示したものである。中学校の第2学年までの国語の教科書には，教育漢字が

第 8 表　　国語教科書に出ていて正しく書かれた漢字の正答率

学年 / 正答率	Ⅰ	Ⅱ	Ⅲ	Ⅳ	Ⅴ	Ⅵ	Ⅶ	Ⅷ	Ⅸ
96—100	—	1	18	24	43	59	70	95	130
91—95	—	10	22	25	28	45	63	69	141
86—90	—	16	20	20	29	47	60	67	142
81—85	1	11	14	17	21	38	69	80	128
76—80	1	7	12	17	23	45	65	86	90
71—75	3	11	13	12	31	54	75	70	86
66—70	6	7	13	16	25	53	52	60	66
61—65	9	11	15	12	35	43	55	62	47
56—60	3	13	16	16	35	35	60	58	15
51—55	1	9	20	21	27	47	53	51	19
46—50	2	8	30	27	25	48	59	57	4
41—45	4	6	19	30	35	31	51	32	3
36—40	4	11	23	27	27	43	28	33	2
31—35	2	11	15	26	24	27	29	21	—
26—30	4	5	11	25	38	19	25	17	—
21—25	3	4	12	29	41	12	18	9	—
16—20	1	4	10	33	25	7	8	—	—
11—15	2	3	13	36	24	1	2	—	—
6—10	—	7	13	30	20	1	—	—	—
1— 5	2	14	23	2	3	—	—	—	—
計	48	169	332	445	559	655	842	867	873

867字出ているが，その867字のうち，中学校第2学年の96—100パーセントの生徒が，正しく書くことのできた字が95字あるなどのことを示す。

第7表と第8表とを比べると，どの学年の度数分布のありさまも，はなはだしく違う。第7表では，正答率の低いほうに，著しく度数が集まっているが，第8表には，この傾向は見られないばかりでなく，第8表では，小学校の上学年の度数も，中学校の度数も，正答率の高いほうに集まっている。

つまり，国語の教科書に出ている漢字は，国語の教科書に出ていない漢字より，どの学年でも，比較にならないほど，よく書かれるのである。国語の教科書に出ていない字は，正しく書くことができても，その一字一字についていえば，正しく書くことのできる児童生徒はいくらもないのであるが，国語の教科書に出ている字は，その一字一字を正しく書くことのできる児童生徒が，はるかに多いのである。

第6，7，8表は，正しく書かれた漢字の総数を，国語の教科書に出ている字と，出ていない字とについて比べたのであるが，第9表には，正しく書かれた字数の算術平均を示した。「新出既出漢字の正しく書かれた数」というのは，国語の教科書に出ていて，正しく書かれた漢字の算術平均で，「未出漢字……」は，国語の教科書に出ていない漢字の同じ数値である。この両方を加えると，第3表のa欄の数になるわけであるが，4捨5入の関係で，第3，4，7，8，9学年では，1，2字違っている。

第9表　教科書に出ている字と出ていない字との習得（算術平均）

学　年	I	II	III	IV	V	VI	VII	VIII	IX
新出既出漢字の正しく書かれた数（算術平均）	23	89	171	208	297	423	553	604	715
未出漢字の正しく書かれた数（算術平均）	4	2	3	10	23	47	16	6	5

第7表を見ると，国語の教科書に出ていなくて，正しく書かれた漢字は，総数（第6表e欄，第7表計欄）でいうと，小学校の第1学年では64字，第2学年では72字であるが，算術平均（第9表）では，4字，2字にすぎない。

第9表を見ると，国語の教科書に出ていなくて，正しく書かれた漢字の数の算術平均は，第6学年で，いちばん多くなって，中学校では，著しく減っているが，これは，教育漢字だけについて調査したからであることは前に述べた。

第9表によれば，国語の教科書に出ていなくて正しく書かれた漢字の数は，小学校の第1学年（17パーセント）を除けば，第6学年でも，国語の教科書に出ていて正しく書くことのできた漢字の数の11パーセントにすぎない。すなわち，国語の教科書に出ていない漢字は，出ている漢字に比べると，いくらも書けないといわなければならない。

国語の教科書に出ている漢字を，児童生徒がよく書くということは，国語の教科書で漢字を学ぶからであるとだけいってしまうことはできない。国語の教科書に幾度も出てくる漢字は，国語の教科書以外の読み物などにも，幾度も出て，児童がこれに触れるに違いないからである。

したがって，前にも述べたように，国語の教科書に出ている漢字がよく覚えられるのは，児童生徒が国語の教科書で学ぶことと，国語の教科書以外で触れることとの両方のためであると見なければならない。そうして，そのどちらが児童生徒の習得に大きな力を及ぼしているかを決めることのできる資料は，ここにはないのであるが，第6—9表の結果を比べ，また，次に述べる事情をも考え合わせると，国語の教科書で組織的に学ぶことが，漢字の習得に大きな効果を残すと考えさせられるのである。

ここまでは，国語の教科書に出ている漢字と，出ていない漢字とを，児童生徒がどの程度に習得するかについて考えたのであるが，さらに進んで，国語の教科書に出ている漢字の数の違いが，漢字を覚えることに影響するかどうかについて考えたい。

第10表は国語の教科書に出ている漢字の数と，その漢字の正しく書かれた数(算術平均)とを，おおまかに比べたものである。すなわち，a，b，c，d 欄の数は，第5表に掲げた数で，e 欄の数は，第9表に掲げた数である。そうして，第2図は，第10表の c 欄と，g 欄との数をグラフにしたものである。

第10表を見ると，国語の教科書に新しく出た漢字の数は，小学校の第2，3学年で目だって多く，第4，5，6学年で減って，中学校の第1学年で，また，急に多くなっている。そうして，第4，5，6学年のうちでは，4年に新しく出る字数が，いちばん少ない。

正しく書かれた字数（e 欄）は，学年を追ってふえているが，f 欄と，h 欄

第 10 表　国語教科書に出ている教育漢字とその習得

学　　年	I	II	III	IV	V	VI	VII	VIII	IX
(a) この学年に新しく出た漢字の数	50	131	187	85	106	96	187	25	6
(b) この学年までに出た漢字の数	50	181	368	453	559	655	842	867	873
(c) 881 を 100 とみれば b は	5.7	20.5	41.8	51.4	63.4	74.4	95.6	98.4	99.1
(d) c の学年増加	5.7	14.8	21.3	9.6	12.0	11.0	21.2	2.8	.7
(e) b の正しく書かれた数（算術平均）	23	89	171	208	297	423	553	604	715
(f) e の学年増加	23	66	82	37	89	126	130	51	111
(g) 881 を 100 とみれば e は	2.6	10.1	19.4	23.6	33.7	48.0	62.8	68.6	81.2
(h) g の学年増加	2.6	7.5	9.3	4.2	10.1	14.3	14.8	5.8	12.6
(i) b を 100 とみれば e は	46.0	49.2	46.5	45.9	53.2	64.6	65.7	69.7	81.9

とを見ると，小学校の第4学年と，中学校の第2学年とのふえ方が，目だって少ない。小学生の4年では，前の学年より4パーセントほど多くなっただ

第 2 図　国語教科書に出ている教育漢字とその習得

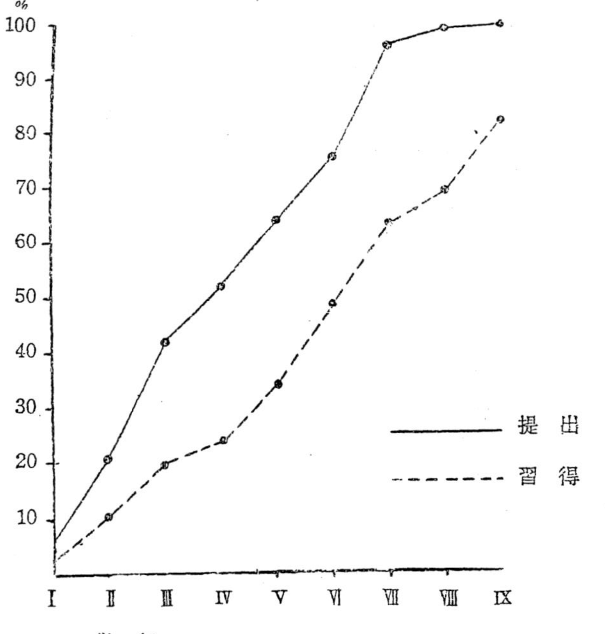

けであるし，中学校の2年では，6パーセントほどふえているだけである。これらの関係は，第2図を見ると，いっそうわかりやすい。

第10表の e 欄の字数には，教科書には出ていないが，正しく書かれたという字は，はいっていないのである。それで，小学校の4年と，中学校の2年とで，進歩が少ないのは，国語の教科書に漢字の出ているありさまと関係があるのではないかと考えることができる。

そういう目で第10表の a 欄を見ると，小学校の第4学年に新しく出ている

漢字の数（85字）は，前後の学年より少ないし，中学校の第2学年に新しく出ている漢字の数（25字）は，第1学年に新しく出た教育漢字の数より，著しく少ない。そこで，小学校の4年と，中学校の2年との進歩の低いのは，これらの学年に新しく出ている漢字の数が少ないからではないかと，一応考えることができる。しかし，小学校の第6学年には，新しく出ている漢字の数は，さほど多くない（96字）にかかわらず，正しく書かれた漢字の数は大幅にふえて（14.3パーセント）いるし，中学校の第3学年では，新しく出ている教育漢字の数は5字だけであるが，正しく書けた字数は，第2学年の倍ほど（12.6パーセント）の進歩を見せている。中学校第3学年の進歩が高いのは，高等学校入学の準備学習も加わっているためであるかもしれないが，とにかくこういうことから考えると，小学校の第4学年と，中学校の第2学年との進歩が少ないことの原因は，もっとほかに求めなければならないようである。

第11表では，それぞれの学年の国語の教科書に出ている漢字を，その学年に新しく出た漢字と，前から出ている漢字とに分け，さらに，前から出ている漢字を，前学年に新しく出た漢字と，それ以外の漢字とに分けて，これらの漢字を学習することが，おそらくこれくらいの負担になるであろうと思える字数を，学年別に算出した。

第11表の a 欄と b 欄との字数は，これまでに幾度も掲げた字数である。小学校の1年の国語の教科書には，漢字が50字出ているし，2年には新しく131字出ているから，2年までに，既出と新出との漢字を合わせると，181字（b 欄）出ているわけである。しかし，2年の国語の教科書には，漢字は180字（c 欄）出ているだけである。つまり，1年に出た50字のうち，2年にも出ている漢字は49字（d 欄）だけなのである。

小学校の1年から，3年までに出ている既出漢字と新出漢字とを合わせる

第 11 表　国語教科書に出ている漢字の負担量と習得

学　年	Ⅰ	Ⅱ	Ⅲ	Ⅳ	Ⅴ	Ⅵ	Ⅶ	Ⅷ	Ⅸ
(a) この学年に新しく出た漢字の数	50	131	187	85	106	96	187	25	6
(b) この学年までに出た漢字の数	50	181	368	453	559	655	842	867	873
(c) この学年に出ている漢字の数	50	180	358	390	488	575	831	827	822
(d) この学年に出ている既出漢字の数，$(c-a)$	0	49	171	305	382	479	644	802	816
(e) d のうち前学年の新出漢字の数	0	49	121	134	65	76	90	164	19
(f) d のうち e 以外の既出漢字の数，$(d-e)$	0	0	50	171	317	403	554	638	797
(g) この学年に出ていない既出漢字の数	0	1	10	63	71	80	11	40	51
(h) e（前学年新出）の負担量，$(1-$前学年 $s/100)e$	0	26	73	97	48	55	50	96	9
(i) f（e 以外既出）の負担量，$(1-$前学年 $q/100)f$	0	0	13	59	157	164	177	174	238
(j) 既出漢字の負担量，$(h+i)$	0	26	86	156	205	219	227	270	247
(k) 漢字の全負担量，$(a+h+i)$	50	157	273	241	311	315	414	295	253
(l) d（この学年の既出）の正しく書かれた数（算術平均）	0	37	117	177	247	345	472	570	673
(m) d（この学年の既出）の習得率，$(100\,l/d)$	0	75.5	68.4	58.0	64.7	72.0	73.3	71.1	82.5
(n) g（この学年に出ていない既出）の正しく書かれた数（算術平均）	0	0	2	9	21	35	4	21	38
(o) g（この学年に出ていない既出）の習得率，$(100\,n/g)$	0	0	20.0	14.3	29.6	43.8	36.4	52.5	74.5
(p) 既出漢字の正しく書かれた数，$(l+n)$	0	37	119	186	268	380	476	591	711
(q) 既出漢字の習得率，$(100\,p/$前学年の $b)$	0	74.0	65.7	50.5	59.2	68.0	72.7	70.2	82.0
(r) a（新出漢字）の正しく書かれた数（算術平均）	23	52	52	22	29	43	77	13	4
(s) a（新出漢字）の習得率，$(100\,r/a)$	46.0	39.7	27.8	25.9	27.4	44.8	41.2	52.0	66.7

と，368字（b欄）になるのであるが，3年の国語の教科書に実際に出ている漢字の数は358字（c欄）だけである。そうして，この358字のうち，2年までに出た漢字は171字（d欄）で，この171字を，さらに分けると，前学年（つまり，2年）で新しく出た漢字の121字（e欄）と，その前に（つまり，1年）に出た漢字の50字（f欄）とになる。すなわち，1年に出た50字は，3年に全部出ているが，2年に新しく出た131字のうち，3年にも出ている漢字は121字だけなのである。つづめていうと，2年までに出た漢字のうち，3年に出ていない漢字が10字（g欄）あるのである。

a欄からg欄までの字数は，どの学年でも，こういう意味をもっているのである。

さて，小学校第2学年の国語の教科書には，1年に出た50字の漢字のうち，49字（d欄）出ているのであるが，この49字のうち，どれだけが2年生の負担になるであろうか。1年では，おしなべていうと，50字のうち23字（r欄）すなわち，46パーセント（s欄）習得されている。それで，49字でも同じ割合で習得されているであろうと考えれば，49×（1－.46）＝26.46を，2年生の負担になる字数（h欄）とみることができる。そうすれば，第2学年には，新しく131字の漢字（a欄）が出ているから，2年の漢字の全負担量は，26＋131＝157になる（k欄）わけである。

同じことを，小学校の第3学年についていえば，3年の国語の教科書に出ている既出漢字171字（d欄）のうち，前学年の新出漢字121字（e欄）は，3年生にどれくらいの負担になるであろうかというと，2年生は新出漢字131字の39.7パーセント（s欄）を正しく書いているのであるから，この131字のうちの，3年に出ている121字も，同じ割合で習得されているとすれば，3年に残される負担は，121×（1－.397），すなわち73字（h欄）になる。

次に，3年の国語の教科書に出ている既出漢字のうち，1年に出た漢字は

50字（f欄）である。1年に出た漢字は，全部3年にも出ているのである。この50字の74パーセント（q欄）が，2年で習得されているとすれば，3年に残される負担は，i欄の50×（1－.74）＝13になる。それで，3年の既出漢字の負担量は86字（j欄）で，新出漢字の187字（a欄）を加えると，3年の漢字の全負担量は273字（k欄）であるとみることができる。

h，i，j，k欄は，こういうようにして，国語の教科書で漢字を学ぶ，児童

第3図　漢字の負担

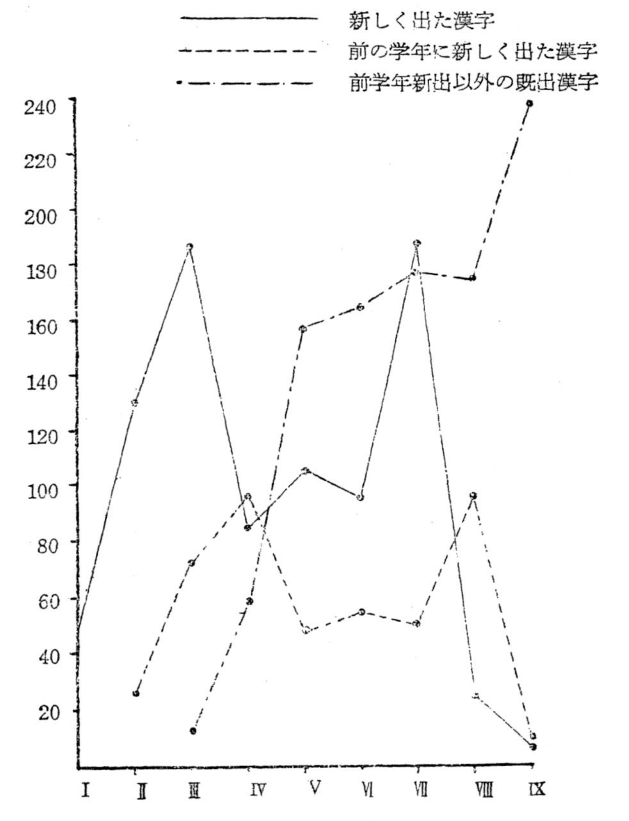

生徒の負担を推定したもので，第 3 図は，a 欄（新出漢字）と，h 欄（前学年新出漢字の負担量）と，i 欄（前学年新出以外の既出漢字の負担量）との字数を図示したものである。国語の教科書で学んで，漢字の習得の進歩が，ある学年ではなめらかであるが，ある学年では滞るということがあれば，その原因は，いろいろあるにしても，a, h, i 欄の数字は，その大きな原因を語るものであると思う。

第 3 図を見ると，前学年新出以外の既出漢字の負担を示す線は，学年の進むにつれて，だいたい高まっているが，新出漢字の負担を示す線と，前学年の新出漢字の負担を示す線とは，その形がきわめてよく似ていて，著しい起伏を見せている。新出漢字は，小学校の 3 年と中学校の 1 年に，きわだって多く，それに次いで小学校の 2 年に多いのであるが，前学年新出漢字の負担量は，小学校の 4 年と，中学校の 2 年とに多く，これに次いで，小学校の 3 年に多い。つまり，ある学年の国語の教科書に漢字を多く出すか，少なく出すかということは，その学年の漢字の負担だけでなく，その次の学年の漢字の負担を重くしたり，軽くしたりしているということができる。

それならば，これらの漢字が，それぞれの学年で，どれだけ習得されると推定していいかというと，これは第 12 表に示した。

第 12 表の a 欄の字数は，前の学年の国語の教科書に新しく出た漢字の，この学年の負担を示すもので，第 11 表の h 欄の字数である。さて，小学校の第 1 学年に出た 50 字の漢字のうち，2 年には 49 字出ているのであるが，この 49 字を 2 年生は，おしなべていうと，37 字（b 欄）正しく書くことができる。しかし，2 年生はこの 37 字の全部を，2 年になってから覚えたのではない。1 年生のとき正しく書くことができるようになった字があるはずである。1 年生は 50 字の 46 パーセント（l 欄）を正しく書くことができているから，2 年に出ている 49 字も，その 46 パーセントが 1 年生のとき習得されて

いるであろうと考えれば，それは 23 字（c 欄）になる。したがって，2 年生になってから正しく書くことができるようになった字数は，37—23＝14 である（d 欄）と考えることができる。そうして，この 14 字は，前学年の新出漢字に対する 2 年生の負担量 26 字（a 欄）の 53.9 パーセント（e 欄）になる。

同じことを，中学校の第 2 学年についていえば，中学校の 1 年には，新し

第 12 表　前学年に出た漢字とそれ以外の既出漢字との習得率

学年		Ⅰ	Ⅱ	Ⅲ	Ⅳ	Ⅴ	Ⅵ	Ⅶ	Ⅷ	Ⅸ
前学年に新しく出た漢字の	(a) この学年の負担	0	26	73	97	48	55	50	96	9
	(b) この学年で正しく書かれた数,（算術平均）	0	37	74	52	27	38	51	82	13
	(c) 前学年までに習得された数	0	23	48	37	17	21	40	68	10
	(d) この学年で習得された数,($b-c$)	0	14	26	15	10	17	11	14	3
	(e) この学年での習得率,(100 d/a)	0	53.9	35.6	15.5	20.8	30.9	22.0	14.6	33.3
この学年の既出漢字の	(f) この学年で正しく書かれた数,（算術平均）	0	37	117	177	247	345	472	570	673
	(g) 前学年までに習得された数	0	23	84	142	175	255	416	527	569
	(h) この学年で習得された数,($f-g$)	0	14	33	35	72	90	56	43	104
前の年新出以外の既出漢字の	(i) この学年の負担	0	0	13	59	157	164	177	174	238
	(j) この学年で習得された数,($h-d$)	0	0	7	20	62	73	45	29	101
	(k) この学年での習得率,(100 j/i)	0	0	53.8	33.9	39.5	44.5	25.4	16.7	42.5
(l) 新しく出た漢字の習得率		46.0	39.7	27.8	25.9	27.4	44.8	41.2	52.0	66.7
(m) 新出既出漢字の正しく書かれた数		23	89	171	208	297	423	553	604	715
(n) 新出既出漢字の習得率		46.0	49.2	46.5	45.9	53.2	64.6	65.7	69.7	81.9

く漢字（教育漢字以外の漢字は除いて）が187字出ているが，このうち96字（a欄）が2年の負担になる。中学1年に新しく出た187字のうち，2年にも出ている漢字は164字（第11表）であるが，この164字のうち，2年生をおしなべていうと，82字（b欄）を正しく書いている。さて，1年生は187字の41.2パーセント（l欄）を正しく書いているから，2年に出ている164字も，その41.2パーセントは，1年で正しく書くことができるようになってしまっていると考えれば，それは68字（c欄）になる。そうすれば，中学校の2年生になってから，正しく書くことができるようになった字は14字（d欄）で，これは，この学年の負担量96字の14.6パーセント（e欄）になる。

次に，前の学年に新しく出た漢字以外の既出漢字を，それぞれの学年で，どれだけ正しく書くことができるようになったかということの考え方を，第12表のf欄からk欄までに掲げた。f欄の字数は第11表のl欄の字数で，i欄の字数は第11表のi欄の字数である。m欄とn欄とは，g欄の字数の計算の基礎を明らかにするために掲げたもので，第10表のe欄とi欄との数値である。

第12表のf欄の字数は，前の学年までに国語の教科書に出された漢字のうち，この学年にも出ている漢字を，幾字正しく書くことができるか（算術平均）を示すものである。小学校の第4学年でいえば，3年までの国語の教科書に，368字（第11表）の漢字が出ているのであるが，4年には，このうち305字（第11表）出ている。そうして，4年生をおしなべていうと，この305字のうち，177字を正しく書くことができるのである。

この177字は，4年間に正しく書くことができるようになったのであるから，4年の1年間にどれだけ習得したかを見るためには，前学年，すなわち3年までに習得した字数を，177字から引かなければならない。それならば，3年までに幾字習得したと見ることができるかというと，3年までに出た漢

字は368字（第11表）あるが，3年では171字，すなわち，368字の46.5パーセント（m，n欄）を正しく書くことができているから，4年の既出漢字305字も，その46.5パーセントは3年生のとき正しく書くことができるようになっていると考えれば，それは142字（g欄）になる。それで，177－142＝35すなわち，4年では305字のうち35字（h欄）正しく書くことができるようになったとみることができる。

ところが，この35字の中には，前の学年で新しく出た漢字がはいっているはずである。それで，この35字から，d欄の15字を引けば，3年の新出漢字以外の既出漢字で，4年に出ている171字（第11表）のうち，4年では新しく20字（j欄）を正しく書くことができるようになったと見ることができる。そうして，この20字は，前学年の新出漢字以外の既出漢字に対する4年生の負担量59字（i欄）の33.9パーセント（k欄）になる。

第4図は，第12表のe，k，l欄の数値の変化を図示したものである。それで，新出漢字の習得率は，その学年の国語の教科書に新しく出た漢字の幾パーセントを，その学年で正しく書くことができるようになったかを示すものであるが，前学年に新しく出た漢字の習得率は，前学年の新出漢字の幾パーセントを，この学年で正しく書けたかを示すものではなく，前学年の新出漢字に対する，この学年の負担量の幾パーセントが，この学年で正しく書けるようになったかを示すものである。前学年の新出漢字以外の既出漢字の習得率も，やはりそうである。

第4図の新出漢字の習得率を示す線を見ると，習得率の進退は，小学校の第4学年を除けば，新出漢字の数と，かなり深い関係をもつと思える。第3図の新出漢字の負担を示す線と比べると，でこぼこが完全に逆になっているわけではないが，逆になる傾きを，かなり濃く見せている。

新出漢字の数を，小学校の第1学年から，学年を追って並べると，50,

131, 187, 85, 106, 96, 187, 25, 6（第5, 10表）であるが，第4図の実線は，小学校の第4学年を除けば，国語の教科書に出る字数が増せば，習得率が減るし，字数が減れば，習得率が増す傾きを見せている。

第4図　漢字の習得率

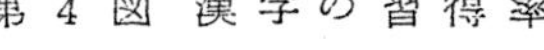
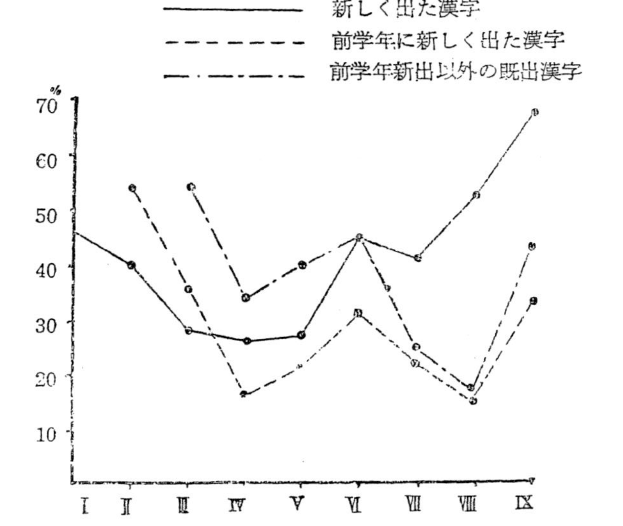

また，新出漢字の習得率は，第6学年から目だって高まっている。第5学年と第6学年とには17.4パーセントの開きがある。これは6年の新出漢字が5年の新出漢字より10字少ないことにもよるのであるかもしれないし，中学校の第2，3学年の習得率が高いのは，新出漢字が中学校の2年では25字，3年では6字だけであることにもよるのであろう。

しかし，小学校の3年と，中学校の1年との新出漢字は，ともに187字であるが，中学校の1年生の習得率は，小学校の3年生の習得率より13パーセントほど高い。このことからすれば，学年が高まると，「へん」，「つくり」，

「かんむり」，脚（きゃく）などの，漢字を組み立てている要素に対する理解が深まるなどのために，低い学年より新出漢字の習得がやさしくなると考えることができる。このことについては，後（7）にも述べる。

第4図の習得率を示す線は，その起伏が，どの線もよく似ている。これは国語教科書の漢字の出し方という同じ原因に，漢字の習得が左右されるからであると考えなければならないが，とりわけ，前学年に新しく出た漢字の習得率を示す線と，前学年の新出漢字以外の既出漢字の習得率を示す線とは，その起伏が，きわめてよく一致している。そうして，前学年の新出漢字の習得率より，前学年新出以外の既出漢字の習得率のほうが高いのである。

漢字の負担量（第11表）からいうと，前学年に新しく出た漢字の負担量には，学年が進むにつれて増すとか，減るとかいう傾向はなくて，負担量を示す字数が100字になる学年はない。中学校の第3学年の負担は9字だけである。前学年新出以外の既出漢字の負担量は，小学校の第3学年では13字だけであるが，学年が進むにつれて多くなって，中学校の第3学年では238字になっている。

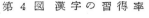

それでも，前学年新出以外の既出漢字の習得率のほうが高いのであるから，前学年に新しく出た漢字より，もっと前から出ている漢字のほうが，よく習得されるといわなければならない。

前学年に新しく出た漢字の習得を示す線も，それ以外の既出漢字の習得を示す線も，小学校の第4学年と，中学校の第2学年とで，深い谷になっている。すなわち，前学年の新出漢字の習得率も，それ以外の既出漢字の習得率も，この両学年で，目だって低くなっている。第4学年が低いことは，新出漢字の習得率を示す線でも，やはりそうである。

小学校の第4学年と，中学校の第2学年との，この谷は，第3図に第4図を重ねると，第3図の，前学年に新しく出た漢字に対する負担を示す線の山

と向き合っているのである。前学年の新出漢字に対する負担量は，小学校の第4学年と，中学校の第2学年とが，いちばん高いのである。

それで，小学校の第4学年についていえば，3年の国語の教科書の新出漢字の数が多すぎて，これらの漢字に対する4年の負担を重くしたために，これらの漢字の4年の習得を低くしているばかりでなく，2年までに出た漢字の4年の習得をも低くしているに違いないのである。

また，4年に新しく出ている漢字の数は，前後の学年より少なくて，85字にすぎないのであるが，新出漢字の4年の習得率は，どの学年よりも低い。これも，やはり，前学年の新出漢字に対する負担の重いことが原因になっているに違いないのである。

前学年の新出漢字と，それ以外の既出漢字との習得率は，中学校の第2学年も，きわめて低いのであるが，これも，小学校の第4学年と同じ原因によるものと思われる。

新しい教育漢字の出ている数は，小学校の第3学年とともに，中学校の第1学年が，いちばん多いのである。中学校の1年には，教育漢字の新出が多いだけでなく，教育漢字以外の当用漢字の新出も多い。

教育漢字以外の当用漢字は，小学校の国語の教科書には出ていないのであるが，中学校になると，1年に562字出ているし，2年には，これに176字加わり，3年には，さらに69字加わっている。それで，中学校の第1学年の国語教科書には，教育漢字187字と，教育漢字以外の当用漢字562字と，計749字が新しく出ているわけである。

中学校の生徒になると，前に述べたように，漢字の構造を理解するなどのために，漢字を習得する力が高くなる。また，教育漢字以外の当用漢字は，ぜひとも覚えなければならない漢字ではない。それにしても，749字もの漢字が一度に出てきては，次の学年，すなわち中学2年に大きな負担を残して

中学2年の漢字の習得を低くするに違いないのである。

こう考えて来ると，第10表のところでも述べたように，小学校の第4学年と，中学校の第2学年とで，漢字習得の進歩が鈍るのは，小学校では第3学年の，中学校では第1学年の国語教科書の新出漢字が多すぎるからであるといわなければならない。

なお，第4図を見ると，小学校の第3学年の新出漢字が多いために，その後の学年の漢字習得の進歩を妨げることは，4年だけでなく，5年にも及んでいるのではないかと思える。4年の新出漢字の数は前後の学年より少なくて，85字にすぎないから，前学年の新出漢字に対する5年の負担は少ないのであるが，それにしては，5年生の漢字習得の進歩は，多少鈍っている。

中学校第1学年の新出漢字の多いことが，中学校の3年生の漢字の習得に影響しているとは，第4図を見ては，思えないのであるが，これは，中学校の3年生には，高等学校に入学する準備として，激しく学習するものがあるためであるかもしれない。

つづめていえば，ある学年の国語教科書の新出漢字が多すぎると，その学年の漢字の習得よりも，むしろ，その次の学年の漢字の習得を妨げるということになる。そうして，さらにその次の学年の漢字の習得をも多少妨げるのではないかと思えるのである。

しかし，新出漢字の提出がどんなに多くても，その学年の漢字の習得には影響しないというのではない。第4図を見ると，中学校の第1学年の漢字の習得率も低いのであるが，これは，この学年の新出漢字が，おびただしく多いためであるに違いない。

次に，第4図を見ると，新出漢字と既出漢字とが，どんなに習得されるかも，ほぼ見当がつく。

新出漢字はむずかしいといえる。しかし，新出漢字の習得率が，既出漢字

の習得率より，いつでも低いとはいえない。

新出漢字のその学年で習得される率と，その次の学年で習得される率とを比べると，その学年で習得される率のほうが高い。たとえば，小学校の第3学年では，新出漢字187字の27.8パーセントを習得しているが，4年では，3年の新出漢字に対する負担量97字の15.5パーセント習得しているだけである。

つまり，新出漢字は，新しく出たその学年で，割合多く習得されるのである。新出漢字のうち抵抗の少ない字が，その学年で覚えられて，抵抗の多い字の習得が後の学年に残されるので，後の学年の習得率が低くなるのであろう。

ただ，小学校第1学年の新出漢字だけ，この関係を破っている。すなわち1年では，50字の46パーセントが覚えられ，2年では，負担量26字の54パーセントほどを習得している。これは，字数の少ないことにもよるのであろうが，1年には抵抗の少ない字を選んで出してあるので，2年生にとっては，いっそう覚えやすい漢字が多いということにもよるのであろう。

前学年新出漢字の習得率と，それ以外の既出漢字の習得率とを比べると，前に述べたように，前学年新出漢字の習得率のほうが低いといえる。前学年新出以外の既出漢字は，幾年もの間に幾度も出ているので，覚えやすくなっているのであろう。つまり，新出漢字は抵抗が多いということになる。

しかし，第4図の新出漢字の習得率を示す線と，前学年新出以外の既出漢字の習得率を示す線とを比べると，第6学年を境にして，5年までは，前学年新出漢字以外の既出漢字の習得率のほうが高く，中学1年以後は，新出漢字の習得率のほうが高い。

中学校の第2，3学年の新出漢字の習得率が高いのは，新出漢字の数が，2年では25字，3年では6字だけであることにもよるであろうが，既出漢字

は，抵抗の少ない字が，低い学年で習得されて，なにかの点でむずかしい漢字の習得が，高い学年に残されるので，高い学年の習得率が低くなるのではあるまいか。

ごたごたと述べてきたが，第4図の，新出漢字の習得率を示す線も，前学年に新しく出た漢字の習得率を示す線も，前学年新出以外の既出漢字の習得率を示す線も，その起伏は，第3図の新出漢字の負担を示す線と，前学年新出漢字の負担を示す線との起伏と深い関係を持っている。つまり，これらの漢字の習得率は，国語の教科書の漢字の出し方に左右されているということができるのである。

児童生徒は，国語の教科書に出ていない漢字も正しく書く。しかし，その数はきわめてわずかである。児童生徒が正しく書くことのできる大部分の漢字は，国語の教科書に出ている漢字である。

もっとも，児童生徒が国語の教科書に出ている漢字を正しく書いたにしても，それが国語の教科書だけで学ばれたとはいえない。国語の教科書に出ている漢字も，国語の教科書以外で学んで，正しく書くことができるようになったかもしれない。

しかし，児童生徒の正しく書く漢字の大部分は，国語の教科書に出ている字であって，その習得率は，国語の教科書に漢字を幾字出したかということと，密接な関係をもつことを考えると，国語の教科書で組織的に学ぶことが，児童生徒の漢字の習得に，きわめて大きな力を及ぼしているといわなければならない。

(C) 漢字の提出回数と字画と習得

これまでは，児童生徒が漢字を覚えることは，国語の教科書に出ている漢字の数と，どんな関係があるかについて述べたのであるが，国語の教科書に

幾度も出ている漢字と，出ている回数の少ない漢字とを比べると，おしなべていうと，提出回数の多い漢字のほうが，児童生徒によく覚えられるに違いない。

また，字画の簡単な漢字と，複雑な漢字とでは，どちらかというと，字画の簡単な漢字のほうが，よく覚えられるに違いない。

第13表は，これらの関係を相関係数で示したもので，ピアスン（Karl Pearson）の Productmoment Formula によって計算したものである。

字画の数え方は，字典を引くときの数え方とは，多少違えた。たとえば，「口」は字典では3画であるが，この調査では4画としたし，「守」は字典では6画であるが，ここでは8画と数えた。なるべく児童生徒が感ずる字画の複雑さを代表する数値にしたいと思ったからである。

漢字の提出回数は，一字一字の漢字が，その学年に幾度出ているかというその学年の提出回数だけでなく，その学年までの提出回数も，また，中学3年までの提出回数も調べて，正答率と比べた。小学校の第3学年についていえば，3年の国語の教科書だけに，どの漢字が幾度出ているかを数えただけでなく，1年から3年までに幾度出ているかも数え，また，3年生が正しく書いた漢字は，中学校の第3学年までに，どの字が幾度出ているかを数えて正答率と比べたのである。中学3年までの提出回数とも比べたのは，この数値によって，教科書以外の一般の読み物に出てくる漢字の出現度数の多少を相対的に，ある程度まで代表させることができるのではないかと思ったからである。

第13表を見ると，正答率と字画との相関係数（a 欄）は，小学校の第1学年では −0.67 で，そのほかの学年では，どの学年でも，−0.4 前後であるということができる。つまり，どの学年でも，どちらかといえば，字画の少ない字ほど，よく覚えられるのであるが，この傾向は，小学校の1年では，と

りわけ強いのである。

第 13 表　正答率と字画と提出回数との相関係数

X と Y ＼ 学年	I	II	III	IV	V	VI	VII	VIII	IX
(a) 正答率と字画	−.67	−.43	−.42	−.38	−.39	−.38	−.38	−.38	−.37
(b) 正答率とこの学年だけの提出回数	+.60	+.56	+.50	+.52	+.43	+.43	+.40	+.40	+.33
(c) 正答率とこの学年までの提出回数	+.60	+.56	+.55	+.56	+.52	+.46	+.46	+.47	+.45
(d) 正答率と中学3年までの提出回数	+.48	+.42	+.50	+.57	+.56	+.48	+.51	+.48	+.45
(e) 字画とこの学年だけの提出回数	−.47	−.32	−.27	−.26	−.29	−.24	−.28	−.32	−.24
(f) 字画とこの学年までの提出回数	−.47	−.35	−.35	−.34	−.35	−.32	−.32	−.31	−.31
(g) 字画と中学3年までの提出回数	−.30	−.24	−.28	−.27	−.30	−.30	−.31	−.31	−.31
(h) この学年だけの提出回数とこの学年までの提出回数	—	+.99	+.94	+.91	+.82	+.86	+.89	+.88	+.86
(i) この学年だけの提出回数と中学3年までの提出回数	+.69	+.80	+.79	+.78	+.80	+.88	+.89	+.90	+.86
(j) この学年までの提出回数と中学3年までの提出回数	+.69	+.78	+.81	+.80	+.86	+.89	+.95	+.98	—

「この学年までの提出回数」には，この学年の提出回数も含む。

b，c，d 欄は，一々の漢字の，国語の教科書に出ている回数と，その漢字の正答率との相関係数である。どの欄の数値も，国語の教科書に出ている回数の多いほど，よく覚えられる傾向のあることを語っている。

b 欄の数値も，c 欄の数値も，小学校の第1学年がいちばん高く（+0.6），学年の進むにつれて数値が小さくなるようである。学年が高まるにつれて，国語の教科書以外の読み物に，どの漢字が幾度出るかということにも，影響

されるからであろうか。

b欄の数値と，c欄の数値とを比べると，どちらかというと，c欄の数値のほうが大きいようである。正答率と提出回数との関係は，その学年の国語の教科書に出ている回数だけとよりも，小学校の1年から，その学年までを通じて，一々の漢字が幾度出ているかという回数とのほうが，関係が濃いのであるが，これは，そのはずである。

d欄の数値を見ると，小学校の第4，5学年で高くなっている。中学3年までの国語教科書の漢字の提出回数は，小学校の高学年の児童の読み物に出る漢字の回数を，少し濃く代表するのであろうか。

b，c，d欄の相関係数を通じていうと，小学校の第1学年を除けば，正答率と字画（a欄）との相関係数より大きいようである。小学校の1年では，字画の少ないことのほうが，提出回数の多いことより，児童の漢字の習得にいくらか大きな力を及ぼすのであろう。しかし，そのほかの学年では，字画の少ない漢字は，字画の多い漢字より，よく覚えられるのではあろうが，提出回数の多いことのほうが，児童生徒の漢字の習得に，いっそう大きな影響を及ぼすようである。このことは，次の部分相関を見ると，もっとよくわかる。

e，f，g欄は，漢字の字画と提出回数との相関係数で，h，i，j欄は，提出回数相互の相関係数である。これらは，次に述べる部分相関を見るために求めたのであるが，字画と提出回数との相関係数を見ると，字画の少ない漢字の提出回数が多い傾向を見せている。

また，提出回数相互の相関係数は，きわめて高くて，ある学年の国語の教科書に幾度も出ている漢字は，小学校の1年から，その学年までの国語の教科書を通じていっても，また，小学校の1年から，中学校の3年までの国語の教科書を通じていっても，提出されている回数の多いことを語っている。

つまり，よく使われる漢字は，どの学年でも，よく使われるのである。

さて，第13表には，一字一字の漢字が，幾パーセントの児童生徒によって正しく書かれたかという正答率と，漢字の字画と，国語の教科書に提出された回数との相関係数を示したのであるが，同じ第13表を見ると，上にも述べたように，字画と提出回数とも，相関を見せている。すなわち，字画の少ない字が，多数回提出される傾向が見られるのである。

そうすれば，たとえば，小学校第1学年の正答率と字画との相関係数が，−0.67である（第13表a欄）といっても，これは，正答率と字画とだけの相関を示すのではなく，字画の少ない字は，幾度も出てくるから，提出回数という因子の力も加わって，−0.67という数値になっているのではないか。また，小

第 14 表　それぞれの学年までの提出回数を一定とみた相関係数

X と Y ＼ 学年	Ⅰ	Ⅱ	Ⅲ	Ⅳ	Ⅴ	Ⅵ	Ⅶ	Ⅷ	Ⅸ
正答率と字画	−.55	−.30	−.29	−.24	−.26	−.28	−.28	−.28	−.27

第 15 表　字画を一定とみた相関係数

X と Y ＼ 学年	Ⅰ	Ⅱ	Ⅲ	Ⅳ	Ⅴ	Ⅵ	Ⅶ	Ⅷ	Ⅸ
(a) 正答率とこの学年までの提出回数	+.43	+.48	+.47	+.50	+.44	+.39	+.39	+.40	+.38
(b) 正答率と中学3年までの提出回数	+.39	+.36	+.44	+.52	+.50	+.41	+.45	+.41	+.38

学校第1学年の，正答率とこの学年の提出回数との相関係数は，+0.6（第13表b欄）であるが，これも，提出回数の多い字は，どちらかというと，字画が少ないのであるから，字画という因子が加わって，+0.6になっているのではないかと考えることができる。

そこで，どの漢字の提出回数も等しいとすれば，正答率と字画との相関係

数は，どれほどになるであろうか。また，どの漢字の字画も等しいとすれば正答率と提出回数との相関係数はどうであろうかを知りたい。第14，15表はこういう部分相関の数値を揭げたものである。

第14表の数値を，第13表の a 欄に比べると，どの学年も 0.1 ぐらいずつ低くなっているが，第14表は，それぞれの学年までの漢字の提出回数を一定と見ても，なお，字画の少ない漢字をよく覚える傾向を見せている。しかし，この傾向は，小学校の第1学年以外は，きわめてわずかである。

第15表の a 欄の数値と，b 欄の数値とを，それぞれ第13表の c 欄の数値と，d 欄の数値とに比べると，やはり，どの学年も少しずつ低くなっている。

しかし，第14表の数値と，第15表の数値とを比べると，小学校の第1学年以外は，第15表の数値のほうが，かなり大きい。したがって，小学校の1年生は，字画の少ない漢字をよく覚えるが，そのほかの学年では，字画の少ないことより，提出回数の多い漢字を，よく覚える傾向があるということができる。

上に述べたように，漢字の正答率は，字画とも提出回数とも関係をもつ。それならば，字画と提出回数との因子を集めると，漢字の正答率と，どれほどの相関をもつことになるであろうか。第16表はこれを示すものである。

第16表の a 欄は，漢字の字画と，この学年までの提出回数との因子を集

第16表　正答率との重相関

因子 ＼ 学年	I	II	III	IV	V	VI	VII	VIII	IX
(a) 字画＋この学年までの提出回数	.74	.61	.60	.59	.57	.52	.52	.53	.51
(b) 字画＋この学年までの提出回数＋中学3年までの提出回数	.75	.61	.61	.63	.61	.54	.56	.54	.51

めた，正答率との重相関で，b 欄は，その上にさらに中学3年までの提出回数の因子を加えた，正答率との重相関である。

第16表の a 欄と b 欄との数値には，ほとんど差がない。これは，第13表に揭げたように，提出回数相互の相関が，きわめて高いからである。

第16表を見ると，小学校第1学年の数値は 0.75 で，正答率は字画，提出回数と大きな関係を持つことを示している。すなわち，小学校の1年生が，どの漢字を，なぜよく覚えるか，覚えないかは，その漢字の字画と，国語の教科書に出ている回数とで，ほぼ説明できることを示すのである。

この関係は，学年が進むにつれて薄くなって，中学校では，相関係数は 0.5 前後になるが，それでも，正答率と字画，提出回数との関係がなくなっているわけではない。

ここでいっている漢字の提出回数は，国語の教科書に出ている回数である。国語の教科書に幾度も出ている漢字は，一般の読み物にも幾度も出ているであろうと考えれば，国語の教科書に幾度も出ている漢字を，児童生徒がよく覚えるからといって，それが国語の教科書で学ぶからであるとだけいってしまうわけにはいかない。このことは前にも述べた。しかし，国語の教科書で組織的に学ぶことが，児童生徒の漢字の習得に，大きな力になると思えることも前に述べた。

次に，国語の教科書に幾度出れば，児童生徒が，その漢字を正しく書くようになるであろうか。これは，すこぶるむずかしい問題である。漢字によっても違うであろうし，どの学年に出されるかによっても，出される隔たりによっても違うであろうし，どういうことばで出されるかによっても変るに違いない。これらの関係を詳しく確かめることは，われわれの限られた労力の及ぶところではない。それで，ここには，おおまかに考えるにとどめる。

次に揭げるのは，その学年の 90 パーセント以上の児童生徒が正しく書く

とのできた漢字である。ある学年で正答率が90パーセントを越えた漢字は，その次の学年以後は掲げてない。Ⅱ—Ⅸは学年を示したもので，かっこの中の数字は，その漢字の，その学年までの提出回数である。小学校の第1学年には，90パーセント以上の児童が正しく書いた漢字はない。

Ⅱ	口（35）	川（43）	本（52）	学（61）	小（74）	上（87）
	山（93）	三（133）	中（142）	人（144）	一（228）	
Ⅲ	八（23）	左（29）	九（33）	町（37）	六（46）	力（46）
	七（53）	雨（56）	男（83）	下（85）	校（88）	四（104）
	空（105）	花（105）	女（113）	目（116）	年（119）	白（129）
	五（133）	水（154）	木（163）	十（182）	月（184）	手（206）
	生（251）	二（270）	日（275）	大（348）	子（431）	
Ⅳ	米（26）	右（29）	母（32）	冬（34）	石（60）	赤（83）
	青（88）	風（142）	先（228）	気（237）		
Ⅴ	森（17）	東（21）	林（27）	北（39）	世（46）	火（47）
	用（49）	元（54）	兄（57）	組（57）	朝（58）	父（60）
	天（71）	田（93）	光（133）	時（135）	村（135）	私（152）
	音（195）	方（244）	思（478）			
Ⅵ	和（18）	品（22）	千（26）	糸（29）	正（33）	秋（34）
	平（41）	島（42）	夏（47）	野（47）	西（48）	外（54）
	虫（57）	竹（57）	太（58）	語（63）	耳（63）	界（64）
	草（80）	春（91）	会（92）	黒（117）	雲（121）	文（121）
	土（122）	間（132）	道（136）	高（169）	雪（187）	家（195）
	色（205）	海（215）	話（345）			
Ⅶ	寺（14）	犬（18）	店（18）	君（21）	英（22）	古（43）
	工（44）	半（47）	晴（49）	夕（55）	魚（59）	神（68）

	戸（72）	百（78）	面（84）	数（108）	度（110）	南（125）
	紙（125）	字（126）	金（128）	新（130）	美（148）	鳥（156）
	名（167）	作（178）	夜（180）	早（188）	車（192）	動（215）
	足（229）	地（267）	心（323）	出（392）		
Ⅷ	油（19）	肉（19）	牛（22）	交（33）	馬（33）	池（42）
	岩（44）	様（60）	民（62）	門（74）	王（76）	波（78）
	弟（81）	供（86）	原（86）	食（88）	内（106）	庭（106）
	葉（159）	親（165）	入（168）	教（170）	何（189）	明（199）
	星（201）	今（220）	考（271）	書（300）	少（353）	分（453）
Ⅸ	昭（2）	曜（17）	里（17）	板（17）	血（18）	府（21）
	守（24）	保（25）	服（26）	銭（26）	卒（27）	軍（27）
	央（28）	市（28）	都（32）	争（34）	炭（37）	午（37）
	弱（37）	産（38）	皮（38）	谷（38）	注（40）	回（40）
	円（40）	式（41）	利（42）	反（42）	政（43）	銀（43）
	習（47）	治（47）	陸（49）	安（53）	有（54）	礼（56）
	寒（57）	万（60）	由（62）	室（64）	毛（66）	細（66）
	句（66）	客（67）	働（67）	老（68）	仕（70）	休（71）
	答（74）	計（75）	電（79）	台（80）	暗（81）	申（83）
	戦（86）	病（95）	命（97）	運（100）	業（103）	他（103）
	岸（105）	茶（106）	助（110）	首（115）	死（117）	友（127）
	化（136）	苦（143）	広（144）	遠（148）	頭（154）	幸（158）
	重（159）	集（162）	根（162）	主（168）	深（169）	不（174）
	社（175）	流（183）	屋（197）	近（198）	楽（201）	取（205）
	味（218）	後（223）	現（226）	顔（239）	発（242）	歌（247）
	身（263）	通（285）	前（294）	事（322）	同（330）	聞（392）

知(424)　立(444)　声(448)　持(514)　国(528)　自(680)

来(749)　見(1094)

上に掲げたところを見ると,「昭」は中学1年と2年に,1回ずつ出ているだけであるが,中学校の第3学年では,たいていの生徒が正しく書く。そのほか,20回か30回提出されただけで,90パーセント以上の児童生徒が正しく書いている字もあるが,50—150回の字が多い。中には,「見」のように,1094回出て,中学3年で,90パーセント以上の生徒が正しく書くようになっている字もあるが,提出回数が150回以上の字は少ない。低学年を見ると漢数字の習得が遅れているように見えるが,これは,算用数字で答えたものが多かったからである。

これらの点から考えると,たいていの漢字は,国語の教科書に100回前後出せば,大部分の児童生徒が正しく書くことができるようになるといえるようである。

次に,国語の教科書に100回以上出ていて,正答率が90パーセントを越えない漢字は次のようである。Ⅱ—Ⅸは学年を示し,(76—80)のような数値は正答率で,そのほかのかっこの中の数は提出回数である。小学校の第1学年には,100回以上出ている漢字はない。

Ⅱ　(86—90)子(230)大(154)十(128)手(114)　(81—85)二(168)生(130)　(76—80)日(132)　(71—75)思(101)

Ⅲ　(86—90)思(254)気(154)先(144)声(138)　(81—85)話(218)海(172)方(168)雪(115)風(101)　(76—80)村(101)　(61—65)時(100)　(56—60)見(186)　(51—55)出(125)

Ⅳ　(86—90)思(368)方(213)光(110)村(110)　(81—85)話(250)海(180)音(168)雪(134)早(124)時(111)家(110)　(76—80)声(177)星(104)南(103)　(71—75)雲(106)心(100)　(56—60)出

(129)高(108)　(46—50)色(129)知(109)船(107)　(41—45)足(140)車(119)持(106)　(36—40)見(187)　(26—30)行(103)

Ⅴ　(86—90)話(282)海(198)家(154)心(153)雪(147)早(142)道(114)黒(108)　(81—85)声(209)作(121)動(119)雲(111)星(107)南(106)鳥(101)　(76—80)出(133)高(133)夜(109)　(71—75)見(201)分(133)帰(127)船(123)考(120)書(111)　(66—70)自(141)立(118)　(61—65)色(172)持(152)　(56—60)足(173)車(139)知(136)少(134)　(51—55)物(112)　(46—50)行(103)　(41—45)長(128)

Ⅵ　(86—90)声(247)心(210)足(202)早(162)車(158)星(155)動(152)作(148)地(144)鳥(137)夜(137)福(118)美(118)宇(108)南(107)紙(104)親(102)　(81—85)分(198)出(191)考(173)来(158)船(133)幸(126)歌(112)顔(100)　(76—80)見(390)国(171)少(169)書(150)聞(113)　(71—75)自(204)持(195)知(189)物(174)帰(148)立(146)向(100)　(66—70)行(185)　(51—55)長(157)

Ⅶ　(86—90)見(617)来(349)分(308)少(284)国(281)声(276)書(225)考(216)同(195)星(194)会(159)明(147)通(144)親(143)屋(131)流(120)事(119)葉(118)入(114)教(107)何(105)　(81—85)自(296)立(253)聞(190)感(144)船(141)前(138)顔(137)幸(134)発(131)歌(129)近(126)福(124)落(124)今(104)広(101)　(76—80)行(358)持(274)知(240)実(168)向(146)楽(133)形(119)場(105)喜(104)　(71—75)物(357)帰(197)歩(141)返(122)着(115)部(101)　(66—70)者(178)所(156)　(61—65)長(221)言(125)

Ⅷ　(86—90) 来(537) 国(402) 声(344) 立(338) 同(255) 歌(225) 通(215) 前(204) 事(203) 顔(193) 発(182) 後(171) 近(162) 流(161) 屋(161) 取(144) 根(132) 集(131) 強(131) 頭(131) 不(125) 切(124) 多(123) 重(118) 死(100) 岸(100)　(81—85) 見(777) 自(442) 知(304) 聞(271) 感(261) 向(202) 楽(183) 場(164) 落(164) 全(155) 船(152) 幸(144) 福(132) 的(131) 第(130) 体(118) 広(118) 苦(117) 遠(115) 乗(114) 意(111) 助(100)　(76—80) 物(476) 行(473) 持(392) 実(269) 所(233) 帰(228) 合(154) 形(145) 着(137) 身(134) 味(126) 喜(123) 引(122) 表(118) 友(116) 別(110) 送(110)　(71—75) 者(260) 歩(186) 返(152) 部(135) 湖(130) 絵(117) 進(108) 開(106)　(66—70) 長(292) 鳴(106) 旅(104)　(61—65) 言(228)　(56—60) 代(157) 次(123) 続(101)

Ⅸ　(86—90) 行(744) 物(611) 感(392) 実(360) 所(310) 的(275) 向(261) 全(233) 意(233) 合(223) 場(216) 落(206) 第(202) 多(181) 体(179) 着(169) 船(162) 理(156) 強(155) 引(155) 最(154) 切(152) 受(136) 福(135) 開(135) 別(135) 絵(127) 送(124) 常(122) 種(120) 乗(119) 無(115) 起(110) 両(107) 題(107) 急(107) 指(107) 正(107) 真(106) 愛(105) 使(103) 夫(103) 静(101) 遊(100)　(81—85) 言(566) 者(379) 表(256) 帰(256) 歩(230) 然(218) 形(202) 返(199) 読(189) 部(184) 喜(150) 旅(145) 対(141) 進(138) 湖(134) 問(125) 術(124) 記(118) 待(118) 成(117) 調(113) 飛(106) 必(104)　(76—80) 長(368) 代(222) 鳴(128) 続(126) 当(123) 以(117) 決(115)　(71—75) 次(159) 解(102)　(66—70) 情(146)

これらの漢字を見ると，ずいぶん幾度も出ているにかかわらず，正しく書けるようにならない漢字もある。「見」は，小学校の第3学年で，提出回数が

200回に近づいていて，中学校の第2学年で，提出回数が777回になって，まだ，正答率は90パーセントに達していない。中学3年で，正答率が90パーセントを越えるが，提出回数は1094回に達している。

「行」は，小学校の第4学年で，提出回数が100回に達しているが，中学校の第3学年で，提出回数が744回になって，正答率が90パーセントに近づいている。字画は簡単であるが，まちがえられやすい字なのである。

「物」と「者」とは，使い分けることのできない児童生徒があって，正答率を低くしたのであるし，「言」には「云」を書いたものがあった。

「国，来，実，声，帰」などは，旧字体で書いて，まちがえたものが多かったのであるが，新字体が徹底してくれば，こういう漢字の正答率は，はるかに高くなることと思う。

それはともかく，上に掲げたところを見ると，国語の教科書に出ている回数が100回を越えて，正答率が90パーセントを越えない漢字は，そう多くはない。そうして，提出回数が100回を越えれば，正答率が，90パーセントを越えなくても，90パーセントに近づいている漢字が多い。提出回数が200回を越えて，正答率が80パーセントに至らないという漢字はいくらもない。

これらの点から考えると，まちがえやすい漢字を除いていえば，国語の教科書に100回ほど出せば，たいていの児童生徒は正しく書くことができるようになるといっていいようである。

(D)　ま　と　め

（1）　この調査を行ったとき，調査した学校で，使われていた国語の教科書についていえば，どの学年に新しい漢字が幾字出ているかは，きわめて不規則である。また，中学校第3学年までの国語の教科書に，一度も出ていない教育漢字が8字ある。

（2） 児童生徒は，国語の教科書に出ていない漢字も正しく書く。こういう漢字は，漢字の総数からいうと多いが，ひとりあたり幾字を正しく書いたことになるかという平均値を出すと，きわめてわずかで，国語の教科書に出ていて正しく書かれた漢字の数の平均値のほうが，ずっと多い。

（3） しかし，国語の教科書に出ていないにかかわらず正しく書くことのできる漢字の数は，小学校の第4学年から，きわだって多くなる。そうして学年が進むほど多くなるようである。小学校の4年ごろから，読書欲も増し読書力も高まって，国語の教科書以外の読み物を読むことが多くなることを語るものであろう。

（4） 新しく出た漢字は，児童生徒にとって，むずかしいようである。しかし，新出漢字の，その学年の習得率は低いわけではない。その次の学年の習得率のほうが，はるかに低い。はじめて出た漢字でも，抵抗の少ない漢字は，その学年でたやすく習得されるためであろう。

（5） 上学年では，新出漢字の習得率が目だって高まるようである。これは，学年が進めば，漢字の構造に関する理解が深くなって，漢字が覚えやすくなるためであろう。

（6） 幾年も前の学年から出ている漢字は覚えやすい。しかし，高学年になると，こういう漢字の習得率が低くなるようである。抵抗の少ない漢字が早く習得されて，抵抗の大きい覚えにくい漢字が残されるからであろう。

（7） ある学年の新出漢字の数が多すぎると，その学年の全体の漢字の習得も妨げるが，その次の学年の漢字全体の習得を，もっと大きく妨げる。この妨げは，さらに，その次の学年にも及ぶようである。

（8） 新出漢字は，その数が少なければ，習得率が高くなるし，数が多くなれば，習得率が低くなる。しかし，新出漢字の数は，新出漢字の習得率と関係を持つだけでなく，ある学年の新出漢字の数は，その学年の漢字全体の

習得率とも，また，その後の学年の漢字全体の習得率とも関係をもつ。

（9） 国語の教科書に，同じ漢字が幾度出ているか（提出回数）を調べると，ある学年で提出回数の多い漢字は，ほかの学年でも，提出回数が多いようである。つまり，よく使われる漢字は，どの学年でも，よく使われる傾向がある。

（10） 字画と提出回数との関係を見ると，国語の教科書には，字画の少ない漢字の提出回数が，どちらかといえば多いようである。

（11） どの学年でも，字画が少なくて，提出回数の多い漢字が，どちらかといえば，よく覚えられるといえる。とりわけ，小学校の第1学年でそうである。小学校の1年生の漢字の習得の大部分は，字画と提出回数とで説明できるようである。

（12） 小学校の第1学年を除けば，字画の多少より，提出回数の多少のほうが，児童生徒の漢字の習得に大きく影響するようである。小学校の1年生には，提出回数より，字画の少ないことのほうが，漢字の習得に，いくらか大きく響くようである。

（13） 国語の教科書には出ていても，児童のほとんどだれもが書くことのできない漢字がある。これは提出回数の，きわめて少ない字である。

（14） 90パーセント以上の児童生徒が正しく書く漢字には，国語の教科書に100回前後出ている字が多い。国語の教科書に100以上出ている漢字の正答率は，90パーセントを越えなくても，90パーセントに近づく。国語の教科書に，同じ漢字を幾度出せばいいかということは，たいていの漢字は100回ほど出せばいいといえるようである。

（15） 児童生徒が漢字を正しく書けるようになることは，国語の教科書に，漢字がどう出されるかということと深い関係をもつ。

6. 漢字の学年配当への示唆

児童生徒が漢字を正しく書けるようになるのは，国語の教科書で学ぶためだけではないが，国語の教科書で組織的に学ぶことが，そのいちばん大きな力になる。そうして，児童生徒の漢字の習得率は，国語の教科書の漢字の出し方と深い関係を持つ。これは，上に述べてきたところであるが，それならば，国語の教科書には，どんなに漢字を出せばいいであろうか。ここでは，この問題について考えたい。

(A) 漢 字 の 数

児童生徒は，中学校を卒業するまでに，881字の，いわゆる教育漢字を，読むことも書くこともできるようにならなければならない。ところが，この調査の結果では，中学校を卒業する時期になっている生徒が，おしなべていうと，881字のうち721字，すなわち，881字の82パーセントほどしか正しく書けない。中学校を卒業する時期になっている生徒の中には，高等学校に入学する準備として，かなり激しい学習をしているものもあるに違いないのであるから，苦しい学習を続けてきている生徒があっても，漢字の習得は，国家の望むとおりになっていないといわなければならない。問題はここにある。

もっとも，中学校の課程を修了する時期にある生徒の漢字の習得が，望まれるとおりになっていないからといって，これをすぐに，国語の教科書の罪にしてしまうわけにはいかない。漢字の指導法，または，漢字の学習を軽くみる思想なども，その原因になっているかもしれない。

それにしても，漢字を学ぶ苦労を少なくして，能率的に学ばせて，義務教

育を受ける間に，881字の漢字を読むことも，書くこともできるようにならせるには，国語の教科書に，漢字をどう出せばいいかと研究することは，国語の教科書を編むものの責任であるといわなければならない。

国語の教科書に漢字をどう出せばいいかということは，いろいろな要素について考えなければならない，むずかしい問題である。しかし，ここでは，この調査で得た資料だけに基いて考えたい。

第17表の示唆案は，それぞれの学年に，ほぼ幾字の漢字を新しく出すのが適当であるかを示すものである。もとより，この字数より，1字減っても，1字ふえてもいけないなどというものではない。だいたいの見当である。

これまでの国語の教科書（調査したとき，調査した学校で使われていた）の漢字の出し方と，この案の大きく違う点は，881字の教育漢字を小学校の6か年間に出してしまうことと，学年が進むにつれて，新しく出す漢字の数を多くしたこととである。

第 17 表　国語教科書の提出漢字数

教科書＼学年	I	II	III	IV	V	VI	計
尋常小学国語読本（黒読本）	48	122	281	355	309	245	1360
尋常小学国語読本（白読本）	49	173	307	343	243	233	1348
小学国語読本（さくら読本）	82	234	336	298	215	197	1362
初等科国語（国民学校時代）	129	276	242	228	234	193	1302
昭和24年度使用教科書（文部省著作と民間著作）	50	131	187	85	106	96	655
示唆案	50	120	140	160	190	221	881

これまでは，200字あまりの教育漢字が，中学校で新しく出されていた。しかし，中学校には，教育漢字以外の当用漢字969字の負担がある。教育漢字以外の当用漢字は，義務教育を受ける間に覚えてしまわなければならない

という漢字ではないが，とにかく，中学校では学ばなければならない漢字である。これは中学校の生徒には大きな負担であるに違いない。

これまでは，中学校の第1学年に，教育漢字が新しく 187 字出ている。この 187 字という数は，中学校の1年生にとって多い数ではない。しかし，中学1年には，この 187 字のほかに，教育漢字以外の当用漢字が 562 字出ているために，この学年の漢字の習得率を低くしているし，中学2年の漢字の習得を大きく妨げていることは，前に述べたとおりである。

こういう事情を考えると，教育漢字は，小学校の第6学年までに出してしまうのがいいと思える。

881 字を小学校の国語の教科書に出してしまっても，この全部の漢字を，小学校で覚えてしまうことは，もとよりできない。しかし，881 字を小学校で出してしまえば，くり返して出される回数が多くなるから，中学校では，これらの漢字を覚えるための苦労が減って，確実に習得されるようになることと思う。

前に述べたように，抵抗の少ない漢字がさきに習得されて，あとまで残される既出漢字は，なかなか習得されないのであるが，こういう漢字も，小学校で出してしまえば，くり返して出る回数が多くなるから，中学校では，割合いたやすく習得されると思う。

次に，学年とともに新出漢字を多くしたことの理由であるが，第 17 表に掲げたように，国民学校までは，初等教育の6年間に，1300 字あまりの漢字が出ていた。そうして，低学年から中学年で，新出漢字の数が多くなっていた。これは同じ漢字をくり返して出す回数を多くして，6年間に覚えさせようとねらったからであった。

しかし，881 字は9年間に覚えさせるのであるから，小学校の中学年あたりで，新しく出す漢字の数を多くするという必要はない。小学校の第3学年

で，新しく出た漢字が，187 字あったために，第4学年の漢字の習得を妨げたと思えること，さらに，この影響は第5学年にも及んでいると思えることは前に述べた。そうとすれば，小学校の中学年の新出漢字を多くするようなことは，避けるのがいいと思う。

また，第3表，第9表を見ると，教科書に出ている漢字でも，出ていない漢字でも，第5，6学年になると，正しく書いた字数が，目だって多くなっている。さらに，第4図は，高学年になると，新出漢字の習得率が高くなることを語っている。これらのことは，前に述べたように，高学年になると，「へん」「つくり」など，漢字の組立の理解が深くなって，漢字の学習能力が増すことからくると思える。

こう考えてくると，第5，6学年の新出漢字の数を多くすることが，道理にかなうと思えるのである。

中学年の新出漢字を多くするのとは反対に，第4学年には，ローマ字の負担が加わるから，この学年の新出漢字の数を減らすのがいいという意見もあるかと思う。この調査を行ったときに，調査した学校で使われていた国語の教科書では，第4学年の新出漢字の数を，前後の学年より少なくしてある。

しかし，第6表の e 欄の字数を見ても，第9表の字数を見ても，国語の教科書に出ていない漢字の正しく書かれる数が，第4学年から，きわだって多くなっている。これは，前にも述べたように，この学年あたりから，児童の読書力が高まることを語るもので，また，漢字の学習能力が，この学年あたりから増すことを語るものであるに違いない。

それから，この調査の結果では，国語の教科書に出ている漢字の習得は，第4学年は，前後の学年より，目だって低いのであるが，これは，ローマ字の負担のためというよりは，第3学年の新出漢字の数が多すぎたためであると見ていい。このことも前に述べた。

これらのことを考えると，ローマ字の学習が，今のありさまより，はるかに強められれば別であるが，今のありさまであれば，ローマ字を学習する児童の負担は，漢字の習得を妨げるほどではないと思える。

そうして，第17表に掲げた漢字の配当案によれば，第2，3学年の新出漢字の数は，これまでよりはるかに減って，これらの漢字（前学年の新出漢字とそれ以外の既出漢字）に対する4年生の負担が軽くなっているのであるから第4学年の新出漢字の数を，この案以下に減らすには及ばないと思う。

次に，第1学年の漢字の数を，もっと減らすのがよくはないかという考え方もあると思う。しかし，1年に出す漢字には，ひらがなより字画の簡単な字も少なくない。

また，第6表の *e* 欄と，第9表とによれば，1年生は，教科書に出ていない漢字を，かなり多く書くことができる。したがって，就学する前から環境の中で得た字を，1年生はかなり持っていると見ていい。

さらに，第12表の *l* 欄と第4図とを見ると，1年生の漢字の習得率は，6年生の新出漢字の習得率と，ほぼ等しい。6年生は，漢字の負担量315字（第11表 *k* 欄）のうちで，新出漢字96字の44.8パーセントを正しく書いているのであるが，1年生は50字の46パーセントを正しく書いている。

第1学年の国語の教科書には，これまでも50字の漢字が出ているのであるが，上の結果から見ると，第1学年に出す漢字の数を，この50字より少なくする必要は認められない。

最後に，第2学年の新出漢字が，1年より急に70字ふえて，120字になっていいかという問題が残る。

第1学年の50字の46パーセントを，第1学年で習得すれば，第2学年に残るのは27字だけである。この調査の結果（第12表）では，2年生は，前年に出た漢字の負担量（26字）の53.9パーセントを習得し，2年の新出漢

字131字の39.7パーセントを習得している。この結果からいうと，この配当案の120字は，むりな配当ではない。

(B) 漢　　字

上には，漢字の学年配当を，字数から考えたのであるが，この数字に実際の漢字をあてはめることになると，これは，いっそうむずかしい問題である。

次に掲げる案は，多少の例外はあるが，正答率のいちばん高い漢字を第1学年に採って，以下，学年を追って，やはり，だいたい正答率の高い順に，漢字を学年にあてはめたものである。こうすることが，この調査に基く配当としては，いちばん合理的であるし，また，この方法によれば，これまでの国語教科書の漢字配当に近いものになって，漢字の配当を変えるために，児童の漢字の学習を乱すかもしれないことが，少なくて済むと思ったからである。

しかし，もとより，この配当表の漢字を，少しも動かしてはいけないなどということはない。小学校の第1学年の漢字以外は，どの学年も，だいたい正答率の高い漢字から，正答率の順に，漢字を並べてある。したがって，その学年の終りのほうに掲げてある漢字の正答率は，次の学年の初めのほうに掲げてある漢字の正答率と，ほぼ等しいとみていいから，これらを入れ替えることは，少しもさしつかえない。I－VI は学年を示す符号である。

I　一二三四五六七八九十山上中子人川大月本白目木日手口耳花下火青小水女年赤雨冬右男空風早田左雪金雲秋学校……（計50字）

II　門町生先世林北力石光米思糸気話正母元界星村用声方組父王休天文紙虫鳥東心海名黒品土西百出夜字半島千麦魚家夏作書列道音考由返全森原弟南切自申発不波知春礼苦食多意事安徒親高戸足快都私竹色季犬走円立国車語友草時葉夕明野入兄船間岩汽駅厚谷朝近今晴牛銭

……（計 120 字）

Ⅲ　助動屋電計毎店古号来帰台会岸新遠角見遊喜平和聞住楽茶顔向神肉命役級美通根首第点行答寒週妹昼息具銀活材流工毛荷地勉集歩度乗両受相合柱唱持炭飛配強面分実感同絵談死温願問題料運教室物画馬場終鉄隊望鳴機写鏡身所病決性記旅念真改送勝質広歌社深負追貨舎以曜寺太万体者午頭外庭落前後帳内池京玉少……（計 140 字）

Ⅳ　貝数算畑陽勇幸油器黄主湖加登夫客洋血福橋待里重県園皮坂表球言図味曲服予協線転刀市湯回横農位章求急情景燈君約着告民指植法単開歯止維姉昭宮老科清何信利注労整候買次秒売説港族支格例移拝卒暑州席研部交詩式化究節郡様保愛業句理良育種商公戦官速飲航省停養制判形供氷酒細習働満番士当才給各板別熱等迷短類使階賞守河演局害団倍泳進長察観取……（計 160 字）

Ⅴ　成暗員功悲読有代賀史祝陸去引反直消失区歴義院伝練鼻治便希因無共順的想散衣包任続責総織英浅漁童軍覚他末仕照婦仁関富敗冷能塩忠験調果祖係路医識産械得軽詞易承選恩薬現結豊初可政達投兵久健堂庫経容悪序最対漢賛術菜栄設謝積議評製昨氏銅永師央弱定館億周芸博静期始我令建武費志災績徳委欠紀起必努変然比牧則留論精誠康防試退打緑辺孝粉祭特府側囲刊技張典脈児宿測筆常毒非管倉幹放副善未臣導検造再皇旗式……（計 190 字）

Ⅵ　速争像要宗帯系焼綿鉱標底純在量輪残職置敬条険修準完過諸衛件印象築授独憲俵編芽示訓飯輸接解規応復難寄辞版境司折布殺群往慣際権宜故競勢仏浴貿講護液課個胃似絹舌眼案刷状居討増態展余欲素査参墓破券孫型益陛腸妻務潔確断敵採蚕従効票蔵延丁后許資済借均己燃営税貯低専適率肥罪圧付報株絶述尊著基差損暴禁除挙存党財程複備律賃提貸衆至拡混興仮誤減是勧略兼革固録毫額旧訳否策届逆貧限

招領拾納統証視派犯収補救推極弁構勤属税創需殺迅聖奮較耕異貴遺疑盟称叢俗就欲臨価預認……（計 221 字）

(C)　ま　と　め

（1）　義務教育を終るまでに，読み書きともにできるように指導しようとする 881 字の漢字は，小学校の国語の教科書に，全部出してしまうことが必要であると思える。

（2）　881 字を小学校のそれぞれの学年に幾字ずつ出すかは，学年の進むにつれて，新出漢字の数を多くするのが，児童の学習能力にあてはまると思える。小学校の第 1 学年に出す漢字の数は 50 字で適当である。

（3）　ここに掲げた漢字の配当表は，少しも動かせないというものではない。字数も，漢字もだいたいこの程度ではと思える案であるにすぎない。

7. 児童生徒の誤字

児童生徒が，漢字を正しく書くようになるのにも，また，漢字を書きまちがえるのにも，いろいろな事情があることと思う。そのため，児童生徒が漢字をどうまちがえて書くか，あるいは，漢字のどの部分をまちがえないかということは，字によっても違うし，また，学年によっても，人によっても違う。

しかし，おおまかにいうと，漢字には，かなり多くの児童生徒が同じようにまちがえる部分があるし，まちがえるものの少ない部分もある。ここでは，これらをまとめて述べたい。また，整理の途中で，漢字の学習指導について気のついた点もいくつかある。これもまとめて，終りに付け加えたい。

(A) 児童生徒の漢字のとらえ方

はじめて漢字を見たこどもが，漢字をどうとらえるかは，この調査ではわからない。この調査は学年の末に行ったので，いちばん幼い児童でも，小学校の第1学年を修了する時期になっていたからである。

しかし，漢字の構造を，まったく理解していないこどもが，はじめて漢字を見ると，おそらく，ごたごたした形と感ずるだけであるに違いない。そののち，同じ漢字に幾度も出会うと，その漢字の目だつ部分から，だんだん意識に跡を残していくものと思える。それで，児童生徒の誤字を見ると，

（1） 「へん」「かんむり」そのほか漢字の外郭になっている部分は，まちがえるものが，割合少ない。

例　今，令，倉，合，命，会……の人　余……の人

厚，原，歴……の厂　因，固，国，図……の口

守，安，宗，客，家……の宀　居，届，屋，展，属……の尸

底，店，度，庭，康……の广　延，建……の廴

紙，級，組，経，緑……の糸　近，返，送，道……の辶

閉，間，関，問，聞……の門

そのほか，イ リ カ ロ 忄 扌 攵 日 木 氵 灬 糸 艹 言 金

などは，割合まちがえない。これは，（イ）漢字の外郭になっている部分はよく目だつこと，（ロ）「へん」「かんむり」などは，漢字の部分としては，独立していて，点画が割合単純であること，（ハ）「へん」「かんむり」などは，同じものが，別な字に幾度も出てくることなどのためであろうが，また，（ニ）「へん」「かんむり」などには，漢字を書く場合に，最初に書くものが多いことにもよるのであろう。

「へん」「かんむり」などは，別な字の部分として，幾度も出てくるために，まちがえなくなるのであることは，別な字に幾度も出てくる「へん」「つくり」「かんむり」「脚」などをまちがえるものは，学年が進むにつれて，著しく少なくなることでわかる。

また，こういう，「へん」「つくり」「かんむり」「脚」は，「へん」「つくり」「かんむり」「脚」としてではなく，漢字の内部にはいりこんでしまっていても，おとしたり，まちがえたりするものが少ない。

例　職，織……の日　総……の心

案……の女　別……の口

庭……の廴　教……の子

類……の米　個……の口

冷，創……の人

しかし，こういう外郭になっている部分でも，まちがえないというわけではない。とりわけ，形の似たものは混同される。

例　刀と力，厂と广，又と攵，廴と辶，亻と彳，
　　扌と木，未と禾，禾と矢，小と心と示，
　　牛と扌，ネ，ネ，艹と竹とソ，目と貝と頁

これらのことは，後に改めて述べる。

（２）　児童生徒の漢字のとらえ方には，個人差が見られる。

おしなべていうと，漢字の外郭になる部分を，よく覚えるといえるのであるが，漢字を組み立てている部分を，児童生徒のだれもが同じようにとらえるのではない。「へん」または，「かんむり」をまちがえないものもあるし，「つくり」または，「脚」をまちがえないものもある。

たとえば，にんべん，きへん，さんずいなどは，たいていの児童生徒は，へんをまちがえないのであるが，「柱」についていえば，数は少ないが，「主」を正しく書いて，きへんをまちがえるものがある。これは，後に「性」と「情」とを例にして述べる原因によるものかどうかわからない。

こういうように，数は少ないが，こうまちがえるという事例を取り上げていえば，漢字のどの部分を，いちばんはっきりとらえるかは，字によっても違うし，人によっても違うといえるのである。こういう例を，二要素からなるといえる漢字，三要素からなるといえる漢字，その他について，1，2例ずつあげる。

しかし，漢字のとらえ方の，こういう違いがなぜできるのかは，この調査ではわからない。これを明らかにするには，実験的な研究がいると思う。

（一）　二要素からなるといえる漢字。

（イ）　作

「作」は，にんべんをまちがえないものが多いのであるが，（a）「イ」をはっきりとらえるものと，（b）「乍」をはっきりとらえるものとがあるといえる。aの児童生徒は，「作」を，

住作催作竹作作作係傑

などのようにまちがえるし，bの児童生徒は，

昨徐乍笮作柞乍

などのようにまちがえる。

（ロ）　版

「版」では，（a）「片」をはっきりとらえるものと，（b）「反」のほうをとらえるものとあるといえる。aの児童生徒は，「版」を，

状肘扠刖肵牉枡

のようにまちがえるし，bの児童生徒は，

反仮板坂返扳復級叛恨粄破服

のようにまちがえる。

（ハ）　訓

「訓」では，（a）言をとらえるものと，（b）「川」をとらえるものとあるといえる。aのものは，「訓」を，

信詩課訂訶諌請

のようにまちがえるし，bのものは，

順馴頁川身川釧君川音川

のようにまちがえる。

（ニ）　男

「男」では，（a）「田」をとらえるものと，（b）「力」をとらえるものとあるといえる。aは，「男」を，

田思胃男累畀要

のようにまちがえるし，bは，

另労努男男男

のようにまちがえる。

（二） 三要素からなるといえる漢字。

（イ） 炭

「炭」は，(a)「山」をとらえているもの，(b)「厂」をとらえているもの，(c)「火」をとらえているもの，(d)「山」と「厂」とをとらえているもの，(e)「山」と「火」とをとらえているもの，(f)「厂」と「火」とをとらえているものとに分けることができる。a は，「炭」を，

岩 炭 岩

のようにまちがえるし，b は，

右 石 岸 庁

のようにまちがえるし，c は，

火

と書いているし，d は，

岸 岸 炭 岸 岸 崇 岩 岩 崇 崇

などとまちがえるし，e は，

炎

とまちがえているし，f は，

灰 灰 灰 灰 灰 灰

とまちがえている。

児童生徒が，「炭」をなぜこういうようにとらえるのか，また，とらえるということばで呼んでいいのかどうか。これは，この調査ではわからない。

前に「山」を学んでいるから，「山」をまちがえないのか，「山」と「厂」を学んでいるから，これをまちがえないのか，「山」と「厂」と「火」とを学んでいるから，この三要素としてとらえるのか，「山」と「灰」とを学んでいるから，「炭」を「山」と「灰」との二要素としてとらえるのか。こういうことはもっと綿密に調査もし，実験的にも研究しなければわからないことで

あると思う。しかし，児童生徒の誤字を分類すれば，上のように分けることができるのである。このことは，上に掲げた二要素からなるといえる漢字についても，また，これから後にあげる例についても同じである。

（ロ） 努

「努」では，(a)「女」をとらえているものは，

怒 姿 努

のようにまちがえるし，(b)「力」をとらえているものは，

力 動 劦 努 协 協 協 協 協 協 勢 努 努 努

のようにまちがえているし，(c)「女」と「又」とをとらえているものは，

奴 怒 怒 怒 怒

のようにまちがえ，(d)「女」と「力」とをとらえているものは，

努 努 努 努 努 努 努 努 努 努 努 努

のようにまちがえ，(e)「又」と「力」とをとらえているものは，

努 努

のようにまちがえている。

（ハ） 働

「働」では，(a)「イ」をとらえたものは，「働」を，

仕 住 任 催

のように，(b)「重」をとらえたものは，

重 種 動 動 僮 動

のように，(c)「力」をとらえたものは，

勤 功

のように，(d)「イ」と「重」とをとらえたものは，

働 働 働

のように，(e)「イ」と「力」とをとらえたものは，

劧 僥 働 衡

のように。(ｆ)「重」と「力」とをとらえたものは，

動 勲 動 衝 衝 邀 動 譲 働

のようにまちがえている。

（三） もっと複雑な字。

（イ） 境

「境」では，「へんだけ正しいもの」「つくりだけ正しいもの」「へんも，つくりも正しくないもの」に分けることができる。そうして，「つくりの正しくないもの」には，

童 （「立」だけ正しい） 竟 竞 （「 ル 」だけ正しい）

音 意 章 （「立」と「日」とが正しい） 竞 竟 （「立」と「 ル 」とが正しい） 竟 克 （「日」と「 ル 」とが正しい）

などがある。

「へん」をまちがえるものは，「へん」を，まったくつけないか，

イ 忄 金 日 口 王 言 オ シ 立 阝 音 竟 竟

などをつけている。

児童生徒が漢字をどう覚えるか，どんな部分から，どんな順序に覚えて正しく書くことができるようになるかが，明らかになれば，おもしろいと思うが，詳しいことは，この調査ではわからない。こういうことは，指導の実際にあたっている人の手によれば，もっとはっきりすると思う。

(B) 書き違えのありさま

児童生徒が，どの漢字をどうまちがえるかは，前にも述べたように，多種多様である。ここには，そのおもなものを12種類に分けて述べるが，誤字の姿は，これで尽きるわけではない。

（1） 同じ種類の物事をさすほかの漢字と混同する。

例	一を　二，三，十などと書く。	二を　三，七などと書く。
	三を　二，六などと書く。	七を　九，十などと書く。
	上を　下と書く。	下を　上，中と書く。
	中を　上と書く。	東を　西，南，北と書く。
	倉を　庫と書く。	姉と　妹とを混同する。
	左と　右とを混同する。	日と　月，星とを混同する。

（2）「音」または，「訓」が同じ，または，似ているほかの漢字とまちがえる。

例	丁を　手，停，訂と書く。	世を　せと書く。
	中を　仲と書く。	二を　に，日と書く。
	交を　校と書く。	他を　多，田，外と書く。
	付を　府，符と書く。	令を　礼と書く。
	以を　意，井と書く。	任を　仁と書く。
	供を　友と書く。	修を　習と書く。
	両を　良と書く。	

（3） 熟語になるのでまちがえる。

例	供を　倖 倴 俘 洪　と書く。	夏を　夏 昦　と書く。
	球を　野 球　と書く。	欲を　谷欠　と書く。
	男を　男　と書く。	

「供」を「倖」などと書くのは，「子供」という熟語の2字を1字にするからであろう。こういうまちがいは，そう多くはないのであるが，（1）のところで掲げた，姉と妹，左と右，日と月，倉と庫を混同して書くなども，熟語として使われるので，まちがえるのかもしれない。

（4） へん，つくり，かんむり，脚など，似ているものを混同する。

これについては，児童生徒が漢字をどんなにとらえるかを考えたところで

も述べたのであるが，ここには，前に掲げた以外の例をあげる。

例　ンとシ，十と忄，广と疒，宀と冖，　土と士，

目と日，　主と圭と生，　弋と戈，　田と因，　艮と良，

阝と卩，　可と司，　手と半，　表と麦，

（５）　同じ，または，似た点画を含むほかの字とまちがえる。

例　丁を　町，可，訂，下と書く。　　上を　土，工，止と書く。

世を　地，也と書く。　　乗を　來，来，来と書く。

交を　文，校，父と書く。　　仁を　任，仕と書く。

他を　地，池，也と書く。　　以を　似と書く。

休を　体，林と書く。　　低を　底と書く。

例を　列，別と書く。　　係を　経，系と書く。

修を　條と書く。　　入を　人と書く。

明を　間と書く。

（６）　点画を付け加える。

例　丁を　仃　亍　宁　亍　と書く。　　上を　王　と書く。

京を　亰　と書く。　　件を　侔　と書く。

森を　橳　と書く。　　寄を　寄　と書く。

（７）　点画をおとす。

例　反を　夂　と書く。　　今を　亽　と書く。

令を　今　と書く。　　使を　侇　と書く。

他を　仛　と書く。　　族を　族　と書く。

（８）　点画を入れ替える。

これはそう多くはない。

例　京を　杲　と書く。　　休を　朩亻　と書く。

和を　咊　と書く。　　品を　吕　と書く。

外を　卜夕　と書く。　　奮を　奮　と書く。

妹を　𣏌　と書く。　　帳を　長巾　と書く。

明を　月日　胃　と書く。　　畑を　田火　と書く。

相を　目木　と書く。　　森を　林木　棥　桒　と書く。

（９）　点画を変える。

例　今を　今　と書く。　　件を　件　と書く。

供を　倂　佽　と書く。　　教を　教　と書く。

旅を　方字　と書く。　　湖を　海　と書く。

（10）　点画のつりあいを破る。

これは低学年に見られるだけで，それも少ない。しかし，調査の時期が早かったら，小学校の第１学年には，こういう例が，もっと多く見られたかもしれない。

例　下を　下　と書く。

（11）　左字に書く。

これも低学年に見られるだけで，数は少ない。

例　七を　ナ　と書く。　　上を　上　と書く。

下を　丅　と書く。　　右を　古　と書く。

村を　木寸　と書く。　　正を　正　と書く。

（12）　筆順が正しくないために誤字になる。

例　五を　五　と書く。　　何を　何と書く。

初めにも述べたように，児童生徒が，どの漢字を，どうまちがえるかはすこぶるまちまちである。したがって，上の12種類では縛りきれない誤字もある。

しかし，どの漢字を，どうまちがえるかは，その漢字について，どういう指導を受けたかによっても違ってくるし，また，これまでに，どういう漢字

を，どの程度に学んでいるかによっても違ってくることがあるようである。

人数の少ない例であるが，「米」を「八十八」（縦書きに）と書いた児童がある。これは，家庭かどこかで，米寿などということばとも関係させて，「米という字は，八十八と書く」などと教えられたためであると思える。

また，りっしんべんの字は，りっしんべんをまちがえないものが多いのであるが，「情，性」などは，つくりの「青」，「生」をまちがえないもののほうが多い。これは，「青」，「生」を，「情」，「性」より前に学んでいたからであると思える。「性」は小学校の第３学年から，「情」は第４学年から，国語の教科書に出ているのであるが，「青」と「生」は，小学校の第１学年から出ている。ことに，「生」は第１学年だけで130回出ている。

（C）　漢字の学習指導への示唆

ここでは，漢字の学習指導法の一般論を述べるのではない。漢字を正しく書く指導をするという立場から述べるのであるし，それも，児童生徒は，漢字をどうとらえるとみていいか，漢字をどうまちがえて書くかについて，上に述べたところから推して考え，また，「国語教科書と漢字の習得」のところで述べた結果から推して考えると，児童生徒の漢字の学習を指導するにあたっては，どんな点に気をつけることが必要であると思えるかについて述べるのである。こういう点をまとめると，次のようにいうことができる。

（１）　適当な機会に，適当な方法で，漢字のなりたちを学ばせる。

漢字の学習がむずかしいのは，意味のない形を，機械的に覚えなければならないからである。漢字のなりたちを学べば，この機械的記憶に論理性を注ぐことになるから，学習がよほどたやすくなる。

漢字のなりたちを学ばせることは，別なことばでいえば，象形，指事，会意形声のようなことを指導することになるが，もとより，すべての漢字につい

て，こういう指導をすることはできない。しかし，適当な漢字について，おりに触れて，こういう指導もし，「へん」「つくり」「かんむり」「脚」など漢字の組立も学ばせれば，漢字の学習能率が高まることと思う。

「へん」「つくり」「かんむり」など，形の似たものは混同されやすいのであるが，「木」は木であるし，「扌」は手であるとわかっていれば，「柱」や「根」をてへんにしたり，「打」や「指」をきへんにしたりするものも，「持」と「特」とを混同するものもなくなるはずである。また，「示」の意味がわかっていれば，「社」や「神」を「ころもへん」にするものはないはずである。

（２）　漢字の共通点に気づかせる。

漢字のなりたちや，組立を学ばせることと，ほぼ，同じことであるが，とりわけ，共通点に気づかせることが，たいせつであると思う。水に関係のある字のへんは，「氵」であること，木に関係のある字のへんは，「木」であること静では，青は「へん」になっているが，「清」「精」「請」では，「つくり」になっていること，「遠」「園」は，いずれも「袁」であるのようなことに気づかせるのである。

（３）　一字一字の特徴に気づかせる。

共通点とともに，特徴がわかって，はじめて，その漢字をはっきり覚えることになる。「式」「武」は「弋」であるが，「成」「蔵」は「戈」であること，「式」は「エ」であるが「弐」は「＝」であること，「休」は「木」であるが，「体」は「本」であること，「博」は「甫」であるが，「専」は「叀」であることなど，とりわけ，まちがえられやすい点を取り出して，はっきり学ぶように指導したい。

（４）　混同されやすい漢字を同時に学ぶことは避ける。

一字一字の特徴に気づかせることは，とりわけ，混同されやすい漢字について必要なのであるが，たとえば，「休」と「体」とを同時に学ぶと，かえって混同をはなはだしくするおそれがある。「休」と「体」との特徴をはっきりさせ

るには，「休」と「体」とを並べて学ばなければならないが，どちらかをさきに出して，それが習得されてから，もう一方の字を出して，両方を並べて，異同を学ばせるのがいいのである。

「姉，妹」または「右，左」のような，対になる，または，熟語になるために混同される字も，同じである。「右」と「左」とを，国語の教科書にはじめて出す場合は，いっしょに出さないようにしたいのであるが，いっしょに出ている場合は，たとえば，右をさきに学んで，左を後に学ぶようにしたい。

（５） 筆順を指導する。

筆順を学ぶことは，文字を速く，美しく書くためにも必要であるが，正しく書くためにも必要である。筆順を学ばせる必要があるということは，毛筆習字に力を入れなくてはいけないということではない。

筆順の指導は，毛筆習字にまかせておいていいことではない。国語の指導の中で，時にしたがって行うことが必要であると思う。

（６） 指導者は，どの漢字は，どこがまちがえられやすいか，どうまちがえられるかをわきまえる。

国語の教科書に数回出ただけで，正しく書かれる漢字と，幾度出ても，なかなか覚えられない漢字とあることは，前に述べた。覚えにくい漢字について，どうまちがえられるかを，とりわけよくわきまえていて，念を入れて，適切に指導したい。

（７） 一度に多くの漢字を指導しない。

（８） 幾度もくり返して学ぶ。

漢字の学習に，論理性を与えることについては，すでに述べたが，それにしても，漢字の学習から，機械的に覚える部面を除いてしまうことはできない。

ところが，機械的に覚えることは，いちばんほねのおれる学習である。そ

うして，こういう学習では，学習材料が少し多くなれば，学習の労力が著しく増す。また，機械的に覚えるには，幾度もくり返して学ぶことが，なにより必要である。

これらは，学習心理学の教えてくれるところであるが，国語の教科書に新しく出る漢字の数が多すぎると，児童生徒の漢字の習得を妨げること，国語の教科書に幾度も出ている漢字が，よく覚えられることは，この調査の結果でも，見てきたことである。

(D) ま と め

（１） 漢字をどう覚えるか，どうまちがえるかは，字により，学年によりまた，人によって違う。しかし，書きまちがえやすい漢字と，そうでない漢字とがあるし，一字一字についていうと，よく書きまちがえられる部分と，そうでない部分とがあり，また，おおぜいの児童が，同じようにまちがえる部分もある。

（２） 漢字の学習を指導するにあたっては，これらのことをよくわきまえていて，なるべく学習に論理性を与えて，機械的記憶の部面を少なくして，適切な指導によって，能率の高い学習に導くことが必要である。

（３） 一字一字の漢字をどう書き違えるかは，巻末に掲げる。まちがいの姿は多種多様で，その全部をあげることはできないが，著しい傾向を拾ってなるべく多く掲げる。

8. 基準を設ける調査の方法

児童生徒の漢字を書く能力が，学年相応の発達を遂げているかどうかなどのことを，手軽に判定する基準を作る目的で，義務教育の期間に読み書きともにできるように指導する必要があると認められた，いわゆる教育漢字881字の中から，100字を選んで，小学校の第1学年から，中学校の第3学年までの児童生徒について検査した。

検査は，昭和26年の1月下旬から，2月の上旬にかけて行ったこと，福島県・茨城県・千葉県・長野県・静岡県・和歌山県の小学校計10校，中学校計10校の児童生徒，男子2025人，女子2005人，計4030人を検査したことなどについては，（1），（2）で述べた。

(A) 選んだ漢字

基準を作るために選んだ漢字は，小学校　第1学年に適すると思える漢字が11字，第2学年に適すると思える漢字が11字……中学校の第2学年11字，第3学年12字，計100字なのであるが，この100字は，次の事がらを考えて選んだ。

（1） その学年の正答率が70パーセント前後の字であること。つまり，小学校の第1学年の字ならば，1年生の70パーセント前後が正しく書いている字であること。

（2） 正答率の男女の差の少ない字であること。

（3） 学年の発達が不規則な字でないこと。すなわち，正答率が学年を追って，だいたい，なめらかに増加している字であること。

（4） 児童生徒の生活と，あまりかけ離れた事がらを示す字でないこと。

（5） へん，つくり，かんむり，脚などの変化が，多いこと。

こうして選んだ100字は，次のとおりである。I—IXは，学年をさす。VII，VIII，IXは，中学校の第1，2，3学年である。

I　上 中 子 人 大 月 本 白 木 日 手
II　耳 火 風 村 石 米 母 方 気 界 元
III　秋 草 東 文 黒 南 時 兄 雲 朝 心
IV　谷 犬 野 作 語 間 店 和 美 通 地
V　色 岩 岸 運 内 池 面 分 黄 重 君
VI　前 帳 姉 暗 坂 横 交 保 農 指 引
VII　駅 着 薬 急 開 治 塩 投 常 散 争
VIII　労 選 祭 泳 健 絹 伝 軽 康 焼 底
IX　厚 已 鼻 航 届 逆 善 低 境 孫 招 救

(B) 検 査 用 紙

100字の漢字は，文章の中に入れて，完成法に似た形で与えたこと，どの漢字を，どういう読み方で，また，どういうことばで出すかは，小学校の国語の教科書に出ている漢字は，教科書の用例に従ったことなど，問題の作り方は，881字の場合と，ほぼ，同じにした。

100字の漢字を，27問にまとめて，4枚に分けて印刷した。問題の文の中には，漢字を使わなかったことも，881字の場合と同じである。4枚の検査用紙は次のとおりである。実際に使ったものは，縦組で，本文の活字は，書き入れる漢字を示す文字以外は，12ポイントにした。

漢字書写力検査用紙（昭和　年　月　日調査）

1. おんなの　（こ）が　（おお）きな　にもつを　（て）に　もって，おかの（うえ）から　おりて　きます。

2. ばんごはんを　たべてから，うちの　(ひと)と　いっしょに　おはなしの　(ほん)を　かいに　いきました。そらには　あかるい　(つき)が　でて　いました。

3. なつは　いえの　(なか)に　いても　あついので，わたくしは　(き)の　したの　ひかげで　べんきょう　する　ことが　あります。

4. さむい　(かぜ)が　ふく，ゆきの　ふる　(ひ)でした。あたりは　もう　(しろ)く　なりはじめて　いました。ぼくは　となり(むら)まで　おつかいに　いきました。さむくて　(みみ)が　いたいくらいでしたが，(げんき)を　だして　かけあしで　いきました。

5. ちちと　(はは)が　ろの　(ひ)に　あたりながら，ことしは　むぎも　お(こめ)も　たくさん　とれたと　はなして　いました。

6. うらやまに　のぼる　みちは，(いし)ころが　あって，あるきにくかった。やまの　うえからは　うみの　(ほう)まで　みえた。この　やまから　せ(かい)の　すみずみまで　みる　ことが　できたら　おもしろい　ことだと　おもった。

7. いえの　(ひがし)には　ひろい　はたけが　ある。(あに)と　おとうとは　そこで　(こころ)を　あわせて　はたらいて　いた。

8. (みなみ)の　そらに　(くろ)い　(くも)が　もくもくと　でて　きた。

9. (あき)も　すぎて，ふゆが　ちかづいて　きた。しもの　おりる　(あさ)が　おおくなって，(の)はらの　(くさ)も　かれはじめた。ぼくは　しもと　いう　だいで　(さくぶん)を　かこうと　おもう。

10. こく(ご)の　(じかん)に　へい(わ)な　くにと　いう　ことに　ついて　はなしあった。

11. おおきな　(いぬ)が　はなを　(ち)に　つけるようにして　くすりやの　(みせ)の　まえを　はしって　(とお)った。

12. きのはが　あかや　(き)いろに　(いろ)づいて，やまも　(たに)も　(うつく)しく　なった。

13. ぼくの　がっこうでも　(うん)どうでは，やきゅうが　さかんで　ある。しかし，たろう(くん)の　ピッチャーは　いいが，(ない)やが　よわい。

14. にもつが　(おも)いので　とちゅうで　かわの　(きし)の　(いわ)に　こしを　かけて　二十(ぷん)ほど　やすんだ。

15. もんを　はいると　しょう(めん)に　げんかんが　ある。げんかんの　(よこ)には　(いけ)が　あって，きんぎょが　およいで　いる。

16. ひが　くれたが　(こう)つうの　ふべんな　いなかだから，あるいていくより　しかたが　ない。(あね)と　いもうとは，よりそって　(ぜん)ごを　みまわしながら　(くら)い　(さか)みちを　のぼって　いった。

17. うしや　うまを　(ほ)ご　しよう。どちらも　(のう)ぎょうに　やくだつ　ことが　おおい。

18. がっこうで　(ちょう)めんを　とじる　とき，きりで　(ゆび)さきを　いためた。せんせいが　すぐ　(くすり)を　つけて　くださった。

19. ありの　すの　ちかくに　パンくずを　(な)げて　やった。二ひきの　ありが　おもそうに　(ひ)いて　いった。

20. せん(そう)の　ない　たのしい　せかいに　するには，あかるい　せい(じ)の　ちからが　ひつようで　ある。

21. わたくしは　ようふくを　(き)ものに　きかえて，きしゃの　(えき)の　ほうへ　(さん)ぽに　いきました。どこかで　(しお)ざかなを　(や)く　においが　して　いました。

22. かわは　ずいぶん　(きゅう)りゅうだが，(そこ)まで　すきとおっている。ゆうがたに　なると，どての　つきみそうの　はなが　(ひら)く。

23. ぼくが　すい（えい）の　けいこを　して　いるのは，みずに　おぼれない　ためだが，がっこうの　（せん）しゅに　なるほど　じょうずに　なりたい。

24. びょうきの　く（ろう）を　くりかえすより，（つね）に　（けんこう）に　きを　つけるように　したい。

25. さすが　（きぬ）おりものの　さんちだけあって，まちの　（まつり）には　まいとし　きぬに　ついての　（でん）せつを　おりこんだ　しばいが　おこなわれる。

26. とりは　（こう）くうに　つごうの　いい　（かる）くて　じょうぶな　はねを　もって　いるから　うらやましい。つばめなどは　はねの　ちからで　いくつもの　くにの　こっ（きょう）を　こえて　いったり　きたり　する。

27. Aしは　ざいさんが　あるので　（はな）を　たかく　して　いると　いう　ひとも　あるが，それは　（ぎゃく）で　ある。（まご）を　つれて　さんぽ　して　いる　ときなど，だれに　たいしても　こしの　（ひく）い　（ぜん）りょうな　ろうじんで　ある。Aしは　よく　まちの　ひとを　（まね）いて　はなしを　きく。そうして，くらしに　こまって　いる　ひとが　あるのを　きけば，いろいろな　しなものを　だまって（とど）けて　やる　ことが　ある。Aしは　じ（こ）を　わすれて　しゃかいに　つくす　ひとで　ある。

Aしの　（おこな）い　どうじょうに　よって　（すく）われた　ひとは　この　まちだけでも　すくなくない。

(C) 検　査　方　法

漢字を書かせるには，次のようにした。したがって，ここに報告する基準

によって，児童生徒の漢字を書く力を判定するのであれば，以下にしるす方法に従うことが必要である。

（1）　小学校の第1学年から，中学校の第3学年まで，同じ問題で検査するのであるが，調査者は，あらかじめ，全部の問題（1から4までの4枚1組，計27問）に目を通して，小学校の低学年でも，書けそうな字のある問題は全部与える。どの児童も，自分の書ける字が，全部与えられることが必要である。

（2）　27問を幾度にも分けて調査してさしつかえないが，1枚の検査用紙の途中で切ることは避ける。検査用紙を1枚ずつ，または，2枚ずつのように分けて実施する。

どういう漢字を，あす書かせるかを，まえもって知らせてしまうような結果にならないためである。

（3）　最初に，どの検査用紙にも，学年・組・男女・氏名・検査年月日を記入させる。男女は，どちらかを○で囲ませる。

このことは適当にすればいい。学級の担任者が行うような場合，児童生徒の氏名さえあればいいのであれば，そのほかのことは書かせるには及ばない。

（4）　どの問題も，検査者が読んでやって，適当に説明して，文の意味をよくわからせてから，次のようにして，漢字を書かせる。

イ．いちばん初めに，第1問の，

おんなの（こ）が　（おお）きな　にもつを　（て）に　もって，おかの　（うえ）から　おりてきます。

を板書して，かっこの中に，「こ」と，「おおきい」と，「て」と，「うえ」という漢字を書くのであることを理解させて，「子」「大」「手」「上」を書きこませる。

ロ．ほとんど全部の児童生徒が，「子」を書いてしまったところを見定めて，「大」を書かせる。あとのどの字も，どの問題も，こういう ように する。

ハ．意味のわかりにくいと思える字，児童生徒が考え違えると思える字は，次の例に準じて，適当に説明する。

「いえの　（ひがし）には」（第７問）の「ひがし」は，「にし，ひがし」の「ひがし」であること，太陽の出る方角の「ひがし」であることを理解させる。

「（でん）せつを　おりこんだ」（第25問）の「でん」は，「でんせんびょう」の「でん」であること，「つたえる」と読むことなどを理解させる。

「（はな）を　たかく　して　いる」（第27問）の「はな」は，顔にある「はな」であることを理解させる。

必要に応じて，音で出ている字は，訓を教えていいし，訓で出ている字は，音を教えていい。また，用例も教えていい。

ニ．書くことができるかどうかを調べるので，ことばを知っているかどうかを調べるのではないから，字の意味は，よく理解させる。

しかし，字画を暗示するような説明はしないこと。また，検査用紙に印刷してある以外の漢字は，板書しないこと。

ホ．児童生徒が，相談したり，隣の人の字を見て書いたりしないように注意する。

（５）上のような方法で書かせるのであるから，この検査法には，時間の制限はない。

(D)　正誤の判定

児童生徒は，一点一画をゆるがせにしないというように，ていねいには書いてくれない。それで，児童生徒の書いた字が，正しいのかどうかを判定す

るのに，非常にほねがおれたが，ここに報告する基準を設けるには，だいたい，次の方針に従って判定した。

（１）新字体でも，旧字体でも，正しければ正答としたが，略字は，社会に広く行われていると思えるもの以外は，まちがいとみる。

（２）字画のつりあいの，はなはだしく破れているものは，まちがいとみる。

（３）行草体でまぎらわしく書かれたものは，まちがいとみる。

つまり，まぎらわしいが，許して正答とみるという態度を捨てて，きびしく判定したのである。おもな字について，実例をあげれば，次のようである。

（正）	（誤）
手	牛 手 斗
本	本 夲
月 月	月
風 風	風 囘 凨 凡
村	村 村
耳 耳	耳
元	元
気 氣	気 氣
母 毋	母 母 毋
米	米 米 米
石	右
方	方
界	界
東 東	東
兄	兄

心

南

黒　黒

雲　雲

朝

野

草　草

作

間　冏

和

犬

地

通　通

黄　黄

色

谷

美

君

内　内

重

面

横　横

前

坂

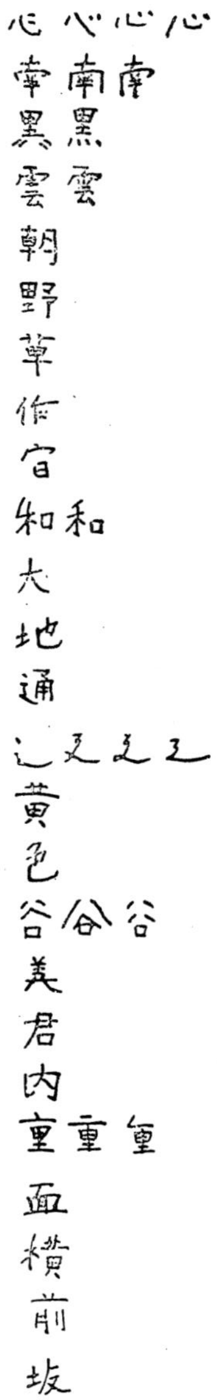

農

帳　帳

投

争　争　爭

駅

散

焼　燒

底

開　閇

泳

選　選

労　勞

常

健

康

祭

航

孫

低

善

己

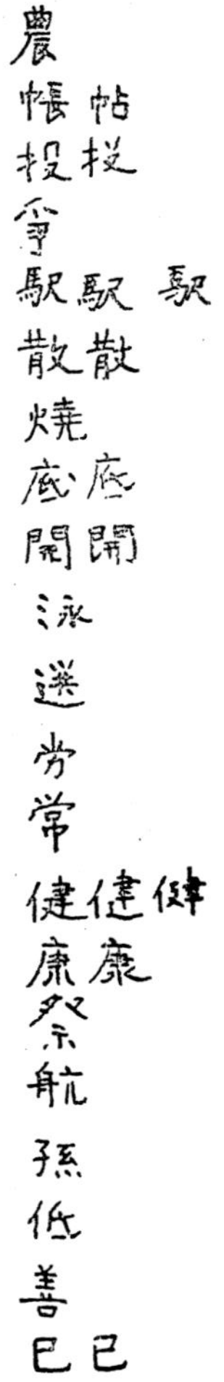

どの字は，どう書かれていれば，正しいとみるかということについては，議論の余地があると思う。しかし，児童生徒の漢字を書く能力を，ここに報告する基準に照して評価するのであれば，ここに述べた方針に従って，正誤を判定することが必要である。

9. 正答の度数分布

児童生徒の漢字を書く力の発達が，手軽に判定できる基準を設けるために，上に述べたように，100字の漢字を選んで，小学校の第1学年の児童から，中学校の第3学年の生徒までを検査したのであるが，ここでは，この成績の度数分布について述べる。

(A) 度数分布

第18表は，100字のうち幾字を正しく書いた児童生徒が，幾人あるかを学年別に示したもので，中学校の第3学年では，91—100字を正しく書いたものが，106人あるが，それは，中学校第3学年で検査した生徒総人員440人の，24.1パーセントにあたるなどの意味をもっている。

第18表では，区分の隔たりを10字にした。区分の隔たりを小さくすると度数分布の傾向がわかりにくくなるからである。しかし，このため，小学校の低学年，ことに第1学年のためには，度数分布表として，きわめて意義の乏しいものになった。小学校の第1学年のためには，区分の隔たりを，もっと縮めて，別に表を作ればいいのであるが，便宜上，高学年の区分に従って同じ表に入れた。

平均値などを計算するには，第18表によらずに，小学校の第1学年では，区分の隔たりを2字にした度数分布表によったし，それ以外の学年では，区分の隔たりを5字にして計算した。

第5図は，第18表の度数分布を，百分率(かっこの中の数値)で図示したものである。混雑を避けるために，小学校の第2，4，6学年と，中学校の第2学年の度数分布を示すだけにとどめた。縦の破線は，正しく書かれた字数

の学年の算術平均(第20表)を示したものである。

第18表と，第5図とをみると，いちばん多く書くことのできた児童の字

第18表 正答の度数分布(かっこ内は百分率)

字数＼学年	I	II	III	IV	V	VI	VII	VIII	IX
91—100						2 (.5)	14 (3.4)	49 (10.7)	106 (24.1)
81—90					6 (1.3)	44 (10.3)	64 (15.8)	154 (33.6)	166 (37.7)
71—80				5 (1.1)	60 (13.2)	102 (24.0)	116 (28.6)	109 (23.8)	85 (19.3)
61—70			8 (1.7)	85 (18.7)	118 (26.0)	132 (31.0)	88 (21.7)	76 (16.6)	43 (9.7)
51—60			60 (12.6)	135 (29.6)	127 (28.0)	80 (18.8)	57 (14.0)	35 (7.6)	22 (5.0)
41—50		5 (1.1)	129 (27.2)	90 (19.7)	71 (15.7)	28 (6.6)	29 (7.1)	14 (3.1)	11 (2.5)
31—40		70 (15.4)	124 (26.2)	78 (17.1)	46 (10.1)	24 (5.6)	21 (5.2)	11 (2.4)	3 (.7)
21—30	1 (.2)	209 (46.0)	98 (20.7)	31 (6.8)	17 (3.7)	7 (1.6)	6 (1.5)	5 (1.1)	
11—20	256 (55.4)	131 (28.9)	42 (8.9)	23 (5.0)	4 (.9)	3 (.7)	8 (2.0)	3 (.7)	2 (.5)
1—10	205 (44.4)	39 (8.6)	13 (2.7)	9 (2.0)	5 (1.1)	4 (.9)	3 (.7)	2 (.4)	2 (.5)
計	462 (100)	454 (100)	474 (100)	456 (100)	454 (100)	426 (100)	406 (100)	458 (100)	440 (100)

数は，学年とともに増している。おおまかにいうと，小学校の2年生では45字，4年生では75字，6年生では95字になっている。しかし，いちばん少ししか書けないものの字数は，学年が高くなっても進んでいない。

度数分布表では，はっきりわからないが，中学校の上学年になると，100

字の全部を正しく書く生徒がある。しかし，中学校の上学年になっても，1字も正しく書けない生徒もある。小学校の3年生が正しく書いた字数の算術平均は，36字（第20表）である。ところが，第18表ではよくわからないが正しく書けた字数が，この36字に達しない児童生徒が，小学校の4年生には21.3パーセント，5年生には9.7パーセント，6年生には6.1パーセント，中学校の1年生には6.4パーセント，2年生には3.3パーセント，3年生にも1.4パーセントある。中学校の課程を修了する時期になっても，漢字を書くという点では，小学校の3年生の水準に達しないものが，1000人のうちに14人あるということになる。

第5図　正答の度数分布

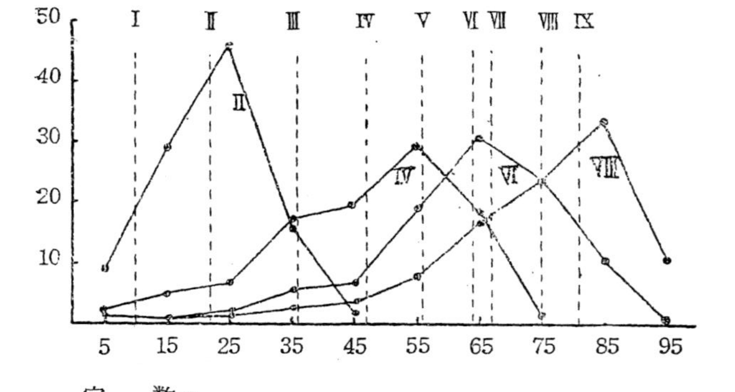

漢字の指導法を研究することによって，これらの生徒の書く能力を，もう少し高めることはできないであろうか。

(B)　度数分布のゆがみ

第5図をみると，小学校第2学年の度数分布は，左右対称の正規分布に近

いようであるが，そのほかの学年では，対称分布になっていない。

学年ごとに，適当な漢字を幾十字か選んで，学年ごとに別な検査法を作って実施すれば，学年別の成績は正規分布になるであろう。しかし，70パーセント前後の児童生徒が正しく書く字を，学年ごとに選んで，小学校の第1学年から，中学校の第3学年までを，まったく同じ漢字で検査するというここで述べている方法を採れば，小学校の第1学年には，大部分の字がむずかしすぎるし，中学校の第3学年には，大部分の字がやさしすぎるのであるから，その成績は，正規分布にはならないはずである。

第19表　度数曲線のゆがみ

学　年	Ⅰ	Ⅱ	Ⅲ	Ⅳ	Ⅴ	Ⅵ	Ⅶ	Ⅷ	Ⅸ
ゆ が み	+.40	−.04	−.21	−.39	−.28	−.17	−.31	−.37	−.42

ここに得た成績の度数分布が，正規分布から，どれだけはずれるかは，第18表と，第5図とを見れば，見当がつくのであるが，念のため，正規分布からはずれる程度を示す数値を，学年別に求めた。第19表の数値がそれである。

第19表の数値は，次の公式によって求めたものである。Q_1 は下の四分位数，Q_3 は上の四分位数，Q は四分偏差，Mi は中央値，Sk はゆがみの程度（Skewness）である。

$$Sk=\frac{Q_1+Q_3-2\,Mi}{Q}$$

この式の値は，度数曲線が，左右対称の正規曲線になれば0になるし，L字形の曲線になれば，+2になり，J字形の曲線になれば，−2になる。そうして，この数値は，度数曲線の頂点が，中央より左にかたよっていれば，正数になるし，中央より右にかたよっていれば，負数になり，絶対値が大き

いほど，対称でない程度が大きいのである。しかし，対称でない普通の曲線では，絶対値が１以上になることは，ほとんどないといわれている。

度数曲線のゆがみの程度を示す数値は，算術平均と最頻値と，標準偏差とから求める方法もあるが，この検査では，この方法は採らなかった。

第19表を見ると，小学校の第１学年の数値は＋0.40であり，中学校の第３学年の数値は－0.42であって，ほかのどの学年より，絶対値が大きい。つまり，小学校第１学年の度数曲線の頂点は，中央より左に，大きく傾くのであるし，中学校第３学年の曲線の頂点は，中央より右に，大きく傾くのである。中学校の第３学年には，100字の漢字の大部分が正しく書けるはずであるし，小学校の第１学年には，正しく書ける漢字は，いくらもないはずであるから，この結果は当然であろう。

なお，第19表を見ると，小学校の第２学年の度数曲線は，ほぼ，左右対称になるし，高い学年では，第６学年の度数曲線が左右対称に近いようである。そのほかは，だいたい学年が進むにつれて，頂点が中央より右に傾く程度が大きくなるようである。

(C) ま　と　め

（１） 正しく書くことのできた字数の，いちばん多い児童生徒は幾字正しく書いたかという字数は，学年が進むにつれて増す。しかし，ほとんど１字も正しく書くことができないという児童生徒は，中学校の第３学年になってもなくならない。

（２） 中学校を卒業する時期になっても，漢字を正しく書くという点では小学校の第３学年の水準に達することのできないものが，1.4パーセントほどある。

（３） ここに選んだ100字の漢字の成績では，成績の度数分布を示す曲線

は，小学校の第１学年では，頂点が中央より左にかたより，第２学年では，ほぼ左右対称になるが，第３学年以上は，頂点が中央より右にかたよる。それも，第６学年を除けば，頂点の右にかたよる程度が，学年の進むにつれてだいたい強くなる。

10. 学年と男女の差

上のようにして選んだ教育漢字100字を，4030人の児童生徒に書かせた成績は，学年によってどう違うであろうか。また，男子と女子とで，成績に違いが見られるであろうか。ここでは，このことについて述べる。

(A) 学 年 の 差

100字を書かせた成績の度数分布は，前に述べたとおりであるが，ここでは，正しく書かれた字数の算術平均が，学年の進むにつれて，どれほど増すかを考えたい。

第20表は，正しく書かれた字数の算術平均と，標準偏差とを，学年別，男女別に示したものである。男女の欄は男子と女子とを合わせて計算した数値である。そうして，第6図は，第20表の算術平均の欄の字数を図にしたものである。

第 20 表　正しく書かれた字数の算術平均と標準偏差

男女 ＼ 学年		I	II	III	IV	V	VI	VII	VIII	IX
男	算術平均	11	22	35	45	53	63	66	73	79
	標準偏差	3.5	8.2	13.1	16.0	14.0	15.2	15.7	16.0	14.0
女	算術平均	10	23	37	49	58	65	69	76	83
	標準偏差	3.9	7.9	12.7	14.0	13.5	13.1	14.1	13.0	10.5
男女	算術平均	10	22	36	47	56	64	67	75	81
	標準偏差	3.7	8.2	13.0	15.2	13.9	14.3	15.1	14.6	12.7

第20表を見ると，小学校の1年生が正しく書くことのできた字数の算術平均は10字で，2年生の算術平均は22字である。

漢字を選ぶには，小学校の1年生の70パーセント前後が正しく書く字を11字選んだし，小学校の第2学年以上も，中学校の第2学年までは，それぞれの学年の児童生徒の70パーセントほどが正しく書くことのできる漢字を，学年別に11字ずつ選んだのである。

小学校の2年生の正しく書いた字数の算術平均22字は，1年生の正しく書いた字数の算術平均10字より12字多い。そうして，3年生の算術平均36字は，2年生より14字多い。こういうように，正しく書かれた字数の算術平均の学年増加を見ていくと，4年で11字，5年で9字，6年で8字，中学校の1年で3字，2年で8字，3年で6字ふえている。

第 6 図　正しく書かれた字数の算術平均

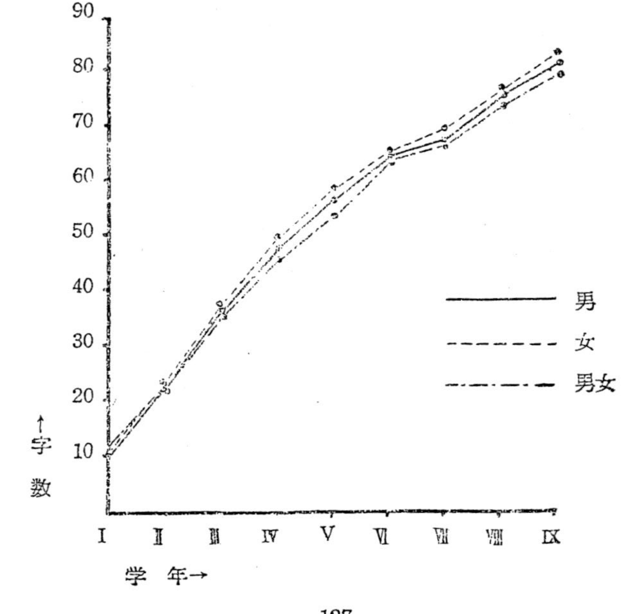

統計的な数値を比べるには，誤差を考えなければならないから，算術平均の学年増加が，1字多いから，あるいは，2字少ないから，どうこうというわけにはいかない。

それにしても，上の学年増加の傾向を見ると，低い学年で増加が多く，学年が高まるにつれて，増加の鈍る傾向が見られる。第6図を見ると，このことがいっそうよくわかる。すなわち，低い学年では，曲線の上昇が急で，学年が高まるにつれて，傾斜がゆるやかになっている。これは，多くの発達曲線に見られることである。

第6図と第1図のAとは似た意義をもっている。第1図のAは，881字の調査で，正しく書かれた字数の算術平均が，学年の進むにつれて，どんなに増すかを，881字の百分率で示したものである。第6図も，同じような百分率を示すものであると考えれば，中学校の第3学年の到達している点は，ほぼ等しい。すなわち，中学校の3年生は，おしなべていうと，881字の調査では，82パーセントを正しく書いているし，100字の検査では81パーセントを正しく書いているのである。

しかし，第6図の曲線の進行は，第1図のAに比べると，きわめてなめらかである。第1図Aの曲線の進行が乱れているのは，(5)で述べたように，国語教科書の漢字の出し方が不規則であることからきているのである。したがって，第1図Aは，児童生徒の漢字を書く力の発達を示す，正常な曲線ではない。

次に，第23表の偏差係数を見ると，学年が進むにつれて，だいたい偏差係数が小さくなっている。偏差係数が小さくなるということは，算術平均に比べて，標準偏差が割合小さくなることであるから，第23表は，正しく書く字数が，平均値よりも多い児童や，平均値より少ない児童が，低学年では割合多いが，学年が高まると，そういう児童生徒が割合少なくなることを示

すのである。つまり，学年が進むほど，児童生徒の正しく書く字数が，割合そろってくるのである。偏差係数を計算する公式は，次の項に掲げる。

(B) 男 女 の 差

第20表と，第6図とについて，正しく書かれた字数の算術平均を見ると小学校の第1学年を除けば，どの学年も，男子より女子のほうが多い。

統計的な数値には誤差を伴うから，平均値が1字や2字多い少ないということから，男女のどちらの能力がすぐれているとか，劣っているとかいうことはできない。ことに，第20表を見ると，どの学年も標準偏差が大きいのであるから，男子と女子との算術平均の違いなどは，問題ではないことになる。

しかし，第6図を見ると，男子の発達を示す曲線も，女子の発達を示す曲線も，その形がきわめてよく似ている。そうして，小学校の第1学年以外では，女子の曲線のほうが，高い所を走っている。また，小学校についていえば，低学年では，男子と女子との開きが少なくて，学年が高まると，男女の差が広くなるように見える。これらのことを考えると，小学校と中学校に学んでいる児童生徒の，漢字を書く力は，男子より女子のほうが，いくらかすぐれていると，思わずにはいられない。

上には，正しく書かれた漢字の数の算術平均を比べて，男子より女子のほうが，いくらか漢字を多く習得するのではないかと述べたのであるが，一字一字の漢字について，男子の正答率と女子の正答率とを比べるとどうであろうか。

もとより，一字一字について見ると，男子の正答率のほうが高い字もあるし，女子の正答率のほうが高い字もある。第21表は，男子の正答率のほうが高い字と，女子の正答率のほうが高い字とを，字数で比べたものである。

たいていの字は，男子と女子との正答率が，いくらも違わないので，1パーセント違っても，正答率が違うものとして数えた。

第21表の意味を，小学校の第1学年で説明すれば，100字の漢字のうちで1年生のだれもが正しく書くことのできなかった72字を除いた28字のうち男子の正答率のほうが高い字が17字，女子の正答率のほうが高い字が7字，男女の正答率の等しい字が4字あるというのである。

第21表を見ると，男子の正答率と女子の正答率とが等しいという字は，どの学年にも，いくらもない。そうして，小学校の第1学年では，女子の正

第21表　正答率の男女差（100字だけの検査）

正答率が ＼ 学年	I	II	III	IV	V	VI	VII	VIII	IX
男子のほうが高い字	17	18	19	10	9	32	16	17	13
女子のほうが高い字	7	30	47	67	78	58	76	77	78
男子と女子と等しい字	4	8	11	7	11	10	8	6	9
正答のなかった字	72	44	23	16	2	0	0	0	0
計	100	100	100	100	100	100	100	100	100

第22表　正答率の男女差（881字の中の100字）

正答率が ＼ 学年	I	II	III	IV	V	VI	VII	VIII	IX
男子のほうが高い字	14	5	20	23	35	25	43	29	20
女子のほうが高い字	12	39	44	61	49	66	46	54	63
男子と女子と等しい字	4	11	11	7	14	9	11	17	17
正答のなかった字	70	45	25	9	2	0	0	0	0
計	100	100	100	100	100	100	100	100	100

答率の高い字より，男子の正答率の高い字のほうが多いのであるが，そのほかは，どの学年でも，女子の正答率の高い字のほうが，はるかに多い。

第21表では，基準を設けるために行った100字だけの検査の成績によって，男子の正答率の高い字と，女子の正答率の高い字と，どちらが多いかを比べたのであるが，第22表では，教育漢字881字の全部を書かせた調査の中から，上と同じ100字を拾い出して，男子の正答率のほうが高い字の数と女子の正答率のほうが高い字の数とを比べた。

第22表を第21表に比べると，男子の正答率のほうが高い字の数と，女子の正答率のほうが高い字の数との開きが，学年によって多かったり，少なかったりする違いを見せているが，小学校の第1学年では，男子の正答率の高い字のほうが多く，そのほかの学年では，女子の正答率の高い字のほうが多いことには，第21表も，第22表も変りはない。

こういうように見てくると，どの点からいっても，女子のほうが男子より，漢字を正しく書くということになるのであるが，このことは，ここに選んだ100字の漢字の中には，女子の習得しやすい漢字が多いことからくるのではないかという疑問がわく。

しかし，ここに選んだ漢字の中には，とりわけ男子にやさしいとか，女子にやさしいとか思える漢字はない。すべての学年を通じて，女子の正答率のほうが，わずかずつ高いという漢字はあるが，男子の正答率，または，女子の正答率が，すべての学年を通じて，きわだって高いという漢字はないのである。そうして，たいていの漢字は，ある学年では，男子の正答率のほうが高いが，別の学年では，女子の正答率のほうが高いという結果になっている。また，基準を設けるために行った100字の検査の成績と，881字の全部を調査した中の100字の成績とを比べると，両方を通じて，男子の正答率，または，女子の正答率が，きわだって高いという漢字もないのである。

したがって，女子のほうが，男子より，漢字をよく習得するという上の結果は，検査した100字の漢字の中に，女子の習得しやすい漢字が多かったというような事情からくるとは思えない。

次に，第20表について，男子の標準偏差と，女子の標準偏差とを比べると，小学校の第1学年以外は，どの学年でも，女子の標準偏差のほうが，どちらかというと小さい。しかし，一般に，平均値が大きくなれば，標準偏差も大きくなる。それで，正しく書いた字数が，平均値より多い児童生徒や，平均値より少ない児童生徒のちらばっている程度が，学年によって，また男子と女子と，どれほど違うかを，もう少し厳密に比べるために，偏差係数を求めた。第23表がそれである。偏差係数の求め方は，

$$偏差係数=\frac{標準偏差}{算術平均}\times 100$$

である。

第23表を見ると，偏差係数は，学年が進むほど小さくなっている。学年の差のことは前に述べたが，男子と女子との偏差係数を比べると，小学校の第1学年以外は，女子のほうが小さい。

第23表　偏差係数

男女＼学年	I	II	III	IV	V	VI	VII	VIII	IX
男	33	38	37	36	26	24	24	22	18
女	38	35	35	29	23	20	21	17	13
男女	36	37	36	33	25	22	22	19	16

正しく書いた字数が，その学年の平均値より多い，または，小さいものは男子にも，女子にも，いくらでもあるが，男子と女子とを比べると，女子のほうが，ちらばっている程度が，いくらか少ないのである。すなわち，正しく書いた字数が，平均値に近いものが，女子に多いのである。

それで，正しく書いた字数の算術平均と偏差係数との，男子と女子との違いをまとめていうと，女子のほうが男子より，漢字をいくらかよく習得する。そうして，習得のすぐれているものも，劣っているものも，女子にはいくらか少ないということになる。

もとより，個人と個人とを比べるのであれば，男子の習得と，女子の習得と，どちらがすぐれるかは，だれとだれとを比べるかによって変ってくる。また，男子にも，女子にも，漢字の習得の，ずぬけてすぐれている，またはずぬけて劣っているものが，どの学年にもある。しかし，ここに得た成績をおしなべていうと，上のようにいうことができるのである。

漢字の習得において，男子と女子がどう違うかを明らかにすることは，この書物で報告する調査でねらったことではない。したがって，881字の調査では，男子と女子との差には，あまり目をつけなかった。881字について，男女別に詳しく検討することは，われわれの少ない労力の及ぶところでもなかったのである。

それで，100字の成績について，男子と女子とを，いくぶん詳しく比べたのであるが，漢字の習得において，女子のほうが，男子よりすぐれること，女子のほうがちらばりの少ないことは，心理学的にいっそう深い研究を要する注目すべき結果であると思う。

(C)　ま　と　め

（1）　正答率が70パーセント前後の漢字を，どの学年からも拾い出した100字について検査したところでは，正しく書かれた字数の算術平均は，低い学年では増加が多く，学年が進むにつれて，だいたい増加が減る。つまり正しく書かれた字数の算術平均によって，小学校の第1学年から，中学校の

第3学年までの発達を示す曲線を描くと，多くの発達曲線に見られるように，低い学年では曲線の上昇が急で，学年が高まるに従って，曲線の傾斜がゆるやかになる。

（2） 正しく書くことのできた字数の多い児童生徒と，少ない児童生徒とのちらばりの程度は，低い学年では多いが，学年が高くなるほど少なくなる。つまり，高い学年になるほど，児童の漢字習得の優劣の差が減ってくる。

（3） 男子と女子とを比べると，女子のほうが，いくらかよく漢字を習得するようである。正しく書かれた字数の算術平均も，いくらか女子のほうが多いし，一字一字について，男子の正答率と，女子の正答率とを比べると，女子の正答率の高い漢字が多い。このことは，小学校の第1学年を除けば，どの学年でもそうである。

（4） 習得のすぐれているものと，劣っているものとのちらばりは，男子より女子のほうがいくらか少ない。女子には，習得のはなはだしく劣るものも少ないが，はなはだしくすぐれるものも少ないということになる。

（5） 漢字の習得の発達を示す曲線の形には，男子と女子との差は，ほとんどまったく見られない。

11. 基準の有効度と信頼度

100字の漢字を選び出して検査したのは，児童生徒の100字の成績だけをみるためではない。この100字のうち，幾字正しく書くことができるかを確かめて，これによって，881字の教育漢字に対する，児童生徒の習得が順調であるかどうかを判定したいためである。

それで，ここでは，この100字の漢字の成績が，どれだけ検査の目的にかなうか，また，この検査の結果は，どれだけ信頼できるかについて検討したい。

(A)　881字の成績と100字の成績

第24表は，881字の成績と，検査に選んだ100字の成績との相関係数で，ピアスンの方法によって求めたものである。881字の調査の解答紙の中から学年別に数十人の解答紙を抜き出して，881字の成績と，881字の中の100字の成績とを比べたのである。

解答紙を抜き出すには，一つの学校の，一つの学級からは，男子，または女子5人の解答紙を抜き出したのであるが，ある学級に男子（または女子）がN人いれば，男子（または女子）の名簿の1番を採り，次々に（N−1）/4を加えた番数を採って，その児童生徒の解答紙を抜き出した。

881字の成績と100字の成績との相関係数は，学校別に求めたいとも思ったが，これは，われわれの少ない労力の及ぶところでなかった。第24表の相関係数は，小学校は，城山・田口・中塩田・福島(長野県)・根郷・鴨川小学校の児童の成績によったものであるし，中学校は，清水・下氷鉋・綿内・坂城・小諸・根郷中学校の生徒の成績によったものである。

いろいろな学校の，しかも男女の児童生徒の成績を寄せ集めて，相関係数を出せば，一つの学校の男子，または女子だけの成績によった場合より，相関係数が大きくなると考えることができる。また，第24表の相関係数は35

第 24 表　881 字の成績と100字の成績との相関係数

学　年	Ⅱ	Ⅳ	Ⅵ	Ⅷ
人　数	45	35	55	45
相関係数	.93	.96	.96	.95

—55 人という少ない児童生徒の成績によって求めたものであるから，誤差も大きいとみなければならない。

それにしても，第24表の相関係数は，きわめて高くて，完全相関に近い関係を示している。すなわち，881 字で，正しく書くことのできる字の多い児童生徒は，100 字でも，正しく書く字が多いし，100 字の成績の低い児童生徒は，881 字の成績でも低いのである。したがって，100 字の成績は，881 字の成績を，じゅうぶん代表できるといってさしつかえない。

(B)　基準の信頼度

第 25 表は，この検査法の 100 字で正しく書かれた字数の算術平均と，同じ 100 字が，881 字の調査で，正しく書かれた字数の算術平均とを，学年を追って比べたものである。

前に述べたように，881 字の調査は，長野県と千葉県との小中学校で行ったのである。そうして，100 字の検査を行った学校にも，881 字を調査した学校が，小学校に 4 校，中学校に 4 校加わっている。しかし，100 字の検査はこれらの学校のほかに，福島県・茨城県・静岡県・和歌山県の，小学校計 6

校，中学校計 6 校で行った。また，同じ学校が加わっていても，100 字の検査は，1 年遅れて行ったから，第 25 表で比べている 100 字の検査の成績と，

第 25 表　正しく書かれた字数の算術平均

学　年	Ⅰ	Ⅱ	Ⅲ	Ⅳ	Ⅴ	Ⅵ	Ⅶ	Ⅷ	Ⅸ
100 字 の 検 査	10	22	36	47	56	64	67	75	81
881 字の中の 100 字	12	24	37	46	57	70	78	82	89

881 字の中の 100 字の成績とには，どの学年にも，同じ児童生徒の成績は，はいっていないのである。

しかし，第 25 表を見ると，小学校の第 5 学年までは，両方の平均値が，よく一致している。1 字か 2 字の差があるが，これは計算の手続からくる差とみることができる。

第 6 学年以上は，6—11 字の差を見せているが，これは，正誤の判定のからさの違いからくるものと思う。881 字のときは，漢字の正誤を判定する原則だけ決めて，実際の判定は学校に任かせたので，判定のからい学校も，あまい学校もあったことと思う。しかし，100 字の検査では，判定を学校に任かさず，どちらかというと，からくきびしく判定した。そうして，100 字の中の上学年の漢字として選んだ字には，正誤の判定のむずかしい字が多かった。すなわち，児童生徒の書いた字を，見方によっては正答とも，誤答とも見ることのできる字が多かった。

こういう事情が，第 25 表の第 6 学年以上の差を大きくしたのではないかと思う。しかし，これらの差も，標準偏差（第 20 表）を考えると，そう大きな差ではない。

次に，この 100 字の検査法は，同じ児童生徒にくり返して行えば，前には

成績のすぐれていた児童が，後には劣った成績をとるとか，前には成績の劣っていた児童が，後にはすぐれた成績をとるとかいう結果になることはないであろうか。もし，こういうように，時によって成績が狂うのであれば検査法としての値うちはないわけである。第26表は，このことを確かめるために求めた信頼係数である。

第26表の信頼係数は，次のようにして求めた。すなわち，まず，100字の漢字を，検査用紙に出ている順に，1字おきに50字ずつの2群に分けて，次に，同じ児童生徒の50字ずつの成績相互の相関係数を求めて，スピアマンとブラウンとの予言公式（Spearman-Brown Prophecy Formula）にかけたのである。予言公式は，

$$r=\frac{2r_{12}}{1+r_{12}}$$

で，r_{12} は50字ずつの相関係数である。

第26表 信頼係数

学年／都農	Ⅰ	Ⅱ	Ⅲ	Ⅳ	Ⅴ	Ⅵ	Ⅶ	Ⅷ	Ⅸ
農村	.93	.96	.96	.96	.97	.95	.94	.98	.96
都市	.74	.93	.93	.95	.93	.94	.97	.93	.95
人数(農)	57	47	36	50	40	42	40	47	51
〃 (都)	50	52	47	53	49	44	45	45	46

農村の数値は，福島県の川崎小学校の児童と，和歌山県の富田中学校の生徒との成績によったものであるし，都市の数値は，長野県の城山小学校（長野市）の児童と，清水中学校（松本市）の生徒との成績によったものである。

第26表を見ると，都市の小学校第1学年の信頼係数は，さほど高くないが，そのほかの学年では，都市の児童生徒の成績によって求めた信頼係数

も，農村の児童生徒の成績によって求めた信頼係数も，きわめて高い。

(C) ま と め

（1） 881字の成績と，この検査法に選んだ100字の成績との相関係数はきわめて高い。すなわち，881字の成績のすぐれている児童生徒は，100字の成績もすぐれているし，100字の成績で劣っている児童生徒は，881字の成績でも劣っているのである。したがって，881字の成績は，100字の成績で代表させることができる。

（2） この検査法の100字で，児童生徒が正しく書いた字数の算術平均は，1年前に，別な児童生徒が，881字の中の同じ100字で，正しく書いた字数の算術平均と，よく一致する。しかし，両者の間には，児童生徒の書いた字を正しいとみるか，誤字とみるかという判定のあまさ，からさの違いで，差ができるようである。

（3） この検査法による成績の信頼係数は，きわめて高い。

（4） しかし，この検査法にも欠点がないわけではない。これについては後に述べる。

12. 基　　準

学年基準と，年齢基準と，標準偏差による基準とを設けた。これらの基準には，それぞれ，長所と短所があるし，また，後に述べるように，この検査法にも短所があるから，検査の目的に応じて，つごうのいい基準にあてはめて，児童生徒の成績を判定することができるようにしたのである。

ここに掲げる基準による場合は，児童生徒の書いた字の正誤の判定を，(8)の(D)で述べたとおりにすることが必要である。判定がこれよりあまくても，からくても，基準はあてはまらなくなる。

(A)　学年基準

第27表は，正しく書かれた字数の算術平均である。この検査は，学年の末に行ったのであるから，この検査法で，10字正しく書くことができれば，漢字を書くという点では，小学校の第1学年を修了する普通の児童の力を得ているということができるし，22字書くことができれば，第2学年を修了する普通の児童の力に達しているということができる。

それで，小学校の1年生でも，22字書くことができれば，第2学年修了の実力を持っているとみることができるし，36字書くことができれば，第3学

第27表　学年基準

学　　年	I	II	III	IV	V	VI	VII	VIII	IX
基　　準	10	22	36	47	56	64	67	75	81
標準偏差	3.7	3.2	13.0	15.2	13.9	14.3	15.1	14.6	12.7

年修了の実力を得ているとみることができる。

第7図のAは，第27表を図にしたものであるが，これによれば，児童生徒の成績を，何学年何か月というように評価することができる。16字正しく書くことができれば，第1学年と6か月の普通児の習得とみることができるし，40字正しく書けていれば，第3学年4か月の普通児の習得とみることができる。また，77字書けていれば，中学校第2学年4か月とみることができる。

この学年基準によれば，正しく書いた字数が10—81字である児童生徒の成績は，学年ということばで評価することができるが，正しく書いた字数が10字より少ない，または，81字より多い児童生徒の成績を評価することができない。したがって，小学校の第1学年を修了する，漢字を書く力の弱い児童や，中学校の卒業期にある，すぐれた生徒の成績を評価することができない。

このことは，すべての教育検査法の学年基準の持つ短所なのである。

(B)　年齢基準

第28表は，正しく書かれた漢字の数の算術平均を，年齢別に示したものである。年齢は検査したときに，たとえば，7才6か月—8才5か月であるものを8才とした。小学校の1年生には，7才5か月以下の児童があったし中学校の3年生には，15才6か月以上の生徒があったが，いずれも人数が少なかったので，第28表の基準を作るためには省いた。

幾度も述べたように，この検査は学年の末に行ったので，年齢を上のようにまとめると，どの年齢でも，隣り合っている二つの学年の児童生徒の成績を合わせることになった。そのために，ことに幼い年齢では，標準偏差が大きくなっている。10月ごろに検査すれば，どの年齢でも，ほぼ同じ学年の児

童生徒だけを含むことになると思うが，第28表の基準は，これと一致するかどうか，これは研究を要する問題である。

第28表 年齢基準

基準＼年齢	8	9	10	11	12	13	14	15
男	17	30	42	49	60	65	68	79
女	18	32	45	54	63	68	72	81
男女	17	31	44	51	61	66	70	80
標準偏差	8.8	13.0	14.4	15.8	13.9	15.9	16.6	12.7

第7図のBは，第28表の（男女）欄の数を図にしたものである。これによれば，児童生徒が正しく書いた漢字の数を，年齢に換えることができる。17字正しく書いていれば，8才児の普通の力を得ているのであるし，24字書いていれば，8才6か月の普通児の習得に達しているのであるし，67字書けていれば，13才3か月の発達を遂げているとみることができるのである。

年齢基準にも，学年基準と同じような欠点がある。この検査の基準でいえば，正しく書いた漢字の数が，17—80字である児童生徒の成績は，年齢のことばで評価することができるが，書けた字数が17字より少ない，または，80字より多い児童生徒の成績は評価することができない。

書けた字数が，17字より少ない，または，80字より多い児童生徒のための基準を設けるには，8才より幼い児童と，15才より大きい生徒について検査しなければならないが，年齢を広げて検査しても，教育漢字の習得という点で，2才であるとか，3才であるとか，20才であるとか，30才であるとかいう年齢の基準を設けることができるとは思えない。

この検査法では，教育漢字の習得だけの発達を問題にしているのである

が，教育漢字というわくをはずして，広い範囲の漢字でいっても，暦年齢は増すが，書ける漢字の数はふえないという点があることと思う。こういうことは，すべての年齢基準に通ずる短所である。

しかし，児童生徒の成績を，年齢で評価すれば，児童生徒の習得を，暦年齢と比べることができるし，知能検査によって得た精神年齢とも比べることのできる便利がある。

（C） 標準偏差基準

標準偏差基準の便利な一つの点は，正規曲線の囲む面積と関係づけて，人数の見当をつけることができることであるが，第18，19表と，第5図とによってわかるように，この検査の成績では，度数が正規分布になる学年は，ほとんどないから，この検査による児童生徒の成績は，第8図によって，Z評点に換算することができるが，+0.5から+1.5までの成績をとる児童生徒は幾パーセントあるはずかというように考える場合は，正規曲線の囲む面積はあてはまらない。

第8図は，正しく書かれた字数と，Z評点との関係を学年別に示したもので，Ⅰ—Ⅸは学年をさしている。小学校の第4学年でいえば，正しく書いた字数が47字であれば，Z評点は0になるし，55字ならば+0.5，60字ならば+0.8，79字ならば+2.1である。

また，50字を正しく書いたものがあれば，小学校の2年生ならば，+3.4であるし，3年生ならば+1.1，4年生ならば+0.2，5年生ならば−0.5，6年生ならば−1.0，中学校の1年生ならば−1.1，2年生ならば−1.7，3年生ならば−2.5である。

+2から−2までの間で評価するのであれば，+2以上は全部+2とし，−2以下は全部−2とする。また，+3から−3までの間で評価する場合は，

+3 以上を全部 +3 とし，−3 以下を全部 −3 とするのである。

Z 評点では，正数と負数が出る。負数を避けるのであれば，適当な数を加えればいい。−2 から +2 までの間で評価した場合ならば，どの評点にも 3 を加えれば，評点は 1 から 5 までになる。Z 評点は，

$$\frac{\text{個人の正答数}-\text{正答数の学年平均}}{\text{標準偏差}}$$

であるから，これを 10 倍して，それに 50 を加えれば，

$$\frac{10(\text{個人の正答数}-\text{正答数の学年平均})}{\text{標準偏差}}+50$$

の T 評点になる。この検査による成績を，知能と比べるような場合，知能が T 評点で評価されているのであれば，この手続が必要である。

第 8 図を見ると，この検査法による成績を，+3 から −3 までの間で評価することができるのは，小学校の第 4 学年だけである。そのほかの学年では正数の部分か，負数の部分か，どちらかが 3 に満たない。とりわけ，中学校の第 2，3 学年では，100 字の全部を正しく書いた生徒に対しても，+1.5 ほどの 評点を与えることができるだけである。

これは，この検査法では，教育漢字が，どの程度に習得されているかのだいたいを，小学校の第 1 学年から，中学校の第 3 学年まで，同じ問題で手軽に調べて，その発達のあらましを見ようとだけねらっているからである。

(D) 881 字の推定

この検査法に選んだ漢字 100 字のうち，幾字正しく書くことができれば，881 字では幾字正しく書けるとみていいという推定ができるであろうか。第 24 表で見たように，100 字の成績と，881 字の成績との相関は，きわめて高いのであるから，この推定はできるのである。

しかし，ここに問題がある。100 字によって基準を設けるために行った検

査と，881 字の調査とは，別なときに，別な児童生徒に行った。それで，第 24 表の相関係数は，881 字の成績と，881 字の調査の中の 100 字（この検査法の漢字と同じ 100 字であるが）の成績との相関係数であって，881 字の成績と，この検査法による成績との相関係数ではない。

また，881 字の正誤は，調査した学校で判定されたが，この検査法の 100 字の正誤は，われわれが判定した。そのために，第 25 表のところで述べたように，正誤の判定のあまさ，からさに，多少の違いができたようである。

そういうわけで，この検査法の成績で，881 字の成績を推定できるといいきるには，少し悩むのであるが，881 字の調査の中の 100 字と同じように，この検査法の 100 字の成績によって，881 字の成績を推定できると信じて，第 29 表によって，第 9 図を描いた。

第 29 表　正しく書かれた字数の算術平均

学　　年	Ⅰ	Ⅱ	Ⅲ	Ⅳ	Ⅴ	Ⅵ	Ⅶ	Ⅷ	Ⅸ
(a) 881 字 の 調 査	27	91	173	216	325	470	571	611	721
(b) 881字の中の100字	12	24	37	46	57	70	78	82	89
(c) 検 査 法 の 100字	10	22	36	47	56	64	67	75	81
(d) 推　　定 (a·c/b)	23	83	168	221	319	430	490	559	656

第 29 表の *a* 欄の数は，第 3 表の *a* 欄に掲げた数で，881 字の調査で，児童生徒が正しく書いた字数の算術平均である。*b* 欄は，881 字の調査の中の 100 字を，児童生徒が正しく書いた字数の算術平均で，*c* 欄は，この検査法で正しく書かれた字数の算術平均である。つまり，*b* 欄と *c* 欄とは，第 25 表に掲げた字数である。

d 欄は，漢字の正誤を，この検査法で採った態度で判定すれば，881 字の成績はどうなるかと推定した字数である。中学校の 3 年生についていえば，

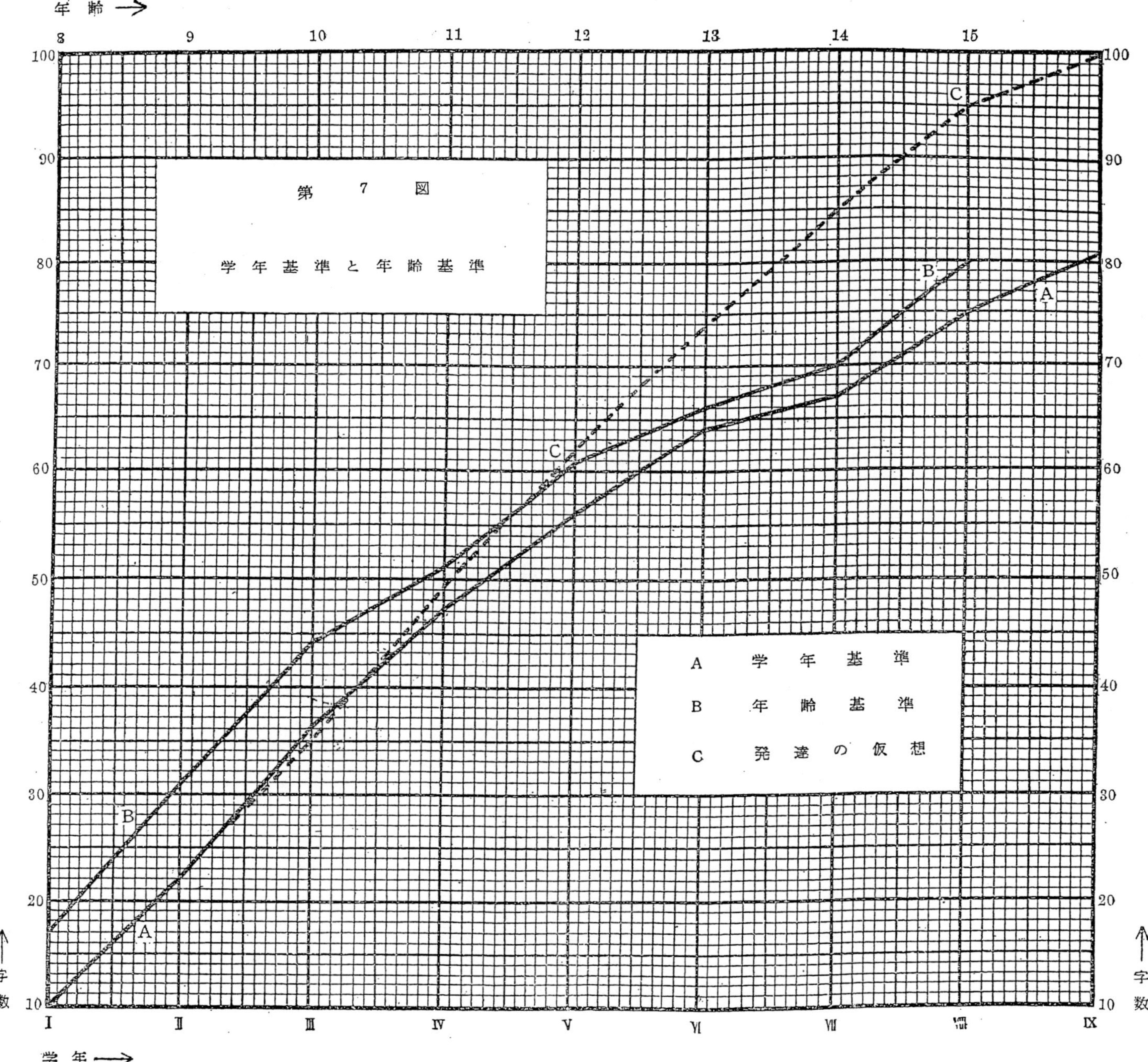
第 7 図
学年基準と年齢基準
A 学年基準
B 年齢基準
C 発達の仮想
年齢 →
8 9 10 11 12 13 14 15
字数 ↑
10 20 30 40 50 60 70 80 90 100
学年 →
I II III IV V VI VII VIII IX
A
B
C

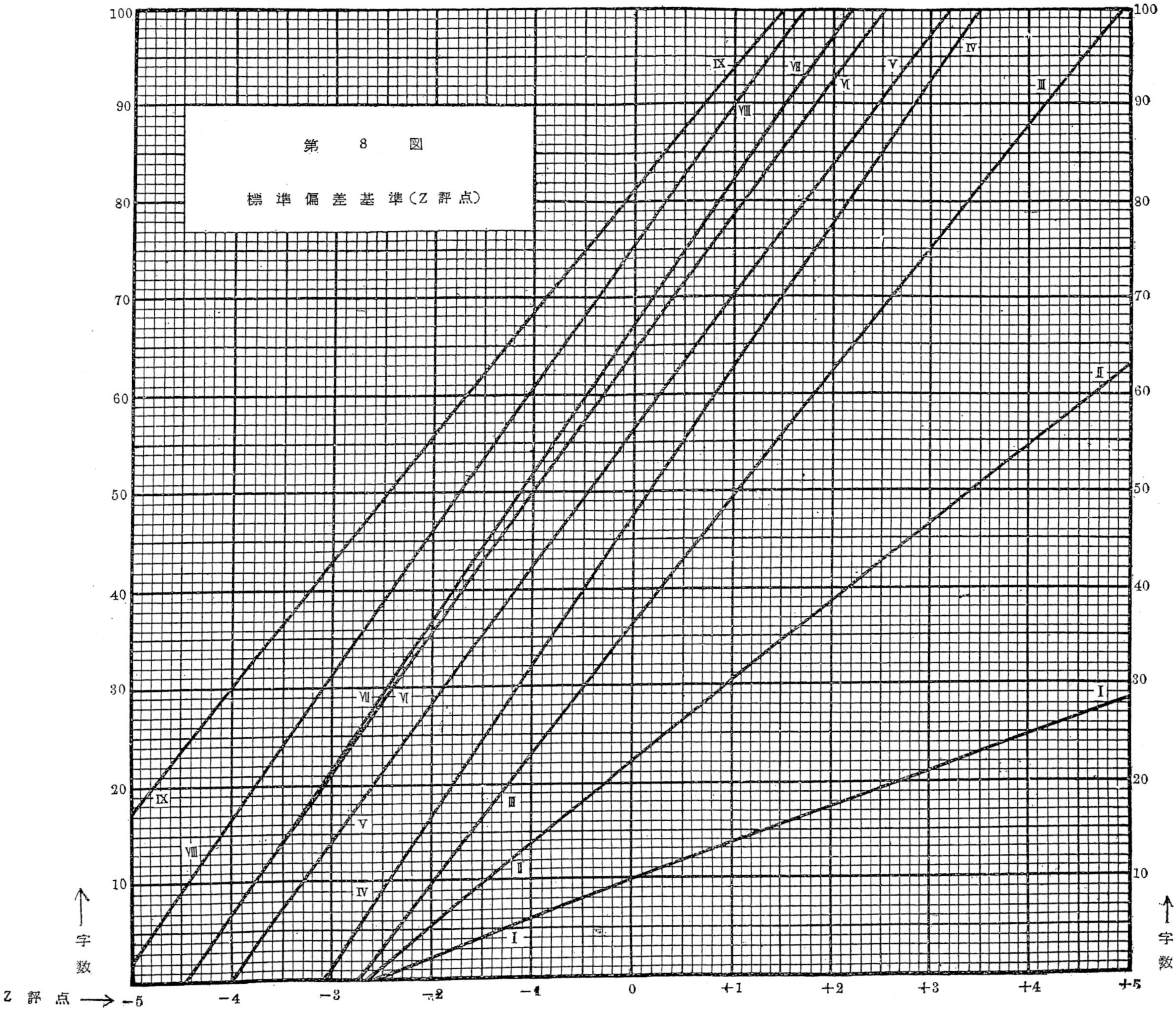

第8図
標準偏差基準（Z評点）

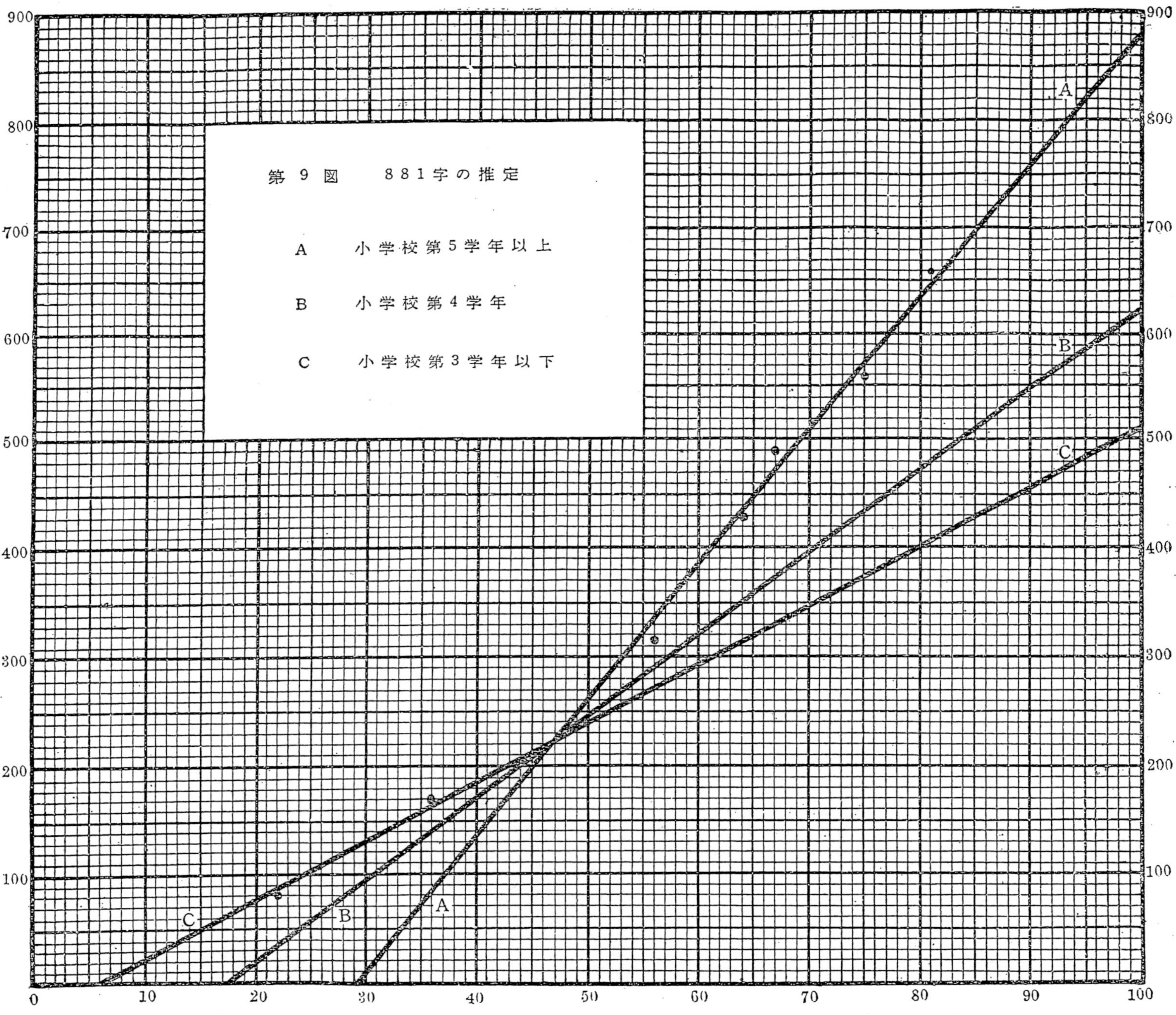

第9図　881字の推定
A　小学校第5学年以上
B　小学校第4学年
C　小学校第3学年以下
900
800
700
600
500
400
300
200
100
0
10
20
30
40
50
60
70
80
90
100
A
B
C

881字の調査で，正しく書いた字数の算術平均は721字なのであるが，これは，100字では，正しく書いた字数の算術平均が89字である態度で，漢字の正誤を判定した結果である。そこで，100字に対する正答の算術平均が81字である態度で，正誤を判定すれば，721字は，721×81÷89，すなわち656字になると推定したのである。

第9図は，第29表のc欄とd欄とを組み合わせ，また，100字の成績と881字の成績との相関図を考えて描いたものである。881字の調査の100字の成績と，881字の成績に基いて，第9図のような線を描いて，100字の成績から，881字の成績を推定すれば，推定はよくあてはまる。それで，第9図によって，この検査法による成績から，この検査法の態度で正誤の判定をした881字の成績を推定することもできると考えたのである。

第9図によれば，この検査法で，70字を正しく書いていれば，小学校の第5学年以上ならば，881字では，510字ほど正しく書くと推定できる。また小学校の第4学年で，この検査法による成績が56字であれば，881字では，290字ほど正しく書くと推定できるし，小学校の第3学年以下で，この検査法による成績が26字ならば，881字では，110字ほど正しく書くと推定できるのである。

しかし，こういう推定は，ひとりひとりの児童生徒には，ぴったりとはあてはまらないことが多い。881字の調査の，881字の成績と，100字の成績とで比べたところでは，中学校の生徒の成績の中には，100字の成績から推定した881字の成績は，実際と100字近くも食い違うものがある。

つまり，100字では，割合多く書けるが，881字では書けないものや，逆に，100字では，割合少ない字数しか書けないが，881字では多く書くものがあるのである。どの字が正しく書けるかは，人によって違うためであろう。

881字の成績が，こういうようにはなはだしく推定と違う児童生徒の数は，そう多くはない。しかし，推定は，正しく書かれた字数の平均値に基いているのであるから，881字の成績が，推定とまったく一致する児童生徒も，いくらもないのである。

したがって，第9図によって推定した881字の成績を，ひとりひとりの児童生徒にあてはめては，すこぶるあぶないといわなければならない。

しかし，ある学年，または，ある学級に，この検査を行って，その成績の学年，または，学級の算術平均を求めて，第9図によって，881字の成績を推定するのであれば，大きな狂いはないことと思う。

(E) 長所と短所

この検査法の長所と短所との大部分は，ところどころで述べてきたが，ここで，まとめて考えて，とりわけ，いろいろな短所のあることが忘れられないようにしたい。

この検査法に選んだ100字の漢字を書く，児童生徒の成績は，881字の成績と高い相関を見せる。また，この検査法の信頼度も高い。

しかし，この検査法は，児童生徒の教育漢字を書く発達が，手軽にわかるようにねらったものである。したがって，この検査法による成績の度数分布は，たいていの学年では，正規分布にならない。学年が進むほど，低い成績の度数より，高い成績の度数が多くなって，度数分布図の頂点が右にかたよる。

それであるから，教育漢字の習得の発達という立場を離れて，児童生徒が漢字をどれだけ正しく書くかを調べる目的のためには，この検査法は適しない。とりわけ，中学校の生徒の漢字を書く力を確かめるためには，この検査法ではじゅうぶんでない。

この検査法の基準は，昭和 26 年 1—2 月の児童生徒の成績によって設けたものである。したがって，今後，国語の教科書の漢字の出し方が改善されるとか，漢字の指導法が進むとかいうことのために，児童生徒の漢字の習得が，一般に高まってくれば，ここに設けた基準はあてはまらなくなる。

教育漢字は，義務教育の間に，読むことも書くこともできるように指導するという漢字である。国語の教育に関係する人は，これに向かって努力しなければならないのであるが，児童生徒の習得の発達が，国のこの期待にそうようになれば，もとより，この検査法の基準は，あてはまらなくなる。

児童生徒の発達がこうなれば，この検査法で正しく書かれる字数の算術平均は，第 30 表のようになるであろうか。第 7 図の c の曲線は，第 30 表を図

第 30 表　発達の仮想

学　年	I	II	III	IV	V	VI	VII	VIII	IX
字　数	10	22	35	49	62	74	85	95	100

示したものである。

とにかく，こういうように考えてくると，上に掲げた学年基準も，年齢基準も，標準偏差基準も，将来は，過去の基準として葬らなければならない基準であるということになる。

なお，この検査法の基準を設けるために検査した同じ児童生徒について 881 字の漢字全体の成績を調べることができなかった。そのため，第 9 図によって，この検査法による成績から，881 字の成績を，確かに推定できるということは遠慮しなければならない。

13. 漢字の正答率と誤字

正答率は，「愛」は，小学校の第 4 学年では 12 パーセントの児童が正しく書いたなどの意味をもつ。正答者があって，0.4 パーセント以下なら 0 とした。I—VI は小学校第 1—6 学年を，VII—IX は中学校第 1—3 学年を示す。

漢字	正答率（%） I	II	III	IV	V	VI	VII	VIII	IX	おもな誤字
愛				12	61	77	81	83	88	受受愛愛愛
悪				2	17	23	72	75	88	悪悪悪悪悪
圧				0	5	13	44	50	75	圧圧圧庄圧
安		32	37	47	63	77	86	89	96	安安安案安学
案				3	5	23	45	44	73	安案案案桉
暗			9	3	54	74	78	83	92	暗暗暗暗暗
以		3	20	8	22	59	75	70	80	似以似以以
衣				0	27	46	61	70	85	衣衣依衣衣
囲				1	8	45	59	62	79	囲囲囲囲囲囲
位				28	39	64	74	73	90	位倍位立位意
医					24	51	66	68	83	医国医区医
委				3	13	24	49	54	78	委季倭委秀

漢字	正答率（%） I	II	III	IV	V	VI	VII	VIII	IX	おもな誤字
胃				1	3	22	50	70	80	僴 冒 冐 胃 買
移				18	10	39	54	63	72	杉 秒 移 移 侈
異				0		10	34	46	69	果 累 異 異 裏
意		33	45	30	65	76	81	82	90	意 竟 忢 音 憙
遺				0	0	7	27	38	60	遺 遺 遣 遣 遺
育			0	12	42	70	78	80	90	育 青 肯 盲 肓
一	75	94	97	96	99	98	98	100	99	三 二 /
壱			0	1	3	11	42	31	59	壱 壹 圭 一 壱
引			0	3	31	66	75	80	89	引 引 弘 引 功 弓
印				0	8	31	49	55	74	卯 邱 印 印 印 印
因				1	28	51	77	72	85	回 困 因 困 因 因 因
員				4	48	66	75	79	87	貝 見 負 員 戦
院			0	4	32	49	73	79	89	院 院 院 院 院
飲				15	25	37	58	55	70	飲 飲 飲 飯 飲
雨	33	80	91	95	97	98	98	99	99	雨 雨 雨 雨 雨
雲	25	55	73	73	84	91	92	93	95	雲 雲 雲 雲 雲

漢字	正答率（%） I	II	III	IV	V	VI	VII	VIII	IX	おもな誤字
運		1	35	50	66	80	83	85	93	連 運 運 運 運
永		0	3	5	15	39	58	61	86	氷 水 水 水 泳
泳				7	9	43	64	69	81	泳 泳 永 泳 泳
英		0	1	3	30	67	91	92	94	央 英 英 英 英
栄			0		19	37	58	56	75	栄 栄 営 栄 栄 栄
営				0	6	15	44	49	75	営 栄 営 営 営 営
衛			0	0	8	33	54	61	73	衛 衛 衛 衛 衛
役	2		54	29	55	66	75	76	86	役 投 役 没 役
易		0	0	0	22	28	44	36	61	易 湯 暘 場 易
益			0		5	17	41	37	71	益 益 益 益 益
液				2	2	21	63	71	82	液 液 液 液 液
駅		6	35	38	46	58	67	77	85	駅 駅 駅 駅 駅
円		19	17	41	64	70	79	84	93	円 周 圓 円 冊
延				0	4	16	30	36	51	廷 延 延 延 延 延
塩			0	1	21	37	70	78	81	温 塩 塩 皿 塩
遠		3	58	52	61	80	79	83	91	遠 遠 退 遠 遠

漢字	正答率（%） I	II	III	IV	V	VI	VII	VIII	IX	おもな誤字
演				7	18	24	49	54	74	演潢演演濱
園			2	33	59	72	75	84	87	園園園園園
王	3	63	79	82	87	88	90	93	95	主生皇玉正
央		0		4	14	39	60	75	85	史夹吏史泱夬
往				0	8	21	42	50	68	住行徃柱注
応					7	27	45	58	77	広广應應庋
横		0	1	30	51	72	80	82	88	横横廣樯横
屋		1	66	63	73	81	86	88	93	屋居屋屋屋屋屋
億				1	14	50	57	70	81	億憶意臆億
音	3	43	81	83	91	94	95	96	98	音音音意昔
恩			1	2	21	50	53	50	75	思恩奥恩恩
温			40	25	44	69	79	72	85	温温温温温
下	45	89	95	97	99	99	100	100	98	不卞不丅
火	45	71	88	87	92	95	94	96	98	父日人
化		0	2	11	41	77	87	90	95	化化北化化
加			1	44	42	53	68	76	87	泇叻叻加品

漢字	正答率（%） I	II	III	IV	V	VI	VII	VIII	IX	おもな誤字
可				5	19	52	53	56	76	何可司伺句
仮					1	12	24	31	51	假侵仮暇假假段
何			5	19	50	75	87	91	94	何伺荷可同佝
果					21	63	75	71	87	果果課杲果
河				7	16	45	62	66	80	洞何河可河
花	43	89	94	96	98	98	97	99	98	花芒化芘花
科			1	18	57	72	77	77	86	料料料料利
夏		46	66	76	83	93	90	92	95	夏臭夏夏臭夏
家		47	78	85	88	92	89	95	96	家家家家家家家
荷		2	44	23	41	71	72	78	86	何荷苛倚荷
貨			19	25	24	39	50	64	76	貨貨賀貨貨
過					7	31	60	68	84	過過過過過
歌			16	44	78	85	85	87	95	歌歌歌歌歌
価				3	5	10	42	40	67	価値價價価置價
課				3	3	23	53	63	75	課課裸評果
我				1	12	33	64	80	89	我我私和我

漢字	正答率（%） I	II	III	IV	V	VI	VII	VIII	IX	おもな誤字
賀			0	1	42	44	48	47	73	貨 貨 賀 賀 賀
芽				5	5	34	66	72	88	芋 菜 芽 芽 芽
画		3	35	28	60	81	83	80	88	画 画 画 画 画
回			1	28	54	78	83	86	95	同 回 回 周 回 図 同
会		3	60	72	84	92	87	94	96	公 合 会 今 全
快		28	21	9	22	16	50	53	74	快 性 快 快 決 快
改		2	23	5	20	28	45	49	69	改 妃 妃 改 改
界		70	79	81	90	97	97	98	97	界 界 思 界 界
海		59	82	83	88	94	96	98	98	海 毎 海 海 海
械				0	23	45	54	61	66	械 械 機 械 械
開				21	33	53	67	72	87	開 閑 閉 開 開
階				7	27	46	63	73	85	階 階 階 階 偕
絵		0	40	42	55	75	72	72	86	給 絵 絵 給 絵
解					7	29	46	56	72	解 解 解 解 解
貝			1	64	61	79	79	82	87	頁 具 見 具 貝
外			14	47	82	91	96	97	97	外 列 外 卜 夕

漢字	正答率（%） I	II	III	IV	V	VI	VII	VIII	IX	おもな誤字
害				10	13	40	65	71	81	害 実 害 実 害 割
各			1	8	22	55	63	72	87	名 各 各 格 客 佫
角		1	58	50	61	80	74	77	80	角 南 角 角 面
革				0	0	11	19	30	52	革 节 革 革 革
客			4	40	59	77	84	85	94	客 客 客 客 客 各
格			0	19	23	39	58	70	84	格 格 客 佫 洛
確					3	18	36	39	66	確 確 確 確 確
拡				0	1	14	23	39	64	広 払 拡 拡 拡
覚			1	0	24	37	50	50	75	覚 覚 賞 覚 覚
学	14	92	95	97	98	99	98	98	99	学 学 学 学 學 学
額				1	2	15	39	54	71	額 額 額 額 額
活		0	50	31	56	69	80	82	89	活 活 治 沽 浩
株				0	1	14	36	54	65	株 株 珠 株 株
刊			0	1	10	43	55	50	74	刊 判 列 刑 判 忊
完				10	9	31	53	60	85	完 元 完 完 完
官			0	12	25	50	68	77	88	官 宮 官 営 管

漢字	正			答		率	(%)			おもな誤字
	I	II	III	IV	V	VI	VII	VIII	IX	
寒			49	44	59	74	86	86	93	実寒実寒寒寒
間		10	47	76	89	94	93	97	96	問聞間問門
幹			0	1	3	27	46	60	72	幹幹軒乾幹幹
感			37	41	63	76	81	82	87	咸感感感惑
勧					1	14	15	22	37	勧勧勧観勧勧歓
漢			0	0	16	51	49	63	75	漢漢嘆漢漢
慣				0	7	22	45	38	70	實實慣慣慣慣
管				1	6	26	54	61	76	官菅管管管
関				3	21	55	59	65	83	関関関関関
歓			0	0	7	13	27	25	54	歓歓歓観歓
館			0	2	13	49	61	65	81	館館館館館館
観			6	9	25	50	48	52	71	観親観観観
岸		2	59	64	66	76	83	86	92	岸岩岸岸岸岸
岩		6	46	53	70	81	88	93	95	岩岸石右岩岩炭
眼			0	1	5	21	43	51	71	眼眠眠眠眼
顔			55	60	72	82	84	87	93	顔顔顔顔願

漢字	正			答		率	(%)			おもな誤字
	I	II	III	IV	V	VI	VII	VIII	IX	
願		0	38	22	31	46	64	66	84	願願顔願願
希				4	27	56	57	66	87	布希希希孝
汽		7	47	41	56	76	64	73	82	気(氣)气汽流(滊)
季		24	23	21	37	63	73	76	86	李季季李秀委
紀			0		12	54	62	72	81	記紀紀紀記
気		72	87	93	91	95	97	98	98	氣氣气氣滊
記		2	22	28	51	73	72	77	85	記紀記記記
起				0	12	50	74	79	87	起起越起起
基				0	4	11	37	44	73	基基基基基基
帰			63	67	75	73	74	78	83	帰帰帰帰帰
寄					6	27	42	44	65	寄常奇埼奇寄
規					7	30	47	50	75	規規規規視
喜		0	58	47	63	67	77	78	85	喜喜喜喜喜喜
期				1	15	43	54	60	79	期斯期期期
貴				0	0	10	34	49	66	貴貴遺貴貴
旗			1		10	21	40	39	67	旗旗期旗旗

漢字	正答率（%）									おもな誤字
	I	II	III	IV	V	VI	VII	VIII	IX	
器				48	38	58	68	68	79	噐器器器器器噐
機		1	28	32	33	63	66	74	87	幾機機機機
技			0	1	8	38	53	53	80	柀伎枝牧枝
義		0		1	32	53	59	68	90	義義義議儀
疑				0	0	10	26	33	48	頴題疑疑疑
議				0	16	31	53	58	83	儀議議議議
逆				2		10	27	38	66	逆逆逆逆逆
九	63	85	96	93	98	97	98	99	98	力丸
久		0	0	4	20	44	56	65	89	又又久文
旧				4	1	15	33	51	70	日旧伯旧旧
休	1	61	76	69	83	86	89	88	93	体林村木林休
求			0	26	33	54	60	62	81	本汞水来球
究			1	12	43	73	79	82	87	究究究究究
急			0	29	33	56	72	78	87	急急急急急急
宮		1	4	16	33	52	67	69	87	宮官官宮宮富
級		2	42	28	58	74	76	81	90	級級級級級

漢字	正答率（%）									おもな誤字
	I	II	III	IV	V	VI	VII	VIII	IX	
救					1	8	24	32	67	求救求救述
球			5	33	39	71	83	87	90	球球珠球求
給			1	8	30	52	66	64	83	給級給給絡
牛	1	5	17	44	76	88	89	95	96	手午午干牛
去				1	38	51	60	69	85	去去云法去去云
居				0	9	18	49	50	81	居居居居据居居
挙					2	11	33	40	77	挙拳挙誉挙
許				2	1	19	47	57	76	許許許許許
魚		48	73	70	83	89	94	97	98	黒思魚魚魚
漁			1	5	27	51	66	63	75	魚漁漁漁黒
共				3	29	49	58	65	78	供洪共共共共
供		0	7	15	34	77	89	93	95	共洪供供供供供
京		2	6	38	65	70	78	77	88	京東景京東
協			0	33	23	35	50	45	69	協協協協協協
教		2	34	40	70	86	87	91	92	教教教教教
強			39	51	74	85	84	87	89	強強強強強強

漢字	正	答				率	(%)			おもな誤字
	Ⅰ	Ⅱ	Ⅲ	Ⅳ	Ⅴ	Ⅵ	Ⅶ	Ⅷ	Ⅸ	
境			0	0	4	26	46	51	70	鏡 壊 墳 境 読 境 境
橋		0	7	36	56	75	78	78	87	橋 橋 稿 槁 椅
鏡		1	29	8	18	53	52	56	75	鐘 鏡 鏡 観 鏡
競				0	4	21	52	56	76	兢 競 競 競 競
業			6	15	46	75	75	81	94	業 業 業 華 業
曲			0	35	42	55	70	71	83	由 曲 曲 油 西
局		0		8	15	39	64	71	88	局 句 局 局 局
極					1	9	24	35	58	極 極 極 極 極
玉		2	8	13	40	63	72	76	77	王 主 注 球 主
近	4	4	68	70	72	82	84	88	94	近 返 近 近 遠
均				1	4	18	39	44	65	均 約 均 的 均
金	23	57	77	80	87	90	92	95	97	金 金 全 金 金
勤				0	5	7	22	30	54	勤 勤 勤 勤 勤 勤
禁					2	11	35	43	61	禁 奈 禁 禁 禁
銀		0	46	39	51	75	84	87	92	銀 銀 銀 銀 銀
区				2	33	53	74	77	88	区 区 凶 区 區 図

漢字	正	答				率	(%)			おもな誤字
	Ⅰ	Ⅱ	Ⅲ	Ⅳ	Ⅴ	Ⅵ	Ⅶ	Ⅷ	Ⅸ	
句			0	11	47	64	75	79	92	旬 佝 句 何 勺 句
苦		33	51	36	64	65	78	85	92	苦 苫 古 芳 苦 若
具			47	36	57	61	53	58	70	且 見 呉 具 貝 具
空	29	82	93	95	95	98	98	98	99	空 空 宀 室 室
君		0	5	21	73	80	92	95	98	君 郡 眉 君 居
訓				5	5	34	34	35	70	計 訓 訓 順 信
軍		0	1	6	29	68	80	87	94	軍 軍 軍 軍 運
郡		0	1	12	36	51	64	69	69	那 群 郡 郡 郡
群				0	6	23	47	44	68	郡 郡 群 群 群
兄		7	51	88	93	96	96	97	99	足 見 兄 元 見 兄 況
形			9	15	59	64	77	76	85	刑 型 型 形 形
系		0		0	8	47	44	46	65	係 係 糸 系 系
係					21	56	57	66	81	係 系 係 係 係 係
型		0		0	3	20	42	50	66	形 型 型 型 型 型 刑
計		0	67	60	78	87	88	88	94	十言 計 計 計 計
敬			0		6	36	43	61	82	敬 敬 敬 敬 敬

漢字	正答率(%) I	II	III	IV	V	VI	VII	VIII	IX	おもな誤字
景				27	22	48	59	61	75	景京景景影
経				1	20	33	50	52	76	軽絟経径徑
軽					25	34	57	66	83	軺軽軟軽経
芸				1	15	46	53	61	83	芸去芸藝芸
欠				1	13	25	43	48	61	次決欠夂欽
血		0	1	36	38	66	83	89	94	皿血血血洫
決			28	11	38	52	57	56	79	沢夬決決快
結				1	18	60	70	68	87	詰結結絡結
潔			0		4	20	36	42	62	渕絜潔潔潔
月	68	88	96	96	98	100	99	99	99	日目明月月
犬	7	18	46	72	76	88	96	96	96	大太木太
件			0		9	35	50	57	74	伴件件仵件件
見		4	57	39	72	79	87	85	92	見貝見貝見
券				0	2	19	44	51	69	券券巻券券券
研			1	12	46	76	80	83	90	研研研研研
建				1	12	33	48	54	76	健津建津律建

漢字	正答率(%) I	II	III	IV	V	VI	VII	VIII	IX	おもな誤字
兼					0	11	19	27	56	兼系兼兼系兼
権					6	25	33	35	69	權権観権権
健			0	1	19	39	65	66	83	建達建健健律建
絹				3	2	21	45	66	80	絹絹絹絹絹
憲				0	7	33	45	44	76	憲憲憲憲憲
県			5	34	65	67	73	75	84	県見縣縣県
険			0	0	8	39	47	54	65	剣倹験検険
検				1	8	16	53	51	72	倹験険検検
験				1	22	34	51	58	74	験験験険検
元	2	69	84	90	91	94	98	98	98	无无元兀天充
言			1	32	31	48	64	65	83	言言云言言
限					2	10	37	46	72	限限限郎即
原	1	37	57	64	84	89	87	91	94	原原原原原原
現				5	19	56	76	82	91	説視規現現
減				0	2	12	23	28	53	減減減減減
厳					0	9	24	25	51	厳厳厳厳厳

漢字	正答率(%) I	II	III	IV	V	VI	VII	VIII	IX	おもな誤字
己		2		1	5	12	30	47	66	巳 已 邑
故					3	21	58	77	85	古支 敌 敁 古 攱
戸		28	68	67	76	86	92	95	95	尸 石 尺 户 声 尺
古		1	63	56	77	83	92	93	97	占 吉 吴 早 吉 吉 舌
固				1	1	13	42	57	74	国 固 固 固 回 個
個				3	5	22	59	57	85	個 固 個 伯 個 個
庫			0	3	17	40	51	63	80	庫 庫 庫 庫 庫
湖			1	42	42	61	66	75	84	湖 湖 湖 湖 湖
五	65	86	95	96	98	98	98	99	99	五 五 五 語
午		0	12	63	73	82	86	88	95	干 牛 手
後			12	32	55	73	84	88	93	役 後 後 後 後 後
語		15	59	71	86	94	91	95	96	語 語 語 語 語
誤					4	12	25	26	57	誤 誤 誤 誤 誤
護				0	3	23	30	34	57	護 護 護 護 護
口	47	91	97	97	98	98	99	100	99	日 四
工		2	45	49	78	89	93	95	96	上 上 士

漢字	正答率(%) I	II	III	IV	V	VI	VII	VIII	IX	おもな誤字
公			0	14	32	40	54	61	81	谷 公 公 合 台 仝 公
功			0	1	49	42	59	58	77	巧 切 切 坊 切 坊
交		0	4	14	45	75	84	92	96	校 文 父 通 公
光	8	74	90	90	96	97	97	98	99	光 光 米 光 光 光
后				3	4	19	50	64	83	后 后 后 后 后
向		0	51	49	64	75	80	83	90	同 向 向 向 同
考		41	69	64	75	84	88	91	94	考 考 孝 孝 考
行		4	47	29	49	69	77	79	88	行 行 行 行 刊
孝			0	2	14	31	50	49	69	考 孝 考 誇 享 老
効					5	17	32	33	62	効 効 郊 效 校 效 較
幸			1	46	63	82	82	85	91	幸 幸 幸 幸
厚		6		0	6	26	41	55	70	暑 原 厚 厚 厚 厚
皇				8	8	28	55	61	85	皇 臭 皇 皇 星
校	8	87	95	95	97	99	99	99	98	杖 校 校 校 校
耕					0	10	42	42	63	耕 耕 耕 耕 耕
航				13	23	38	45	53	67	船 航 般 航 航

漢字	正			答		率		(%)		おもな誤字
	I	II	III	IV	V	VI	VII	VIII	IX	
候		0	5	17	13	36	57	64	82	倏猴候侯侯俗
康			0	0	14	32	62	70	84	康康康康瘞康
高	1	27	39	56	80	93	95	97	97	高高高高商
港				20	22	53	65	73	84	港巷港港港
黄			2	43	62	68	80	84	88	黄東廣横黄
鉱			0		9	43	50	65	76	鉱鉱鉱砿鉱
構					2	10	25	30	52	講構構構構
広			20	41	60	79	84	84	94	広廣廣度廣广広
興				0	2	14	23	31	57	興學興興興
講					4	24	35	41	62	構購講誦溝
合			42	14	40	65	68	76	90	合合合会今全
号		4	63	46	65	79	78	83	87	号号号号号
告			1	22	19	33	57	61	83	吉舌告告告告
谷	14	4	44	61	70	82	87	90	93	谷合谷谷谷
国		19	11	27	60	76	86	89	93	國國国国國図国
黒		58	70	83	86	91	92	95	96	黒里黒黒黒

漢字	正			答		率		(%)		おもな誤字
	I	II	III	IV	V	VI	VII	VIII	IX	
穀					3	10	19	23	47	殼穀穀殺穀
今	2	4	50	55	68	87	85	92	96	分合会令今
根		2	47	56	74	83	86	89	92	根根根根根
混					3	14	25	35	61	混昆湝混混
左	25	85	91	92	94	96	95	97	97	右左左左左在石
査					4	18	53	58	78	査査香杳査
差					2	14	38	44	62	差差差差搓差
才		0	1	8	29	59	63	69	85	弋戈才オ才
再				2	10	15	31	42	62	再再再再円
災				1	12	30	49	60	74	災災炎災災
妻				0	1	20	37	46	69	妻書妻美妻妻
採				0	5	17	35	43	61	採採採深菜採
菜				0	19	40	58	62	76	菜采菜菜釆
祭			1	4	13	41	59	67	76	祭発察祭登祭祭
細			4	6	48	76	85	85	93	紀個畑組紬
最					16	56	70	73	87	取最最最最最

漢字	正答率（%） I	II	III	IV	V	VI	VII	VIII	IX	おもな誤字
済				1	4	18	37	54	69	済 績 斉 涇 済
際					7	25	39	46	71	際 隥 際 際 際
在				0	7	39	65	70	84	左 在 佐 左
材			50	16	49	71	77	82	87	林 村 材 村 材
財					2	12	32	40	65	財 賊 賊 財 賊
罪				0	3	12	41	54	75	罪 罪 悪 罪 罰
作		48	65	66	83	90	93	95	96	作 作 作 作 作 乍 作
昨			1	1	18	31	43	52	74	作 昨 昨 昨 昨
策				0	3	8	18	26	44	策 策 策 策 策
刷				3	3	24	27	45	65	刷 刷 刷 刷 刷 刷
殺				0	7	25	50	61	78	殺 投 役 没 敉
察			6	9	23	50	48	56	71	祭 察 察 発
雑			0	23	9	28	63	69	86	雑 雑 雑 維 雑
三	70	92	95	94	97	98	98	98	99	ニ 3 参
山	83	96	98	99	99	100	99	99	100	山 山 山 山 山
参					2	17	52	56	76	参 参 参 参 参

168

漢字	正答率（%） I	II	III	IV	V	VI	VII	VIII	IX	おもな誤字
蚕				0	2	16	32	44	56	吞 蚕 蚕 蚕 蚕
散				0	27	52	66	73	87	散 散 散 清 散 散
産				0	22	50	71	78	91	産 彦 産 産 産
算		2	5	53	78	85	83	85	88	算 算 算 算 算
賛					18	47	52	55	77	賛 賛 賛 賛 賛
酸					0	10	64	71	76	酸 酸 酸 酸 酸
残					10	40	57	66	81	残 残 浅 残 残
士		0	1	10	31	74	76	75	90	土 主 工
子	72	88	98	97	98	99	98	99	98	与 子 了
支				18	25	46	61	60	78	枝 技 伎 汥 支
止			0	23	26	46	61	68	83	上 止 止 正 止
氏			1	4	14	55	57	77	84	民 低 氏 代 氏
仕			0	6	21	61	83	87	93	任 仕 仁 住 仕 事
史				3	42	64	70	89	92	吏 史 史 吏 吏
司		1	1	0	3	22	40	42	74	可 司 司 司 伺 詞
四	55	81	91	93	96	95	93	98	98	四 四 四

169

漢字	正答率（%） I	II	III	IV	V	VI	VII	VIII	IX	おもな誤字
市		0	5	26	68	77	80	88	94	帀市巾帀帝
示				1	4	34	62	66	83	不禾汞示未
死		0	39	26	52	76	87	89	92	宛花宛列死
至					2	13	27	32	61	到仕致至至
志				4	11	27	50	62	80	心忐忘志誌
私	1	21	79	77	94	97	98	99	99	私和松松私
糸	1	75	88	81	87	92	95	95	97	糸糸糸糸系
使		0		10	26	47	71	72	86	使便便使使
姉			7	21	53	68	79	82	90	妹姉姉姉姉
始				5	11	38	70	72	81	如始始始始
思	4	72	87	90	93	95	93	96	97	児黒思思男思
師		1	0	0	12	36	48	61	76	帥帰師師市
指			0	24	46	66	75	80	90	指指指指指皆
紙	6	60	81	73	74	88	92	93	95	紙紙紙紙紙
歯				25	35	47	60	68	81	歯歯歯歯歯
視				0	4	10	28	34	62	視視祖視規

漢字	正答率（%） I	II	III	IV	V	VI	VII	VIII	IX	おもな誤字
詞					24	28	60	80	85	詞飼詞詩詞
詩		0	2	11	41	62	73	81	88	持待詩時詞
試					13	35	45	53	71	試試試試識
資				1	4	17	43	69	77	資資資首貨
字		53	72	70	81	88	92	94	96	子字字学守学
寺		2	14	60	81	87	91	93	97	寺寺秀寺秀時
次			0	16	42	49	59	59	74	次吹欠
耳	47	66	87	86	87	94	92	95	97	耳耳耳耳耳
自		40	56	53	69	75	81	84	93	目白自自自
似			0	2	1	22	50	58	76	以似以似似似
児			0	3	8	31	53	65	75	児児児児児児
事		34	38	55	71	85	87	89	91	事事事事事事
持		1	40	43	62	71	77	78	91	特持待侍時
時		10	65	84	92	96	96	97	98	時時時時時
辞					8	30	30	40	59	許辞辞語辞
式			5	11	44	64	69	81	92	式代式成試

漢字	正答率（%） I	II	III	IV	V	VI	VII	VIII	IX	おもな誤字
識					22	55	64	64	80	織職識識識
七	56	83	93	93	97	96	96	97	95	せ ナ て セ 7
失			0	3	32	59	64	66	83	夫 矢 天 天 朱
室		3	32	39	70	81	86	88	94	室 室 室 宝 宝 室
質			22	1	25	57	72	76	85	質 質 質 質 質
日	61	80	94	95	96	98	99	98	99	目 白 月
実			36	47	71	75	79	79	88	寒 寒 実 実 実 寒
写		3	29	24	51	75	69	65	72	字 字 写 写 写 字
車	2	12	27	42	57	87	94	94	96	車 車 車 申 申
舎			16	18	26	61	69	73	89	舎 舎 全 合 舎
社			16	43	71	79	83	88	92	社 社 社 外 社
謝			0	0	16	37	48	47	71	識 謝 射 謝 謝
者		2	14	26	51	64	69	73	81	着 着 着 者 着
借				2	2	16	39	43	73	借 借 借 惜 借 借
釈					3	10	24	23	54	釈 釈 続 訳 絡
弱				2	14	49	82	88	93	羽 弱 弓 弱 弱 強

漢字	正答率（%） I	II	III	IV	V	VI	VII	VIII	IX	おもな誤字
手	56	90	96	96	98	98	98	98	98	手 牛 午 牛 手 手
主		0	3	43	46	70	84	87	94	住 注 主 王 玉
守			0	8	22	57	79	79	92	守 学 宇 守 寸 字
取			2	2	40	61	81	88	91	取 取 刷 服 取 取
首		5	46	44	62	79	83	82	92	百 首 首 頁 自
酒		1	2	13	22	59	75	78	88	洒 酒 酒 洒 配
種				14	34	62	77	79	89	種 動 種 種 重
需					4	10	20	23	49	雷 雷 需 需 需
受		0	44	39	51	69	76	78	90	受 学 受 受 受 务
授					6	32	42	48	73	授 授 受 授 援
州		0	2	12	62	73	79	76	79	洲 川 州 州 訓
収				0	1	7	29	32	55	状 枚 牧 収 状
周				3	11	47	57	59	79	週 周 周 同 用
拾				0	4	10	31	28	55	洽 給 拾 給 拾
秋	24	34	61	80	89	95	96	98	98	秋 状 秋 林 秋
修			0	0	10	37	50	49	76	修 修 修 修 修 修

漢字	正	答	率	(%)						おもな誤字
	I	II	III	IV	V	VI	VII	VIII	IX	
習			1	7	47	66	88	86	94	偕 習 習 習 習
週			46	41	57	75	81	31	89	週 周 週 通 週
衆					4	15	30	39	52	象 象 衆 衆 衆
終			34	31	42	60	65	73	84	絡 紀 終 後 終
就					0	7	20	29	65	就 就 就 就 就
集			44	53	67	84	85	87	91	集 集 集 集 集
十	64	87	94	93	97	95	97	98	98	千 士 拾
住		1	51	35	61	70	78	81	90	任 柱 住 柱 注 住
重			2	35	62	74	82	86	92	重 動 重 重 重
従					4	16	33	38	65	従 徒 従 従 従
祝			0	1	41	40	49	48	72	祝 礼 祝 祝 祝
宿				1	9	34	53	56	76	宿 宿 宿 宿 宿 縮
出	1	54	54	58	73	81	91	91	96	出 出 中 出 生 発
述				0	1	12	38	49	72	述 述 述 述 述
術				0	18	50	48	66	84	術 術 術 術 術
春	6	33	36	50	64	95	97	98	98	春 春 春 春 着

漢字	正	答	率	(%)						おもな誤字
	I	II	III	IV	V	VI	VII	VIII	IX	
純				1	5	43	51	52	70	純 純 純 純 純
順		0	0	1	30	36	52	57	76	順 須 順 順 順
準			0		4	37	42	40	68	準 進 準 準 準
処					1	7	19	23	41	処 処 処 処 処
初			0	2	20	51	60	63	80	初 初 初 初 初 初
諸			0	0	8	32	56	65	85	緒 諸 諸 諸 諸
所			26	22	45	65	70	77	87	所 所 折 所 近
書		49	59	52	73	79	88	91	94	書 書 書 書 書
暑			0	18	23	52	62	62	75	着 暑 熱 署 著 暑
女	36	90	98	98	100	100	98	100	99	女 女 女 女 文
助		2	72	39	58	72	75	82	91	助 助 助 助 助
序				4	16	20	41	42	64	予 序 序 序 序
除					4	11	32	41	60	除 除 除 徐 除
小	40	91	96	98	93	98	96	97	97	少 小 小 小
少	6	1	9	32	58	78	88	92	95	小 少 少 歩 歩
招				0	2	10	37	48	69	招 招 招 沼 紹

漢字	正答率（%）									おもな誤字
	Ⅰ	Ⅱ	Ⅲ	Ⅳ	Ⅴ	Ⅵ	Ⅶ	Ⅷ	Ⅸ	
承					23	29	37	35	64	[illegible]
昭		3	4	18	44	75	86	88	93	[illegible]
消				1	34	57	71	76	88	[illegible]
称					0	9	22	22	52	[illegible]
唱			42	13	30	51	59	61	81	[illegible]
商			0	12	31	60	78	84	88	[illegible]
章				27	37	53	62	66	86	[illegible]
象				0	6	35	50	50	74	[illegible]
勝		0	25	13	29	47	54	51	72	[illegible]
証					2	10	28	43	61	[illegible]
照			0	2	25	54	76	75	85	[illegible]
賞				7	27	45	64	75	89	[illegible]
焼			0		5	48	60	68	81	[illegible]
上	76	92	97	98	99	100	100	100	100	[illegible]
状				0	9	20	46	54	75	[illegible]
乗		2	43	43	61	76	79	81	88	[illegible]

漢字	正答率（%）									おもな誤字
	Ⅰ	Ⅱ	Ⅲ	Ⅳ	Ⅴ	Ⅵ	Ⅶ	Ⅷ	Ⅸ	
常			0	1	8	30	70	77	90	[illegible]
情				28	29	39	54	46	67	[illegible]
条			0		9	36	46	53	75	[illegible]
場		0	34	41	63	81	79	81	87	[illegible]
色	2	25	31	49	63	92	97	95	97	[illegible]
食		35	46	56	77	88	89	91	95	[illegible]
植				21	41	70	83	85	90	[illegible]
織					26	40	41	54	69	[illegible]
職					7	37	55	65	82	[illegible]
心	2	60	68	75	88	89	94	94	98	[illegible]
申		38	53	52	59	68	82	85	93	[illegible]
臣				1	8	23	41	45	72	[illegible]
新		3	59	56	73	87	91	90	95	[illegible]
身		0	26	26	59	72	77	80	92	[illegible]
信			1	17	44	59	60	62	78	[illegible]
真		1	22	5	40	82	73	75	86	[illegible]

漢字	正	答			率		(%)			おもな誤字
	I	II	III	IV	V	VI	VII	VIII	IX	
神		0	52	41	69	86	92	96	97	枾 神 秭 䄯 秤
深			17	29	52	74	76	85	92	涙 深 淙 探 涙
森	6	38	83	90	91	95	96	97	97	森 棼 林 林 森
進			7	9	51	66	73	72	85	進 進 進 進 進
親		34	50	60	77	87	90	92	96	親 親 親 親 親
人	68	93	99	98	99	100	97	99	100	入 乂 人 火
仁		0	0	4	24	53	62	67	85	任 住 仕
図		4	5	34	66	77	86	83	89	図 冈 囯 図 図
水	36	87	97	97	99	99	99	99	99	木 氷 永 永
推					2	8	25	35	62	椎 催 推 推 維
数			1	56	78	87	93	92	92	数 枚 数 数 類
世	1	78	89	85	92	98	98	98	98	廿 世 世 也 地
是					2	11	19	23	49	足 是 是 堤 提
生	10	85	93	95	97	93	97	99	99	生 生 生 牛
正	9	68	86	84	88	93	91	89	89	止 王 工 王 上
西	5	54	71	86	90	92	95	97	97	両 酉 四 酉 西

漢字	正	答			率		(%)			おもな誤字
	I	II	III	IV	V	VI	VII	VIII	IX	
成			0	2	56	60	69	67	84	成 成 式 感 威 成
声	4	65	86	77	85	87	90	90	96	尸 声 声 声 戸
制				11	12	21	48	51	61	数 制 制 制 製
性			26	2	21	50	70	77	86	生 性 性 性 姓
青	45	60	86	91	94	97	96	97	97	青 青 青 青 青
政				1	19	47	61	82	91	正 致 剅 政 政
省				12	18	50	60	63	81	省 省 看 者 省 省
星		67	75	76	85	89	88	92	94	星 星 星 星 星
清			1	19	54	71	78	81	90	晴 清 清 清 清
晴	1	2	20	79	82	86	91	92	94	晴 晴 晴 晴 清
勢				0	5	21	48	59	76	勢 勢 勢 勢 熱
聖					4	9	14	29	57	聖 聖 聖 聖 聖
精				0	11	40	50	54	76	精 精 精 情 清
製			10	4	19	38	50	59	76	製 制 製 製 製
誠			0	0	13	37	38	39	63	成 誠 試 誠 誠
静			0	1	13	42	74	84	90	静 静 静 静 浄

漢字	正答率(%) I	II	III	IV	V	VI	VII	VIII	IX	おもな誤字
整			1	20	21	32	43	41	62	㓒 整 製 整 制 整
税				0	6	14	34	49	79	税 税 悦 説 鋭
夕	2	9	66	79	87	90	94	95	98	久 冬 多 名 タ
石	6	75	90	92	97	98	93	100	100	右 右 白 万 石
赤	36	80	87	91	96	96	96	98	99	赤 赤 赤 赤 赤 赤
席			3	14	52	72	79	81	88	席 席 席 度 席
責			0	0	29	42	56	54	78	青 債 積 績 漬
積					17	34	58	59	73	積 精 漬 積 債 績
績				1	11	27	45	40	64	責 積 績 積 債
切		36	61	53	65	78	84	86	90	功 切 切 切 切 切
折				0	9	21	56	57	79	析 折 析 折 打 逝
接					7	26	47	58	80	棒 接 接 接 接
設				0	16	39	47	50	75	説 説 詒 設 役
雪	24	63	84	84	88	92	93	95	96	雪 雪 雪 雪 雪
説			0	16	26	55	65	76	89	説 設 脱 税 悦
節			1	12	39	67	75	75	86	節 節 節 笈 箱

180

漢字	正答率(%) I	II	III	IV	V	VI	VII	VIII	IX	おもな誤字
舌				1	3	23	45	59	75	告 舌 否 古 答
絶				2	1	15	39	47	76	絶 絶 絶 紀 絶
千	1	48	66	78	90	91	94	97	98	チ 干 牛 午
川	70	93	98	99	99	100	98	100	100	儿 卅 川 河 水
先	7	77	89	93	97	93	97	98	98	先 元 先 先 先 生
宣		0	0	0	6	25	27	27	55	宜 宣 宣 宣 宣 宣
浅			1	2	30	56	68	73	83	桟 浅 残 浅 浅
専				0	1	12	49	51	72	専 専 専 専 専 専
船		6	51	50	74	82	81	83	90	船 船 船 船 船
銭	1	0	7	38	73	77	84	89	92	銭 戋 銭 銭 銭
線			6	32	57	76	81	87	90	綿 線 線 線 泉
戦				11	25	66	79	81	91	単 戦 戦 戦 戦
選			2	1	23	49	62	67	85	選 選 撰 選 選
全		41	34	42	69	73	81	83	88	全 全 全 全 金 全
前		0	11	33	60	70	83	86	94	削 前 前 萌 前 前
善			0	2	8	27	33	49	68	善 善 善 善 喜

181

漢字	正	答				率	(%)			おもな誤字
	I	II	III	IV	V	VI	VII	VIII	IX	
然				0	14	41	60	72	83	然 煞 燃 然 燃
祖				0	25	59	63	75	84	相 祖 組 視 粗
素				0	5	17	66	67	73	素 素 索 素 素
組	1	65	85	87	91	95	94	97	96	組 絽 組 絢 組
早	30	60	83	83	90	90	94	97	97	早 早 早 草 中 車
走	1	18	22	23	32	64	76	81	88	走 走 走 走 足
宗			0	0	9	48	50	68	87	宗 宗 宋 宗 宗 示
争				0	6	52	70	79	92	争 争 争 争 争
創					3	9	18	32	63	創 創 創 創 創 創 倉
草	17	14	67	83	86	94	94	97	96	草 草 華 草 菓
相		0	43	40	49	66	66	74	85	相 目木 相 相 相 想
倉				1	8	27	48	60	76	倉 倉 創 倉 倉 食
送			23	25	35	68	70	76	87	送 送 送 送 送
想				0	30	61	73	74	84	相 想 想 想 思
総			0	0	28	41	39	45	66	総 総 総 総 総
造				1	6	18	48	62	77	造 造 造 造 造

漢字	正	答				率	(%)			おもな誤字
	I	II	III	IV	V	VI	VII	VIII	IX	
像			0	0	7	51	60	58	76	象 像 様 像 像 像
増				0	9	20	43	48	73	増 噌 僧 増 増 増
蔵				0	1	17	26	44	61	蔵 蔵 蔵 蔵 蔵
足		27	21	42	59	87	95	97	95	足 是 走 走 走
則					11	42	51	56	80	測 側 則 則 則 則
息			49	40	57	70	74	74	84	息 息 息 息 息 息
側			0	1	10	49	70	68	84	則 測 例 側 側 側 側
測				4	9	32	45	40	68	側 測 則 測 側
速				14	22	42	65	72	83	速 連 連 速 速
俗					0	9	18	32	55	浴 俗 裕 浴 俗 俗
族				19	22	49	64	68	83	族 旅 族 族 族
属					3	7	21	30	46	属 属 属 属 属
続					28	44	57	58	80	読 続 続 続 続
卒			6	18	46	70	67	75	91	平 卒 卒 來 卒
存					5	12	32	38	74	存 在 存 存 仔
村	11	62	78	87	94	98	98	100	98	林 村 村 村 林

漢字	正答率（%）									おもな誤字
	Ⅰ	Ⅱ	Ⅲ	Ⅳ	Ⅴ	Ⅵ	Ⅶ	Ⅷ	Ⅸ	
孫					2	17	45	49	70	係 係 孫 綵 孫 孫
尊				0	4	14	36	47	75	尊 尊 尊 尊 尊 尊
損					1	12	39	36	62	損 捐 損 損 換
他			0	5	21	67	80	86	92	地 也 他 池 化
多		35	47	44	52	70	79	86	90	多 多 多 多 多 多
打				0	13	25	51	60	78	丁 村 圢 村 投
太		1	11	57	61	93	84	90	93	大 犬 丈 太 天 犬
体		5	12	40	75	80	81	83	90	休 体 体
対				0	20	52	59	74	85	衬 刘 対 対 対 對
待			9	33	46	55	66	64	82	侍 持 特 埒 待 待
退				0	14	26	46	56	75	退 退 退 退 限
帯			0		7	49	49	53	67	帯 帯 帯 帯 帯
隊			32	17	15	26	40	47	67	隊 隊 防 隊 隊
貸					1	12	28	36	61	貨 貸 貨 貸 賃
態					6	18	42	47	73	熊 能 態 能 態
大	69	87	98	97	99	99	98	99	100	木 犬 太 人 丈 奕

漢字	正答率（%）									おもな誤字
	Ⅰ	Ⅱ	Ⅲ	Ⅳ	Ⅴ	Ⅵ	Ⅶ	Ⅷ	Ⅸ	
第		1	50	37	55	75	81	84	87	弟 第 弟 弟 笫
代				5	44	51	52	56	79	伐 弋 代 伐 化
台		0	65	53	70	81	82	82	91	台 合 台 合 台
題			37	10	41	70	81	82	86	題 題 題 題 題
達		0	0	4	13	48	61	55	69	達 達 違 達
炭		1	36	40	63	71	85	85	93	岸 岩 灰 岸 炭 炭
単			0	24	33	62	76	79	86	單 単 單 戦
短				7	30	59	71	76	86	知 豉 頭 短 短
団				6	15	28	53	61	85	団 団 團 個
男	28	83	96	96	98	99	98	99	99	男 男 男 男 男
断					4	17	35	46	70	断 断 継 断 断 断
談		0	37	29	41	51	54	66	80	談 談 談 談 談
地			42	60	78	89	93	94	96	池 地 地 他 也
池		2	8	33	69	73	89	92	97	地 也 他 池 池
治				5	28	56	68	85	94	治 冶 治 始 治
知		36	46	46	60	74	73	84	92	知 知 和 知 知

漢字	正答率（%） I	II	III	IV	V	VI	VII	VIII	IX	おもな誤字
置			0	0	7	36	54	57	71	置直置偪翼
竹	2	23	33	57	83	93	94	95	97	竹作竹竹竹
築					8	32	41	53	76	築架築筑築
茶		0	51	68	75	81	85	88	93	茶答茶茶余
着			4	23	30	64	75	78	90	看着着着着
中	72	95	97	98	98	99	99	100	99	甲申平巾中
虫	4	56	83	87	88	91	96	97	98	玉虫田虫虫
忠		0		2	25	32	54	60	79	中忠串恵志
注			5	17	34	62	75	80	91	汪注住注注
柱			44	13	28	59	75	74	87	住柱柱桂注
昼		0	48	39	60	73	79	80	83	書書昼昼昼
貯					6	15	34	41	58	貯財貯貯貯
著				0	1	12	37	48	67	箸者暑署着
町	2	85	95	95	96	97	99	99	98	町町町町町
長			6	10	42	51	64	66	76	長長長長長
帳		0	14	32	52	68	72	79	84	帳張帖帳帳

漢字	正答率（%） I	II	III	IV	V	VI	VII	VIII	IX	おもな誤字
張			0	3	10	40	55	56	75	長帳帳帳張張張
鳥	3	59	77	80	85	90	92	94	93	馬島烏烏鳴
朝	7	4	79	83	93	96	98	98	98	朝朝朝朝朝
腸				0	3	18	40	54	70	腸腸傷腸暘
調				1	24	56	64	70	84	調調稠凋週
直				4	31	57	77	74	86	真直置真植
賃				0	1	11	29	38	70	貸賃資貨賃
追			20	22	40	54	60	62	77	追追追迫追
通		3	50	66	71	82	87	87	92	通通通通通
丁	0	0	0	3	4	18	57	56	65	町手丁寸
低					6	13	44	48	67	低低抵底氐底
弟		38	72	55	78	88	87	92	93	弟弟弟弟弟第
定				2	13	50	63	68	85	定定定足定定
底				0	10	41	58	68	84	底低底低底底
庭			13	47	74	87	89	92	93	庭庭庭庭庭庭
停				14	20	43	44	53	66	停亭停停停停

漢字	正答率(%) I	II	III	IV	V	VI	VII	VIII	IX	おもな誤字
提					3	13	28	36	61	桯 堤 定 揑 提 晃
程				0	4	14	34	38	64	秤 秬 搵 稈 桯
的				0	26	62	79	84	90	約 的 的 昀 的
敵					5	18	34	47	66	適 適 献 献 摘
適					4	13	50	50	75	適 適 敵 滴 摘
鉄			31	16	29	53	69	76	84	鉄 鉄 飲 釵 欽
天	2	65	65	84	94	96	99	99	99	夫 矢 失 大 元 无
典			0	2	6	40	48	54	77	典 曲 西 典 共 奥
店		1	63	68	73	82	91	92	96	店 居 店 庶 店 庭
点		1	49	34	42	59	68	72	81	占 京 点 点 真
展				0	7	20	36	49	69	屋 展 展 展 辰
転			7	32	52	70	74	75	85	轉 轉 轉 傳 軫
田	26	57	89	90	94	95	97	97	98	由 畑 細
伝				0	33	54	61	67	81	傳 傳 傳 伝 伝 伝
電		2	67	64	71	82	87	90	93	電 雹 雹 電 雷
土	20	53	73	88	90	94	96	97	98	工 士 去 上

漢字	正答率(%) I	II	III	IV	V	VI	VII	VIII	IX	おもな誤字
徒		31	29	16	38	58	71	74	87	走 徒 従 往 待
都		26	17	22	40	65	84	87	92	都 都 観 諸 部
努					14	46	52	54	76	努 努 奴 努 努 努
度			42	45	61	82	91	90	92	度 度 度 度 渡
刀		1	5	27	55	75	73	70	73	刃 力 切 刃 功
冬	33	77	87	93	92	96	97	98	98	冬 冬 冬 処 各 各
当			1	9	32	55	59	62	79	当 当 当 当 當
投			0	2	20	43	70	71	87	役 没 投 投 牧
東	2	56	74	88	93	95	96	97	99	東 東 東 果 車
島		54	72	63	86	92	93	94	94	島 島 嶋 鳴 馬
討					6	20	47	48	75	訂 計 対 詩 許
党				0	5	13	32	36	66	党 覚 党 堂 黨
湯		0	2	26	38	69	74	74	86	場 暘 陽 湯 湯
登			0	43	38	60	60	61	76	発 谷 金 登 登
等			0	6	26	61	74	73	85	第 寺 等 弟 等
答			50	57	77	80	88	87	93	荅 答 答 答 茶

漢字	正	答			率	(%)				おもな誤字
	I	II	III	IV	V	VI	VII	VIII	IX	
統					5	10	29	44	66	統綜綜統統
燈			0	26	14	46	59	62	79	燈燈烜澄橙
頭			11	51	60	74	86	88	95	頭頭頭頭頭
同		0	38	44	57	76	86	88	93	同向间回园同
動		4	69	68	83	90	92	93	94	動動動動働動
堂			0	1	18	40	52	66	82	堂堂堂宣堂
童			1	2	26	45	52	58	82	童章童童量
働			3	8	50	66	81	85	92	働働働働動
道	6	45	78	79	89	91	92	95	96	道道道道道
銅			1	4	12	39	59	77	86	銅銅銅銅銅
導			0	2	6	17	53	63	78	道導導導導
特			0	1	9	53	66	74	82	持待侍特特
得					22	40	44	45	70	得得得得待
徳				1	11	29	40	53	75	徳徳徳徳徳
毒			0	1	7	26	65	67	81	毒毒毒責毒
独					6	33	43	50	74	独独独独狗

漢字	正	答			率	(%)				おもな誤字
	I	II	III	IV	V	VI	VII	VIII	IX	
読				5	45	67	77	75	85	続読読読読
届				4	0	9	35	47	58	届届届届届
内		4	7	50	75	83	86	93	94	汭内同肉丙
南		38	61	80	82	86	93	96	97	南南南南南
難				0	6	28	45	48	69	難難難難難
二	63	84	94	94	93	97	97	99	98	三弐弐
弐			1	1	2	9	37	29	56	弐弐弐弐弐
肉		0	51	41	48	80	89	92	96	内肉肉肉丙
入		7	57	55	75	82	89	91	96	人合知入込
任			0	1	28	45	57	57	82	仕任任任任
認				1	4	3	24	31	62	認認認認認
熱				9	27	71	85	84	87	熱熱熱熱勢
年	38	79	92	94	97	99	97	98	97	年年年年手
念		1	23	13	43	67	69	80	87	念念念念念
燃					6	12	53	52	72	燃燃燃燃燃
納				0	1	10	28	43	71	訥納納納迦

漢字	正答率（%） I	II	III	IV	V	VI	VII	VIII	IX	おもな誤字
能				2	25	42	52	56	80	能 熊 熊 態 熊
農			0	28	42	68	79	81	89	農 農 農 農 農
波		36	46	46	60	76	87	93	94	波 汲 波 泼 波
派					4	7	26	31	65	泳 派 洲 脈 派
破				0	5	16	41	62	99	波 破 彼 破 破
馬		0	32	66	79	86	88	92	95	馬 鳥 馬 馬 馬
拝				19	6	21	43	49	72	拜 判 杆 拝 杆
配		3	36	30	38	64	68	71	79	酌 配 配 酒 配
敗			0	1	21	46	52	51	73	敗 敗 敗 敗 販
倍				8	10	45	65	71	86	倍 倍 位 陪 培 部
買		0	0	18	43	63	74	79	88	員 員 責 買 買
売		0	0	19	33	66	73	75	83	買 責 賣 賣 賣
白	63	86	92	96	98	98	96	98	97	日 自 目 百 白
博				3	12	49	52	55	76	博 博 博 傳 博
麦	2	48	51	74	64	74	87	83	90	麦 麦 麦 麦 麦
畑		0	6	54	71	66	78	77	77	畑 畑 畑 畑 畠

漢字	正答率（%） I	II	III	IV	V	VI	VII	VIII	IX	おもな誤字
八	60	88	95	95	98	98	93	98	98	入 人 人
発		40	53	45	69	80	84	86	93	発 登 全 登 発
反				1	32	69	69	80	93	友 仮 返 反 阪
半		54	71	72	84	87	91	96	96	半 米 半 半 平 半
犯					5	10	28	35	57	犯 犯 犯 犯 犯
判				11	9	20	44	48	74	判 判 判 判 判 半
坂			1	33	41	70	74	78	89	反 阪 返 板 坂 坂
板			0	7	37	74	82	87	93	枝 枚 坂 板 板
飯				1	5	27	61	74	79	飲 喰 飯 飲 飯
番			1	7	41	67	82	85	90	番 番 香 番 香
版					7	27	23	34	51	版 板 版 版 返
比				0	13	41	60	64	84	北 化 比 批 昆
皮			1	35	48	70	78	85	91	波 皮 彼 反 支
否				1	1	11	32	30	59	舌 否 台 香 杏 否 杏
肥					2	13	42	59	74	肥 肥 肥 肥 肥
非				1	10	29	58	66	86	非 俳 非 非 非 悲

漢字	正	答				率（%）				おもな誤字
	I	II	III	IV	V	VI	VII	VIII	IX	
飛		1	37	36	23	53	70	75	85	飛 㐻 飛 飛 飛
悲			0	0	49	58	73	75	83	悲 悲 非 悲 悲 悲
費				1	15	30	54	53	75	費 費 費 費 費
美		4	46	69	80	89	92	94	97	夫 美 美 美 美
備					4	11	30	42	67	備 備 備 備 備 備 備
鼻			1	1	27	42	49	55	70	鼻 鼻 鼻 鼻 鼻
必				0	11	50	73	69	84	心 必 必 必 必
筆				1	9	30	74	79	88	筆 筆 筆 筆 筆
百	1	51	60	69	85	89	93	97	97	百 自 頁 白 百
表			2	35	41	64	72	80	85	表 俵 俵 俵 俵 俵 俵
氷		1	2	11	41	48	59	54	76	水 水 水 永 泳
俵					3	31	48	56	69	表 表 表 表 俵
票					4	18	30	41	67	票 標 標 漂 僄
評				0	16	34	45	50	75	泙 枰 怦 評 評
標			0		8	41	47	39	68	標 僄 標 標 標
秒			0	20	39	63	75	72	90	砂 秒 秋 妙 沙

漢字	正	答				率（%）				おもな誤字
	I	II	III	IV	V	VI	VII	VIII	IX	
病		0	26	20	66	72	84	37	92	病 病 病 病 病
品		60	59	69	74	91	93	95	97	品 品 唱 品 品
貧					4	8	51	57	73	貧 貧 貧 貧 貧
不		40	48	51	68	80	85	90	94	下 下 不 不 不
夫		0	1	37	62	77	85	86	88	天 矢 失 夫 大 人 夫
父	3	63	83	85	95	97	98	99	99	文 交 父 父 文
付					3	13	38	53	70	附 付 附 附 符 府
布				0	8	23	53	58	77	布 布 市 巾 布
府				1	8	48	67	76	91	府 府 府 府 府 府
負			16	22	40	57	68	77	87	負 負 負 負 負
富				2	22	47	62	54	74	富 富 富 富 冨 富 当
婦			0	5	21	51	65	71	80	婦 婦 婦 掃 婦 婦
武				1	12	28	52	61	81	武 武 武 式 武
部			2	11	48	64	71	73	85	部 都 陪 倍 部
風	26	66	85	93	91	96	95	96	96	風 風 風 風 風
服			0	31	27	42	71	78	92	服 服 服 服 服

漢字	正	答			率	(%)				おもな誤字
	I	II	III	IV	V	VI	VII	VIII	IX	
副				2	9	26	48	54	74	福 福(福) 副 副 副 副
復					8	29	44	54	75	腹 復 復 複 復 復
福		0	0	36	59	86	82	83	89	副 福 福 福 福
複				0	2	13	32	37	53	復 複 複 腹 復
仏				0	3	22	45	72	84	弗 沸 佛 伝 伝 償
物		1	31	39	51	71	74	79	90	物 物 物 物 坳
粉			2	3	15	48	77	79	90	粉 粉 粉 粉 粉
奮					4	7	15	24	44	奮 奮 奮 奮 奮 奮
分		0	39	48	72	81	88	91	96	今 分 分 分 分 分
文		63	75	80	86	92	93	95	97	交 文 攵
聞		5	55	45	64	80	81	84	91	間 問 聞 門 聞
平		4	54	80	90	95	85	99	99	辛 半 平 平 采
兵			0	2	19	41	62	68	85	兵 丘 浜 兵 兵
陛					4	18	33	41	66	陸 陛 陛 階 陸
米	3	73	87	93	96	98	99	99	100	米 光 半 米 禾
別				6	40	65	71	77	87	列 別 別 別 別 刹 別

漢字	正	答			率	(%)				おもな誤字
	I	II	III	IV	V	VI	VII	VIII	IX	
辺				4	13	49	61	71	84	辺 辺 返 辺 辺
返		42	37	55	62	69	73	72	84	返 返 返 返 返
変			0		14	45	61	65	79	変 恋 変 変 変
編					4	32	41	38	66	扁 綸 偏 編 編
弁					3	8	24	30	51	弁 弁 升 弁 弁
便				1	26	60	70	79	87	使 更 梗 使 便
勉			43	54	75	89	87	83	90	勉 勉 勉 勉 勉 勉
歩		0	41	53	52	74	73	75	84	歩 歩 歩 歩 歩
保			1	14	21	66	79	84	92	保 保 保 保 呆 保
補					4	10	27	30	53	補 浦 補 捕 哺
母	5	70	84	92	96	98	96	97	98	毎 母 母 母 海
墓				0	1	13	47	54	77	暮 墓 墓 墓 基 墓
方	1	61	84	90	92	96	96	97	99	万 方 方
包					28	49	65	70	84	抱 巳 句 包 泡 垉
放				1	9	29	49	52	78	方 族 族 倣 放
法				22	36	63	73	80	87	去 法 法 法 法

漢字	正	答				率	(%)			おもな誤字
	I	II	III	IV	V	VI	VII	VIII	IX	
報				0	3	14	33	51	68	報 報 報 報 報 報
豊				3	19	52	62	63	85	豊 豊 豊 豊 豊
防				0	11	33	54	60	72	防 防 防 放 訪
望			34	8	37	62	58	65	82	望 望 望 望 望 望
貿					5	21	32	44	68	貿 貿 貿 貿 留
暴				0	3	11	31	44	62	暴 瀑 暴 暴 暴
北	13	74	88	90	93	97	95	97	97	北 比 比 北 比 北
木	63	83	94	96	99	98	99	99	99	本 季 大 氷 林 気
牧			0	0	13	42	56	55	77	枚 枚 牧 牧 牧
本	62	92	96	98	99	99	99	99	99	木 本 本 末 本
毎		4	62	70	73	85	82	89	89	海 毎 毎 毋 毎
妹			46	36	58	75	79	80	88	妹 枚 枚 姉 妹 味 妹
末				4	22	67	72	74	82	未 味 末 夫 朱
万		1	14	49	69	71	84	88	93	方 万 力 萬 刀
満			1	10	47	62	60	62	79	満 満 満 満 満
未				1	9	24	50	57	68	末 味 禾 朱 未

漢字	正	答				率	(%)			おもな誤字
	I	II	III	IV	V	VI	VII	VIII	IX	
味				34	43	61	82	80	92	和 味 和 未 味 味
脈				1	8	32	67	79	78	脈 派 脈 脈 脈
民			0	22	51	79	89	93	94	氏 民 民 民 民
務					3	16	40	44	72	務 務 務 務 務 務
無			0	1	23	50	70	75	88	無 無 無 無 無
名		57	77	80	89	90	93	97	97	各 夕 冬 石 久 多
命		0	51	24	59	71	81	88	95	命 命 令 合 合 命
明	1	10	61	64	77	89	90	91	94	朋 明 明 明 冒
迷				6	27	65	55	58	73	迷 迷 謎 迷 迷
盟				0	0	8	21	35	62	盟 盟 明 盟 盟
鳴		3	27	46	59	65	72	70	80	鳴 鳥 鳴 鳴 鳴
面			40	49	73	87	91	93	94	西 面 面 面 面
綿			0		6	44	64	71	86	線 棉 綿 線 綿
毛		4	45	43	70	81	87	87	92	先 手 毛 毛 尾
目	65	85	94	96	97	98	99	99	97	日 月 自 目 且
門	5	87	87	86	81	90	87	91	94	門 門 門 門 門

漢字	正答率(%) I	II	III	IV	V	VI	VII	VIII	IX	おもな誤字
問			40	19	44	71	72	76	84	門間閒间閒閇
夜		53	74	79	80	87	92	93	94	夜夜夜夜存莅
野	1	10	57	75	89	93	95	94	95	野野野野野
約			1	25	39	60	73	74	86	約约約约約
訳				1	1	12	35	47	67	訳詻訣譯諢
薬			2	4	19	43	66	72	85	樂楽楽藥藥
油			2	46	50	74	87	91	95	由油浊油畑
輸					4	30	37	46	59	諭輸輸揄輸
友		15	11	23	54	69	79	80	92	友文反支友
右	30	86	90	92	93	97	95	97	97	左石右右右古
由		42	52	48	69	77	78	83	91	申甲由曲油
有				3	43	63	78	82	93	育有有有右
勇		0	5	49	69	80	87	87	90	勇勇男勇勇勇男
遊			57	64	75	83	85	82	90	遊遊遊遊遊
予			0	32	26	38	61	61	79	矛序予了予
余				0	9	16	34	37	67	茶余余余餘

漢字	正答率(%) I	II	III	IV	V	VI	VII	VIII	IX	おもな誤字
預				2	2	9	31	43	61	預野預領野
用	2	65	86	87	95	94	95	98	98	用用用冃
洋		0	1	36	52	71	82	85	89	洋洋汗洋洋
要				0	7	47	72	69	84	栗要要票悪
容				2	20	32	45	37	64	蓉合溶客容溶
葉		6	65	71	85	85	90	91	92	業葉葉茉葉
陽		0	1	46	66	81	80	81	87	楊場湯陽陽
様			1	13	26	65	85	91	91	様様様様様
養				15	11	42	55	63	82	養養券養養
曜		2	12	61	79	82	83	83	93	曜曜曜翟曜
浴					5	22	42	47	69	浴溶沿浴俗
欲				0	0	8	20	28	48	欲欲欲餘慾慾
来		3	61	38	64	81	86	87	94	來来未
落		0	15	43	64	76	82	84	90	洛落落落茖
楽		0	53	71	72	86	79	84	91	樂樂楽業樂
利			1	20	33	65	75	83	92	咊利科利判移

漢字	正答率(%) I	II	III	IV	V	VI	VII	VIII	IX	おもな誤字
里			1	35	76	75	86	89	93	𠮷 畢 理 𤰞 野
理				11	48	61	75	78	90	埋 野 捏 野 理
力	6	74	91	87	93	95	97	98	98	力 カ 刀 か 助
陸			0	1	39	58	75	85	91	陸 陸 陵 郚 陸
立		16	17	24	68	72	85	87	94	立 位 泣 並
律			0		3	15	29	44	70	偉 聿 津 律 剕
率					3	14	45	46	65	辛 平 卒 率 卒
略					0	13	33	39	64	略 路 畧 喀 眠
流		1	44	60	68	82	88	90	96	流 流 流 流 流
留					12	43	46	47	65	留 留 溜 留 貿
旅		4	24	19	42	64	62	68	82	旅 遊 旅 族 族
両			44	39	56	69	77	79	88	両 両 雨 両 両 両
良			0	12	46	62	60	65	83	良 良 良 良 食
料			36	5	28	58	71	76	82	科 料 粁 料 料
量			0		7	39	64	69	79	量 量 量 量 糧
領				0	1	10	31	37	71	預 領 領 領 齢

漢字	正答率(%) I	II	III	IV	V	VI	VII	VIII	IX	おもな誤字
緑				0	12	19	47	53	72	録 緑 緑 緑 縁
林	18	71	75	86	94	97	98	98	98	村 林 林 休 森
輪				2	7	40	60	60	73	輪 輪 輪 輪 輪
臨					0	6	15	22	37	臨 臨 臨 臨 臨
類				8	27	54	72	76	82	類 類 親 類
令				1	15	33	50	62	82	冷 冷 今 命 今 冷
礼	4	35	46	47	46	69	75	79	91	札 祝 神 礼 礼
冷				1	24	43	63	61	80	冷 冷 冷 冷 冷 令
例				16	21	40	57	65	83	列 洌 別 例 例 例
歴				2	32	54	62	78	84	歴 摩 暦 歴 暦
列		46	49	53	53	62	68	73	87	刋 列 外 列 列 列
連			0	0	9	51	72	81	83	運 連 連 連 速
練			1	1	35	51	75	76	88	練 棟 練 錬 練
路				0	25	53	66	78	89	路 路 路 題 路
老			4	16	56	76	75	83	91	孝 考 者 光 老
労			5	17	28	53	61	68	85	労 労 労 営 営

漢字	正答率（%）									おもな誤字
	I	II	III	IV	V	VI	VII	VIII	IX	
六	68	86	96	96	98	98	97	99	98	六 六 六 六 六
録				2	2	12	41	47	68	録 録 録 録 緑
論				0	11	39	53	58	81	輪 論 諭 論 論
和		3	52	72	89	94	95	96	99	味 和 知 知 和 知
話		71	84	83	89	95	94	96	97	話 話 語 活 話

14……A　国語教科書に出ている漢字の回数

この表に掲げるのは，当用漢字別表の漢字（教育漢字）だけの提出回数で提出回数は，文部省著，小学校第１学年―中学校第３学年用教科書，日本書籍国語編修委員会著（日本書籍株式会社発行）白いほの船，３年上，あらし３年下，日本新教育研究会著（学校図書株式会社発行）こくご，三，四，教育図書研究会著（学校図書株式会社発行）二年生のこくご，上，中，下，新教育実践研究所編（二葉株式会社発行）こくごのほん一，二について調査したものである。

漢字	音	訓	提出回数 I	II	III	IV	V	VI	VII	VIII	IX	計
愛	アイ						15	29	20	11	30	105
悪	アク								5	3	12	20
		わるい			6				9	14	19	48
圧	アツ								2	3	2	7
安	アン			2	2	3	3	3	12	9	7	42
		やすい			1			2	3	3	2	11
案	アン								15	8	8	31
暗	アン						1	1	14	5	4	25
		くらい			1		5	14	5	15	16	56
以	イ				1	1	1	13	25	29	47	117
衣	イ						1		2	1		4
		ころも							1	8	24	33
囲	イ							1	4	11	9	25
		かこむ							1	10	2	13

漢字	音	訓	提出回数 I	II	III	IV	V	VI	VII	VIII	IX	計
位	イ				8	4	1	1	6	12	11	43
		くらい							2	4	1	7
医	イ						19	4	17	5	2	47
委	イ									6	1	7
胃	イ								1	4	1	6
移	イ					1		2		11		14
		うつる						5	15	19	5	44
異	イ								6	7	2	15
		ことなる							10	4	12	26
意	イ			5	1	3	12	18	36	36	122	233
遺	イ								4	5	1	10
	×ユイ								2		1	3
育	イク						2	3	4	27	21	57
		そだてる				5	5	7	11	11	3	42
一	イチ		23	100	131	103	45	66	224	144	187	1023
	イツ		24	61	24	23	34	41	116	161	130	614
		ひとつ	2	18	33	37	41	42	67	72	101	413
壱	イチ											
引	イン							1		1	1	3
		ひく			51			3	34	32	32	152
印	イン								1	6	4	11
		しるし							1			1
因	イン						1	5	9	3	9	27
		よる										
員	イン				6		9	3	12	11	14	55
院	イン						1		13		3	17

漢字	音	訓	提出回数 I	II	III	IV	V	VI	VII	VIII	IX	計
飲	イン									2		2
		のむ				7	13	5	25	4	13	67
雨	ウ							4	7	2	3	16
		あめ	5	30	21	24	18	4	8	32	34	176
雲	ウン										4	4
		くも	4	26	69	7	5	10	5	12	33	171
運	ウン				10	8	2	8	7	9	17	61
		はこぶ			7	7	5	5	4	4	7	39
永	エイ								3	4	20	27
泳	エイ											
		およぐ			9				3	3	2	17
英	エイ				3			8	11	12	7	41
栄	エイ							1	2	1	4	8
		さかえる							2	1	2	5
営	エイ								2	2	3	7
		いとなむ								8	2	10
衛	エイ							1	7	7	5	20
役	エキ								1			1
	ヤク				14	1	8	3	11	11	11	59
易	エキ								6		1	7
	イ						1		11	9	4	25
益	エキ								3	2	4	9
液	エキ										1	1
駅	エキ				8	2			1	18		29
円	エン						11		11	8	10	40

漢字	音	訓	提出回数 I	II	III	IV	V	VI	VII	VIII	IX	計
延	エン								1	1		2
		のびる							1			1
		のべ(名)								1		1
塩	エン									2		2
		しお								1		1
遠	エン				3	2	2	2	6	9	13	37
		おん								2		2
		とおい			8	18	16	14	11	22	20	109
演	エン					1	1	1	35	10	23	71
園	エン					1	7	4	9	9	1	31
		その						3		2		5
王	オウ			12	9	36	1	1	8	9	4	80
央	オウ								4		3	7
往	オウ								7	1		8
応	オウ								12	3	7	22
横	オウ								4			4
		よこ				9	4	13	17	16	18	77
屋	オク								3	2	1	6
		や			22	21	19	20	46	28	35	191
億	オク							3	1		3	7
音	オン			2	34	16	10	14	22	41	2	141
	×イン											
		おと		27	32	55	16	28	23	55	19	255
		ね			2		1	2		4	1	10
恩	オン							2	3	5	2	12
温	オン				2		2	5	2	7		18

漢字	音	訓	提出回数 I	II	III	IV	V	VI	VII	VIII	IX	計
下	カ						1	3	8	15	9	36
	ゲ				1		2	1	7	5	2	18
		した	4	30	45	24	21	27	30	23	23	227
		しも			5					5		10
		さげる							1			1
		くだる										
		もと									2	2
火	カ				2	10	1	2	6	5	10	36
		ひ	1	8	12	8	5	12	26	15	33	120
化	カ						1	6	45	24	59	135
	ケ									1		1
		ばける										
加	カ						1	1	6	2	4	14
		くわえる				5		2	10	4	12	33
可	カ								1	4	9	14
仮	カ								1		2	3
	×ケ											
		かり										
何	カ											
		なに			23				82	84	90	279
果	カ							10	17	19	12	58
		はたす							13	11	6	30
河	カ							1	5	4	7	17
花	カ							4	4	2	7	17
		はな	3	47	55	43	29	33	50	31	67	358
科	カ						1	10	20	11	4	46
夏	カ							1	2	3	1	7
		なつ		7	12	9	5	13	19	16	11	92
家	カ					6	7	12	28	48	91	192
	ケ						1	3	2	2	3	11
		いえ		17	46	40	36	26	21	32	38	256
		や				1			3	3		7
荷	カ											
		に			13	4	1	6	8	1		33

漢字	音	訓	提出回数 I	II	III	IV	V	VI	VII	VIII	IX	計
貨	カ				2	2			6	3	4	17
過	カ									4	7	11
		すぎる							15	6	14	35
歌	カ					3	2	1	1	21	7	35
		うた			24	3	15	34	15	68	14	173
		うたう			7	3	8	12	1	7	1	39
価	カ								4	5	12	21
		あたい								1	1	2
課	カ							1	31	7	4	41
我	ガ									1	4	5
		われ										
賀	ガ						1			6		7
芽	ガ											
		め		1					2	3	3	9
画	ガ				2	1	2	19	3	14	30	71
	カク							3	21		3	27
回	カイ エ					4	4	8	15	4	5	40
		まわす										
会	カイ			7	47	12	2	14	41	57	127	307
	エ									1		1
		あう					3	7	26	8	7	51
快	カイ			1				1	5	25	9	41
		こころよい								2	1	3
改	カイ				4				2	1	26	33
		あらためる							5	3	3	11
界	カイ			9	10	11	13	21	65	21	49	199
海	カイ				27	1	7	10	44	44	4	137
		うみ		28	117	7	11	7	11	13	13	207
械	カイ						10	1	3	3	4	21

漢字	音	訓	提出回数 I	II	III	IV	V	VI	VII	VIII	IX	計
開	カイ				12				9	32	8	61
		ひらく			3	3	12	4	14	17	21	74
階	カイ					1	2	1	16	3	14	37
絵	カイ						1	1			1	3
		え			2	4	30	46	15	18	9	124
解	カイ ゲ						1	2	21	22	41	87
		とく							7	6	2	15
貝		かい				19	30	2	1			52
外	ガイ				3	3	12	22	17	47	33	137
	ゲ								2			2
		そと			3			10	7	13	18	51
		ほか			1						3	4
害	ガイ					1		2	7	6	9	25
各	カク							1	20	6	19	25
		おのおの										
角	カク				8	1	1	7	6	8	2	33
		つの			9	2	1	2	2	2	2	20
革	カク								1		6	7
客	カク									1	3	4
	キャク				4	4	4	11	8	8	24	63
格	カク					1	3		8	9	33	54
確	カク								7	4	2	13
		たしか							13	7	11	31
拡	カク									1	1	2
覚	カク								7	7	11	25
		おぼえる					6	2	12	14	20	54

漢字	音	訓	提出回数 Ⅰ	Ⅱ	Ⅲ	Ⅳ	Ⅴ	Ⅵ	Ⅶ	Ⅷ	Ⅸ	計
学	ガク			61	36	23	33	54	113	39	115	474
		まなぶ					2	3	5	8	8	26
額	ガク								3		2	5
		ひたい							3	3	3	9
活	カツ				9		5	8	26	17	26	91
株		かぶ							2	1	2	5
刊	カン							2	3		2	7
完	カン								6	4	8	18
官	カン					19				10	14	43
寒	カン				1	1		1	1	4	1	9
		さむい			1	7	3	9	8	11	9	48
間	カン				8	11	12	11	48	29	47	166
	ケン				1	2	15	21	50	48	67	204
		あいだ			9			24	80	35	53	201
		ま			7	1		10	1	8	4	31
幹	カン								3	5	4	12
		みき							5	6		11
感	カン				8	17	17	15	87	117	131	392
勧	カン								1	1		2
		すすめる							2		1	3
漢	カン							19		5		24
慣	カン						1		6	4	2	13
		なれる										
管	カン											
		くだ							1			1

漢字	音	訓	提出回数 Ⅰ	Ⅱ	Ⅲ	Ⅳ	Ⅴ	Ⅵ	Ⅶ	Ⅷ	Ⅸ	計
関	カン							15	15	19	20	69
		せき									1	1
歓	カン								2	2	5	9
館	カン						1	11	6	2		20
観	カン					1	5	3	6	23	47	85
岸	ガン				1	4	1	4	35	16	1	62
		きし			8	11	5	1	7	7	4	43
岩	ガン								1	5	17	23
		いわ		1	9	6	4	4	5	9	7	45
眼	ガン								2	6	3	11
		まなこ										
顔	ガン								1			1
		かお			17	28	38	17	36	56	46	238
願	ガン							1	1	2	2	6
		ねがう			3	5	1	2	2	3	6	22
希	キ						5	7	3	6	5	26
汽	キ			7	16	11	6	4	14	23		81
季	キ			1			1	5	7	12	4	30
気	キ			72	82	83	49	86	112	136	96	716
	ケ										2	2
記	キ			1	13	5	5	7	20	33	34	118
紀	キ							2	1	3	2	8
起	キ								5	7	7	19
		おきる			5			1	9	3	7	25
		おこる						6	11	23	26	66

児童生徒の漢字を書く能力とその基準

漢字	音	訓	提出回数 I	II	III	IV	V	VI	VII	VIII	IX	計
基	キ									1	8	9
		もとい							1			1
		もとずく							2		5	7
帰	キ								10	5	7	22
		かえる			68	31	28	21	39	26	21	234
寄	キ							1	8	6	2	17
		よる							27	21	8	56
規	キ							1	2	13	4	20
喜	キ								1	2	4	7
		よろこぶ			13	24	15	37	14	17	23	143
期	キ ゴ							3	9	17	8	37
貴	キ									4	5	9
旗	キ						1				1	2
		はた						1	2	1	3	7
器	キ					7	8	7	5	9	26	62
		うつわ									8	8
機	キ				2	4	20	5	11	20	21	83
		はた										
技	ギ							2	14	11	3	30
義	ギ						2	2	15	15	45	79
疑	ギ								2	2		4
		うたがう							5	2	1	8
議	ギ						2		20	54	13	89
逆	ギャク									2	4	6
		さからう							1	2		3
九	キュウ					3	1	4	6	1	6	21
	ク		6	23	4	13	11	5	24	7	15	108
		ここのつ								2		2

14. …A　国語教科書に出ている漢字の回数

漢字	音	訓	提出回数 I	II	III	IV	V	VI	VII	VIII	IX	計
久	キュウ								2	1	18	21
	ク	ひさしい							4	1	9	14
旧	キュウ										3	3
休	キュウ						1		2	3	3	9
		やすむ		10	24	3	7	1	8	4	5	62
求	キュウ								6	4	14	24
		もとめる				3	2	6	5	1	7	24
究	キュウ						8	18	12	8	9	55
急	キュウ			1	11	3		1	14	12	17	59
		いそぐ			1			8	23	8	8	48
宮	キュウ								2	1	5	8
	グウ									3		3
	ク											
		みや		1						6	4	11
級	キュウ				8			4	3	12	8	35
救	キュウ								4	1	1	6
		すくう								2	2	4
球	キュウ				6	4		8	6	2	4	30
給	キュウ							1	5	6	3	15
牛	ギュウ				1		1	1	12		3	18
		うし		2	5							7
去	キョ						2				3	5
	コ								1	3		4
		さる						2	17	6	13	38
居	キョ									1		1
		いる							2	1	2	5
挙	キョ								2	2	1	5

漢字	音	訓	提出回数 I	II	III	IV	V	VI	VII	VIII	IX	計
許	キョ									1		1
		ゆるす							9	4	10	23
魚	ギョ							1		12	1	14
		うお		14	31	2	4	1	6		1	59
漁	ギョ						1	1	2	8	3	15
	リョウ											
共	キョウ						3	1	9	4	9	26
		とも								2		2
供	キョウ								1	2	2	5
	ク								2			2
		そなえる とも							53	31	8	92
京	キョウ						1		12	12	8	33
	ケイ									1		1
協	キョウ					5			5	5	1	16
教	キョウ				4	5	6	16	27	55	144	257
		おしえる			13	8	5	12	11	8	18	75
強	キョウ				1	5	10	1	22	19	7	65
	ゴウ								2			2
		つよい			3	6	6	6	28	22	17	88
境	キョウ							2	34	9	9	54
	ケイ								2		1	3
		さかい							25			25
橋	キョウ										1	1
		はし			6	2	9	1	3	2	1	24
鏡	キョウ				3	1		2	5	2	2	15
		かがみ				2				4	2	8
競	キョウ								1	1		2
	ケイ											
		きそう									1	1
業	ギョウ				1	3	6	9	20	33	31	103
	ゴウ											
曲	キョク					6			11	10	11	38
		まがる				8		5	14	2	2	31

漢字	音	訓	提出回数 I	II	III	IV	V	VI	VII	VIII	IX	計
局	キョク								17	4	16	37
極	キョク								4	4	5	12
	ゴク								1	3		4
玉	ギョク									2	2	4
		たま			20				1	2	5	28
近	キン				1	3	3	2	23	11	8	51
		ちかい			20	19	18	9	28	25	28	147
均	キン										1	1
金	キン			16	25	8	2	5	9	15	3	83
	コン								1	5		6
		かね			9	8	13	7	25	6	16	84
勤	キン								2	3		5
		つとめる							2			2
禁	キン								2	5	2	9
銀	ギン				7	2	1	2	6	4	21	43
区	ク						1	1	6	5	3	16
苦	ク	くるしい		1	2	2	4	1	15	24	13	62
		にがい		1	9	7	4	10	16	21	13	81
具	グ				3	4	3	3	5	5	14	37
空	クウ			1		6	2	23	17	5	17	71
		そら	6	49	49	14	16	24	16	12	45	231
句	ク						5	1	4	38	18	66
君	クン								21	22	53	96
		きみ								5	1	6
訓	クン							3	2	1	7	13

漢字	音	訓	提出回数 I	II	III	IV	V	VI	VII	VIII	IX	計
軍	グン							1	7	11	8	27
郡	グン									1		1
群	グン								4	7	3	14
		むれる							4	8	6	18
		むらがる										
兄	ケイ										1	1
	キョウ				1	2	1	4	6	2	4	20
		あに			6	42	5	2	3	3	2	63
形	ケイ				1		4	1	5	12	18	41
	ギョウ				1		37	6	26	7		77
		かた					1		2	6	16	25
		かたち			7		8	13	7	1	23	59
系	ケイ							7	1			8
係	ケイ							14	1	11	21	47
		かかる						1	3	1		5
型	ケイ								27		1	28
		かた								1	2	3
計	ケイ				18	4	3	8	17	6	11	67
		はかる				7		1				8
敬	ケイ						1	1	5	13	9	29
		うやまう								1		1
景	ケイ					4	4	6	13	21	5	53
経	ケイ						3		6	5	16	30
	キョウ	へる								3	3	6
軽	ケイ						1			5	7	13
		かるい					1		4	9	11	25
芸	ゲイ						6	2	2	13	7	30
欠	ケツ								1	8	8	17
		かける							2	5	4	11

漢字	音	訓	提出回数 I	II	III	IV	V	VI	VII	VIII	IX	計
血	ケツ								3	1	1	5
		ち				1		2	4	4	2	13
決	ケツ				2	3	3	5	47	27	28	115
		きめる										
結	ケツ							10	16	18	24	68
		ゆう							1	1	4	6
		むすぶ						5	7	8	4	24
潔	ケツ							1	4	1	1	7
		いさぎよい										
月	ゲツ				2	12	4		12	9	13	52
	ガツ			46	19	68	8	8	60	28	18	255
		つき	13	34	70	22	5	18	11	12	32	217
犬	ケン								2			2
		いぬ		12	3				1		4	20
件	ケン							1	3	6	12	22
見	ケン				2	1	13	18	21	18	25	98
		みる		47	137		1	171	206	142	292	996
券	ケン										3	3
研	ケン						8	18	9	12	7	54
建	ケン							1	4	11	7	23
		たてる					1	2	4	9	7	23
兼	ケン									1	3	4
		かねる								1	2	3
権	ケン							2	1	5	11	19
	ゴン											
健	ケン						1	1	7	7	6	22
		すこやか								1		1
絹	ケン								3			3
		きぬ									1	1
憲	ケン						1		1		5	7

漢字	音	訓	提出回数 I	II	III	IV	V	VI	VII	VIII	IX	計
県	ケン					4	2		3	1		10
険	ケン							1	11	1	7	20
		けわしい									1	1
検	ケン								2	2		4
験	ケン						3	2	11	10	18	44
元	ゲン			13	18	15	3	6	10	9	7	86
	ガン							2	4	9	3	18
		もと							2		1	3
言	ゲン					1	1		6	11	62	81
	ゴン							5	5	8	10	28
		こと							3		8	11
		いう							104	144	198	446
限	ゲン								2	1	8	11
		かぎる							2	14	22	38
原	ゲン				3		1	6	6	10	25	51
		はら		5	11	9	5	3	4	23	17	77
現	ゲン						3		21	36	113	180
		あらわれる					3		13	10	20	46
減	ゲン								1	2	1	4
		へる								3	4	7
厳	ゲン								1	7	3	11
	ゴン								2	1		3
己	コ									8	13	21
	キ								1	3	1	5
故	コ								3	7	3	13
戸	コ				2				2	4	2	10
		と		6	11	4	4	12	31	12	34	114
古	コ						4		4	13	21	47
		ふるい			5	1	11	6	12	6	16	57

漢字	音	訓	提出回数 I	II	III	IV	V	VI	VII	VIII	IX	計
固	コ									1	2	3
		かためる								4	3	7
個	コ								18	5	49	72
庫	コ										1	1
湖	コ							2	50	54	4	110
		みずうみ				9	2	1	6	4		22
五	ゴ		14	46	67	33	15	15	76	44	52	362
		いつつ		4	2	3	8	2	4	1	7	31
午	ゴ				6	4	3	5	3	7	9	37
後	ゴ				4	6	7	7	41	55	37	157
	コウ								1	10	3	14
		うしろ			10			7	2	1		20
		のち							8	12	12	32
語	ゴ				3	1	8	35	41	83	110	281
		かたる			2		5	9	8	14	14	52
誤	ゴ								1		7	8
		あやまる							5	1	1	7
護	ゴ							2	4	8	1	15
口	コウ								3	6	2	11
	ク						4			2		6
		くち	1	34	34	32	19	11	63	26	49	269
工	コウ				4		14	5	6	20	31	80
	ク						4	1	10		2	17
公	コウ				2			2	8	8	13	33
		おおやけ										
功	コウ						7	1	5	4	1	18
	ク											
交	コウ							1	17	13	12	43
		まじる							1	1		2
		まじわる									2	2

漢字	音	訓	提	出	回	数						計
			I	II	III	IV	V	VI	VII	VIII	IX	
光	コウ				2	13	6	24	12	19	9	85
		ひかる		40	24	31	17	75	21	29	26	263
后	コウ									2	1	3
向	コウ						1	1	6	12	4	24
		むかう			8	1			23	30	27	89
		むく			28	24	20	17	17	14	28	148
考	コウ								4	2	5	11
		かんがえる		11	59	17	33	53	39	53	22	287
行	アン											
	コウ				12	12		10	74	24	30	162
	ギョウ				1			1	8	6	5	21
		いく			78			64	72	79	219	512
		おこなう						7	19	6	17	49
孝	コウ								11		3	14
効	コウ								4	6	6	16
幸	コウ					27	2	97	7	10	12	155
		さいわい							1			1
厚	コウ								2		2	4
		あつい							5	5	5	15
皇	コウ									3	9	12
	オウ									9	1	10
校	コウ			57	31	23	19	16	37	65	70	318
耕	コウ								1	3	6	10
		たがやす									2	2
航	コウ				3	1	1	1	8	3		17
候	コウ					2		2	1	2	2	9
康	コウ							1	6	11	1	19

222

漢字	音	訓	提	出	回	数						計
			I	II	III	IV	V	VI	VII	VIII	IX	
高	コウ							3	7	8	20	38
		たかい	2	56	18	32	25	33	24	33	37	260
港	コウ					1			6	3		10
		みなと			3		1	1	1			6
黄	コウ								2			2
	オウ								1	5	2	8
		き			3	20	9	3	9	8	5	57
鉱	コウ							2	2		1	5
構	コウ								3	13	7	23
		かまえる							1	1	9	11
広	コウ				2	2		2	2	1	8	17
		ひろい			12	11	12	18	40	16	13	127
興	コウ								4	11	1	16
	キョウ								5	9	15	29
		おこる							1			1
講	コウ								6		24	30
合	ゴウ				2	2		3	6	15	24	52
		あう			12		3		43	63	45	171
号	ゴウ				9		4	4	5	3	5	30
告	コク					2			6	9	5	22
		つげる					1		2	1	1	5
谷	コク							1	2			3
		たに	4		4	12		3	3	2	2	35
国	コク			1	4	1	20	43	37	105	94	355
		くに		21	27	10	13	31	23	16	32	173
黒	コク								11	2	4	17
		くろい		10	7	10	7	8	1	4	11	53
		くろ		6	45	21	2	1	2	24	6	107
穀	コク											
今	コン				4	4	4	5	24	32	28	101
	キン									8	1	9
		いま			25				38	76	44	183

223

漢字	音	訓	提出回数 I	II	III	IV	V	VI	VII	VIII	IX	計
根	コン								4		16	20
		ね			9	21	18	22	17	41	14	142
混	コン								2		2	4
		まぜる										
左	サ					2	1		3	2	2	10
		ひだり		19	10	4	7	6	15	3	22	86
査	サ								16	4	3	23
差	サ								18	5	2	25
		さす								2	2	4
才	サイ							1	3	5	7	16
再	サイ								3	4	9	16
		ふたたび							6	9	10	25
災	サイ									1	3	4
		わざわい										
妻	サイ										1	1
		つま								8	2	10
採	サイ								7	5		12
		とる										
菜	サイ						1		3		1	5
		な								1		1
祭	サイ								1		6	7
		まつる								3	1	4
細	サイ							1	15	4	3	23
		こまかい							2	1		3
		ほそい					6	5	13	10	6	40
最	サイ						2	5	34	24	34	99
		もっとも							19	13	23	55
済	サイ								2	11	6	19
		すむ									1	1
際	サイ						1	5	32	31	21	90

漢字	音	訓	提出回数 I	II	III	IV	V	VI	VII	VIII	IX	計
在	ザイ							2	9	16	35	62
材	ザイ				3	1	3	6	12	16	4	45
財	ザイ								2		10	12
罪	ザイ								1	1	4	6
		つみ							5		4	9
作	サク			4	11	3	9	13	4	42	65	151
	サ			2			1		7	13	11	34
		つくる		3	60	4	24	14	19	42	34	200
昨	サク								1		4	5
策	サク								1	2	1	4
刷	サツ									1	9	10
		する										
殺	サツ									2	2	4
	サイ											
		ころす							3		4	7
察	サツ					1	2	6	6	7	7	29
雑	ザツ					3		1	10	18	7	39
	ゾウ					2			2	2	3	9
三	サン		27	79	83	50	42	28	98	55	70	532
		みつ	6	21	11	10	10	5	12	13	23	111
山	サン			1	2	1	1	14	17	16	22	74
		やま	15	77	118	37	17	18	43	50	55	430
参	サン								4	6	7	17
		まいる							4	13	1	23
蚕	サン											
		かいこ										
散	サン						1	3	8	12	4	28
		ちる							12	7	7	26

漢字	音	訓	提出回数 I	II	III	IV	V	VI	VII	VIII	IX	計
産	サン						2	5	9	13	2	36
		うむ							1	1		2
算	サン					2	1	7	4		1	15
賛	サン						2	3	4	2	7	18
酸	サン											
残	ザン								1	3	2	6
		のこる						6	22	23	29	80
士	シ							27	12	9	29	77
子	シ			4		5	1	7	22	35	27	101
	ス								13	13	9	35
		こ	37	189	201	147	75	130	110	86	28	1003
支	シ					2			5	8	11	26
止	シ					2			5	1	1	9
		とまる										
氏	シ			1					1	12	3	17
		うじ										
仕	シ								27	15	20	62
		つかえる							2	4	2	8
史	シ						2	2	3	9	12	28
司	シ									1	79	80
四	シ		10	36	28	25	13	15	25	25	21	198
		よつ	3	7	20	15	14	13	23	24	27	146
市	シ							2	5	7	8	22
		いち			2				2	1	1	6
示	シ									1		1
	ジ								1	1	3	10
		しめす							4	9	24	37

漢字	音	訓	提出回数 I	II	III	IV	V	VI	VII	VIII	IX	計
死	シ					1	6	4	18	16	8	53
		しぬ			4	7	13	7	17	7	9	64
至	シ								2	1	1	4
		いたる										
志	シ								15	2	11	28
		こころざす							3	1	5	9
私	シ										2	2
		わたくし		12	13	56	71	166	199	273	268	1058
糸	シ						1					1
		いと		4	11	1	8	4	6	3	4	41
使	シ							1	4	8	6	19
		つかう			24				13	35	12	84
姉	シ							1			1	2
		あね				1	6		3			10
始	シ								3	7	9	19
		はじめる			8				13	12	14	47
思	シ							1	20	31	28	80
		おもう		101	153	114	110	119	145	167	162	1071
師	シ						1	8	5	27	18	59
指	シ							1		6	5	12
		ゆび				6	17	9	25	3	35	95
紙	シ			1	9		3	1		7	10	31
		かみ		31	25	5	9	20	21	21	8	140
歯	シ					1			7			8
		は				5	2		15	2	2	26
視	シ								2	7	3	12
詞	シ						1		4	2	8	15
詩	シ						1	1	4	6	21	33

漢字	音	訓	提出回数 I	II	III	IV	V	VI	VII	VIII	IX	計
試	シ						11	1		7	1	20
		こころみる							3	5	1	9
資	シ								1	6	3	10
字	ジ			25	44	7	13	19	18	43	9	178
		あざ								1		1
寺	ジ								8	3	2	13
		てら				1	2	2	1	17	6	29
次	ジ			14		1		1	2	2	6	26
	シ								16	18	9	43
		つぐ			7	1	5	1	30	25	21	90
耳	ジ											
		みみ	8	12	7	12	11	13	12	32	19	126
自	ジ			10	30	42	52	62	88	127	159	570
	シ						7	1	4	19	79	110
		みずから										
似	ジ											
		にる							12	1	8	21
児	ジ								5	5		10
	ニ											
事	ジ			3	1	11	13	14	43	52	76	213
		こと					1		33	32	43	109
持	ジ								2	3	7	12
		もつ		3	66	37	46	43	77	115	115	502
時	ジ				11	10	23	29	61	112	98	344
		とき		2	87	1	1	1	109	166	148	515
辞	ジ							5	1	6	4	16
式	シキ					3	7	2	6	8	15	41
識	シキ							12	5	6	24	47
七	シチ		7	15	30	14	10	9	25	20	7	137
		ななつ		1		3	2	1	5	5	4	21

漢字	音	訓	提出回数 I	II	III	IV	V	VI	VII	VIII	IX	計
失	シツ				1	1	7	4	6	6	8	33
		うしなう					4	7	4	7	6	28
室	シツ				4	6	5	9	3	22	8	57
		むろ								5	2	7
質	シツ				2		3	7	10	15	24	61
	シチ									3		3
日	ジツ					1	1	4	9	1	8	24
	ニチ		3	22	71	109	65	88	168	95	74	695
		か		12	3	21	8	2	11	15	11	86
		ひ	11	84	66	44	51	54	74	96	80	560
実	ジツ						4	21	105	97	82	309
		み みのる			1	8	12	9	8	4	9	51
写	シャ				4	1	14	12	3	7	9	50
		うつす			5	3	3	3	2	6	2	24
車	シャ			17	31	45	19	15	25	29	8	189
		くるま		15	9	2	1	4	9	10	4	54
舎	シャ					1		4	1	7		13
社	シャ					1		1	27	24	121	174
		やしろ							1			1
謝	シャ						3	3	18	5	7	36
者	シャ						32	14	55	46	84	231
		もの				1	15	7	54	36	35	148
借	シャク										1	1
		かりる			2				2		3	7
釈	シャク								2		10	12
弱	ジャク								2	7	6	15
		よわい			2				6	7	7	22
手	シュ						35	4	11	5	9	64
		て	21	93	92	96	92	87	144	90	106	821

漢字	音	訓	提出回数 I	II	III	IV	V	VI	VII	VIII	IX	計
主	シュ					2	2	8	18	51	75	156
	ス											
		ぬし						2	5	4	1	12
守	シュ							1	1			2
	ス							1				1
		まもる						2	4	12	3	21
取	シュ								1		3	4
		とる			26		9	2	45	61	58	201
首	シュ							2	4	30	8	44
		くび			3	18	5	2	26	7	10	71
酒	シュ									3	4	7
		さけ							9	6	8	23
種	シュ				1	2	3	10	30	28	27	101
		たね				5	3	2	5	4		19
需	ジュ								2			2
受	ジュ							4	3		3	10
		うける			7	9	8	8	22	29	43	126
授	ジュ							3	5	10	6	24
		さずける									1	1
州	シュウ				3			3	1	16	1	24
		す							1			1
収	シュウ								2	3	5	10
		おさめる							1	1	1	3
周	シュウ							1	8	5	6	20
拾	シュウ										2	2
	ジュウ									2		2
		ひろう							2	2	2	6
秋	シュウ								1	3		4
		あき	2	5	5	12	7	3	5	19	15	73
修	シュウ							2	2	3	10	17
	シュ											
		おさめる								2	1	3
習	シュウ						3		15	12	5	35
		ならう					2		5	2	3	12

漢字	音	訓	提出回数 I	II	III	IV	V	VI	VII	VIII	IX	計
週	シュウ				2	2	1	1	3	1	3	13
衆	シュ										9	9
	シュウ								5	4	6	15
終	シュウ				1				1	5	4	11
		おわる			2	10	3	3	15	4	15	52
就	ジュ								2	1	2	5
	シュウ										6	6
集	シュウ					1		1	8	31	16	57
		あつまる			8	14	6	11	27	24	15	105
十	ジュウ		17	109	54	60	34	41	151	87	92	645
		とお		2		2	1	2	6	25	1	39
住	ジュウ						1		5	3	4	13
		すむ			10	3	6	5	20	18	16	78
重	ジュウ					1			14	12	21	48
	チョウ								1	7	1	9
		おもい					6	5	4	14	12	41
		かさねる				1	4	5	4	8	5	27
		え					2				2	4
従	ジュウ								14	2	8	24
		したがう							2	2	5	9
祝	シュク						2			2	1	5
		いわう							5		1	6
宿	シュク							1	4	7	2	14
		やど							7	5	18	30
		やどる								3	6	9
出	シュツ			5		4	3	5	41	27	11	96
	スイ											
		でる		22	56		1	49	71	65	68	332
		だす		15	27			4	89	88	95	318
述	ジュツ								1	2	1	4
		のべる							8	12	13	33
術	ジュツ						6	10	33	29	46	124
春	シュン							2	2	1	6	11
		はる		52	11	9	6	11	27	20	33	169

漢字	音	訓	提出回数 I	II	III	IV	V	VI	VII	VIII	IX	計
純	ジュン							3	6	8	16	33
順	ジュン						2		8	2	8	20
準	ジュン							1		4	5	10
処	ショ								5		5	10
初	ショ							4	13	16	20	53
		はじめて										
		はじめ									1	1
		はつ								1	2	3
諸	ショ							1	3	11	53	68
所	ショ				29	7	9	7	26	35	34	147
		ところ			27	1	1		49	42	43	163
書	ショ						7	6	39	32	58	142
		かく		28	28	22	26	33	36	43	48	264
暑	ショ								2	1		3
		あつい				4	2	5	4	5	6	26
女	ジョ				8	9	16	6	31	58	54	182
		おんな	2	20	83	18	9	53	3	11	9	208
助	ジョ						4	1	2	1	4	12
		すけ			29				11	2		42
		たすける			18	2	4	9	10	7	6	56
序	ジョ					1			5	1	8	15
除	ジョ									1	2	3
		のぞく							2	2	2	6
小	ショウ				3	2	3	5	13	25	18	69
		ちいさい	8	39	54	32	20	53	31	27	27	291
		こ		17	27	34	23	18	108	32	48	307
		お		10	4	1	5	1		4	2	27
少	ショウ			1		2	99	30	70	27	17	246
		すくない			1	1	4	5	14	6	19	50
		すこし			26				31	36	36	129

漢字	音	訓	提出回数 I	II	III	IV	V	VI	VII	VIII	IX	計
招	ショウ									4	1	5
		まねく							3	1	4	8
承	ショウ						1	2	3	1	13	20
		うけたまわる								2	1	3
昭	ショウ								1	1		2
消	ショウ								8	5	4	17
		きえる					3	6	4	7	10	30
		けす					2	1	2	4	1	10
称	ショウ								2	10	1	13
唱	ショウ				2	3	1	2	2	4	4	18
		となえる									2	2
商	ショウ				1		2	1	2	1		7
		あきなう										
章	ショウ					12	2	3	5	45	8	75
象	ショウ							1	18	8	37	64
	ゾウ									6		6
勝	ショウ				4		2			1	1	8
		かつ			8	14	12		13	21	5	73
証	ショウ								2	4	6	12
照	ショウ								5		2	7
		てる					2	9	6	6	9	32
賞	ショウ								14	5	1	20
焼	ショウ								1			1
		やく						16	12	12	2	42
上	ジョウ				10	12	5	26	42	74	65	234
		うえ	16	69	86	51	39	58	114	76	90	599
		かみ		1			1			9		11
		あげる		1					1	2	1	5
		のぼる										

漢字	音	訓	提出回数 I	II	III	IV	V	VI	VII	VIII	IX	計
状	ジョウ							2	7	16	6	31
乗	ジョウ					1	5	1	3	4	1	15
		のる			41	13	8	7	16	15	4	104
常	ジョウ								10	26	37	73
		つね							14	11	24	49
情	ジョウ					2	5	7	21	39	69	143
		なさけ					1		2			3
条	ジョウ							1	3	12	9	25
場	ジョウ			1	5	12	3	7	9	16	7	60
		ば			5	6	16	12	29	43	45	156
色	ショク			1		4		1	11	19	4	40
	シキ					2	2	4	9	10	4	31
		いろ	2	21	37	62	41	28	49	53	41	334
食	ショク ジキ			2	2	2	5	3	24	14	30	82
		くう							18	13	5	36
		たべる			4					1		5
植	ショク					1	1	9	4	17	2	34
		うえる				14	12	5	2	13	7	53
織	ショク						8		2			10
	シキ								5	1	5	11
		おる					11	2		6	2	21
職	ショク							2	6	7	11	26
心	シン			2	21	15	14	15	52	64	56	239
		こころ		19	14	29	39	42	61	111	120	435
申	シン											
		もうす		3	3	6	1	5	20	32	13	83
臣	シン									1	5	6
新	シン				9	2		2	44	17	78	152
		あらた あたらしい			14	21	16	11	11	13	25	111

14.…A 国語教科書に出ている漢字の回数

漢字	音	訓	提出回数 I	II	III	IV	V	VI	VII	VIII	IX	計
身	シン					2	5	7	18	24	22	78
		み			2	4	15	13	17	27	107	185
信	シン					2	3	13	22	20	18	78
真	シン				1		16	23	8	8	30	86
		ま						3	4	7	6	20
神	シン				1			3	9	15	61	89
	ジン										1	1
		かみ			41		2	8	4	3	12	70
深	シン						1		2	3	7	13
		ふかい			1	9	5	10	24	41	66	156
森	シン							2		2		4
		もり		3	5	9		12	4	6	3	42
進	シン				8		4	1	7	15	9	44
		すすむ			10		7	7	34	15	21	94
親	シン				1		4	6	6	4	14	35
		したしい					1	5	7	11		24
		おや		3	11	24	38	9	28	7	6	126
人	ジン				30	22	24	28	188	130	262	684
	ニン		6	41	36	17	116	41	121	75	144	597
		ひと	12	85	171	114	107	131	147	142	269	1178
仁	ジン									1		1
図	ズ				1		5	1	11	3	2	23
	ト								3	4	3	10
		はかる										
水	スイ			17	11	6	6	4	42	24	14	124
		みず		50	76	69	38	36	29	15	7	320
推	スイ									2	5	7
		おす							8			8
数	スウ				2	8	4	9	65	30	42	160
		かず				1	1	4	5	9	5	25
		かぞえる				3	1	2	3	1	2	12
世	セ			9	10	11	5	24	44	40	55	198
	セイ						3	2	3	2	10	20
		よ		2	1	2	3	12	12	26	23	81
是	ゼ											

漢字	音	訓	提出回数									計
			I	II	III	IV	V	VI	VII	VIII	IX	
生	セイ			113	93	96	58	65	118	157	258	958
	ショウ					1	4	3	11	16	14	49
		いきる		3	18	7	13	22	30	25	31	149
		うまれる		14	10	20	12	14	20	21	31	142
		き										
		なま										
正	セイ						2	4	8	4	9	27
	ショウ			7	3		2	2	12	6	12	44
		ただしい			2	4	4	3	10	4	9	36
西	セイ				5	1	1	10	12	1	3	33
	サイ				5	1			15	1	1	23
		にし		6	9	3	3	4	8	10	3	46
成	セイ						11	4	29	26	21	91
	ジョウ								2		4	6
		なる							4	7	9	20
声	セイ						2		3	13	51	69
		こえ		65	73	39	30	38	26	55	53	379
制	セイ					1			3	5	14	23
性	セイ				2		1	3	13	31	45	95
	ショウ								1			1
青	セイ					9	1	4	1	19	6	40
	ショウ											
		あお	1	7	28	7	6	4	6	10	11	80
		あおい	6	9	17	4	8	10	4	8	9	75
政	セイ							1	5	21	16	43
	ショウ											
		まつりごと										
省	セイ								2		4	6
	ショウ									3	3	6
		かえりみる									3	3
		はぶく								1		1
星	セイ				7			7	32	3		49
	ショウ							1		1		2
		ほし		10	68	19	3	40	7	3	7	157
清	セイ								2	2	4	8
		きよい					2	4	2	6	4	18
晴	セイ								2	2		4
		はれる				39	1		7	4	11	62
勢	セイ								12	7	5	24
		いきおい							3			3

漢字	音	訓	提出回数									計
			I	II	III	IV	V	VI	VII	VIII	IX	
聖	セイ									1	3	4
精	セイ							4	12	14	56	86
	ショウ									4		4
製	セイ				1		3	1	5	9	8	27
誠	セイ						1	5		2	3	11
		まこと									1	1
静	セイ								13	5	3	21
	ジョウ											
		しずか							15	27	38	80
整	セイ					2	3		10	6	1	22
		ととのえる							2	5		7
税	ゼイ								1			1
夕	セキ											
		ゆう		7	15	8	7	5	13	12	20	87
石	セキ				15		7	4	3	15	8	52
	シャク											
	コク											
		いし		25	10	10	12	8	18	3	22	108
赤	セキ								3	3		6
	シャク											
		あか	1	12	28	2	15	14	17	4	9	102
		あかい	6	17	9	8	13	10	9	2	5	79
席	セキ					3	6	2	4	7	5	27
責	セキ						2		2	4	24	32
		せめる							1			1
積	セキ								1	5	3	9
		つむ							3	2		5
		つもる							3	3	1	7
績	セキ						1		6	1	2	10
切	セツ				9				4	3	14	30
	サイ											
		きる		20	16	4	19	5	21	23	14	122

漢字	音	訓	I	II	III	IV	V	VI	VII	VIII	IX	計
			提	出	回	数						
折	セツ									1		1
		おる			2				6	3	3	14
接	セツ				5			2	11	17	16	51
設	セツ						2		2	9	8	21
		もうける							4	1		5
雪	セツ									2		2
		ゆき	6	58	51	19	13	40	20	25	14	246
説	セツ ゼイ					1	7	12	14	20	33	87
		とく						1	1	3	6	11
節	セツ						2	6	8	8	8	32
		ふし							3		2	5
舌	ゼツ									3		3
		した							1	1		2
絶	ゼツ								8	10	9	27
		たえる							7		8	15
千	セン			2	1	11	5	9	6	11	14	59
		ち						1	2	1		4
川	セン											
		かわ	4	39	75	33	22	4	48	17	15	257
先	セン			62	55	84	39	39	70	65	110	524
		さき		3	24			11	41	12	20	111
宣	セン						1		3	2	1	7
専	セン								2	2	3	7
浅	セン										1	1
		あさい						1	2	2	3	8
船	セン				28	1	6	8	7	5	7	62
		ふね			71	7	10	2	1	6	3	100
銭	セン							1	15	8	1	25
		ぜに								1		1

漢字	音	訓	I	II	III	IV	V	VI	VII	VIII	IX	計
			提	出	回	数						
線	セン					3	5	12	23	20	8	71
戦	セン					3	2	4	15	20	12	56
		たたかう					7	12	4	5	2	30
選	セン						27		2	1	3	33
		えらぶ					1	1	7	6	2	17
全	ゼン			3	3	2	9	15	36	38	63	169
		まつたく							26	23	15	64
前	ゼン				3	1	2	9	17	32	33	97
		まえ		3	28			24	51	34	57	197
善	ゼン							1	2	4	9	16
然	ゼン						3	4	35	49	113	204
	ネン						4		2	2	2	10
祖	ソ						4	6	9	13	4	36
素	ソ								2	6	9	17
	ス											
組	ソ								3	1	5	9
		くむ		7	19	24	7	5	31	10	15	118
早	ソウ							1	4	3		8
		はやい	6	47	40	31	18	19	22	20	5	208
走	ソウ								1	2		3
		はしる		21	29	13	6	6	7	8	2	92
送	ソウ							1	35	3	7	46
		おくる			8	7	3	20	21	12	7	78
宗	シュウ							1	5	6	3	15
	ソウ											
争	ソウ							2	7	9	7	25
		あらそう							3	1	5	9
創	ソウ								4	4	18	26

漢字	音	訓	提出回数 Ⅰ	Ⅱ	Ⅲ	Ⅳ	Ⅴ	Ⅵ	Ⅶ	Ⅷ	Ⅸ	計
草	ソウ								2	2	9	13
		くさ	6	12	15	30	9	8	15	10	16	121
相	ソウ				1	2	3		17	17	17	57
	ショウ								1		1	2
		あい					8	2	7	8	7	32
倉	ソウ											
		くら							1	2		3
想	ソウ						2	6	13	27	34	82
総	ソウ						1		3	12	4	20
造	ゾウ								2	17	41	60
		つくる							4	3	2	9
像	ゾウ							5	4	12	9	30
増	ゾウ								2	2		4
		ます							7	6	6	19
蔵	ゾウ								1	23	2	26
		くら										
足	ソク				1	5	6	3	9	17	6	47
		あし	3	37	42	52	27	26	15	23	43	268
		たりる							3	5	12	20
則	ソク							3	4	9	3	19
息	ソク								10	2	4	16
		いき			9	7	9	3	6	9	10	53
側	ソク								1			1
		かわ						3	8	5	13	29
測	ソク							2	5		5	12
		はかる							3		1	4
速	ソク					1			6	7	8	22
		はやい							5	3	7	15
俗	ゾク								4	6	2	12

漢字	音	訓	提出回数 Ⅰ	Ⅱ	Ⅲ	Ⅳ	Ⅴ	Ⅵ	Ⅶ	Ⅷ	Ⅸ	計
族	ゾク					3	4	5	14	4	9	39
属	ゾク								2		5	7
続	ゾク								3	4	1	8
		つづく					16	18	32	28	24	118
卒	ソツ					2	4		5	2	14	27
存	ソン								7	3	31	41
	ゾン								5	9	5	19
村	ソン							13	1	6	3	29
		むら		37	64	9	12		11	17	7	157
孫	ソン									2		2
		まご			6						1	7
尊	ソン								5	5	6	16
		たっとい									3	3
損	ソン								1	3	3	7
他	タ							8	38	24	33	103
多	タ							1	5	22	18	46
		おおい		6	5	7	4	7	34	32	40	135
打	ダ									1		1
		うつ			13				15	18	6	52
太	タ				25			1	3	1	3	33
	タイ					5	6	16	6	14	8	55
		ふとい		2				3	11	4	2	22
体	タイ				12		11	9	40	46	61	179
	テイ											
対	タイ						2	10	38	33	55	138
	ツイ								3			3
待	タイ								3	4	5	12
		まつ			14	7	13	8	31	13	20	106

漢字	音	訓	Ⅰ	Ⅱ	Ⅲ	Ⅳ	Ⅴ	Ⅵ	Ⅶ	Ⅷ	Ⅸ	計
			提出回数									
退	タイ						1		4	7		12
		しりぞく							1		1	2
帯	タイ							1	10	8	6	25
		おび						2	6	5		13
		おびる							5	1	1	7
隊	タイ				5	2			20	1	4	32
貸	タイ											
		かす							1	1	2	4
態	タイ								5	18	12	35
大	ダイ			10	7	8	14	26	83	80	79	307
	タイ			6	12	2			28	25	16	89
		おおきい	25	113	175	88	70	112	67	91	64	805
第	ダイ				8	3	11	18	48	42	72	202
代	ダイ						23	13	46	55	62	199
		かわる								4	1	5
		よ							13	3	2	18
台	タイ								3		2	5
	ダイ				8	10	5	5	14	11	22	75
題	ダイ				2		2	8	31	31	33	107
達	タツ							4	11	17	21	53
炭	タン				15		17			1		33
		すみ				2			1		1	4
単	タン					4	1		22	9	26	62
短	タン							7	2	3	3	15
		みじかい			1	2	4	5	7	4	3	26
団	ダン								7	4	4	15
男	ダン								1	4	5	10
	ナン						3	3	2	4		12
		おとこ	2	15	33	30	17	5	14	8	54	178

漢字	音	訓	Ⅰ	Ⅱ	Ⅲ	Ⅳ	Ⅴ	Ⅵ	Ⅶ	Ⅷ	Ⅸ	計
			提出回数									
断	ダン								3	9	15	27
		たつ							1			1
		ことわる									1	1
談	ダン				1	2	5		5	3	3	19
地	ジ				14				11	10	20	55
	チ			6	13	32	14	65	112	91	57	390
池	チ									1	1	2
		いけ			26		5		3	17	1	52
治	チ								2		1	3
	ジ							3	4	24	12	43
		おさめる							1			1
知	チ						1	14	12	12	39	78
		しる		11	56	42	26	39	39	52	81	346
置	チ				8				6	5	4	23
		おく							6	11	19	36
竹	チク								1	1		2
		たけ		7	33	6	4	7	32	8	2	99
築	チク						1	1	2	4	1	9
		きずく							2	1	4	7
茶	チャ				8	33	8	23	6	15	13	106
着	チャク							2	10	5	8	25
		きる			4	10	8	26	19	6	8	81
		つく			9	4	5	3	15	11	16	63
中	チュウ			2	8	11	5	16	61	70	57	230
		なか	4	136	83	99	57	82	107	146	125	839
虫	チュウ					1		1	26	2		30
		むし		20	11	20	3	1	8	3	5	71
忠	チュウ								11			11
注	チュウ					2	1		13	10	8	34
		そそぐ							4		2	6
柱	チュウ				1			1	6			8
		はしら				1	1	1			5	8

漢字	音	訓	提出回数									計
			I	II	III	IV	V	VI	VII	VIII	IX	
昼	チュウ					2		1	2		1	6
		ひる			3	4	4	7	5	17	9	49
貯	チョ								3		1	4
著	チョ								1	2	3	6
		あらわす							2			2
		いちじるしい							4	2	2	8
町	チョウ				2		1	1	4	5	6	19
		まち		18	17	4	10	11	17	9	17	103
長	チョウ				22	4	16	14	31	40	40	167
		ながい		19	22	24	21	15	33	31	36	201
帳	チョウ					2	7		5	4	1	19
張	チョウ							1	3	3	5	12
		はる							12	22	5	39
鳥	チョウ								6	1	5	12
		とり		25	31	35	10	36	13	39	7	196
朝	チョウ								5	7	4	16
		あさ		9	21	16	12	28	24	31	14	155
腸	チョウ								1			1
調	チョウ						4	1	20	40	13	78
		しらべる					2	6	16	8	3	35
直	チョク							2	15	13	9	39
	ジキ									1	7	8
		なおす								1		1
		ただちに							7	2	8	17
賃	チン								5	2		7
追	ツイ								3	5	3	11
		おう			9	7	7	6	15	3	14	61
通	ツウ						6	2	27	32	33	100
		とおる			36	18	8	12	26	33	34	167
		かよう			2			1	6	6	3	18

漢字	音	訓	提出回数									計
			I	II	III	IV	V	VI	VII	VIII	IX	
丁	テイ								1			1
	チョウ									2		2
低	テイ									5	3	8
		ひくい			2				3	5	16	26
弟	テイ							2	1	1	3	7
	ダイ				1		2	5	6	1	3	13
		おとうと		12	23	6	13	2	6		4	66
定	テイ							1	14	16	19	50
	ジョウ										3	3
		さだめる							15	4	11	30
底	テイ								1		2	3
		そこ						2	10	13	13	38
庭	テイ					2	2	4	14	6	1	29
		にわ			3	19	13	9	15	19	27	105
停	テイ					3	2	2	3	1		11
提	テイ								2	2	1	5
程	テイ								9	4	11	24
的	テキ						3	11	43	72	143	272
		まと								2	1	3
敵	テキ									3	8	11
適	テキ								3	7	8	18
鉄	テツ				3	1		5	8	2	11	30
天	テン			43	5	9	6	28	34	36	44	205
		あめ				8		1		1	17	27
典	テン							3		1	13	17
店	テン								1	1		2
		みせ			5	2	1	6	3	3		20

漢字	音	訓	提出回数									計
			I	II	III	IV	V	VI	VII	VIII	IX	
点	テン				4		4	3	33	23	28	95
展	テン								3	11	5	19
転	テン					3	3	4	4	12	6	32
田	デン						2	1		2		5
		た		17	51	8	15		4	39	7	141
伝	デン						5		7	9	5	26
		つたえる					6	16	13	11	12	58
電	デン				13	6	10	13	20	4	13	79
土	ト				32	12	11	11	3	9	3	81
	ド			1	6	10		5	53	20	11	106
		つち		3	4	9	3	15	11	3	3	51
徒	ト			6			3	2	3	17	32	63
都	ト							2	2	6	4	14
	ツ								5	3	1	9
		みやこ		1		1			2	5		9
努	ド							3	2	9	14	28
		つとめる							1	5	4	10
度	ド				11	27	2	8	62	64	64	238
刀	トウ							6				6
		かたな							5	1		6
冬	トウ							1	1	2	1	5
		ふゆ	2	13	10	9	4	8	19	18	14	97
当	トウ							3	13	25	39	80
		あたる							16	16	11	43
投	トウ								2	3	4	9
		なげる			6			2	16	9	10	43
東	トウ				4	2	2	4	20	21	6	59
		ひがし		3	4	5	1	6	7	2	3	31

漢字	音	訓	提出回数									計
			I	II	III	IV	V	VI	VII	VIII	IX	
島	トウ						1		1	3	3	8
		しま		5	26	5	3	2	4	48	3	96
討	トウ	うつ							4	6		10
党	トウ								1		1	2
湯	トウ									2		2
		ゆ				1	4	35	3		1	44
登	トウ								2	1	1	4
	ト							2	1	1		4
		のぼる				14	1		9	3	22	49
等	トウ						1	4	15	10	16	46
		ひとしい							1		1	2
答	トウ					1		1	2	3	3	10
		こたえる			10	10	12	4	10	6	12	64
統	トウ	すべる							2	7	3	12
燈	トウ					2		3	4	3	1	13
頭	トウ					4	1		6	13	6	30
	ズ							1		1	2	4
		あたま			1	28	7	9	38	21	15	119
同	ドウ				11	1	1	4	49	30	46	142
		おなじ			7	25	24	24	49	30	29	188
動	ドウ			1	13	16	11	15	45	36	27	164
		うごく			28	13	37	18	18	19	36	169
堂	ドウ				2		5	2	3	9	23	44
童	ドウ						1		4	11	1	17
働	ドウ								3	4	2	9
		はたらく					11		20	20	7	58
道	ドウ				17	6	5	9	49	26	53	165
		みち		21	26	19	20	13	39	20	37	195

漢字	音	訓	提出回数 I	II	III	IV	V	VI	VII	VIII	IX	計
銅	ドウ									1	2	3
導	ドウ								2	2	5	9
		みちびく							5	2	3	10
特	トク							10	18	36	13	77
得	トク						4	2	4	8	7	25
		える						2	13	9	10	34
徳	トク								9	8	14	31
毒	ドク								5	8	1	14
独	ドク							2	6	5	8	21
読	ドク								1	7		8
	トク										30	30
		よむ					16	22	32	21	60	151
届		とどける							5	1	3	9
内	ナイ				3	1	7	1	38	43	20	113
	ダイ								2			2
		うち						1	3	7	45	56
南	ナン				2	1	1		10	5	4	23
		みなみ		9	80	11	2	1	8	5	7	123
難	ナン								15	7	13	35
		かたい									2	2
二	ニ		32	104	88	103	47	37	122	87	92	712
		ふたつ	3	29	14	9	13	11	18	14	32	143
弐	ニ							1				1
肉	ニク				1	1		3	7	7	17	36
入	ニュウ					1	4	2	13	6	20	46
		いる		8	16	1	7	16	46	48	53	195

漢字	音	訓	提出回数 I	II	III	IV	V	VI	VII	VIII	IX	計
任	ニン						2		6	10	40	58
		まかせる							1	1	1	3
認	ニン									1	5	6
		みとめる							4	3	2	9
熱	ネツ					1	2	15	16	22	9	65
		あつい						10	2	3	1	16
年	ネン		1	60	39	54	122	65	139	104	72	656
		とし		2	17	7	15	10	17	17	8	93
念	ネン				1	1	7	4	13	34	26	86
燃	ネン								1			1
		もえる							7	7	8	22
納	ノウ トウ ナ									2		2
		おさめる							1	1		2
能	ノウ						12	1	15	12	27	67
農	ノウ				4	5	4	9	4	24	6	56
波	ハ							1	5	4	3	13
		なみ		6	18	8	3	5	6	22	14	82
派	ハ								4		3	7
破	ハ								4	8	3	15
		やぶる							4	4	5	13
馬	バ					16		2	3	2	5	28
		うま		4	2					4	1	11
拝	ハイ					2			1	3	6	12
		おがむ								1		1
配	ハイ				11	5	4	6	14	13	12	65
		くばる							2			2

漢字	音	訓	提出回数 I	II	III	IV	V	VI	VII	VIII	IX	計
敗	ハイ						4	3	4	3		14
		やぶれる						4				4
倍	バイ								6	7	4	17
買	バイ								4			4
		かう				1	3	4	32	7	1	48
売	バイ							1	5		3	9
		うる			5	1		15	12	2	10	45
白	ハク				5			2	16	6	10	39
	ビャク											
		しろ	11	23	23	21	5	9	7	4	18	121
		しろい	8	35	24	25	6	12	2	12	21	145
博	ハク							32	2	1	8	43
麦	バク											
		むぎ		10	2	12	2		21	1	1	49
畑		はた					1	4		2	1	8
		はたけ			3	8	12		14	1	2	40
八	ハチ		5	14	3	9	9	3	45	11	15	114
		やつ		1		1	2	3	3	2	2	14
発	ハツ			4	10	4	17	26	70	51	59	241
	ホツ										1	1
反	ハン							7	4	12	19	42
	タン											
半	ハン			5	7	7	11	5	12	6	22	75
		なかば								2	4	6
犯	ハン								1	1		2
		おかす							1	3	2	6
判	ハン					12	1		13	4	4	34
坂	ハン	さか			5	5	1		4	3		18

漢字	音	訓	提出回数 I	II	III	IV	V	VI	VII	VIII	IX	計
板	ハン								2	4	3	9
	バン											
		いた						2	3	1	2	8
飯	ハン								1	2	8	11
		めし							9	2	2	13
番	バン				12			5	22	20	20	79
販	ハン						2			1		3
比	ヒ								6	5	12	23
		くらべる							4	4	5	13
皮	ヒ						1		4	3	1	9
		かわ			1	9	4	2	10	2	1	29
否	ヒ								2		4	6
		いな										
肥	ヒ									4		4
		こえる									1	1
非	ヒ								15	24	29	68
飛	ヒ				2	9		4	1	8	5	29
		とぶ							38	29	10	77
悲	ヒ								3	3	7	13
		かなしい					4	4	6	7	8	29
費	ヒ							1	4	1	2	8
		ついやす								2	3	5
美	ビ						1	6	1	21	152	181
		うつくしい			7	27	37	40	29	74	30	244
備	ビ								11	8	3	22
		そなえる							2	4		6
鼻	ビ	はな					3	2	11	5	16	37
必	ヒツ							5	13	17	18	53
		かならず						1	11	20	19	51

漢字	音	訓	提出回数 I	II	III	IV	V	VI	VII	VIII	IX	計
筆	ヒツ					2			7	3	15	27
		ふで							4	7	2	13
百	ヒャク			7	9	10	8	17	27	22	26	126
表	ヒョウ				1	3	4	13	12	50	85	168
		おもて							1	1	3	5
		あらわれる						18	5	10	50	83
氷	ヒョウ				1			1				2
		こおり		2	2			1	1		1	7
俵	ヒョウ	たわら								1		1
票	ヒョウ											
評	ヒョウ						1		3	4	10	18
標	ヒョウ							1	3	7	5	16
秒	ビョウ					2			16	2		20
病	ビョウ				3	8	50	1	17	7	3	89
		やむ						1	1		2	4
		やまい								1	1	2
品	ヒン			1		1	4	8	25	11	21	71
		しな			2	1	1	4	8	1	2	19
貧	ヒン								3	3		6
	ビン								3		1	4
		まずしい							4	4	4	12
不	フ			2	2	3	4	13	39	62	49	174
夫	フ					1	2	5	10	35	32	85
		おっと								13	5	18
父	フ						3	4	12	2	6	27
		ちち		2	5	5	45	10	27	10	2	106

252

漢字	音	訓	提出回数 I	II	III	IV	V	VI	VII	VIII	IX	計
付	フ								14	5	7	26
		つける							4	1	7	12
布	フ								8		4	12
		ぬの							2	2		4
府	フ							2		9	10	21
負	フ				2						2	4
		おう							1	4	11	16
		まける			18	2	4	2	2	2	3	33
富	フ								3	4	9	16
		とむ								1		1
婦	フ							2	11	31	13	57
武	ブ								4	1	12	17
		ム								1		1
部	ブ				3		3	17	78	34	49	184
風	フウ				4		2	6	22	30	18	82
		かぜ	1	47	49	41	14	15	18	33	34	252
服	フク					4		2	9	6	5	26
副	フク											
復	フク							2	4	1		7
福	フク					27	2	89	6	8	3	135
複	フク									8		8
仏	ブツ								1	13	1	15
		ほとけ							3	16	1	20
物	ブツ				1	4	10	23	80	39	37	194
	モツ				14	2	23	2	15	5	43	104
		もの			18	27	13	37	88	75	55	313

253

児童生徒の漢字を書く能力とその基準

漢字	音	訓	提出回数 Ⅰ	Ⅱ	Ⅲ	Ⅳ	Ⅴ	Ⅵ	Ⅶ	Ⅷ	Ⅸ	計
粉	フン									1		1
		こ							1			1
		こな			2					1		3
奮	フン								3	9	2	14
		ふるう										
分	フン				1	37	28	34	37	3	6	146
	ブン			7	26	4	27	31	65	133	157	450
	ブ											
		わける			3				8	9	12	32
文	ブン			15	15	15	19	13	36	78	83	274
	モン					5	9	30	8	24	12	88
聞	ブン				9	2	4	2	14	1	56	88
		きく			59		1	36	63	80	65	304
平	ヘイ				12	5	6	15	32	30	27	127
	ビョウ							1	1		3	5
		たいら				1		1	1	2	2	7
		ひらたい							1	1	1	3
兵	ヘイ								3		15	18
陛	ヘイ										2	2
別	ベツ				1		4	10	48	30	19	112
		わかれる						3	8	6	6	23
辺	ヘン								2	3	4	9
返	ヘン			2		5	3	1	2	4	3	20
		かえす		7	27	11	19	10	35	26	44	179
変	ヘン							1	12	11	10	34
		かわる						3	6	14	12	35
編	ヘン							2	22		7	31
		あむ								2	1	3
弁	ベン								2	6	11	19
便	ベン						5	2	8	8	1	24
	ビン								1			1

254

14. …A　国語教科書に出ている漢字の回数

漢字	音	訓	提出回数 Ⅰ	Ⅱ	Ⅲ	Ⅳ	Ⅴ	Ⅵ	Ⅶ	Ⅷ	Ⅸ	計
勉	ベン				1	5	9	2	24	14	2	57
歩	ホ						8	4	13	13	23	61
	ブ									4	1	5
		あゆむ				2	1	1	4	5		13
		あるく			17	28	19	17	27	23	20	151
保	ホ							3	6	3	9	21
		たもつ							2		2	4
補	ホ								2			2
		おぎなう							1	1	3	5
母	ボ						14	3	14	2	3	36
		はは		1		31	29	22	22	16	1	122
墓	ボ								3	2	2	7
		はか							6		4	10
方	ホウ			59	70	45	31	60	120	87	129	601
		かた		9	30				41	23	40	143
包	ホウ								1	1		2
		つつむ					5	2	9	9	7	32
放	ホウ								35	12	6	53
		はなす							7	5	6	18
		はなつ							1		2	3
法	ホウ					2	1	10	14	17	24	68
報	ホウ								12	10	13	35
		むくいる							1		2	3
豊	ホウ						1		1	3		5
		ゆたか						2	5	9	5	21
防	ボウ								2	10	3	15
		ふせぐ									1	1
望	ボウ				3	1	8	9	4	15	12	52
	モウ									1	1	2
		のぞむ				1	6	1	3		7	18
貿	ボウ											

255

漢字	音	訓	提出回数 I	II	III	VI	V	VI	VII	VIII	IX	計
暴	ボウ								4	7	2	13
	バク									1		1
北	ホク				11	1		4	19	18	4	57
		きた	1	11	12	3		2	11	4	2	46
木	モク			2	3	10	2	5	5	9	11	47
	ボク								5	5	3	13
		き	9	59	90	74	24	39	46	22	58	421
牧	ボク							3		1	4	8
		まき						1			2	3
本	ホン		11	34	48	48	68	92	114	105	96	616
米	マイ					1			1			2
	ベイ									15	3	18
		こめ		16	6	3	3		2			30
毎	マイ				8	6	13	3	14	14	11	69
妹	マイ							2				2
		いもうと			1	4	19	3	3	2	4	36
末	マツ								3	3	2	8
		すえ						3	21	6	2	32
万	マン			1		10	2	2	6	12	14	47
	バン								2	4	7	13
満	マン					3	8	4	4	16	5	40
		みちる						1	5	6	6	18
未	ミ								4	1	5	10
味	ミ						3	4	20	71	78	176
		あじ				11	1	3	4	9	14	42
脈	ミャク								4	6	1	11
民	ミン					1	1	7	32	20	25	86
		たみ						1				1
務	ム								6	5	11	22
		つとめ							3			3

漢字	音	訓	提出回数 I	II	III	IV	V	VI	VII	VIII	IX	計
無	ム						1	4	27	25	36	93
	ブ						2	1	8	4	4	19
		ない								3		3
名	メイ			1	4		5	4	22	38	17	91
	ミョウ								3	3	1	7
		な		16	17	9	19	18	49	46	17	191
命	メイ						1	4	18	15	31	69
	ミョウ											
		いのち			10	3	5	1	4	1	4	28
明	メイ					2	4	14	27	20	27	94
	ミョウ					1	2	1	4	4	1	13
		あきらか					1	4	3	5	9	22
		あける					2		9	3	4	18
		あかるい			12	12	4	18	27	20	13	106
盟	メイ								1	5	1	7
迷	メイ							5	1	1		7
		まよう							5	1	1	7
鳴	メイ											
		なく			18	21	13	13	6	14	13	98
		なる				14	2	1	4		9	30
面	メン			1	5	7	8	28	33	42	42	166
		おも					2			6	2	10
		おもて										
綿	メン								4			4
		わた						1	12	2	5	20
毛	モウ								3	2		5
		け		5	5	9	10	4	11	12	5	61
目	モク							1	14	8	11	34
		め	20	67	29	46	40	49	80	131	69	531
門	モン			7	5	4	5	6	19	26	19	91
		かど			1			1				2
問	モン				1		3	6	38	31	26	105
		とう					1		8	5	6	20
夜	ヤ			4	10	6	5	3	13	9	8	58
		よ		17	4	13	10	11	10	25	25	115
		よる		15	15	3	7	14	20	16	7	97
野	ヤ				7	5	1	3	10	16	11	53
		の		1	7	8	7	8	18	8	19	76

漢字	音	訓	提出回数 I	II	III	IV	V	VI	VII	VIII	IX	計
約	ヤク					2	2	1	3	7	15	30
訳	ヤク								12	1	8	21
		わけ										
薬	ヤク								3	2		5
		くすり							1	9	1	11
油	ユ							4	1			5
		あぶら				2	3	1	5	3		14
輸	ユ									1	2	3
友	ユウ							2	4	10	8	24
		とも		17	29	10	17	7	7	13	3	103
右	ユウ					1	1		4	1	2	9
	ウ					2			1	7	1	11
		みぎ		12	10	4	5	14	7	6	21	79
由	ユウ			2	4	2	1	8	11	3	9	40
	ユ									10	11	21
		よし									1	1
有	ユウ						3	3	12	19	15	52
	ウ	ある								2		2
勇	ユウ				1		6	3	5	6	3	24
		いさましい				1	4	4	2			11
遊	ユウ								2	4	1	7
		あそぶ			18	15	20	5	18	13	4	93
予	ヨ					1			10	5	7	23
余	ヨ								4	9	7	20
		あまる							2	1	2	5
預	ヨ										1	1
		あずける							2			2
用	ヨウ			18	16	6	8	16	24	58	29	175
		もちいる				1		1	9	15	15	41
洋	ヨウ				11	2	2	12	12	7	4	50

漢字	音	訓	提出回数 I	II	III	IV	V	VI	VII	VIII	IX	計
要	ヨウ							2	26	31	29	88
容	ヨウ						1		13	11	12	37
葉	ヨウ								1	8	4	13
		は		1	14	34	25	13	30	33	26	176
陽	ヨウ					5	5	17	4	11	7	49
様	ヨウ								23	26	20	69
		さま							3	8	17	28
養	ヨウ					1	4	10	9	12	25	61
		やしなう						1	3	4	6	14
曜	ヨウ				6	3		3	4		1	17
浴	ヨク								1			1
		あびる							1	3		4
欲	ヨク								5	5	7	17
		ほっする								2	6	8
来	ライ				2	1	3	4	24	34	26	94
		くる			53			95	167	154	186	655
落	ラク								35	5	9	49
		おちる			2	29	16	18	24	35	33	157
楽	ラク						4	2	3	7	6	22
	ガク				6	13	4	6	18	25	6	78
		たのしい			15	15	13	15	19	18	6	101
利	リ					1	4	3	12	8	14	42
里	リ								4	2	3	9
		さと					3			1	4	8
理	リ						3	16	36	39	62	156
力	リキ							1	1		5	7
	リョク				1		6	7	33	27	89	163
		ちから		22	23	6	18	17	30	34	67	217

漢字	音	訓	提出回数 I	II	III	IV	V	VI	VII	VIII	IX	計
陸	リク				7		2	9	17	10	4	49
立	リツ						1	1	20	5	15	42
		たつ	1	14	30	33	39	27	87	80	91	402
律	リツ								1	2	4	7
率	リツ								3	2	1	6
	ソツ								2	4	1	7
		ひきいる							1	1		2
略	リャク								2	3		5
流	リュウ				2	12		2	15	15	5	51
	ル											
		ながれる			22	21	10	13	23	26	17	132
留	リュウ						2	2	1		3	8
	ル											
		とめる							2	1		3
旅	リョ					1		1	19	8	5	34
		たび			9	32	5	6	15	8	36	111
両	リョウ				12	9	13	23	16	10	24	107
良	リョウ									3	7	10
		よい									5	5
料	リョウ				1		1	2	13	18	8	43
量	リョウ							2	4	8	8	22
		はかる									1	1
領	リョウ								9	2	4	15
緑	リョク								2	2		4
	ロク								1			1
		みどり							8	11	11	30
林	リン							3	4	11	3	21
		はやし		12	10	4	1	4	57	2	7	97
輪	リン						1	2		1	6	10
		わ						2	2		2	6

漢字	音	訓	提出回数 I	II	III	IV	V	VI	VII	VIII	IX	計
臨	リン									1	1	2
		のぞむ								1	2	3
類	ルイ				1	1	5	5	22	21	41	96
令	レイ						1	1	2	3	2	9
礼	レイ			5	8	7		5	11	5	15	56
冷	レイ								2	5	2	9
		ひえる							1	1	1	3
		つめたい					2	1	1			4
例	レイ					1	2	2	13	29	15	62
歴	レキ						2	2	1	6	9	20
列	レツ			12	6	5	1	1	6	6	4	41
連	レン								5	14	5	24
		つらなる つれる							7	3	7	17
練	レン						1		4	3	5	13
		ねる					2		2	2		6
路	ロ			10			1	3	8	9	6	37
		じ									15	15
老	ロウ					6	7	8	7	7	26	61
		おいる						2	2	1	2	7
労	ロウ				2	2		1	11	22	13	51
六	ロク		6	19	20	17	7	14	31	24	23	161
		むつ			1			1	2	1	1	5
録	ロク								1	4	3	8
論	ロン						1	4	12	6	15	38

漢字	音	訓	提出回数 I	II	III	IV	V	VI	VII	VIII	IX	計
和	ワ	やわらぐ			9		3	6	10	40	16	84
話	ワ				2	2	1	15	7	6	9	42
		はなす		39	177	30	31	48	50	59	55	489

14……B　國語教科書に出ている漢字の回数

文部省著作「中等国語一～三」に出ている教育漢字以外の当用漢字の回数である。教育漢字の提出回数はA表に掲げた。

漢字	音	訓	VII	VIII	IX	計
亜	ア		1	1		2
哀	アイ	あわれ			4	4
握	アク 	 にぎる	 13	2 	 3	2 16
扱		あつかう	10	2	8	20
依	イ エ		2 	2 1		4 1
威	イ		2	5	4	11
尉	イ					
偉	イ 	 えらい	8 	28 	6 2	42 2
為	イ		7	1	2	10
違	イ 	 ちがう	 44	2 32	9 22	11 98
維	イ		1			1
慰	イ	なぐさめる	4		2	6

漢字	音	訓	VII	VIII	IX	計
緯	イ				1	1
域	イキ		4	5	2	11
逸	イツ					
芋		いも				
姻	イン					
陰	イン 	 かげ	 7	1 1	4 2	5 10
隠	イン	かくれる	6	11	12	29
韻	イン			8	1	9
宇	ウ		5	2	6	13
羽	ウ 	 は はね	 2 2	3 5 14	 10 2	3 17 18
映	エイ 	 うつる	1 4	4 3	4 3	9 10
詠	エイ			3		3

漢字	音	訓	Ⅶ	Ⅷ	Ⅸ	計
影	エイ		4	6	6	16
		かげ	5	6	11	22
鋭	エイ				2	2
		するどい	7	4	2	13
疫	エキ		1			1
悦	エツ		1			1
越	エツ		1		1	2
		こえる	3	8	4	15
		こす	11	2	4	17
謁	エツ		1			1
閲	エツ					
沿	エン		2			2
		そう	3	4	3	10
炎	エン		2	1		3
		ほのお				
宴	エン			1		1
煙	エン			6	1	7
		けむり	2	6	3	11
援	エン		3	2	1	6
鉛	エン		5	1	2	8
		なまり			1	1
縁	エン		2	16	3	21
		ふち	2	6	2	10
汚	オ		1			1
		けがす			1	1
憶	オク		8	10	8	26

漢字	音	訓	Ⅶ	Ⅷ	Ⅸ	計
押	オウ		13	6	10	29
		おす おさえる	2	4		6
欧	オウ			4		4
殴	オウ					
翁	オウ			7		7
奥	オウ		1			1
		おく	10	11	8	29
桜	オウ			1		1
		さくら		1		1
沖		おき	7	2	1	10
虞		おそれ				
乙	オツ		8			8
卸		おろす				
穏	オン				1	1
		おだやか	1			1
佳	カ			2	1	3
架	カ		2	3		5
華	カ		3	6	8	17
菓	カ			2		2
暇	カ			1	1	2
		ひま			1	1

264

漢字	音	訓	Ⅶ	Ⅷ	Ⅸ	計
嫁	カ					
		よめ		1		1
禍	カ				1	1
箇	カ			8	2	10
寡	カ					
蚊		か	1		1	2
戒	カイ		1		1	2
		いましめる			1	1
雅	ガ			1	6	7
餓	ガ			1	1	2
介	カイ		2	4	6	10
灰	カイ			1	1	2
		はい	5	5	6	16
皆	カイ			2		2
		みな				
悔	カイ				2	2
		くいる くやむ			2	2
塊	カイ		1	2	1	4
懐	カイ		3	1		4
壊	カイ		1	4	2	7
怪	カイ		1	2	1	4
		あやしい	2	1	2	5

漢字	音	訓	Ⅶ	Ⅷ	Ⅸ	計
該	ガイ					
慨	ガイ			2		2
劾	ガイ					
概	ガイ		3	2	3	8
街	ガイ		2	3	1	6
核	カク				2	2
郭	カク			1		1
隔	カク		1		1	2
		へだてる	1		4	5
較	カク		3	13	9	25
閣	カク				1	1
獲	カク			5		5
		える	3			3
嚇	カク				1	1
穫	カク			2	1	3
岳	ガク					
		たけ	1		4	5
掛		かける	3		16	19
括	カツ			1	1	2

265

漢字	音	訓	Ⅶ	Ⅷ	Ⅸ	計
割	カツ	わる	11	5	4	20
渇	カツ					
滑	カツ				2	2
轄	カツ				1	1
且		かつ				
刈		かる	1		2	3
干	カン	ほす ひる	 1	2 1 4	1	3 2 4
甘	カン	あまい	1 1	 1	1 1	2 3
汗	カン	あせ		3	4	7
肝	カン	きも			3	3
巻	カン	まく	1 3	4 7	 5	5 15
冠	カン	かんむり		1 	 1	1 1
看	カン		3	2	1	6
勘	カン		2	1	3	6
陥	カン	おちいる	 2	1 	2 	3 2
貫	カン	つらぬく	 1	1 1		1 2

漢字	音	訓	Ⅶ	Ⅷ	Ⅸ	計
乾	カン			4	1	5
患	カン					
喚	カン				1	1
換	カン	かえる	1 1	1 2	1 1	3 4
棺	カン				2	2
閑	カン			1		1
敢	カン		2	3	1	6
堪	カン	たえる		2	3	5
款	カン					
監	カン		1	1	6	8
寛	カン			2	3	5
憾	カン					
緩	カン					
環	カン		1	2	3	6
還	カン					
簡	カン		6	10	7	23

漢字	音	訓	Ⅶ	Ⅷ	Ⅸ	計
艦	カン		1		2	3
鑑	カン			4	2	6
丸	ガン	まるい	2 12	 2	 1	2 15
含	ガン	ふくむ	 3	1 5	1 3	2 11
企	キ	くわだてる	 2	2 	2 	4 2
危	キ	あやうい	7	1	7	15
机	キ	つくえ	9	4	3	16
忌	キ	いむ		2		2
奇	キ		1	4	7	12
岐	キ					
祈	キ	いのる	1 3	 2	 3	1 8
軌	キ		2			2
鬼	キ	おに		28	1	29
既	キ	すでに				
飢	キ	うえる		2	4	6
揮	キ		2	7	1	10

漢字	音	訓	Ⅶ	Ⅷ	Ⅸ	計
棋	キ					
棄	キ		1	2	2	5
幾	キ	いく	28	20	26	74
輝	キ	かがやく	 7	 6	2 9	2 22
騎	キ			4		4
宜	ギ		1			1
儀	ギ		7	6	5	18
欺	ギ	あざむく			4	4
偽	ギ	いつわる		1	1	2
戯	ギ	たわむれる		3		3
擬	ギ				3	3
犠	ギ			2	1	3
菊		きく	1	1		2
吉	キチ		27	1	1	29
詰	キツ	つめる	2	1		3
喫	キツ			1		1

漢字	音	訓	Ⅶ	Ⅷ	Ⅸ	計
却	キャク				2	2
脚	キャク		6	2	3	11
虐	ギャク			3		3
弓	キュウ			2		2
		ゆみ	1		1	2
及	キュウ			1	1	2
		およぶ	3	10	13	26
丘	キュウ		1	75	1	77
		おか	1	2	4	7
吸	キュウ			4	3	7
		すう	3	4	3	10
糾	キュウ					
朽	キュウ			1	1	2
		くちる				
泣	キュウ					
		なく	9	9	10	28
窮	キュウ		1	1		2
		きわめる				
巨	キョ		3	6	4	13
拒	キョ				2	2
		こばむ				
虚	キョ		2	1	4	7
距	キョ		7			7
拠	キョ		1	2	3	6

漢字	音	訓	Ⅶ	Ⅷ	Ⅸ	計
御	ギョ		9	24	33	66
		おん		22	4	26
凶	キョウ		6			6
叫	キョウ					
		さけぶ	7	9	14	30
狂	キョウ		2	1		3
		くるう	4	5	3	12
況	キョウ		1	1		2
享	キョウ				1	1
峡	キョウ		1	2		3
恐	キョウ		2	1		3
		おそれる	9	26	12	47
恭	キョウ					
狭	キョウ				1	1
		せまい	4	3	4	11
脅	キョウ					
		おびやかす				
胸	キョウ		1		1	2
		むね	11	13	13	37
郷	キョウ		7	6	2	15
驚	キョウ			3	4	7
		おどろく	13	9	14	36
響	キョウ		3	1	4	8
		ひびく	2			2
仰	ギョウ		1	3	3	7
		あおぐ	4	2	6	12

漢字	音	訓	Ⅶ	Ⅷ	Ⅸ	計
凝	ギョウ			1	1	2
		こる			1	1
暁	ギョウ			1		1
		あかつき	1			1
斤	キン				1	1
菌	キン		4			4
筋	キン			2	4	6
		すじ	3	12	2	17
琴	キン		1			1
		こと			1	1
緊	キン		2	1	2	5
謹	キン			1		1
吟	ギン			2	2	4
駆	ク			1		1
		かける	9		7	16
愚	グ			2		2
		おろか	1			1
偶	グウ		5	1	3	9
遇	グウ		2	7	3	12
屈	クツ		2	5	5	12
掘	クツ		2			2
		ほる	12		3	15
繰		くる				

漢字	音	訓	Ⅶ	Ⅷ	Ⅸ	計
薫	クン				2	2
勲	クン					
刑	ケイ				2	2
径	ケイ		2			2
茎	ケイ				1	1
		くき			1	1
契	ケイ			1		1
		ちぎる			1	1
啓	ケイ					
恵	ケイ				4	4
		めぐむ	4	2	1	7
掲	ケイ			1	3	4
		かかげる		2	1	3
慶	ケイ			3		3
傾	ケイ		1	5		6
		かたむく	4	5	8	17
携	ケイ					
		たずさえる		1	1	2
継	ケイ		3	3		6
		つぐ	3	4	5	12
憩	ケイ			1		1
警	ケイ			1	1	2
鶏	ケイ					
		にわとり				

漢字	音	訓	Ⅶ	Ⅷ	Ⅸ	計
迎	ゲイ	むかえる	 9	 2	1 2	1 13
鯨	ゲイ	くじら	1			1
劇	ゲキ		10	2	4	16
激	ゲキ	はげしい	7 3	8 2	7 1	22 6
撃	ゲキ	うつ	2	3	2	7
傑	ケツ		3	4	2	9
穴	ケツ	あな	 17	 6	 1	 24
肩	ケン	かた	 2	 4	 6	 12
圏	ケン					
軒	ケン	のき	 1	3 1	4	7 2
堅	ケン	かたい	1 10	 4		1 14
献	ケン		2	3		5
遣	ケン		3	1		4
倹	ケン					
賢	ケン	かしこい	 1	1	2	3 1
剣	ケン	つるぎ	1		1	2
謙	ケン					
顕	ケン		5	5		10
繭	ケン	まゆ				
懸	ケン		1	2		3
幻	ゲン	まぼろし	1	2	2	5
玄	ゲン		8	4	3	15
弦	ゲン	つる				
源	ゲン	みなもと	18 2	3	3 1	24 3
呼	コ	よぶ	 20	3 11	5 15	8 46
枯	コ	かれる	 5	1 6	 11	1 22
孤	コ			3	1	4
弧	コ		3			3
雇	コ	やとう	 8		 2	 10
誇	コ	ほこる	 1	1 3	1 3	2 7
鼓	コ	つづみ	1	4	2	7
顧	コ	かえりみる	 1	 2	 2	 5

漢字	音	訓	Ⅶ	Ⅷ	Ⅸ	計
互	ゴ	たがい	1 13	1 15	1 19	3 47
呉	ゴ					
娯	ゴ		1		1	2
悟	ゴ	さとる	2	1 3	4 1	7 4
碁	ゴ					
孔	コウ					
巧	コウ	たくみ	 1	6 2	 2	6 5
甲	コウ		9	3	1	13
江	コウ	え	 2			 2
好	コウ	このむ	5 4	6 10	4 7	15 21
抗	コウ		2		2	4
坑	コウ			1	5	6
攻	コウ	せめる		1	1	2
更	コウ	さらに	 2	1 6	1 13	2 21
恒	コウ		1			1
拘	コウ		1			1
肯	コウ				1	1
荒	コウ	あらい	 4	4 14	 1	4 22
郊	コウ				2	2
降	コウ	ふる	1 7	 17	 14	1 38
侯	コウ			5		5
貢	コウ		1	3		4
紅	コウ	くらない		3 1	3 1	6 2
控	コウ	ひかえる			 1	 1
慌	コウ			1		1
項	コウ			2		2
硬	コウ			2		2
香	コウ	か	8 1	1 1	 7	9 9
絞	コウ	しぼる				
酵	コウ			1		1
綱	コウ	つな	1	1	 7	2 7
稿	コウ		2	1	3	6

漢字	音	訓	VII	VIII	IX	計
鋼	コウ				1	1
購	コウ					
衡	コウ					
拷	ゴウ			1		1
剛	ゴウ			1	3	4
豪	ゴウ		3	2		5
克	コク			1	2	3
刻	コク		1	11	5	17
		きざむ	2	9	2	13
酷	コク			1	1	2
獄	ゴク			1	5	6
骨	コツ		1		4	5
		ほね	1	1		2
込		こむ				
困	コン		14		1	15
		こまる	3	8	4	15
恨	コン	うらむ				
婚	コン					
紺	コン		1			1

漢字	音	訓	VII	VIII	IX	計
魂	コン			1		1
		たましい	2	3	5	10
墾	コン			3		3
懇	コン					
佐	サ		13	7	3	28
砂	サ		3	92	2	97
		すな	14	40		54
唆	サ					
詐	サ					
鎖	サ		1			1
		くさり			5	5
座	ザ		14	7	7	28
砕	サイ	くだく		1	2	3
宰	サイ					
栽	サイ			2		2
彩	サイ		2	6	3	11
斎	サイ		1	5		6
裁	サイ	たつ		2		2
催	サイ			1	1	2
		もよおす		1	2	3

漢字	音	訓	VII	VIII	IX	計
載	サイ				2	2
		のせる	1	9	1	11
債	サイ					
歳	サイ		17	8	3	28
剤	ザイ				1	1
削	サク				1	1
		けずる	3	1		4
索	サク		10			10
酢	サク	す				
錯	サク		1	1	2	4
搾	サク				2	2
咲		さく	14	8	19	41
冊	サツ		3			3
札	サツ		1	12	5	18
		ふだ	1	1		2
擦	サツ					
撮	サツ		1	1		2
惨	サン			1		1
暫	ザン					

漢字	音	訓	VII	VIII	IX	計
旨	シ			2	3	5
		むね		1		1
伺	シ	うかがう	3			3
枝	シ		1	1	1	3
		えだ	12	10	24	46
祉	シ					
刺	シ				2	2
		さす	1	1	2	4
姿	シ		3	12	2	17
		すがた	15	15	8	38
施	シ			2	2	4
		ほどこす	5		2	7
脂	シ		2			2
紫	シ	むらさき	2	3	6	11
嗣	シ					
飼	シ			1		1
		かう	5		1	6
雌	シ	めす	2			2
誌	シ		4	4	2	10
賜	シ	たまわる		1	1	2
諮	シ					
侍	ジ	さむらい		3		3

漢字	音	訓	Ⅶ	Ⅷ	Ⅸ	計
慈	ジ		2			2
滋	ジ					
磁	ジ			3		3
璽	ジ				1	1
軸	ジク		1		3	4
疾	シツ			1		1
執	シツ	とる	1	1	6	8
漆	シツ	うるし		1		1
湿	シツ	しめる		1 1	1 1	2 2
芝		しば	1			1
射	シャ	いる	2	 1	5 3	7 4
赦	シャ			1		1
捨	シャ	すてる	1 5	 6	2 2	3 13
斜	シャ	ななめ	1	12	2 1	15 1
煮	シャ	にる	3	1	2	6
邪	ジャ					
勺	シャク		1		2	3
尺	シャク		1	1		2
爵	シャク					
若	ジャク	わかい	1 15	2 19	 10	3 44
寂	ジャク	さびしい		4	1	5
朱	シュ					
狩	シュ	かり		2	2	4
珠	シュ			3		3
殊	シュ		2	15	2	19
趣	シュ	おもむき	2 1	3 4	2	7 5
儒	ジュ					
寿	ジュ	ことぶき				
樹	ジュ		13	17	11	41
囚	シュウ				1	1
舟	シュウ	ふね	2 21	 12	 2	2 35
秀	シュウ			5	1	6

漢字	音	訓	Ⅶ	Ⅷ	Ⅸ	計
臭	シュウ	くさい	1	1 2		2 2
愁	シュウ				1	1
酬	シュウ			1		1
醜	シュウ	みにくい				
襲	シュウ	おそう	4 4	 5		4 9
充	ジュウ	あてる		3 1	3	6 1
柔	ジュウ	やわらか	1 4	2 2	 5	3 11
銃	ジュウ		5			5
渋	ジュウ	しぶい	1 1			1 1
縦	ジュウ	たて	1 1		 1	1 2
獣	ジュウ	けもの	5 3	2 3	3 1	10 7
叔	シュク					
淑	シュク				1	1
粛	シュク		1			1
縮	シュク	ちぢむ	 3	1 1	1	2 4
熟	ジュク		3	1	4	8
俊	シュン			4	1	5
瞬	シュン		4	4	9	17
旬	ジュン		10			10
巡	ジュン	めぐる		1	1	2
盾	ジュン				10	10
殉	ジュン					
准	ジュン					
循	ジュン					
遵	ジュン					
潤	ジュン	うるおう				
庶	ショ		2		2	4
署	ショ		2	2	1	5
緒	ショ	お		2 1	14	16 1
如	ジョ			1	3	4
徐	ジョ			1		1
叙	ジョ		2	4	1	7

漢字	音	訓	Ⅶ	Ⅷ	Ⅸ	計
升	ショウ					
召	ショウ					
		めす		7	2	9
匠	ショウ			1		1
抄	ショウ					
床	ショウ			4	2	6
		とこ	5	7	14	26
肖	ショウ					
松	ショウ					
		まつ	7	16	10	33
昇	ショウ			1		1
沼	ショウ		1			1
		ぬま	1	5	1	7
渉	ショウ		6	1	3	10
笑	ショウ		5	5	1	11
		わらう	26	5	3	34
症	ショウ					
訟	ショウ					
将	ショウ		7	13	3	23
祥	ショウ			3		3
晶	ショウ		1			1

漢字	音	訓	Ⅶ	Ⅷ	Ⅸ	計
粧	ショウ			1		1
紹	ショウ			2	3	5
掌	ショウ		1	2	1	4
詔	ショウ					
		みことのり				
硝	ショウ					
焦	ショウ				1	1
		こげる	1	1		2
傷	ショウ		1	3		4
		きず	2	1		3
詳	ショウ			1	1	2
		くわしい				
障	ショウ		8	7	6	21
彰	ショウ					
奨	ショウ			1	1	2
衝	ショウ		2			2
礁	ショウ			2	2	4
償	ショウ					
		つぐなう				
鐘	ショウ			1		1
		かね	3			3
丈	ジョウ			2	1	3

漢字	音	訓	Ⅶ	Ⅷ	Ⅸ	計
冗	ジョウ					
城	ジョウ		2	1	2	5
		しろ				
浄	ジョウ		1	2		3
剰	ジョウ				5	5
蒸	ジョウ		2		2	4
		むす		2	2	4
錠	ジョウ				1	1
嬢	ジョウ				1	1
畳	ジョウ		1			1
		たたみ	2	3	1	6
譲	ジョウ					
		ゆずる			1	1
醸	ジョウ					
殖	ショク			3	1	4
触	ショク		3	10		13
		ふれる	4	7	6	17
飾	ショク			4	9	13
		かざる	4	3	3	10
嘱	ショク				1	1
辱	ジョク				1	1
伸	シン		1			1
		のびる	13	9	17	39

漢字	音	訓	Ⅶ	Ⅷ	Ⅸ	計
侵	シン			1		1
		おかす				
辛	シン		4			4
		からい				
振	シン		2	1		3
		ふる	16	21	87	124
浸	シン					
		ひたす	1			1
針	シン			1	6	7
		はり	2	4	1	7
娠	シン					
紳	シン		6	1		7
診	シン					
慎	シン				1	1
		つつしむ		1	1	2
寝	シン		1	2	13	16
		ねる	14	27	35	76
審	シン		1	1	1	3
震	シン				5	5
		ふるう		1	7	8
薪	シン		1	1		2
刃	ジン					
		は				
迅	ジン					
陣	ジン		1	1	2	4

漢字	音	訓	VII	VIII	IX	計
尋	ジン		2			2
		たずねる	3	1	1	5
尽	ジン				1	1
		つくす	7	16	27	50
吹	スイ			1		1
		ふく	11	26	15	52
炊	スイ		2			2
垂	スイ					
帥	スイ					
衰	スイ			2	4	6
		おとろえる	2	4	1	7
睡	スイ				1	1
穂	スイ					
		ほ	4	1	1	6
遂	スイ			1		1
		とげる				
粋	スイ		1	4	5	10
酔	スイ					
		よう		7	1	8
錘	スイ					
		つむ				
随	ズイ		3	1	9	13
髄	ズイ					
枢	スウ					

漢字	音	訓	VII	VIII	IX	計
崇	スウ		1	3	3	7
寸	スン		5	3		8
畝	セ					
瀬		せ	2	10	7	19
井	セイ			1		1
		い	4	14	1	19
征	セイ		1	1		2
姓	セイ		2	1	2	5
牲	セイ			2		2
盛	セイ		1	1	1	3
		さかり	6	11	6	23
婿	セイ					
		むこ				
誓	セイ		2	2		4
		ちかう		2		2
請	セイ					
		こう				
斥	セキ		1		1	2
析	セキ			3	1	4
昔	セキ					
		むかし	8	20	10	38
隻	セキ			1	2	3

漢字	音	訓	VII	VIII	IX	計
惜	セキ				1	1
		おしい	1	6	8	15
跡	セキ		4	2	1	7
		あと	5	7	2	14
籍	セキ		8			8
拙	セツ				1	1
窃	セツ					
摂	セツ			1	1	2
占	セン		1	1	1	3
		しめる	1	2	1	4
洗	セン					
		あらう	3	6	1	10
染	セン			1		1
		そめる	3	4	1	8
泉	セン			1		1
		いずみ		3		3
扇	セン				1	1
		おうぎ	1	1		2
旋	セン		1			1
践	セン					
銑	セン					
潜	セン				1	1
		ひそむ				
遷	セン			3	1	4

漢字	音	訓	VII	VIII	IX	計
薦	セン					
鮮	セン		3	5	3	11
繊	セン		2			2
漸	ゼン				2	2
禅	ゼン			1		1
繕	ゼン		1		1	2
阻	ソ				1	1
租	ソ					
粗	ソ		3	2	1	6
措	ソ					
疎	ソ			3	1	4
訴	ソ					
		うったえる	1	1	3	5
塑	ソ					
礎	ソ		2		3	5
		いしずえ				
双	ソウ		2	1	1	4
壮	ソウ			1	5	6

漢字	音	訓	Ⅶ	Ⅷ	Ⅸ	計
奏	ソウ		1	5	3	9
桑	ソウ					
		くわ				
荘	ソウ		3	4		7
掃	ソウ					
		はく	3	1		4
巣	ソウ		3	4	1	8
		す	24	5	1	30
窓	ソウ			1		1
		まど	13	15	11	39
喪	ソウ					
		も				
捜	ソウ		8			8
		さがす	2	1		3
葬	ソウ		3		1	4
		ほうむる	1			1
装	ソウ		5	3	7	15
		よそおう				
僧	ソウ		1	7	2	10
遭	ソウ			1		1
層	ソウ		2	2	3	7
操	ソウ		1		2	3
		みさお	1			1
燥	ソウ			3	1	4
霜	ソウ			2		2
		しも	14		5	19

漢字	音	訓	Ⅶ	Ⅷ	Ⅸ	計
騒	ソウ					
		さわぐ	7	5	5	17
憎	ゾウ				1	1
		にくむ	3	1	2	6
臓	ゾウ		2	2		4
贈	ソウ		1		1	2
		おくる	6	1	3	10
束	ソク		1	1	6	8
		たば	1		3	4
促	ソク			1	1	2
		うながす				
即	ソク		1	5	5	11
賊	ゾク			2	2	4
妥	ダ					
惰	ダ				2	2
堕	ダ			2		2
耐	タイ		1	1	2	4
		たえる				
胎	タイ		1			1
怠	タイ				1	1
		おこたる	2	1		3
泰	タイ			1		1
逮	タイ					

漢字	音	訓	Ⅶ	Ⅷ	Ⅸ	計
袋	タイ					
		ふくろ	3	3		6
替	タイ					
		かえる				
滞	タイ		3			3
		とどこおる			1	1
滝		たき		7	2	9
宅	タク		8	1	8	17
沢	タク		2	1	2	5
		さわ			1	1
択	タク		1		2	3
拓	タク		2	7		9
卓	タク		3	7	1	11
託	タク		2	3	1	6
諾	ダク		1		1	2
濁	ダク					
		にごる	1	1		2
但		ただし				
脱	ダツ		4	2		6
		ぬぐ	3		1	4
奪	ダツ		2	1		3
		うばう	2	2	1	5
丹	タン			2	1	3

漢字	音	訓	Ⅶ	Ⅷ	Ⅸ	計
担	タン		3	1	2	6
胆	タン			2	5	7
探	タン		42	1	1	44
		さぐる	1	1	3	5
淡	タン			5	4	9
		あわい		1	1	2
端	タン		11	5	6	22
		はし	7	4	3	14
嘆	タン		3	6	8	17
		なげく	1	2	3	6
誕	タン		3			3
鍛	タン					
		きたえる			1	1
段	ダン		13	10	7	30
暖	ダン		1			1
		あたたかい	2	4	4	10
弾	ダン		6	1	1	8
壇	ダン		2	4	9	15
値	チ			4	11	15
		ね	6		1	7
恥	チ					
		はじる	1	4	1	6
致	チ			2	4	6
痴	チ					

漢字	音	訓	Ⅶ	Ⅷ	Ⅸ	計
遅	チ			1		1
		おくれる		1		1
稚	チ			2		2
逐	チク		1	1		2
畜	チク		2	1	1	4
蓄	チク		2		1	3
秩	チツ		1		5	6
窒	チツ		2			2
嫡	チャク			1		1
仲	チュウ					
		なか				
宙	チュウ		7		5	12
抽	チュウ				1	1
衷	チュウ					
駐	チュウ					
鋳	チュウ				1	1
		いる				
兆	チョウ				2	2
弔	チョウ					
		とむらう				
頂	チョウ		1	2		3
		いただき		3	10	13
彫	チョウ			5	1	6
		ほる	2	5		7
超	チョウ		1	1	5	7
脹	チョウ					
跳	チョウ		5			5
徴	チョウ		3	3	13	19
潮	チョウ		13	5		18
		しお	1		1	2
澄	チョウ				3	3
		すむ	4	6	2	12
懲	チョウ			1		1
		こらす				
聴	チョウ			5	4	9
庁	チョウ					
勅	チョク			2		2
沈	チン		1	6	3	10
		しずむ	1	4	1	6
珍	チン			2	1	3
		めずらしい	11	16	1	28
朕	チン					
陳	チン		1	1	1	3

漢字	音	訓	Ⅶ	Ⅷ	Ⅸ	計
鎮	チン					
津		つ		3	3	6
墜	ツイ		1			1
痛	ツウ		3	3	4	10
		いたむ	5	3		8
坪		つぼ		2		2
呈	テイ		1	4	1	6
廷	テイ				3	3
邸	テイ			4	1	5
抵	テイ		2		2	4
帝	テイ			1	8	9
訂	テイ					
貞	テイ			153		153
逓	テイ			1		1
堤	テイ			5		5
		つつみ		1	1	2
艇	テイ					
締	テイ					
		しまる	6		1	7
笛	テキ					
		ふえ	2	1		3
摘	テキ					
		つむ	1	1		2
滴	テキ		1		1	2
迭	テツ				1	1
哲	テツ			3	2	5
撤	テツ					
徹	テツ			2	1	3
添	テン			1		1
		そえる	2	1	6	9
殿	テン		4	1	6	11
		どの	3	9	1	13
斗	ト					
吐	ト			1		1
		はく	1	5	4	10
途	ト		12	8	3	23
渡	ト			2	15	17
		わたる	11	15	10	36
塗	ト					
		ぬる	1		1	2
奴	ド		5			5
怒	ド			1	2	3
		いかる		2	2	4

漢字	音	訓	Ⅶ	Ⅷ	Ⅸ	計
豆	トウ				1	1
		まめ	2	4		6
到	トウ		6	5	3	14
倒	トウ		1	1		2
		たおれる		1	1	2
凍	トウ				1	1
		こおる	1		1	2
唐	トウ		1	1		2
桃	トウ					
		もも		1		1
逃	トウ		3			3
		にげる	12	3	10	25
透	トウ		1	3	1	5
		すく			1	1
陶	トウ			3		3
悼	トウ		2			2
痘	トウ					
筒	トウ					
		つつ			2	2
塔	トウ		1	3	3	7
盗	トウ		1		1	2
		ぬすむ	4	4	5	13
稲	トウ					
		いね	1	1	1	3
踏	トウ		2			2
		ふむ	10	7	5	22

漢字	音	訓	Ⅶ	Ⅷ	Ⅸ	計
糖	トウ		3			3
謄	トウ					
闘	トウ		1		3	4
騰	トウ				1	1
胴	ドウ		3	1	2	6
峠		とうげ			6	6
匿	トク					
督	トク		1		1	2
篤	トク					
突	トツ		8	7	10	25
		つく	8	8	8	24
豚	トン					
		ぶた				
鈍	ドン		1			1
		にぶい				
曇	ドン		3			3
		くもる	1	1	6	8
軟	ナン		1			1
尼	ニ					
		あま		5		5
乳	ニュウ		15		6	21
		ちち	20	1	1	22

漢字	音	訓	Ⅶ	Ⅷ	Ⅸ	計
尿	ニョウ					
妊	ニン					
忍	ニン		3	2	1	6
		しのぶ	5	7	1	13
寧	ネイ					
粘	ネン			1		1
		ねばる	1			1
悩	ノウ				2	2
		なやむ	1	4	2	7
脳	ノウ		3		2	5
濃	ノウ		2	2	1	5
		こい			4	4
婆	バ		2			2
杯	ハイ					
		さかずき				
肺	ハイ		1			1
背	ハイ		8	17	15	40
俳	ハイ		2	12		14
排	ハイ		1		1	2
廃	ハイ		1	1		2
輩	ハイ		1	5		6

漢字	音	訓	Ⅶ	Ⅷ	Ⅸ	計
培	バイ			1		1
梅	バイ				3	3
		うめ	2			2
陪	バイ					
媒	バイ				1	1
賠	バイ					
伯	ハク					
拍	ハク		3	1		4
迫	ハク		2	4	2	8
		せまる	1	6	3	10
泊	ハク				1	1
		とまる	1	1		2
舶	ハク					
爆	バク		2		1	3
縛	バク					
薄	ハク			1		1
		うすい	1		4	5
箱		はこ	11	14	5	30
髪	ハツ		3	1	3	7
		かみ	3	3	3	9
伐	バツ		1		1	2

漢字	音	訓	VII	VIII	IX	計
抜	バツ			2		2
		ぬく	3	5	8	16
罰	バツ		1	2		3
閥	バツ					
帆	ハン		1	1		2
		ほ	1			1
伴	ハン		1	1		2
		ともなう		6	3	9
班	ハン		1			1
畔	ハン		1	8		9
般	ハン		3	17	13	33
販	ハン		1		3	4
煩	ハン					
		わずらわしい			1	1
頒	ハン					
搬	ハン		1	2	1	4
範	ハン		1	7	5	13
繁	ハン				2	2
藩	ハン			1	3	4
晩	バン		11	2	8	21

漢字	音	訓	VII	VIII	IX	計
蛮	バン		9		1	10
盤	バン		1	3	2	6
妃	ヒ					
彼	ヒ					
		かれ	2	24	13	44
批	ヒ		3		9	12
卑	ヒ		1	1	7	9
		いやしい				
秘	ヒ		4	5	1	10
被	ヒ			1		1
		こうむる				
疲	ヒ		1	1	9	11
		つかれる		6	4	10
碑	ヒ			4		4
罷	ヒ					
避	ヒ					
		さける	1	4	2	7
尾	ビ		2			2
		お	17	3	4	24
微	ビ		11	12	6	29
匹	ヒキ		34	9	5	48
泌	ヒツ					

漢字	音	訓	VII	VIII	IX	計
姫		ひめ	5	1		6
漂	ヒョウ		1			1
		ただよう	1	2	2	5
苗	ビョウ			1		1
		なえ		3	1	4
描	ビョウ					
		えがく	5	4	9	13
浜	ヒン					
		はま	1	7		8
賓	ヒン		1			1
敏	ビン			1	3	4
扶	フ					
附	フ		4	3		7
赴	フ					
浮	フ		1		3	4
		うく	6	20	5	31
普	フ		3	7	6	16
符	フ		5	2	4	11
腐	フ		2	1		3
		くさる		2		2
怖	フ		2			2
敷	フ					
		しく	13	7	3	23

漢字	音	訓	VII	VIII	IX	計
膚	フ		2	3		5
		はだ				
賦	フ					
譜	フ		1		1	2
侮	ブ			2	3	5
		あなどる		1		1
舞	ブ		5	2	5	12
		まう	5	11	6	22
封	フウ		2		2	4
伏	フク		1	2	1	4
		ふせる		1	5	6
幅	フク			1		1
		はば	3	1	3	7
腹	フク		9	1	3	13
		はら	14	8	10	32
覆	フク			1		1
払	フツ					
		はらう	10	4	6	20
沸	フツ					
		わく				
紛	フン				2	2
		まぎれる				
憤	フン		1	1	1	3
		いきどおる				
墳	フン					
噴	フン				2	2

漢字	音	訓	Ⅶ	Ⅷ	Ⅸ	計
丙	ヘイ					
並	ヘイ					
		ならべる	20	12	10	42
併	ヘイ			2		2
弊	ヘイ			3	2	5
閉	ヘイ		2	1		3
		とじる		3	4	7
柄	ヘイ					
		がら	1			1
弊	ヘイ					
癖	ヘキ		1			1
		くせ		4		4
壁	ヘキ		1	6	2	9
		かべ	1	2	3	6
片	ヘン		3	7	6	16
		かた	4	1	8	13
偏	ヘン		1			1
遍	ヘン				1	1
捕	ホ		1			1
		とらえる	6	27	9	42
浦	ホ				3	3
		うら		7	5	12
舗	ホ		1	1		2
募	ボ			1	1	2
		つのる				

漢字	音	訓	Ⅶ	Ⅷ	Ⅸ	計
慕	ボ				2	2
		したう	2		3	5
暮	ボ		3	2	2	7
		くれる	23	1	8	32
簿	ボ			2		2
邦	ホウ		1	1		2
芳	ホウ		1			1
		かんばしい				
宝	ホウ			9	2	11
		たから	1	3		4
奉	ホウ		2	1	1	4
		たてまつる		2	2	4
抱	ホウ		2			2
		だく	4	1	1	6
胞	ホウ		2	1		3
峰	ホウ				1	1
		みね			6	6
砲	ホウ		3		2	5
倣	ホウ				3	3
崩	ホウ			1	3	4
訪	ホウ		5	1		6
		おとずれる	1	4		5
飽	ホウ					
		あきる	1			1
縫	ホウ					
		ぬう	2	2	1	5

288

漢字	音	訓	Ⅶ	Ⅷ	Ⅸ	計
亡	ボウ		4		3	7
乏	ボウ		5	1	2	8
		とぼしい	3	4	2	9
忙	ボウ					
		いそがしい				
坊	ボウ		1	3	2	6
冒	ボウ		4			4
		おかす			1	1
妨	ボウ					
		さまたげる		1		1
忘	ボウ					
		わすれる	11	14	31	56
房	ボウ					
剖	ボウ		3			3
肪	ボウ					
某	ボウ		1			1
帽	ボウ		10		8	18
傍	ボウ			3	2	5
棒	ボウ		3		3	6
紡	ボウ					
		つむぐ				
謀	ボウ					

漢字	音	訓	Ⅶ	Ⅷ	Ⅸ	計
膨	ボウ					
撲	ボク					
墨	ボク		1			1
		すみ	2		2	4
没	ボツ		2	6	13	21
奔	ホン		1	1	1	3
翻	ホン		4		2	6
		ひるがえる				
凡	ボン		11	2	6	19
盆	ボン			3		3
麻	マ			2		2
		あさ	1		1	2
摩	マ			5		5
魔	マ		1	2		3
枚	マイ		4	6	5	15
埋	マイ			3		3
		うめる	1	1		2
膜	マク					
幕	マク		17	1	1	19
又		また				

289

漢字	音	訓	VII	VIII	IX	計
漫	マン		2	2		4
慢	マン			4	4	8
魅	ミ		1	1	2	4
密	ミツ		14	8	2	24
妙	ミョウ		1	11	6	18
眠	ミン				1	1
		ねむる	21	10	17	48
矛	ム				10	10
夢	ム		3	2	6	11
		ゆめ	7	2	10	19
霧	ム				1	1
		きり	2		1	3
娘		むすめ	19	4	3	26
銘	メイ		1			1
滅	メツ		1	2	4	7
		ほろびる	3		2	5
免	メン					
		まぬかれる			2	2
茂	モ				1	1
		しげる	2		2	4
模	モ		30	4	6	40
盲	モウ			3		3
		めくら				
耗	モウ			1		1
猛	モウ		8	3	1	12
網	モウ			1	1	2
		あみ	12	7		19
黙	モク		2	9	4	15
		だまる	10	4	8	22
紋	モン		1	13		14
匁		もんめ				
矢		や	4			4
躍	ヤク		6	5	3	14
愉	ユ		2	5	3	10
諭	ユ					
唯	ユイ		2	1	9	12
郵	ユウ					
幽	ユウ					
雄	ユウ		4	2	1	7
		おす				
裕	ユウ		1			1
猶	ユウ		1			1

漢字	音	訓	VII	VIII	IX	計
融	ユウ		1			1
誘	ユウ		3	2		5
		さそう	1			1
優	ユウ		3	4		7
		やさしい			1	1
憂	ユウ		2			2
		うれえる		1		1
与	ヨ		13	3		16
		あたえる	10	15	18	43
誉	ヨ		2	1	1	4
		ほまれ			1	1
羊	ヨウ			1	1	2
		ひつじ				
幼	ヨウ		14	11	1	26
		おさない	6	3	1	10
庸	ヨウ			1		1
揚	ヨウ			3		3
		あげる	2	2	1	5
溶	ヨウ		1			1
		とける	3	1	2	6
腰	ヨウ			3		3
		こし	7	4	15	26
揺	ヨウ		2		1	3
		ゆれる	3	3	2	8
窯	ヨウ			3		3
踊	ヨウ			1		1
		おどる	5	5		10
謡	ヨウ		2		1	3
		うたい		3	28	31
擁	ヨウ		1		2	3
抑	ヨク				1	1
翌	ヨク		12	4	1	17
翼	ヨク		1		2	3
		つばさ	1	2	1	4
裸	ラ					
		はだか	4			4
雷	ライ				3	3
		かみなり				
頼	ライ		3	1		4
		たのむ	10	3	3	16
絡	ラク		2	4	1	7
酪	ラク			1		1
卵	ラン		1	2		3
		たまご	1	5	1	7
乱	ラン		4	6		10
		みだれる	6	7	5	18
濫	ラン				1	1
欄	ラン				1	1
覧	ラン			5	1	6
吏	リ			1		1
痢	リ					

漢字	音	訓	Ⅶ	Ⅷ	Ⅸ	計
履	リ					
離	リ		8	2	1	11
		はなれる	15	12	9	36
裏	リ				4	4
		うら	14	5	2	21
柳	リュウ					
		やなぎ		3		3
粒	リュウ			1		1
		つぶ		1		1
隆	リュウ		1	7	1	9
硫	リュウ					
虜	リョ					
慮	リョ		5	3	6	14
了	リョウ		3	2	3	8
涼	リョウ		1	1	1	3
		すずしい	13	11	1	25
猟	リョウ		2		1	3
陵	リョウ		1	1		2
		みささぎ				
僚	リョウ			1		1
寮	リョウ				3	3
療	リョウ		2		1	3
糧	リョウ		7			7
厘	リン		2			2
倫	リン					
隣	リン		3	4		7
		となり	2	4	6	12
涙	ルイ		1	1	2	4
		なみだ	9	17	8	34
累	ルイ				2	2
塁	ルイ					
励	レイ		1	5	1	7
		はげむ	5		1	6
零	レイ					
鈴	レイ					
		すず		9		9
霊	レイ		4	4	2	10
隷	レイ		5			5
齢	レイ		8		1	9
麗	レイ		1	1		2
		うるわしい				
暦	レキ					
		こよみ	1	1		2
劣	レツ		1	1	1	3
		おとる		2	5	7

漢字	音	訓	Ⅶ	Ⅷ	Ⅸ	計
烈	レツ		3	6	1	10
裂	レツ		3			3
		さく	3		1	4
恋	レン			3	1	4
		こいしい				
廉	レン					
錬	レン			1		1
炉	ロ		4	1		5
露	ロ		2	7	2	11
		つゆ		6		6
浪	ロウ			4	2	6
朗	ロウ			3	1	4
		ほがらか				
郎	ロウ		3	13	1	17
廊	ロウ		6		2	8
楼	ロウ			5	1	6
漏	ロウ					
		もる		1	1	2
賄	ワイ					
惑	ワク		3	2	2	7
		まどう	2	1	1	4
腕	ワン			4		4
		うで	5	12	4	21
湾	ワン			2	3	5

15. ひらがなの読み書き

これから報告するのは，ひらがなの読み書きについて，調査した結果である。この調査は，昭和22年に，小学校の1年生と2年生に行ったのであるが，上に述べた漢字の調査と似た結果の出ている点もあるので，あわせて報告するのである。

小学校の1年生は，昭和21年までは，かたかなを学んでから，ひらがなの学習にはいっていた。ところが，昭和22年から，かたかなを学ばずに，すぐにひらがなを学ぶことになった。そこで，1年生にひらがなを指導する参考資料を得るという目的で，ひらがながどれだけ読めるか，書けるか，また，ひらがなをどんなに読むか，書くかについて，昭和22年の4月の初めに，小学校の1年生と2年生とを調査し，さらに，この年の7月の末に，同じ調査を，同じ1年生に行って，1学期間の学習で，児童がひらがなをどれだけ覚えたかを確かめた。

ここには，この調査の結果のあらましを報告するのであるが，幾字を正しく読むことができたか，書くことができたかのようなことも；また，1年生が1学期間の学習で，どれだけ発達したかということも省いて，ひらがなの学習指導と，もっとも深い関係を持つ結果だけを報告するにとどめたい。

(A) 調査の方法

児童がひらがなを，どれだけ読むことができるか，書くことができるか，また，どんなに読むか，書くかについて調査したのであるが，調査は，どの学校でも，次の方法で行われた。

読み方の調査

（1） 5 cm^2 のカードを作って，どのカードにも，表には1字ずつひらがなを書き，裏には児童に示す順序の番号を書いた。カードは裏返して，番号の1がいちばん上になるように，番号の順序に重ねておいて，上から1枚ずつ取って，表を出して，児童の前に置いて，書いてある字を読ませた。読ませた順序は，

は，お，る，つ，て，や，さ，ろ，ま，ぬ，そ，し，え，の，い，あ，
ひ，り，れ，ゐ，こ，み，ゑ，と，ち，た，ら，ふ，め，ほ，わ，な，
ん，よ，け，む，ゆ，す，に，を，ね，せ，う，も，き，へ，く，か，
だ，び，が，じ，づ，べ，ぐ，ぜ，ど，ば，ご，ざ，ぢ，ぶ，ぎ，ず，
で，ぼ，げ，ぞ，ぱ，ぽ，ぴ，ぺ，ぷ。

である。

（2） 調査には，ふたりの教師があたって，ひとりはカードを示して，児童に読ませ，もうひとりは，そばにいて結果を記録した。

（3） 児童はひとりずつ，別々に調査した。

（4） カードを10秒間見せて，読むことができなければ，読めないものとみなして，次の字に進んだ。

（5） 成績の記録は，次のようにした。

（イ）正しく読めた字には○印をつける。（ロ）読みかえて正しく読んだ字には△印をつけて，その下に読み違えた音を全部しるす。（ハ）読みかえても，とうとう正しく読めなかった字には×印をつけて，その下に読み違えた音を全部しるす。（ニ）以上にあてはまらなくて，読めなかった字には×印をつける。

こういうように，ひらがなを一字一字出して読ませたのである。文字の出し方は，ことば，または，文にして出すこともできるが，それでは，読めない字でも，前後のつながりで，正しく読むことがあって，読めるかどうかを

じゅうぶん確かめることができないと思ったので，この方法は採らなかったのである。

書き方の調査

（1） その学級の全部の児童の読み方の調査が済んでから，書き方の調査をした。

（2） 2年生は，1学級いっしょに書かせたが，1年生は，ひとりひとり書かせた。

（3） 書かせる字は，「はなのはという字をお書きなさい」「おけのおという字をお書きなさい」のように示して書かせたのであるが，「はな」「おけ」のようなことばは，おのおのの学校で，児童にわかりやすいことばを選んでもらった。しかし，ことばは，あらかじめ選んでおいて，一つの学校では，2年生にも，1年生にも，どの学級でも，同じことばを使って書かせた。

すべての学校で使うことばを一定にしなかったのは，児童にわかりやすいことばを選びたかったからで，方言のほうがわかりやすければ，方言を使って書かせてもいいことにしたのである。

（4） 書かせる字の順序は，読み方の調査の順序と同じにした。

（5） 15秒間に書くことができない字は，書けないものとみなした。しかし，この時間は，児童の様子によって，もっと長くも，短くもした。

（6） 1年生には，石盤などに書かせた。石盤の場合は，書きまちがえた字の形は，教師が浄書して，ひかえるようにした。

学校と児童の数

調査した学校は，次の3校で，どの学校も，そのころ，文部省の実験学校として，国語の研究を受け持っていた学校である。

長野師範学校男子部附属小学校

千葉師範学校男子部附属小学校
千葉師範学校女子部附属小学校

調査した児童の数は，第31表に示すとおりである。すなわち，1年生も

第31表 ひらがなの読み書きを調査した児童数

学年	Ⅰ						Ⅱ		
時期	昭和22年4月			昭和22年7月			昭和22年4月		
学校＼男女	男	女	計	男	女	計	男	女	計
長・男・附	66	70	136	66	70	136	71	53	124
千・男・附	45	44	89	47	46	93	45	51	96
千・女・附	46	37	83	49	41	90	44	34	78
計	157	151	308	162	157	319	160	138	298

2年生も，300人ほどで，どの学年でも，男女ほぼ半数ずつである。

(B) やさしい字とむずかしい字

この調査を行うまでには，1年生も2年生も，まだ，その学年の国語科の指導は受けていなかった。それで，1年生が読んだり書いたりできた字は，就学前に家庭で覚えた字である。

2年生は，1年生のときの11月の末，または，12月の中ごろから，学校でひらがなの指導を受けていた。そのときの国語の教科書は，「ヨミカタ二」であるが，児童は，この教科書を学んだだけでなく，カード遊び，かるた遊び，五十音表，そのほかいろいろな方法で，ひらがなを学んでいた。どの学校でも，これらの児童が第1学年を修了するまでに，35時間ほどを，ひらがなの指導に費していた。

しかし，1年生はいうまでもなく，2年生でも，ひらがなを学んでいる途中である。かるた遊びなどで，2年生は全部のひらがなに触れたかもしれないが，「ヨミカタ　二」には，まだ，全部のひらがなは出ていない。

それで，これらの児童は全部のひらがなを同じように学んでいるわけではなく，幾度も読んだり書いたりした字と，そうでないと字とがある。したがってこの調査の結果から，どの字が，どれだけ，むずかしいか，やさしいかを，決めることはできない。しかし，この調査で，まちがえずに読んだり，書いたりした児童の多い字は，この調査の児童にとっては，割合やさしい字であるということができる。ここで，むずかしい字，やさしい字というのは，こういう意味である。

読むむずかしさと書くむずかしさ

文字がむずかしいか，やさしいかは，読むという立場からも，書くという立場からも考えることができる。そうして，この二つを結びつけると，読むむずかしさと，書くむずかしさとが，ほぼ一致すると思える字と，そうでない字とがある。読むことのできる人数も，書くことのできる人数も，割合多い，または，少ない字もあるが，読むことのできた人数からいうと，やさしい字であるが，書くことのできた人数からいうと，さほどやさしい字ではないと思える字もあるし，逆に，書くことでは，よほどやさしい字のようであるが，まちがえずに読んだ人数は，割合少ない字もある。第32・33表は，この関係を，ひらがなの一字一字について示したものである。

第32表は，2年生の成績を掲げたのであるが，横の軸の数字は，正しく読むことのできた人数（百分率）で，縦の軸の数字は正しく書くことのできた人数（百分率）である。正しく読むことのできた人数には，読み直して正しく読めたものははいっていない。このことは，これから後のどの表でも同じである。

第32表を見ると，「か，ん，う」は，2年生の99パーセントが正しく読むことができたし，「ぬ」は78パーセントの2年生が正しく読んだだけであるなどのことがわかる。第32表を見ると，書くことについても，同じことがわかる。

しかし，こういうこととは別に，第32表は，読むむずかしさと書くむずかしさとの関係を示している。つまり，「か」は2年生の99パーセントが正しく読むし，96パーセントが正しく書く，「な，ふ，ぐ，ご，で」の5字は，95パーセントの児童が正しく読み，90パーセントの児童が正しく書くなどのことを語っている。

正しく書くことのできた人数は，正しく読むことのできた人数より少ないのであるが，このことは考えずに，もし，正しく読む児童の多い字は，正しく書く児童も多いし，正しく書く児童の少ない字は，正しく読む児童も少ないという関係が完全であれば，第32表の全部の字は，表の右上から，左下への対角線の上に集まるはずである。

それで，この対角線からそれている字は，読むむずかしさと，書くむずかしさとの食い違っている字なのである。そうして，対角線からそれている字が多いほど，また，対角線から大きくそれている字の多いほど，読むことと書くこととのむずかしさの食い違いが大きいことになる。

そうして，対角線より上のほうにある字は，読むことより，書くことがやさしかった字で，対角線より下のほうにある字は，書くことに比べると，読むことがやさしかった字なのである。

こういう考え方で，第32表を見ると，「か，ん，の，り，お，が，や，ら，し」などは，ここで調査した2年生にとっては，読むことも，書くことも，やさしかった字で，「ゐ」は読むことも，書くことも，飛び離れてむずかしかった字である。

第 32 表　ひらがなの読むむずかしさと書くむずかしさとの相関表（小学校第２学年）

書・正答率＼読・正答率	77	78	79	80	81	82	83	84	85	86	87	88	89	90	91	92	93	94	95	96	97	98	99
97																				し			
96																	さ			つ		の	か
95																	へ	きは	す	あて	と	りおがや	ん
94																ぎ		にま	べ		く		
93							ろ												ちひ			た	う
92														そ				けも	ど		いだ		
91															らる			よび		せみ			
90																			なふくごで	こ			
89											れ		ば			ざび							
88													ほ					ぜ					
87															ぞ	ぺ		げ					
86											ね				むわ			め					
85								ば	ぽ	ぷ													
84																	ゆ		え				
83																			ず				
82		ぬ																じ					
81											ぽ					ぶ							
80																							
79																							
78																							
77																							
76																	づ						
75																	ぢ	を					
74																							
73	ゐ																						
72																							
71															ゑ								

第 33 表　ひらがなの読むむずかしさと書くむずかしさとの相関表（小学校第１学年—就学時）

書・正答率＼読・正答率	14—	16—	18—	20—	22—	24—	26—	28—	30—	32—	34—	36—	38—	40—	42—	44—	46—	48—	50—	52—	54—	56—	58—
30—																							か
28—																こ							
26—													い					の					
24—																							
22—																り							
20—								は	つ			し			き								
18—							ま		お	た	う			へ			と						
16—							て	さ				みが	や										
14—							あるに			ん	せ												
12—					ろ	け	な	ひ	よ	す													
10—				ら		ち		だ	ご	ど													
8—				えば	も		ずごぺ		じ		く												
6—	れ	ほば		ぴ	ふをげざ		ぐづ	ぎ	ぜべ														
4—	ぬむぼ	そ	ゆわ	ぞびぶ			め																
2—		ねぽゑぷ		ぢ																			

「ろ」は読むことより，書くことのほうがやさしい結果を見せている極端な字である。「ろ」は「る」と読み違える児童が多かったからである。

また，「ゑ」は，読むことより，書くことのできなかった極端な字であるが，これは，「え」と書き違えたものが多かったのである。そのほか，読むことより，書くことが，はるかにむずかしかった結果になっている字には，「ぢ，づ，を」がある。「じ，ず，お」と書いたものが多かったのである。

これらの字より程度は低いが，「さ，へ，ぎ，そ，れ，ば，ぬ」などは，2年生にとって，読むことに比べると，書くことのほうがやさしい結果になっている字で，「え，ゆ，ず，じ，ぶ」などは，書くよりも，読むほうがやさしい結果になっている字である。

同じことを，第33表について見ると，就学した時の1年生では，「か」を正しく読んだ人数と，正しく書いた人数が，ほかの字より飛び離れて多い。これについで，「の，こ，り，き，い，と」などが，読み書きともに，やさしい結果になっている。

そうして，「こ，い，つ，は，ま」などは，1年生にとって，読むより，書くほうがやさしい字のようであるし，「と，く」などは，書くより，読むほうがやさしい字のようである。

次に，第32表と第33表とを並べて，文字のちらばりを比べると，右上から左下への対角線に添って文字の集まっている程度は，第33表のほうがよほど濃い。第36表に示すように，正しく読んだ人数と，正しく書いた人数との相関係数は，2年生では，0.54であるが，1年生では，0.85である。つまり，読むことと，書くこととの，一字一字のむずかしさ，やさしさは，2年生より，1年生のほうが，ずっとよく一致するのである。これは，学習の進み方が低いほど，一字一字のやさしさ，むずかしさの隔たりが大きくなって，読むむずかしさと，書くむずかしさとの違いが，その陰に隠れるため

であろう。

1年生と2年生

2年生によく読まれる，または，書かれるひらがなは，就学したばかりの1年生にも，よく読まれる，または，書かれる傾向をもつであろうか。つまり，2年生にとって，むずかしい，または，やさしい字は，就学したときの1年生にも，むずかしい，または，やさしい字であろうか。あるいは，ひらがなのむずかしさは，就学してから1年を経た2年生と，就学したばかりの1年生とでは，まったく違うのであろうか。第34・35表は，この関係を示す相関表である。

第34表は，1年生と2年生とで，読むむずかしさが，どんなに違うかを示したもので，横の軸の数字は2年生の正しく読んだ人数（百分率），縦の軸の数字は1年生の正しく読んだ人数（百分率）である。文字のちらばりがJの字に似た形になって，むずかしさの程度が，2年生によりも，1年生に強い字が多いことを語っている。

第34表を見ると，2年生にとっても，1年生にとっても，「か」が，いちばん読みやすく，「ぬ，ゐ」が，いちばん読みにくい。「か」についで，「の，と，り」などが，2年生も，1年生も，よく読むことのできる字である。「う，ん」は，2年生では，いちばんよく読まれているが，1年生ではさほどでない。濁音，半濁音は，2年生でも，まちがえて読むものが少なくないのであるが，1年生では，「ど，べ，ご，じ，ぜ」などは，さほど低い位置を占めてはいない。

第35表は，書くむずかしさが，1年生と2年生と，どれだけ一致するかを示したもので，横の軸の数字は，2年生の正しく書いた人数（百分率）で，縦の軸は，1年生の正しく書いた人数（百分率）である。文字のちらばりは第34表と同じように，J字形になっていて，むずかしさの程度の1年生に

第 34 表　1年生と2年生との読むむずかしさの一致

1年正答率＼2年正答率	77	78	79	80	81	82	83	84	85	86
58—										
56—										
54—										
52—										
50—										
48—										
46—										
44—										
42—										
40—										
38—										
36—										
34—										
32—										
30—										
28—										
26—										
24—										
22—							ろ			
20—										
18—										
16—								ば	ぼ	ぷ
14—	ぬ									
12—										
10—										
8—	ゐ									

1年正答率＼2年正答率	87	88	89	90	91	92	93	94	95	96	97	98	99
58—													か
56—													
54—													
52—													
50—													
48—												の	
46—											と		
44—												り	
42—								き		こ			
40—							へ						
38—											い	や	
36—										しみ		が	
34—										せ	く		う
32—									すどべ			た	ん
30—								よじぜ	ご	つ		お	
28—					る	ぎ	さ	は	ひ		だ		
26—						ぺ	づ	にまめ	なぐづで	あて			
24—						ざ		け	ち				
22—								もをげ	ふ				
20—			ぼ		らぞ	ぶび	ぢ	び	え				
18—					わ		ゆ						
16—	ね		ほ	そ	ゑ								
14—	れぽ				む								
12—													
10—													
8—													

第 35 表　1年生と2年生との書くむずかしさの一致

1年正答率＼2年正答率	71	72	73	74	75	76	77	78	79	80
30—										
28—										
26—										
24—										
22—										
20—										
18—										
16—										
14—										
12—										
10—										
8—										
6—					を	づ				
4—			ゐ							
2—	ゑ				ぢ					

1年正答率＼2年正答率	81	82	83	84	85	86	87	88	89	90	91	92	93	94	95	96	97
30—																か	
28—										こ							
26—												い				の	
24—																	
22—															り		
20—															きは	つ	し
18—													うた	ま	おとへ		
16—											み				てやが	さ	
14—											せる			に	あん		
12—										な	よ	け	ひろ		す		
10—										ご	ら	だど	ち				
8—		じ	ず	え			ぺ		ば	で		も		く			
6—					ば		げ	ほぜ	れざび	ふぐ				ぎべ			
4—	ぶぽ	ぬ		ゆ		むわめ	ぞ				び	そ					
2—					ぽぷ	ね											

強い字の多いことを語っている。

第35表によれば，2年生にとっても，1年生にとっても，いちばん書きやすい字は，「か，の」などで，これは，読む場合と，だいたい同じである。

2年生にとっても，1年生にとっても，書くことの，いちばんむずかしい字は，「ゑ，ゐ，を，ぢ，づ」で読む場合に比べると，「ゑ，を，ぢ，づ」が加わっている。

そうして，「こ，い」は，2年生に比べて，1年生のほうが，正しく書くことのできるものが，割合多いし，「す，く，べ，ぎ，そ，び」などを正しく書くことのできるものは，1年生より，2年生に割合多い。

第34表と，第35表とによれば，こういうように，読むことからいっても，書くことからいっても，1年生にも，2年生にも，割合むずかしい，またはやさしい字のほかに，2年生よりも，1年生にとって，割合むずかしい，または，やさしい字があるように見える。しかし，おしなべていうと，読むことにせよ，書くことにせよ，2年生にとってむずかしい字は，1年生にとっても，どちらかというとむずかしいし，1年生にとってやさしい字は，2年生にとっても，どちらかというとやさしいといえる傾向が見られる。

第36表に掲げるように，1年生と2年生との，正しく読むことのできた人数の相関係数は，0.74で，正しく書くことのできた人数の相関係数は，0.66である。

相関係数

第36表は，1年生と2年生とのひらがなの読み書きと，2年生が1年生のとき学んだ国語の教科書「ヨミカタ　二」に出ているひらがなの回数との相関係数で，ピアスンの方法によって求めたものである。読むことと書くこととの相関，読み書きの成績の1，2年生の相関については，上に述べたから，ここでは，「ヨミカタ　二」に出ているひらがなの回数と，ひらがなの読み

書きの成績との相関について考える。

第36表を見ると，国語の教科書に一字一字のひらがなが幾度出ているかという回数と，2年生の読み書きの成績との相関係数は，0.5前後であるということができる。つまり，教科書に出ている回数の多いひらがなほど，どちらかというと，よく読んだり，書いたりされるので，2年生にこの結果が見られるのはあたりまえである。

第36表　相関関係数

	2年読	2年書	1年読	1年書	提出回数
2　年　読	—	.54	.74	.59	.46
2　年　書	.54	—	.61	.66	.51
1　年　読	.74	.61	—	.85	.57
1　年　書	.59	.66	.85	—	.71
提　出　回　数	.46	.51	.57	.75	—

ところが，第36表によれば，「ヨミカタ　二」にひらがなの出ている回数と，1年生の読み書きの成績との間にも，2年生に劣らないというよりは，2年生より高い相関係数が見られる。

1年生は就学したばかりの児童である。そうして，かたかなを学ばずに，すぐにひらがなを学ぶことは，この年から始まったのであるから，これらの児童の保護者で，このことを知っていたものは，いくらもなかったことと思う。したがって，これらの児童の中には，就学の準備として，家庭でかたかなを学んだものは多かったかもしれないが，ひらがなを学んだものは，いくらもなかったことと思う。それで，「ヨミカタ　一」は，家庭で学んだにしても，「ヨミカタ　二」のひらがなのある部分まで，家庭で学んだ児童が，1年生にたくさんあったとは思えない。それにもかかわらず，「ヨミカタ　二」

に出ているひらがなの回数と，これらの１年生の読み書きの成績との間に，かなり高い相関が見られるのである。

こう考えると，「ヨミカタ　二」に出る回数の多いひらがなは，国語の教科書以外の児童の読み物，そのほか，児童の環境の中に出る回数も多いので，国語の教科書で学ばなくても覚える児童があるし，国語の教科書で学べば，なおさらよく覚える結果になるのではないかと思える。

なお，「ヨミカタ　二」には，全部のひらがなが出ているわけではないが，児童の中には，この教科書に出ていないひらがなを，正しく読んだり，書いたりするものがある。２年生は学校で，かるた遊びなどの指導を受けて学んでいるためでもあろうが，やはり，国語の教科書以外の読み物などから得ているのでもあることと思う。

(C)　よく覚えられる字

児童にとって，やさしいひらがなと，むずかしいひらがなとがあるように思えることは，上の項で述べた。ここでは，どの字が，なぜ，割合たやすく読んだり，書いたりされるのであろうかについて考えたい。

２年生がよく読んだり，書いたりするひらがなは，どちらかというと，１年生もよく読んだり，書いたりする。このことも，上の項で述べたのであるが，２年生の結果を本体にし，１年生の結果を参考にしてまとめると，児童が割合たやすく読んだり，書いたりするひらがなは，（１）形の簡単な字，（２）形のおもしろい字，（３）幾度も出てくる字，（４）あ行の字，（５）かたかなと似ている字である。

それで，これについて，もう少し詳しく述べるのであるが，かたかなと似ている字をよく覚えるというのは，これらの児童がかたかなを学んでから，ひらがなを学んだためであるに違いない。２年生は，１年生のとき，かたか

なをさきに学んで，ひらがなにはいったのであるが，１年生も，家庭でかたかなを，さきに学んだことと思う。したがって，かたかなを学ばずに，すぐにひらがなを学ぶ今の児童には，かたかなと似ているひらがなをよく覚えるという傾向は，見られないはずである。

（１）　形の簡単な字――漢字でも，字画の簡単な字のほうが，割合よく覚えられたのであるが，ひらがなでも同じようである。形の簡単な字としては「い，く，こ，し，つ，て」をあげることができる。そうして，これらのどの字も，よく読んだり，書いたりされている。「く」が，１年生によく書けなかっただけである。

これらの字のうち，「い，し，つ」は，「ヨミカタ　二」に出ている回数の多い字で，「い」は，あ行の字である。

（２）　形のおもしろい字――児童が，どの字の形をおもしろいと思うかは確かにはわからない。おもしろいと思うかどうかを，児童に尋ねたわけではない。また，児童に尋ねても，内省する力の発達していない，この年齢の児童の答が，信頼できるとは思えない。ここで「おもしろい字」というのは「児童がおもしろいと思いそうな字」という意味である。こういう字としては，「の，ん」などがある。

「ん」は，１年生の成績では，そんなに高い位置を占めていないが，２年生では，いちばんよく読まれた字で，書くほうからいっても，３番目によく書かれている。「の」は，「ヨミカタ　二」に出ている回数も多い字である。

（３）　幾度も出てくる字――ここでは，「ヨミカタ　二」だけについていうのである。「ヨミカタ　二」に幾度も出てくる字としては，「い，か，し，た，つ，の，ま」などをあげることができる。これらの字の出ている回数は

し……46回　の……43回　た……42回　つ……40回
い……37回　ま……30回　か……28回

である。国語の教科書以外に，児童の環境の中に幾度も出てくる字は，このほかにもあることと思う。

これらの字のうち，「か」はかたかなに似た字であるし，「い，し，つ」は，形の簡単なものとしてあげた字で，「の」は，形がおもしろいと思える字である。

（４） あ行の字——あ行の字のうち，「え」は「ゑ」とまちがいあうために，読み書きの正しくできる児童の数は，そんなに多くない。「あ」と「お」も混同されるが，どちらも，２年生では，読み書きの正しくできるものが多い。「い」は，形の簡単なものとしてあげた字であるし，「う」はかたかなに似ている字である。

あ行の字が，よく読まれもし，書かれもするというのは，ひらがなを五十音表で学ぶためであるに違いない。しかし，１年生には，家庭で五十音表を学んだものが多くなかったためか，「あ」と「お」の，１年生に正しく読み書きされる位置は，そんなに高くない。

（５） かたかなに似ている字——かたかなに似ているひらがなをよく覚えるということは，かたかなを学ばずに，すぐひらがなを学ぶ今の児童にはないことと思う。かたかなに似ている字としては，「う，か，せ，へ，や，り」をあげることができる。このうち，「う」は，あ行の字であるし，「か」は，「ヨミカタ　二」に出ている回数の多い字である。そうして，「か」は，１，２年生を通じて，正しく読み書きする児童の，いちばん多い字である。

（D） 読みまちがえ

児童は，ひらがなを，いろいろに読みまちがえるが，次のようにまとめることができる。（１）字の形が似ているのでまちがえるもの，（２）五十音表の同じ行のほかの字とまちがえるもの，（３）五十音表の同じ列の，隣の

字とまちがえるもの，（４）発音を混同してまちがえるもの，（５）濁点と半濁点をまちがえるもの，（６）思いつくままに読んでまちがえると思えるものである。一字一字のまちがいについては，巻末に表にして掲げるが，ここでは，このあらましを述べる。

（１） 字の形が似ているのでまちがえる。

「あ」を「お」と読むもの，「お」を「あ」と読むもの，「い」と「こ」を混同するもの，「き」と「ま」を混同するもの，「は」と「ほ」を混同するもの，「ぬ」と「ね」と「め」を混同するもの，「ち」を「さ，ら，ろ」などと読むもの，「わ」を「ね，れ，ぬ」などと読むものなど，さまざまである。たいていの字が，なにか，それに似た字とまちがえられている。そうして，この種類のまちがいが，児童の読みまちがえのうちで，いちばん多い。

（２） 五十音表の同じ行の，ほかの字とまちがえる。

「す」を「さ」と読んだり，「そ」と読んだりするもの，「も」を「ま，み，む，め」と読むもの，「ゐ」を「わ」と読むものなどが，その例である。中には，たとえば，「ぴ」を「ぷ」と読んで，まちがいと気づいて，「ぺ」と読み直すように，ひとりで同じ行のいろいろな字を拾って読んで，まちがえるものもあった。この種類のまちがいは，前の「形が似ているのでまちがえるもの」に次いで数が多い。

（３） 五十音表の同じ列の隣の字とまちがえる。

「あ」を「か」と読んだり，「き」を「い」と読んだり，「た」を「さ」または「な」と読んだり，「れ」を「え」と読んだりするもので，五十音表の同じ列の，右隣，または，左隣の字と，まちがえて読んでいると思えるものである。この種類のまちがいは，そう多くはない。

五十音表の同じ行のほかの字とまちがえるにしても，同じ列の隣の字とまちがえるにしても，それは，五十音表によって，ひらがなを学んだためであ

るに違いない。1年生には，こういうまちがいは，きわめてわずかである。

（4） 発音を混同してまちがえる。

「ふ」を「う」と読むとか，「は」を「わ」と読むとか，「へ」を「え」と読むなどで，この種類のまちがいは，いちばん少ない。「ひ」を「し」と読むものや，「し」を「ひ」と読むものもあるが，これは，関東だけにあるまちがいであろう。しかし，ほかの地方で調査すれば，これに似た別なまちがいが出てくるかもしれない。

（5） 濁音と半濁音とをまちがえる。

これには，「は」を「ば」と読んだり，「ふ」を「ぶ」と読んだりするように，濁点も半濁点もない字を，濁音や半濁音に読むもの，逆に，「で」を「て」と読んだり，「ぴ」を「ひ」と読んだりするように，濁点か半濁点かのある字を，濁点も半濁点もないように，澄んで読むもの，また，「べ」を「ぺ」と読んだり，「ぼ」を「ぽ」と読んだりするように，濁点と半濁点とを，とりちがえて読むものがある。この種類のまちがいは，かなり多い。

（6） 思いつくままに読んだと思えるまちがい。

この種類のまちがいは，「く」を「の」と読むとか，「す」を「め」と読むとかのようなもので，なぜそうまちがえて読んだのかを理論的に解釈することのできないものである。つまり，思いつくまま，でまかせに読んだとしか思えないものである。この種類のまちがいも，かなり多い。

児童の読みまちがえは，まちがえてから，読みかえて，正しく読んだものの読みまちがえと，読みまちがえたまま，読みかえさなかったもの，または読みかえても，正しく読めなかったもののまちがいとに分けて調べたのであるが，この思いつくまま読んだと思えるまちがいは，読みかえて正しく読んだもののまちがいには，ほとんどなくて，正しく読むことのできなかったものに多く見られた。この点からいっても，この種類のまちがいは，でまかせ

に読むことからきたものと考えて，さしつかえないと思う。

なお，上の（1）から（5）までのまちがいの原因は，1字については，一つの原因が働くというわけではなくて，いくつもの原因が結びついて，読みまちがいになっていると思えるものがある。

「ぐ」を「へ」と読んだり，「べ」を「く」と読んだりするのは，形の似ているためのまちがいと，濁音・半濁音のまちがいとが結びついたものである。

「ゑ」を「い」と読んだり，「う」と読んだり，「お」と読んだりするのは「ゑ」を「え」とまちがえて，「え」があ行の字であるために，あ行のほかの字とまちがえるものと思える。「こ」を「う」と読んだり，「え」と読んだりしたのも，「こ」を「い」とまちがえたと考えれば，同じように解釈することができる。

「む」を「ぬ」と読んだものなども，ま行の「む」と「め」とのまちがいと「め」と「ぬ」とのまちがいとが結びついたものと解釈すれば，読みまちがえた原因がわかる。

(E) 書きまちがえ

書きまちがえにも，読みまちがえと同じ原因からくると思えるものがある。すなわち，（1）「あ」と「お」とを混同するように，字の形が似ているためにまちがえたと思えるもの，（2）「く」を「か」と書くように，五十音表の同じ行の別な字とまちがえたと思えるもの，（3）五十音表の同じ列の隣の字とまちがえたと思えるもの，（4）「し」と「ひ」とを混同するような，発音からくるもの，（5）「て」を「で」と書くような，濁点と半濁点とのまちがい，（6）思いつくままに，どの字でも，でまかせに書いたと思えるまちがいがある。

このうち，発言からくるまちがいが，かなり多いが，「い」と「ゐ」，「え」と「ゑ」，「を」と「お」，「じ」と「ぢ」，「ず」と「づ」などの混同は，やむを得ないことである。

書きまちがえには，こういう読みまちがえと同じまちがいのほかに，このことがあるから，1個の字として許せなくなるというまちがいがある。このまちがいを，ことばで詳しく述べることはむずかしいが，おもなものをまとめると，

（1） 字の一部分が欠けているもの。

（2） よけいな部分を付け加えたもの。

（3） 字の形が，はなはだしく，変っているもの。

（4） 字の一部分，または，全部が左書きになっているもの，すなわち裏返したように書いたもの。

で，漢字の誤字にもあったことである。これらの書きまちがえのおもなものは，巻末に掲げる。

（F） ひらがなの学習指導への示唆

これまでに述べた，児童の読みまちがえと，書きまちがえの姿から，ひらがなの学習を指導するにあたって，気をつけなければならない事がらを考えれば，次のようである。

（1） 指導者は，児童が，どの字を，どんなにまちがえるか，それはなぜであるかをわきまえていて，適切な指導法をくふうすること。

児童が，どんなに読みまちがえるか，書きまちがえるかのあらましは，前もって知ることができる。たとえば，「お」は「あ，ち」などとまちがえるかもしれないとか，「せ」は「さ，け，や，き，ち」などとまちがえるであろうとかいうように，前もって見当をつけることのできるものが多いし，ま

た，なぜそうまちがえるかの原因も，ほぼ見当をつけることができる。ひらがなを指導する方法のくふうは，ここから出発したい。

（2） 形が似ているためにまちがえる字は，似ている字どおしを比べ合わせて，その違っているところを研究させて，一字一字の特徴を，はっきり学ばせること。

形が似ているほかの字とまちがえるものが多いのであるが，形の似ている字は，一字ずつ別な時に見るのでは，違うところがわかりにくい。それで，「め」と「ぬ」と，どこが違うか，「わ」と「れ」と「ね」とはどうかのように，似ている字を並べて，その特徴を話し合わせるような方法が，効果の多い指導法であると思う。

しかし，たとえば，「め」だけが出てきて，まだ「ぬ」が出てこないときに，「ぬ」もいっしょに持ち出して比べては，かえって両方を混同させる恐れがある。それで，まだ「ぬ」が出てこないときに「め」だけ出てきたのならば，「め」だけを指導して，後に「ぬ」が出てきたときに，すでに学んでいる「め」と比べて，違うところを発見させる方法を採りたい。

（3） 五十音表で機械的に学ばせる方法は避けること。

五十音表は，発音の系統によって，かなを示しているのであるから，たいせつなものではあるが，これによって，早くから，機械的に学ばせると，同じ行や，同じ列の別な字とまちがえて，ひらがなを読んだり，書いたりするようにもなるし，そのほか，児童の学習効果に，もっと大きな害を与えることになると思う。

（4） 指導者は，はっきり発音して指導すること。

関東地方では，「ひ」と「し」が混同されるが，こういう種類のまちがいは，別な地域には，もっといろいろあると思う。児童のこういう発音の混同は，学校の外で養われるのであるが，指導者の正しい発音がなくては，直ら

ない。

（5） 個別指導を重んずること。

児童が，どの字を，どうまちがえるかは，人によって違う場合が多い。読むことでいえば，「さ」を「お」と読むものもあり，「き」と読むものも，「ら」と読むものも，「た」と読むものも，「な」と読むものもある。また「さ」は正しく読むが，「そ」をまちがえる児童もある。

それで，学校の全児童をいっしょに指導するだけでなく，ひとりひとりの児童が，自分のまちがいを悟って，自分で直すように指導したい。

（6） 筆順を指導すること。

児童の書きまちがえの中には，筆順をまちがえているために，誤字になっていると思えるものがある。

16. ひらがなの読みまちがえ

──（15. D参照）──

ひらがな	読みまちがえ					備考
	形が似ている	同じ行	同じ列	発音のまちがい	濁点と半濁点	
あ	おち	いうお	か			
い	こ	うえ（ちら）				「ち」「ら」と読んだのは．「い」と同じ行の「あ」とまちがえたか。
う	らりつ	お		ふ		
え	ネ	う				ネと読んだものが多い。
お	あち	あい				
か					が	
き	さまち	こ	い			
く	へ		す			
け	なはサ	かきこ				
こ	い	（うえふ）		（ふ）		「ふ」は「う」と読んだのか「う．え」は「い」と同じ行
さ	おきちたな	しすせ				
し	1			ひ		
す	さむ	さそ			ず	

ひらがな	読みまちがえ 形が似ている	同じ行	同じ列	発音のまちがい	濁点と半濁点	備考
せ	さけや（きち）	さしす（きち）				「き，ち」は「さ」とまちがこれば，「せ」と同じ行。
そ	てとえ		こと			
た	さにな		さな			
ち	さすらろる					
つ		（え）		（ふ）		「つ」を「う」とまちがえれば，「え」は「う」と同じ行
て	せつ七					
と	こそ		そ			
な	たはぼ				ぼ	
に	たこほ					
ぬ	ねめるる	ね				「ね」と読んだものが，非常に多い。
ね	ぬわれめ	な				
の	め					
は	ほまな		ま	わ	ば	
ひ		へほ	に	し		
ふ		ほ	む	う	ぶ	
へ	く	ふ		え	べぺ	「え」と読んだものが多い

ひらがな	読みまちがえ 形が似ている	同じ行	同じ列	発音のまちがい	濁点と半濁点	備考
ほ	はばまもな	はふへ			（ば）	
ま	もきなはほよ	も	は			
み	や	まめ				
む		め（ぬ）		ん		「ぬ」は「め」とまちがえたか。
め	ぬねあ	まむ				
も	きまとよ	まみむめ	よ			
や	かせ					
ゆ	け					
よ	と	ゆ				
ら	うちつるろ	りるろ（ね）				「ね」は「れ」とまちがえたか。
り	け	る				
る	ゆろぬ	らりれろ（わ）	う			「わ」は「れ」とまちがえたか。
れ	ねわぬ	らる	え			「ね」が多い。
ろ	るらちう	らるれ				「る」がとりわけ多い。
わ	ねれぬあ	（る）				「る」は「れ」と同じ行。
ゐ	るぬねわろみ	わ				「る」がずぬけて多い。

ひらがな	読みまちがえ					備考
	形が似ている	同じ行	同じ列	発音のまちがい	濁点と半濁点	
ゐ	るふ	(いう お)				「ゐ」を「え」と混同すれば「い，う，お」は同じ行。
を	なさ					
ん				むう		
が		ぎ			か	
ぎ	ざ				き	
ぐ	べへど	は			く(へ)	
げ	せばな	き			け	
ご	いどに				こ	
ざ	ぎぢだ				さ	
じ	ぐ	ず			し	
ず		ざせ			すせ	
ぜ	ざ	ざさ			せさ	
ぞ	でてど				て	
だ					た	
ぢ	ざ	(がご)				「ぢ」を「ぎ」と混同すれば「が，ご」は同じ行。
づ	でて	でて			て	

ひらがな	読みまちがえ					備考
	形が似ている	同じ行	同じ列	発音のまちがい	濁点と半濁点	
で	ブフぞ そ				て	「ブ」と「フ」が多い。
ど	ぞ				と	
ば	ぽぼげ だなま	ぼ			はばぼ	「ぼ」が多い。
び		ば			びひ	
ぶ		ぼ		う	ふぶ	
べ	でく	はひふ			へぺは ひふく	
ぼ	ばま	ばは			ぽほは	「ば」が多い。
ぱ	ぽばた なは	ぽぺび び			はびた ば	「ぽ」が多い。
ぴ		ふへほ べぺぶ			ひびほ へべふ	
ぷ		ぽぼほ ぶふ			ふぶぼ は	「ぽ」が多い。
ぺ	ん	ぱぽぶ ぷふ			へぶふ	
ぽ	はばば たま	ぱびぷ はば			ぼほば は	

17. ひらがなの書きまちがえ

ひらがな	書きまちがえ	ひらがな	書きまちがえ
あ	[illegible]	ぬ	[illegible]
い		ね	[illegible]
う	[illegible]	の	[illegible]
え	[illegible]	は	[illegible]
お	[illegible]	ひ	
か	[illegible]	ふ	[illegible]
き	[illegible]	へ	[illegible]
く	[illegible]	ほ	[illegible]
け	[illegible]	ま	
こ		み	[illegible]
さ	[illegible]	む	[illegible]
し	[illegible]	め	[illegible]
す	[illegible]	も	[illegible]
せ	[illegible]	や	[illegible]
そ	[illegible]	ゆ	[illegible]
た	[illegible]	よ	[illegible]
ち	[illegible]	ら	[illegible]
つ	[illegible]	り	[illegible]
て	[illegible]	る	[illegible]
と	[illegible]	れ	[illegible]
な	[illegible]	ろ	
に	[illegible]	わ	[illegible]

326

ひらがな	書きまちがえ	ひらがな	書きまちがえ
ゐ		ぢ	
ゑ	[illegible]	づ	[illegible]
を	[illegible]	で	[illegible]
ん	[illegible]	ど	[illegible]
が	[illegible]	ば	
ぎ	[illegible]	び	[illegible]
ぐ	[illegible]	ぶ	[illegible]
げ	[illegible]	べ	[illegible]
ご	[illegible]	ぼ	[illegible]
ざ	[illegible]	ぱ	[illegible]
じ	[illegible]	ぴ	[illegible]
ず	[illegible]	ぷ	[illegible]
ぜ	[illegible]	ぺ	[illegible]
ぞ	[illegible]	ぽ	[illegible]
だ			

327

初等教育研究資料第Ⅰ集

児童生徒の
漢字を書く能力とその基準

MEJ 2080

昭和27年4月30日印刷
昭和27年5月10日発行

著作権所有　文部省

東京都中央区入船町3の3
発行者　藤原政雄

東京都板橋区板橋町8の1952
印刷者　中村榊
新興印刷製本株式会社

東京都中央区入船町3丁目3番地
発行所　明治図書出版株式会社
電話築地(55)367番　振替東京151318番

定価 215 円

明治図書出版株式会社刊

定価 215 円

初等教育研究資料第II集

算　数
実験学校の研究報告

（1）

文　部　省

算数実験学校の研究報告

（1）

（1950年度）

文　部　省

実験学校の研究報告　刊行にあたつて

文部省において実験学校を設け，各教科の基礎的なことがらについて，実験的研究をしようとして努力してきました。

昭和25年度においては，算数科の実験学校を，千葉大学付属第一小学校，千葉市検見川小学校，東京教育大学付属小学校にお願をしました。幸に，実験学校においては，文部省の意図しているところを汲まれ，熱心に実験的な研究を進めてくださいました。この点につきましては，各実験学校に対し厚く御礼申し上げます。

このたび算数科の実験学校において，一応の成果を得ましたので，これを，初教等育研究資料第Ⅱ集として刊行する運びになりました。算数指導について研究しようとする人たちにとつて，よい手がかりとなるものと信じます。算数ならびに他の教科についても，今後，文部省の実験学校の研究の成果を，この初等教育研究資料として続刊するつもりであります。これを，初等教育振興に役立てていただきたいと思います。

文部省初等中等教育局 初等教育課長　大島文義

ま え が き

この実験学校の研究報告は，昭和25年度における文部省算数科実験学校の研究成果の報告を編集したものである。

実験的研究とはいえ，実際に指導してみたという程度を出ないのが，わが国における一般の現状ではないかと考える。ここにあげている研究は，こどものつまずきの原因を推定しては，これを実証していくという科学的な方法によって研究を進めての成果である。研究の成果を見て，これをさしたるものではないと考える人があるかもしれない。しかし，このような小さいことの研究にも，いかにくわしい計画のもとに，実験し，実証することが必要であるかを考えて頂きたい。このような地味な研究のために精進される実験学校に対して，深甚の敬意を表したいと考える。

本書は第Ⅰ部・第Ⅱ部及び第Ⅲ部に分かれている。第Ⅰ部は，千葉市検見川小学校の研究の報告を編集したものであり，第Ⅱ部は，千葉大学付属第一小学校の研究の報告を編集したものである。

第Ⅲ部は，実験学校研究発表会の際に，山梨県教育庁指導主事弥津忠則氏が発表されたものである。遅進児の指導に役立つと考えたので，この報告にのせることにした。この報告にのせることを心よく承諾して下さいました弥津氏に対し，厚く御礼を申し上げる次第である。

この研究報告が，算数指導についての実験的研究をしていく上に役立てて頂くならば幸であると考える。

初等教育課 文部事務官　和田義信

もくじ

第Ⅰ部

誤算についての研究

（2位数に基数をかける計算について）

千葉市立　検見川小学校

もくじ

1. はしがき

昭和25年6月，千葉市立検見川小学校は，文部省の算数科の実験学校に指定されて，誤算の実験研究に当ることになった。その後，職員は各分担に従い，こどもに対しての調査，あるいは実験指導，こどもの思考および指導内容の分析などについて研究を進め，常に実証的な研究を積み重ねて，ここにようやく一年間の成果を得たので，これを文部省に報告することになった。

広く御批評をあおぎ，これをもとにして，研究をさらに進めていきたいと考えている。

2. この研究はどんなねらいをもっているか

本校に実験学校の研究の課題として提示された問題は，「こどもは計算するにあたって，どんな点に，なぜつまずくか。」であった。この研究は従来行われたような，多くのこどもを調査し，それを集計して，その傾向を見るというただ表面的な研究ではない。あくまでも，こどもひとりひとりについて科学的に実験し，また指導して，その結果を実証的に判断するのでなければ，ほんとうの実験研究の成果は得られないと考えた。しかも，加減乗除の四則計算全般にわたっての研究は無理であり，とうてい実施できないと考えた。そこで，提示された研究課題を次のように限定して，研究を進めることにした。「こどもは2位数に基数をかける計算において，どんな点になぜつまずくか。」すなわちこの研究は，2位数に基数をかける計算について，こどもの誤算を見つけ出し，なぜそのような誤算をするか，すなわち誤算の原因を明らかにし，それに対応する適当な指導はどうしたらよいかについて，研究することにした。

平常の算数の学習について考えてみると，学習後において，こどもになお誤算の多いことがある。このような時に，指導者は，その指導の反省として単元の設定が適当でなかったために，こどもの理解が困難であったとか，こどもの能力に応じた指導をしないで，ただ教師の独断で一方的に学習を進めたためにとか，などと反省をする。このような反省は，一応適正であると思われる。しかし，次にその反省をもとにして，もう一度指導をしてみても，こどもはまた同じ誤算をくり返すことがある。これは，われわれが常に経験することである。

これは指導者が指導をする時に，いつも機械的にただ乗法の筆算の順序とか，繰上がりのある場合はくり上がった数字を忘れないようにとか，注意するだけで，なぜそのようにしなければならないかを明らかにしないで，ただ形式的に指導しているからである。

たとえば，42×2 の指導において，一応は累加との関係を明らかにしながら，この計算の意味が理解できるようにしなければならない。このようなことを考慮して，学習を進めるのはよいとして，次に計算のしかたとして，「ににがし」で一の位の下に4と書き，次に「にしがはち」で十の位の下に8と書けばよいと教え込んでしまいやすいのである。

$$\begin{array}{r} 42 \\ \times\ \ 2 \\ \hline 84 \end{array}$$

このように指導を受けたとしてもそれらのこどもは，繰上がりのないかけ算はできるであろう。しかし，これをもとにして，繰上がりのある計算にまで発展させようとすると，もはや，どうにも手のくだしようのないこどもになっていくことがある。

今，次の誤算について考えてみると，

(イ)
$$\begin{array}{r} 36 \\ \times\ \ 7 \\ \hline 612 \end{array}$$

(ロ)
$$\begin{array}{r} 46 \\ \times\ \ 3 \\ \hline 258 \end{array}$$

（イ）のような計算をしているこどもは，繰上がりが40であるとして，十の位の部分積の21に，この40を加えて，61としているのである。

（ロ）のような計算をしているこどもは，被乗数の46の4と6をかけ，それに 6×3＝18 をよせて答え出したわけである。

指導者は，これらのこどもも繰上がりのある乗法ができないとだけ考えて，繰上がりを忘れるこどもに対するのと同じように，繰上がりを忘れないようにと，くり返し注意を与えるであろう。しかし，それらのこどもは，その注意によって誤算がなくなるわけでない。依然として同じような誤算をするのが普通である。このような事実は，われわれがうっかりしていると気づかないでいることである。しかも，繰上がりのあるかけ算についての従来の研究は，テストの結果を集計して，繰上がりのない問題，繰上がりのある問題，あるいは繰上がりのある特殊な問題などに分類して，それらの問題の正答率を百分率で表わしたりしたにすぎなかった。あるいは，反復練習の変化を集計して，それを図表にかき表わしたりするくらいであった。このような研究も重要なものであるには違いないが，平常の学習には，その努力に比べてそれだけではあまり役だつものであるとは思われない。このような研究があったとしても，いつも同じような誤算が常にくり返されるにすぎないからである。

こどもは，いろいろの誤算をするものである。その内容について調べてみると，計算する時に不注意であったために，うっかりまちがったものもある。しかしこどもの中には，その計算をするために必要な事項についての理解がじゅうぶんでないために，まちがった，しかも，きまった方法で計算しているものがある。たとえば，前にあげた（イ）のようなこどもは，最初の部分積の十の位の数字を，次の部分積に加えないで，繰り上がった10や20をそのままに加えているのである。このように計算するこどもについて，その原因を調査していけば，必ず今までの学習で修得されないでいた理解事項があるはずである。その理解事項を修得させれば，このような誤算をしないようになるはずである。

この理由から，研究の段階を次の二つに分けることができる。

その第一として，どんなことについての理解が欠けているために，誤算をしたのかということについて考える。すなわち，誤算をする原因は何であるかということである。

その第二として，考えられた誤算の原因が，はたして原因の要素として確かなものであるかが実証されなければならない。これがなくては，その研究が科学的であるとは言えない。また，この研究の成果を，学習指導の実際に効果的に活用し，このような理由から実証の裏づけがないのでは，研究のねらいからもはずれているとも言える。

さて，実証するとすれば，原因と思われる要素を，実際に誤算したこどもに対して指導することが必要である。しかも指導して，さきに誤算したこどもが正しく計算できるようになれば，その要素は，誤算の原因として認めてもさしつかえないと考えられる。

3. 研究の前提として，どんなことが考えられるか

（１）こどもの立場から

誤算したこどもに正しく計算ができるように指導するために，次の二通りの方法が考えられる。その一つは，数学的な立場からの研究である。乗法の場合について言えば，乗法の理解事項を分析し，分析された理解事項の一つ一つを誤算したこどもに指導してみる。誤算したこどもは，理解事項のいずれかに指導の行き届いていないところがあるので誤算するのであるから，指

導の行き届いていない理解事項を満足な程度に学習すると，そのような誤算はしなくなるわけである。もちろんこの方法は，誤算の原因はよくわからないとして，乗法についての理解事項の分析が主要な研究のねらいとなるわけである。

もう一つの方法は，こどもの能力をじゅうぶんに調査し，誤算の原因となる要素がどこにあるかとこどもの立場から究明していく方法である。この場合に，こどもの能力を調査する基礎となる内容は，前の方法について述べたところにある理解事項である。

以上二通りの方法が考えられるが，この研究はこどもの立場から原因を探求し，その原因を除去する方法をとるものである。この誤算の研究は，あくまでもこどもの思考の分析から出発して，そこからいろいろな対策を生み出そうとする方法である。誤算について予想されることは，その計算をするに必要な能力の全然ないこどもは別として，そのこどもたちの誤算に傾向があり，こども各人は，決まったまちがった方法で計算しているということである。また，誤算したこどもの何人かに共通したまちがった方法で計算する傾向があることも考えられる。これは前にも述べたように，こどもはその時までに，まちがっている場合もあるだろうが，自分のわかっていると思っていることを用いて，計算しようとするものである。このようなこどもはまだよいとしても，教師の説明や教科書に書いてあることを，まちがっていようがいまいが，そんなことにおかまいなく自分かってに解釈して，その方法で計算するこどももある。いずれにしても，学習の結果やテストの結果を考慮してみると，同一種類の計算を，いつも同じようなまちがった方法で計算していることである。たとえば，Aというこどもについてみると，次の計算によって示されるように，同じようにまちがった

$$\begin{array}{r} 16 \\ \times\ \ 5 \\ \hline 530 \end{array} \qquad \begin{array}{r} 57 \\ \times\ \ 9 \\ \hline 463 \end{array} \qquad \begin{array}{r} 26 \\ \times\ \ 4 \\ \hline 824 \end{array}$$

方法で計算している。

すなわち，上の三つの計算に見られるように，各部分積をそのままに書き並べていくのである。またこれと同じような，まちがった方法で計算していることもは，このほかにも見られるのである。すなわち誤算は，こどもひとりびとりによってまったく異った傾向があるのでなくて，共通したいくつかの誤算の類型にまとめることができるのである。したがって，誤算の原因としても，いくつかの共通した要素があることにもなるわけである。

（2）乗法の概念について

こどもの能力の分析の対象となるものは，この研究の場合では，乗法の概念である。それについて次のように考えられる。

こどもの生活経験の中で乗法を用いる場合を考察してみると，同じ大きさのグループがいくつもある時に，その全体の個数を知る場合に用いられるものである。したがって，同じ数を加え合わせるための特殊な計算方法であると言える。たとえば，こどもが外で遊んでいる時に，飛行機が編隊で飛んできたとする。その場合にこどもは，1機，2機，3機，4機，5機，……とも数えることもできるであろう。しかし，この方法で数えるにはいろいろな困難が伴ってくる。数えてしまったものと数えないものとの区別がつきにくくなってくるなどは，その一つであろう。このような時に，編隊の個数，すなわち同じ大きさのグループの個数を数え，このグループの個数から飛行機の全体の数を計算するのはやさしくもあり，また普通に用いられている方法でもある。

計算で出すにしても，次のような二つの方法が考えられる。

（a）3+3+3+3+3＝15

（b）3×5＝15

乗法は，同数累加の計算をくり返しているうちに，それをよせ算でするよ

りも，もっとやさしくできるようにすることをくふうする。そこで乗法九九を使って求めるほうが早くて便利であることがわかるのである。それゆえに「乗法とは，同数累加を，乗法九九を使って手ぎわよく計算する方法である。」と考えられてくる。

次に，「2位数に基数をかける乗法」について考えてみると，この計算を正しくできるようにするためには，先に述べた乗法の意味のほかに，次にあげる事項について正しい理解をもっておらなければならない。

1. 同じ大きさのグループがある時に，グループの大きさをA，そのグループの個数を x とすると，その全体の大きさは，Aの x 倍である。
（倍の観念）
2. 2位数で10の位の数字，1の位の数字は，それぞれ10および1を単位にした時の個数である。また，乗数は，それらの数字をいくつ加え合わせたらよいかを示すものである。（かけ算の筆算形式についての理解）
3. A×x，B×x の部分積の大きさを知る。
4. 筆算の順序を知る。
5. 乗法九九を正しく使うことができる。
6. 繰上がりのあるよせ算ができる。

以上が乗法に必要な理解事項である。

（3）実証的に研究を進める

従来の研究について考えてみると，学習指導の研究，カリキュラムの研究あるいは学習指導の導入の研究等，教育全野にわたって研究が進められてきている。それらの多くの研究が，こどもに即して，またはこどもの生活の上に立ってとことわってあるものの，その研究の過程をよく考察してみると，およそこどもから離れて教師の推測または理論だけから，その研究の結論を

出している場合が非常に多い。そのようなわけで，こども中心の教育またはこどもの生活課題の解決としての学習といいながら，実際の学習指導は教師中心の形式的な結果主義の指導に流れやすいのである。

このように，理論と実際とに非常に開きができているのは，研究の方法そのものに大きな欠陥があるのではないかと考えられるとは言え，理論上からの研究も必要で，欠くことのできないものであるが，ただ研究全般を考える時に，それらの研究の裏づけとなる実際の指導，いわば実証的な証拠があまりにも少ないというのである。

教育は自然科学のように，自然を対象にした学問ではないので，実際の方法が普通の科学実験のように，歴然とその結果を示すことができないかもしれない。とはいえ，理論はただ推理だけででき上がるものではなく，指導の実際から，その理論を実証していく研究の必要があると信ずるのである。

理論の裏づけとなる根拠は，教育についての研究の場合に，こどもに対しての実際指導から見つけられなくてはならない。いわば，こどもの思考，行動を通して捕えられた実態でなければならない。誤算の研究は，このようなこどもの実態をもとにして，問題を提出し，また，その解決するに必要だとみられ，しかも推定された結論をもう一度こどもに指導してみて確かめていくというように，実証的な研究をしていこうとしているのである。

しかしながら，このような研究の進め方は，こども各個々を細かに調査検討しなければならないので，多人数のこどもを同時に指導してみるということでは非常に困難である。このようなわけで，研究の対象となるこどもを限定して実験的に指導していかなければならない。一回だけの実験から得られた結論であってみれば，これに客観性を持たせることはきわめて早計な感じがする。そのためには，何年かの継続した研究が必要である。また，一校における研究だけでなく，広く実施してみて比較検証してみることも必要である。

このようなことは，今後に残された大きな問題である。

4.　研究の方法と実際

研究にあたって次のような計画を立てて実施した。実施した期間は７月初めから翌年の４月までで，研究の対象としたこどもは，５年・６年のこども全員である。まず，実験の手順の概略を述べておき，それからあとで，各手順でどのように研究したかを述べることにする。

(1)　実験児童の発見

a.　乗　法
b.　掛算九九
c.　繰上がり加法
（a～c）テスト

d.　実験児童として不適当なこどもはどんなこどもか。

イ．正確児童　ロ．誤算児童（繰上がり加法／掛算九九）のできないもの。

(2)　実験児童の決定と，その誤算の分類

(3)　A型のこどもに対しての実験

a.　予備調査　イ．このような誤りはどんな問題に多いか。ロ．「２位数×基数」の理解事項には，どんなことがあるか。ハ．原因の調査

b.　A型のこどもに対しての指導　イ．第一次指導（個人指導）ロ．第二次指導（個人指導）　ハ．第三次指導（いっせい指導）

(4)　どのようなことを指導すれば誤算はなくなるか。

(5)　他の型のこどもに対しての実験

a.　乗　法
　　掛算九九
（乗法・掛算九九）再テスト

繰上がり加法」

b. 前の誤算の類型との差異はあったか。

c. 誤算の原因の調査

d. これらのこどもに対しての指導

（1） **実験児童の発見**　まず，実験児童を発見するために，次のような問題を作製して，5年・6年の全児童に解答させ，これをもとにして実験児童を決めた。

a. 乗　法

イ. 乗法問題撰定の基準「2位数×基数」の問題は，すべてで720問題ある。その中で問題の分類を次のように決めた。

（a）1の位の数字が0である場合　例　20×3　40×6

（b）繰上がりがない場合　例　12×3　41×2

（c）1の位の数字をかけて，ここだけで繰上がる場合（積は2位数になる）　例　13×6　24×4

（d）1の位の数字をかけて，ここだけで繰上がる場合（積は繰上がりのために3位数になる）　例　17×8　29×4

（e）1の位の数字にかけて，ここだけで繰上がる場合（積は3位数で，特に，10の位の数字が0になる）　13×8　27×4

（f）10の位の数字をかけて，ここだけで繰上がる場合

例　32×4　53×3

（g）1の位，10の位の数字にかけて，ともに繰上がる場合（10の位の数字にかけた積と，1の位のかけ算からの繰上がりを加えて，繰上がりがない場合）　例　36×4　47×3

（h）1の位，10の位の数字にかけて，ともに繰上がる場合（10

の位の数字にかけた積と，1の位のかけ算からの繰上がりを加えて，繰上がりのある場合）　例　36×6　78×8

（i）1の位，10の位の数字にかけて，ともに繰上がる場合（上のhの場合で，10の位の数字が0になる場合）

例　44×7　69×3

（j）1の位，10の位の数字にかけて，ともに繰上がる場合（1の位，10の位の数字がともに0になる場合）

例　25×8　75×4

2位数に1位数をかける問題総数720中から，類型別にその含まれている問題数に応じて，次のようなテスト問題数を決定した。

		テスト問題として採用した問題数
a	72	10
b	34	5
c	58	8
d	20	5
e	7	4
f	92	13
g	335	37
h	67	10
i	31	6
j	4	2
計	720	100

ロ. テスト問題の作製

a （10）

10×4　20×3　90×7　30×3　10×7　40×2　70×7
70×9　50×5　90×8

b （5）

22×4　32×3　43×2　11×7　11×3

c （8）

16×5　45×2　24×3　14×3　39×2　27×3　23×4
13×7

d （5）

19×8　28×4　16×9　15×8　19×6

e （4）

26×4　17×6　18×6　27×4

f　(12)

91×9　71×6　81×4　61×5　51×9　32×4　74×2
41×7　93×3　52×4　62×3　51×5

g　(37)

52×5　89×2　55×4　96×5　23×5　66×2　62×9
49×8　74×8　77×3　53×6　22×8　52×5　42×7
69×2　64×5　44×9　47×5　88×5　98×2　93×8
88×4　75×2　78×2　36×7　59×6　65×7　67×5
49×3　28×7　33×9　73×6　99×4　27×7　38×4
92×5　46×4

h　(10)

46×9　65×8　87×6　59×9　85×6　24×9　37×3
36×6　57×9　67×8

i　(6)

72×7　38×8　63×8　78×9　29×7　59×9

j　(2)

25×8　75×4

以上のテスト問題100題を決定して1回に10題ずつ，各種のものを含むように作製したテストを10回実施した。時間は制限しないで，できたこどもはよく見なおしてふせておき，全部のこどもが完了したのを見て提出させた。(時間約10分程度)

ハ．調査にあたっての説明の用語および注意

実施するにあたって，こどもに注意したことは次のようであり，これは各学級ともに一定した。

(1)　これから算数の問題をやっていただきます。これは調べるものですか

ら皆さんの成績のよい悪いを見るものではありません。皆さんがふだんどんなやり方をしているか調べるものです。

(2)　ですからふだん自分でやるとおりにやってください。そしてどんなやり方をしたかあとで聞きますから，正直に答えることがたいせつです。

(3)　もしわからないことがあっても，先生やともだちに聞いてはなりません。隣の人の答を見てはいけません。

(4)　早くできた人は，確かに自分のやり方はこれでよいか，今一度やってみなさい。

(5)　まちがいないと思ったら，何もいわないで紙を裏返して鉛筆を置き，手をひざの上に置いて待っているのです。

(6)　先生が問題を読みますから，問題に誤りがあったり，数字のはっきりしないものがあったら，なおしてください。

(7)　教師，問題を読む。

(8)　では，始めてください。

※　除外すべき答案

(1)　盗見したものは㊀と書いておく。(さしさわりのないものはよい)

(2)　その他の理由で統計上疑問とすべきものは理由を書いておく。

例　「作業中にでたらめである」などと書く。

ニ．テスト問題の処理

テストを10回実施した結果，こどもはどのような誤りをしているかを，誤った問題一つごとについて吟味してみて，次のような誤りの型を発見した。

A．繰上がった数字を数とまちがえる。

例
$$\begin{array}{r} 55 \\ \times\ 4 \\ \hline 400 \end{array}$$
4×5＝20　20繰上がって　4×5＝20　で合わせて40，これで積を400とする。

$\begin{array}{r}52\\ \times\ 5\\ \hline 350\end{array}$　$\begin{array}{r}28\\ \times\ 4\\ \hline 382\end{array}$　$\begin{array}{r}88\\ \times\ 5\\ \hline 800\end{array}$　$\begin{array}{r}24\\ \times\ 9\\ \hline 486\end{array}$

B．部分積をそのまま書いて加えない。

例　$\begin{array}{r}16\\ \times\ 5\\ \hline 530\end{array}$　5×6＝30　3あがる。5×1＝5　5を書く。530とする。　$\begin{array}{r}26\\ \times\ 4\\ \hline 824\end{array}$

C．部分積を書く位置を反対にする。

例 (1)　$\begin{array}{r}23\\ \times\ 3\\ \hline 96\end{array}$　3×3＝9　3×2＝6　9と6を反対に書く。　$\begin{array}{r}29\\ \times\ 4\\ \hline 368\end{array}$　$\begin{array}{r}23\\ \times\ 5\\ \hline 151\end{array}$

(2)　$\begin{array}{r}74\\ \times\ 2\\ \hline 841\end{array}$　2×4＝8　2×7＝14 を41と書く。

D．1の位をかけた部分積の1の位の数字を10の位のところに書き，10の位をかけた部分積の10の位の数字を100の位のところに，1の位の数字を1の位のところに書く。

例 (1)　$\begin{array}{r}61\\ \times\ 5\\ \hline 350\end{array}$　5×1＝5　5×6＝30　5を中心に3と0を分けて書く。

(2)　$\begin{array}{r}74\\ \times\ 8\\ \hline 529\end{array}$　8×4＝32　3あげる。8×7＝56 と3を合わせて59とする。5と9を分けて書き，積を529とする。

(3)　$\begin{array}{r}72\\ \times\ 7\\ \hline 540\end{array}$　7×2＝14　1あげる。7×7＝49　と1を合わせて50とする。5と0を分けて書き，積を540とする。

E．1の位の積の繰上がりを加えない。（まず，1の位のかけ算をして，その部分積が2位数となっても，1の位の数字だけを，1の位のところに書く。次に10の位のかけ算をして，その部分積をそのままに書く。）

例 (1)　$\begin{array}{r}38\\ \times\ 8\\ \hline 244\end{array}$　8×8＝64　64の6繰上がりを忘れて，3×8＝24 として積を，244とする。　$\begin{array}{r}72\\ \times\ 7\\ \hline 494\end{array}$

(2)　$\begin{array}{r}57\\ \times\ 9\\ \hline 456\end{array}$　7×9＝63　63の1位の数字3を忘れて，10の位の数字を書き，5×9＝45 として積を，456とする。　$\begin{array}{r}47\\ \times\ 5\\ \hline 203\end{array}$

F．被乗数の数字を加えて，乗数にかける。

例 (1)　$\begin{array}{r}62\\ \times\ 8\\ \hline 64\end{array}$　6+2＝8　8×8＝64

(2)　$\begin{array}{r}16\\ \times\ 5\\ \hline 85\end{array}$　1+6＝7　7×5＝35 で，10の位に3を繰上げる。1×5＝5　3+5＝8　積を85とする。

G．10の位の数字のかけ算の部分積を求めるのに，被乗数の数字をかけ合わせたものを用いる。

例　$\begin{array}{r}43\\ \times\ 2\\ \hline 126\end{array}$　3×2＝6　4×3＝12　積を126とする。　$\begin{array}{r}85\\ \times\ 6\\ \hline 430\end{array}$　$\begin{array}{r}71\\ \times\ 6\\ \hline 76\end{array}$

H．1の位の数字のかけ算をしてできる部分積を求めるのに，1の位の数字どうしを加える。

例　$\begin{array}{r}38\\ \times\ 8\\ \hline 256\end{array}$　8×8＝64 のかわりに 8+8＝16 とする。1上がって，3×8＝24 積を256とする。　$\begin{array}{r}74\\ \times\ 6\\ \hline 76\end{array}$

I．繰上がるときに，部分積の10の位や1の位の数字を1の位のところに書き，1の位の数の数字を繰上げる。

例 (1)　$\begin{array}{r}99\\ \times\ 4\\ \hline 426\end{array}$　9×4＝36　6繰上がるとする。9×4＝36　36+6＝42　積を426とする。　$\begin{array}{r}65\\ \times\ 7\\ \hline 475\end{array}$　$\begin{array}{r}27\\ \times\ 3\\ \hline 71\end{array}$

(2)
```
  2 7   7×3=21  1繰上げる。        3 6     3 7
×   3                           ×   6   ×   3
  7 2   2×3=6. 6+1=7             2 4 3   1 0 2
```

積を 72 とする。

J. 繰上がりのよせ算をまちがえる。

例 (1)
```
  3 6   6×6=36  3×6=18
×   6
2 2 6   18+3=22 とする。積を 226 とする。
```

(2)
```
  4 9   9×8=72  7繰上がって  4×8=32
×   8
4 0 2   32+7=40  とする。  積を 402 とする。
```

K. かけ算九九をまちがえる。

(1) 1の段の誤り
```
  4 1   1×7=1 とする。                 1 1     7 1
×   7                               ×   7   ×   6
2 8 1   4×7=28  積を 281 とする。       1 7   4 2 0
```

(2) 0の段の誤り
```
  2 0   0×3=3  とする。               7 0     9 0
×   3                               ×   7   ×   7
  6 3   2×3=6  積を 63 とする。      4 9 7   6 3 7
```

(3) その他の九九の誤り
```
  4 8   8×6=42  とする。
×   6
2 8 2   4×6=24  積を 282 とする。
```

L, 全然でたらめ（原因不明）

誤算の類型は以上のようなものであったが，それを類型別に集計してみると，次の表（1）表（2）のような結果になった。

表（1）　誤算児童の分数の集計

誤算の型 ＼ 組別		5の1	5の2	5の3	5の4	6の1	6の2	6の3	6の4	計
調査人員		51	51	51	45	46	47	45	44	380
誤算児童数		24	13	19	12	9	7	6	10	100
A 繰上がった数字と数とまちがえる		6	1	8	0	0	1	1	2	19
B 部分積をそのまま書いて加えない		2	0	6	0	0	2	1	3	14
C 部分積を書く位置が反対である		0	1	1	1	0	0	0	0	3
D 1位の数の積の1の位を10位に書き，2位との部分積を二つに分けて上の位を100位に下を1位に書く		1	1	1	1	0	1	0	0	5
E 下から繰上がる数字を加えることを忘れる。		7	2	6	2	1	3	1	3	25
F 被乗数の数字を加えて，乗数にかける		0	0	1	1	0	0	0	0	2
G 10の位のかけた部分積を求めるのに被乗数の数字をかけ合わせる		2	4	5	4	1	1	1	2	20
H 1位の部分積を求めるのに1位数を加える		0	1	1	4	1	0	0	0	7
I 繰上がるとき，繰上げる数字をまちがえる。		9	5	5	7	1	2	2	1	32
J 繰上がり加法の誤り		9	2	7	3	4	6	3	7	41
K かけ算九九のの誤り	1の段の誤り	1	1	2	4	1	1	1	0	11
	0の段の誤り	2	0	2	4	2	2	1	2	15
	その他の九九の誤り	16	5	13	10	2	5	1	3	55
L 全然でたらめ（原因不明）		7	4	2	0	4	0	2	1	20

表（２）　第１回のテストの結果　誤算したこどもの分類

5　の　1

番号	1	2	3	4	5	6	7	8	9	10	11	12	13	14	15	16	17	18	19	20	21	22	23	24	計
誤算の型＼氏名																									
A				○		○	○		○				○				○								6
B										○						○									2
C																									0
D						○																			1
E	○						○	○						○	○			○	○						7
F																									0
G							○	○																	2
H																									0
I				○	○	○		○		○				○	○		○		○						9
J	○	○		○	○							○	○				○	○	○						9
K　1の段																		○							1
K　0の段														○	○										2
K　その他	○	○	○	○	○	○	○	○	○	○				○		○	○	○	○	○					16
L			○								○	○									○	○	○	○	7

5　の　2

番号	1	2	3	4	5	6	7	8	9	10	11	12	13	計
誤算の型＼氏名														
A						○								1
B														0
C		○												1
D		○												1
E			○					○						2
F														0
G		○				○					○	○		4
H						○								1
I			○			○		○	○	○				5
J	○							○						2
K　1の段	○													1
K　0の段														0
K　その他	○					○		○			○	○		5
L				○	○		○						○	4

5　の　3

番号	1	2	3	4	5	6	7	8	9	10	11	12	13	14	15	16	17	18	19	計
誤算の型＼氏名																				
A			○	○		○		○			○		○	○				○		8
B		○									○	○	○	○			○			6
C		○																		1
D													○							1
E				○						○			○	○	○		○			6
F															○					1
G		○		○									○		○				○	5
H					○															1
I		○	○			○				○			○							5
J		○		○			○	○							○	○		○		7
K　1の段											○						○			2
K　0の段											○						○			2
K　その他				○		○	○	○	○	○	○		○	○	○	○	○	○		13
L	○				○															2

5　の　4

番号	1	2	3	4	5	6	7	8	9	10	11	12	計
誤算の型＼氏名													
A													0
B													0
C											○		1
D	○												1
E									○		○		2
F									○				1
G				○		○					○	○	4
H	○		○				○		○				4
I	○	○	○	○	○		○					○	7
J	○	○				○							3
K　1の段	○		○	○	○								4
K　0の段				○	○		○		○				4
K　その他	○		○	○	○	○	○	○		○	○	○	10
L													0

6 の 1

番号 \ 誤算の型		1	2	3	4	5	6	7	8	9	計
A											0
B											0
C											0
D											0
E				○							1
F											0
G		○									1
H		○									1
I			○								1
J		○	○	○		○					4
K	1 の 段	○									1
	0 の 段	○			○						2
	そ の 他	○		○							2
L							○	○	○	○	4

6 の 2

番号 \ 誤算の型		1	2	3	4	5	6	7	計
A			○						1
B		○	○						2
C									0
D					○				1
E		○	○			○			3
F									0
G					○				1
H									0
I			○	○					2
J		○	○	○		○	○	○	6
K	1 の 段				○				1
	0 の 段			○	○				2
	そ の 他		○	○	○	○	○		5
L									0

22

6 の 3

番号 \ 誤算の型		1	2	3	4	5	6	7	計
A		○							1
B		○							1
C									0
D									0
E		○							1
F									0
G		○							1
H									0
I		○			○				2
J		○	○	○					3
K	1 の 段	○							1
	0 の 段	○							1
	そ の 他	○							1
L							○	○	2

6 の 4

番号 \ 誤算の型		1	2	3	4	5	6	7	8	9	10	計
A				○		○						2
B		○		○		○						3
C												0
D												0
E				○	○		○					3
F												0
G						○	○					2
H												0
I						○						1
J			○	○		○	○	○	○	○		7
K	1 の 段											0
	0 の 段	○	○									2
	そ の 他			○	○	○						3
L											○	1

23

はたして，調査人員380名のうちの100名の誤算児童が，ほんとうに誤算をしているかどうかに疑問をもった。その中には不注意のために，あるいはあわてたりしてまちがったこどももいるに違いないと考えた。また，こどもの計算のしかたが，教師の推察したような考えでまちがったかどうかが疑問である。そこで再テストを実施して，こどもの誤りがいつも同じような形式でまちがうかどうかを調査した。

（１）第１回のテストにおいてまちがったこどもについて，そのまちがった問題を調査するために再テストしてみた。

（２）その調査のときに，こどもについてどのような考えで計算したかをひとりずつ調査した。

再テストの結果からみて，全問正解したこどもが17名あった。その17名は，誤算児童から除くことにした。したがって，研究の対象とする誤算児童は83名となった。

b　かけ算九九の調査

かけ算総九九を自由配列により２回に分けて調査した結果は，次のようであった。

○かけ算九九を誤った児童数

0×1（23）	1×1（ 7）	2×1（11）	3×1（ 6）	4×1（15）
0×2（14）	1×2（10）	2×2（ 4）	3×2（ 6）	4×2（ 7）
0×3（20）	1×3（ 9）	2×3（ 8）	3×3（ 7）	4×3（12）
0×4（14）	1×4（ 8）	2×4（ 8）	3×4（14）	4×4（13）
0×5（24）	1×5（10）	2×5（ 9）	3×5（ 9）	4×5（12）
0×6（27）	1×6（10）	2×6（10）	3×6（13）	4×6（23）
0×7（15）	1×7（ 8）	2×7（ 9）	3×7（15）	4×7（24）
0×8（12）	1×8（ 9）	2×8（ 8）	3×8（15）	4×8（19）

0×9（16）	1×9（ 8）	2×9（ 9）	3×9（24）	4×9（21）

5×1（ 7）	6×1（12）	7×1（15）	8×1（16）	9×1（12）
5×2（ 8）	6×2（10）	7×2（13）	8×2（18）	9×2（10）
5×3（12）	6×3（22）	7×3（23）	8×3（21）	9×3（21）
5×4（ 9）	6×4（20）	7×4（23）	8×4（27）	9×4（20）
5×5（17）	6×5（16）	7×5（25）	8×5（21）	9×5（17）
5×6（10）	6×6（ 9）	7×6（23）	8×6（43）	9×6（27）
5×7（16）	6×7（26）	7×7（35）	8×7（24）	9×7（18）
5×8（11）	6×8（29）	7×8（19）	8×8（35）	9×8（23）
5×9（19）	6×9（29）	7×9（16）	8×9（26）	9×9（ 9）

かけ算九九の調査により10％以上の誤りをしたこどもは，かけ算九九のできないものとした。

調査人員	10％以上の誤りをしたこども
83名	42名

c　繰上がり加法の調査

（１）問題の選定

繰上がりのある加法については，次のような数字の組合せが考えられるので，２位数に適当の数字をあてはめて，次のような45とおりの「２位数＋基数」の繰上がりのある計算問題をつくった。

表（3）

	1	2	3	4	5	6	7	8	9
1									▨
2								▨	▨
3							▨	▨	▨
4						▨	▨	▨	▨
5					▨	▨	▨	▨	▨
6				▨	▨	▨	▨	▨	▨
7			▨	▨	▨	▨	▨	▨	▨
8		▨	▨	▨	▨	▨	▨	▨	▨
9	▨	▨	▨	▨	▨	▨	▨	▨	▨

48 + 9	91 + 9	12 + 8	24 + 6	55 + 5	36 + 4	47 + 3
58 + 2	49 + 1	69 + 2	59 + 8	45 + 7	63 + 9	38 + 8
39 + 3	87 + 9	82 + 9	14 + 8	99 + 9	73 + 7	18 + 3
67 + 8	28 + 7	19 + 5	88 + 6	95 + 9	83 + 8	94 + 7
15 + 6	69 + 7	78 + 5	66 + 5	37 + 6	89 + 4	44 + 9
28 + 4	36 + 9	57 + 7	26 + 8	26 + 8	77 + 5	76 + 6
75 + 8	56 + 7	97 + 4				

繰上がりのあるよせ算ができているかどうかの判定は，問題45問のうち10%すなわち，5問以上まちがったかどうかで決めることにした。

調査人員 83名	10%以上の誤りをしたこども 32名

d　実験児童として不適当なのはどんなこどもか。

「2位数×基数」ができるためには，最小限，繰上がりのある加法とかけ算九九だけは必要である。したがって，繰上がりのある加法とかけ算九九のまだ完全にできないこどもと，「2位数×基数」の乗法テストで誤算のなかったもの，まちがったとしても，そのまちがいは不注意によるとみられるものは，実験児童としてこの研究の対象としては，取り上げないことにした。

イ　正確児童　　調査人員380名のうち280名は第1回の調査で誤算がなかった。誤算児童100名のうち，再テストにより17名は全問正答したので，さきのテストで不注意のためにまちがったものであることがわかり，誤算をするこどもとは考えられないので，これを正解児童の中に入れた。このこどもは研究の対象としないことにした。

ロ　誤算児童　　正確児童として除外した残りの83名の誤算児童のうちで，かけ算九九のできないもの（10%以上の誤算者）は42名あった。また，繰上がりのある加法のできないものは32名あった。かけ算九九と繰上がり加法のどれもができないこどもがあるので，かけ算九九，繰上がり加法のできないこどもは，50名で，これも実験の研究対象とはしないことにした。

（2）実験児童の決定とその誤算の分類

第1回の調査および再テストの結果からみて，誤算児童83名の中から，繰上がり加法やかけ算九九のできないこども50名を実験の対象から取り除いた。その残りのこども33名について，誤算の分類をしてみた。その類型は第1回の調査でみられた類型よりも，その個数は減ってきて，表（4）のようになった。

表（4）　　実験児童の誤算の分類表

番号	氏名	欠席状況（欠席多し年20日以上）	家庭状況	知能状況	A 繰り上がった数字を数とまちがえる	B 部分積をそのまま書いて加えない	E 1位の数の積の繰上がりを加えない	G 10の位のかけた部分積を求めるのに被乗数の数字をかけ合す	I 繰り上がるとき部分積の1位の数の数字を加える	J 繰上がり加法の誤り	K かけ算九九の誤り	L 原因不明
1			中	劣							○	
2		○	上	劣							○	
3			中	劣	○							
4		○	中	中の下							○	○
5			中	劣	○					○	○	
6			中	中の下							○	
7			中	中							○	
8			中	劣	○							
9			中	中の下	○							
10			中	中の下	○							
11		○	中	最劣						○	○	
12			中	中の下								○
13			中	最劣					○	○	○	
14		○	下	中の下							○	
15		○	上	最劣			○		○	○	○	
16			中	中の下	○							
17		○	中	中の下	○						○	
18			中	中の下							○	
19		○	中	中の下	○					○		
20		○	中	劣	○					○	○	
21			中	劣	○						○	
22			中	中の下							○	
23		○	中	最劣							○	
24		○	中	最劣							○	
25		○	下	劣						○	○	
26		○	中	劣		○				○	○	
27			中	最劣			○		○	○	○	
28		○	下	劣							○	
29			下	中の下				○			○	
30			下	中の下						○		
31			下	劣	○				○			
32			上	中の下					○			
33		○	中							○		
計					11	1	2	1	5	11	22	2

28

表（5）　　誤算児童数調（実験対象児童）

学級	在籍	調査人員	⊕で除いたもの正答者数	誤答者数	⊖で際たもの		実験児童数
					かけ算九九	繰上がり加法	
5の1	52	51	28	23	11 8	8	12
5の2	51	51	41	10	7 7	6	3
5の3	51	51	34	17	10 9	3	7
5の4	47	45	35	10	8 5	6	2
6の1	48	46	39	7	4 4	3	3
6の2	48	47	42	5	3 2	2	2
6の3	47	45	40	5	3 3	2	2
6の4	47	44	38	6	4 4	2	2
計	391	380	297	83	50 42	32	33

（3）A型のこどもに対しての実験

誤算の類型は，表（4）に示されるとおりであるが，どうしてこのような誤りをするかを考えることが必要である。乗法についての理解事項のうちでこどもに理解できないところが存在するからであろうと推定された。その理解の困難な点を明らかにすることが必要になってきたわけである。

a　予備調査

イ　このような誤りはどんな問題のときに多いか。

誤算の分類をみると，A（繰上がった数字を数とまちがえる）型のこどもが最も多いので，まず，研究目標をA型のこどもに置いた。その類型に処する誤算の内訳は，次のようであった。

問題（○の中にある数は，誤ったこどもの数）

29

55×4=400 ⑨	88×5=800 あるいは	88×5=80 ⑨	64×5=500 ⑤
52×5=350 ③	99×4=666 あるいは	99×4=966 ③	59×6=804 ②
47×5=505 ②	88×4=622 ②	36×6=486 ②	28×4=382 ①
46×9=864 ①	24×9=486 ①	23×5=205 ①	72×7=504 ①
59×6=804 ①	65×5=605 ①	19×6=105 ①	66×2=222 ①
77×3=411 ①	42×7=384 ①	85×6=480 ①	89×2=268 ①
65×8=880 ①	29×7=743 ①	75×2=240 ①	73×6=528 ①
67×8=986 ①	35×8=840 ①	65×7=725 ①	

上の内訳からみてもわかるように，55×4，88×5　のような「1の位や10の位の数字が偶数である数に5をかけるような類型の問題で，こどもはA型の誤りをするのではないか。」と予想を立てた。そこで，次のような調査問題を設定した。

A型の誤りやすい問題

55×2	22×5	42×5	62×5	82×5
55×4	24×5	44×5	64×5	84×5
55×6	26×5	46×5	66×5	86×5

55×8	28×5	48×5	68×5	88×5

実験児童33名に以上のような問題を実施してみると，今まではA型の誤りの反応を示さなかったこどもにも，この調査によってA型の反応を示すものがでてきた。

調査人員	A型の反応を示した児童
33名	13名

したがって，「数字がどれも偶数である数に5をかける」ような問題は，A型の誤りをおかしやすいということがはっきりわかってきた。そこで，この問題を，A型の誤りをするかどうかを確かめるための基準とした。

ロ　「2位数×基数」の理解事項にはどんなことがあるか。

「2位数×基数」の理解事項を次のようにまとめてみた。

（a）繰上がりのある加法ができること。

（b）かけ算九九ができること。

（c）数の大きさについて理解していること。

（d）かけ算の意味がはっきりわかっていること。

（e）部分積の大きさがわかっていること。

（f）加法のときに，単位をそろえること。

以上の事項が理解できておりさえすれば，「2位数×基数」の計算は可能であると予想した。

ハ　原因の調査

実験児童については，a，b はすでに調査済であるので，c，d，e，f について理解できているかどうかについて調査した。

（a）繰上がりのある加法の問題（すでに調査済）

（b）かけ算九九の問題（すでに調査済）

（c）数の大きさについて理解できているかどうかを確かめる問題

1.

(イ) 43番目に×をつけなさい。

○○○○○○○○○○○
○○○○○○○○○○○
○○○○○○○○○○○
○○○○○○○○○○○
○○○○○○○○○○○
○○○○○○○○○○○
○○○○○○○○○○○
○○○○○○○○○○○
○○○○○○○○○○○
○○○○○○○○○○○

(ロ) 67番目に×をつけなさい。

○○○○○○○○○○○
○○○○○○○○○○○
○○○○○○○○○○○
○○○○○○○○○○○
○○○○○○○○○○○
○○○○○○○○○○○
○○○○○○○○○○○
○○○○○○○○○○○
○○○○○○○○○○○
○○○○○○○○○○○

(テストが終了したところで，どのようにして考えたかをこどもに聞く)

2. (イ) □ の中に答を書きなさい。

○ 56円は10円札が □ 枚と，1円札が □ 枚です。

○ 44円は10円札が □ 枚と，1円札が □ 枚です。

○ [10円] [10円] [1円] [1円] [1円] [1円] で □ 円です。

○ [10円] [10円] [10円] [10円] [10円] [10円] と [1円] [1円] [1円] [10円] [1円] では □ 円です。

(ロ) 余分なおさつはけしなさい。

○ 32円は [10円] [10円] [10円] [1円] [1円] [1円] [1円] です。

○ 44円は [10円] [10円] [10円] [10円] [10円] [1円] [1円] [1円] [1円] です。

○ 56円は [10円] [10円] [10円] [10円] [10円] [1円] [1円] [1円] [1円] [1円] [1円] [1円] [1円] です。

(ハ) □ の中にあてはまる数を入れなさい。

45は40と □　　43＝□＋3　　36は □ と6

85＝80＋□　　□ は20と7　　□＝10＋4

○ 50は10をなんかいよせた数ですか。　□ かい。

(d) かけ算の意味がはっきり理解できているかどうかを確かめるための問題

(イ)

○ [10円] [10円] [10円] [10円] [10円] は10円の □ 倍です。

○ [5円] [5円] [5円] [5円] [5円] [5円] は5円の □ 倍です。

(ロ)

○ 15人の3倍とは，15人の班がいくつあることですか。□

○ 20の5倍とは，20がいくつあることですか。　□

(ハ)

○ [54円] と [54円] と [54円] と [54円] は，[54円]×□ と計算すればよい。

○ [45円]×5＝□ と □ と □ と □ と □ です。

(ニ) 次のようにまどが見えます。ガラスがみんなで何枚ありますか。

(いちばんやりよいしかたで計算してみなさい。)

テストをしている間，教師はずっとこどものやり方に注意してみた。そのやり方をはっきり記録しておき，あとでそのやり方に対するこどもの考え方を聞く。

○次のようにりんごの山がありますｏ全部の数を知るために，いちばんやりよいしかたでしなさい。

(ﾎ) りんご一つが 16 円です。三つでいくらになりますか。やりよいやり方を書きなさい。

(ﾍ) えのぐが 1 組 44 円です。 5 組買ったら，いくらはらえばよいですか。

（e）部分積の大きさがはっきり理解できているかどうかを確かめるための問題

○面接法によるテスト　よし夫君が班の金を集めました。ひとりで 24 円ずつで，班の人はみなで 8 人です。いくら集めればよいですか。

○そこで，よし夫君は次のように計算しました。（口述 2 回）

$$\begin{array}{r} 24 \\ \times\ 8 \\ \hline 192 \end{array}$$

（板書する）

○テスト事項　1. いくら集めればよいのですか。　2. 4×8 はどれだけですか。お金ではいくらのことですか。　3. 2×8 はどれだけですか。お金ではいくらのことですか。

（f）加法をするときに単位をそろえることがわかっているかどうかを確かめるための問題

(ｲ) 156 人と 358 人とでは何人になりますか。計算をたて書きにしてみなさい。

(ﾛ) 4＋400 はどれだけですか。たて書きにして計算しなさい。

(ﾊ) 300＋30 を計算しなさい。

(ﾆ) 1687円＋5円＋20円はいくらになりますか。

○原因調査の問題の処理　以上のような問題 c, d, e, f について，

○全部できたこども（完全と思われるもの）○

○半分以上誤ったこども（理解していないと思われるもの）×

の記号をもって表わした。

表（7）

番号		1	2	3	4	5	6	7	8	9	10	11	12	13	14
繰り上がった数字と数とまちがえる		○	○	○	○	○	○	○	○	○	○	○	○	○	
原因調査	①数の大きさについて理解しているかどうか	△	欠	○	○	○	○	○	○	△	×	△	△	○	○
	②かけ算の意味がわかっているかどうか	△	欠	△	○	△	△	○	×	×	×	×	×	○	△
	③部分積の大きさがわかっているかどうか	×	欠	×	○	○	×	×	×	×	×	×	欠	欠	○
	④加法のとき単位をそろえているかどうか	○	欠	○	○	△	○	○	○	○	×	○	欠	○	○

b　A型のこどもに対しての指導

これでこどもの障害となる点がはっきりわかってきた。この障害を取り除くことができさえすれば，問題に対する理解もできて，誤算がすっかりなくなるものと思われる。そこで，その予想している障害を取り除くことができたときに，はたして誤算がなくなるかどうかの実証が必要となってきた。そこで，A型の誤りをしたこども 14 名について，次のような計画のもとに指導に取りかかった。

イ　第一次指導（個人指導）

まず，14 名の中から H という女のこどもに対して，次のような指導計画のもとに指導してみた。

○誤算したこどもに対する指導計画（指導の目標）

(1)　数の分解をはっきりさせる。

54は50と4　　　50は10＋10＋10＋10＋10

(2)　倍の観念をはっきりさせる。

53の3倍は，54＋54＋54である。

(3)　部分積の大きさをはっきりさせる。

54×3＝4×3＋50×3＝12＋150

(4)　部分積の位取りをそろえてから加える。

$$\begin{array}{r} 54 \\ \times\ 3 \\ \hline 12 \\ 150 \\ \hline 162 \end{array} \qquad \begin{array}{r} 54 \\ \times\ 3 \\ \hline 162 \end{array}$$

○指導の実際

指導の実際（1）

学　習　活　動	理　解	技　能
○ひごが何本あるか数えないであててみなさい。		○直観で集団の数をおよそあてる。
○数える興味を起させる。		
○ひごを，すきな数え方で数えてみなさい。 （予想される数え方） 1　2　3　4　5………… 2　4　6　8　10………… 5　10　15　20　25………… 1　2　3……10　1　2　3……20	2．4．6．8 } 10．10．10．30 } 単位ごとにくぎって数えると数えよい。	{10．20．30．40．50} {10．10．10．10．10} 1　2　3　4　5 と数える。
○50本だけとってみなさい。 （10本束にしてある）	○50本は10本たばが五つである。	○50＝10＋10＋10 ＋10＋10
○70本は10本のたばがいくつありますか。	○70本は10本たばが七つである。	○70＝10＋10＋10 ＋10＋10＋10＋10
○54本は10本のたばがいくつありますか。	○54本は10本たばが五つ，1本が四つ。	○54＝50＋4 54＝10＋10＋10 ＋10＋10＋4

◎買物をしましょう。		
○10円のノート5さつ，1円の画紙4枚でいくらはらえばよいですか。	○54円は10円札5枚と1円札4枚である。	○54＝50＋4 54＝10＋10＋10 ＋10＋10＋4
○お札を出してください。 100円札　1枚 10円札　10枚 5円札　2枚 1円札　10枚 から選ばせる		
○テスト（指導後実施した） 1. 2. 3.		
○ひご10本たばを六つ取ってください。		
○10本たばが五つあるのを10本の何倍といいますか。		
○6倍というのをノートにどう書いたらよいでしょう。	○10本の6倍は，10.10.10.10.10.10	○54＋54＋54＋3とする。
○54×3は，54がいくつあることですか。	○10本×6	○50＋50＋50＝150
○50円のものを三つ買うといくらはらえばよいですか。		
○54円のものを三つ買うといくらはらえばよいのですか。	○54円＋54円＋54円	○54＋54＋54＝162
	○50が三つであるから50×3とすればよい	○5×3＝15　150とする。
○　50 50 ＋50 九九を使って計算しなさい。	○4が三つであるから4×3	○4×3＝12 5×3＝15（150）
○　54 54 ＋54 九九を使って計算しなさい。		○12＋150＝162
○かんたんにかけ算でやりなさい。 54 ×　3	○50が三つであるから50×3	○ $\begin{array}{r} 54 \\ \times\ 3 \\ \hline 12 \\ 150 \\ \hline 192 \end{array}$ $\begin{array}{r} 54 \\ \times\ 3 \\ \hline 162 \end{array}$

○指導の結果

Hという女児に対して，以上のような指導計画によって指導してみた。そのあとで，そのこどもに対して，88×5 を課してみた。

最初は，下の㋑のように２段でやり，正しい結果を出した。そこでこれを１段でやってごらんなさいといって，計算させてみると下の㋺のようにA型の誤りをくり返した。

```
㋑   88      ㋺   88      ㋭   88
   × 5          × 5          × 5
    40          800           40
   40                        400
   440
```

そこで，「㋑，㋺のうちのどちらが正しいのですか。」とたずねると，㋭のようになおした。指導の結果はみごとに失敗であることがわかった。

○失敗の原因としては，次のようなことが考えられる。

1. 指導計画が適当でなかった。
2. 指導の実際がこどもの問題になっていなかった。
3. こどもに，予想した原因のほかに原因がある。

そこで指導案を再検討をしてみた。これらの反省をもとにして，次のような指導計画を立てた。

ロ 第二次指導（個人指導）

H という女児については失敗したので， 今度は K という男のこどもについて，次のような指導計画によって，指導を実施してみた。

○前回の指導計画で改めた点

A 数の大きさについて理解しているかどうかについて確かめてみる。

(イ) すべての数は 0～9 までの 10 個の数字で書き表わすことができる。

(ロ) 数字は，その書いてある位置によって，その数字によって示される大きさが違う。また，数字の位置によって示される単位の大きさは違っている。

(ハ) 左に１けた移るごとに， 数字によって示される単位の大きさは 10 倍になっている。

B かけ算の意味がはっきりしているかどうかを確かめる。

(イ) 乗法は，同じ大きさの数を手ぎわよく加え合わせる方法である。

(ロ) かけ算を筆算形式で書いたときに，乗数は被乗数の１の位や，10 の位の数字を何回加え合わせればよいかを示したものである。

○指導の実際

指導の実際（2）　イ．数の大きさを理解しているだろうか。

学習活動	理解事項
(1) お金の計算 １円札を示し ○３枚ではいくらか。ノート書いてごらんなさい。	○10円になると，10円札１枚で表わすことができる。
○12枚ではいくらか。ノートに書いてごらんなさい。 ○35枚ではいくらか。ノートに書いてごらんなさい。	○35円は {○１円札では35枚。○10円札３枚と１円札が５枚である。 3（10円札の枚数を表わす。） 5（１円札の枚数を表わす。） 円は 35円と書く。
10円札を示し ○５枚ではいくらですか。 ○21枚ではいくらですか。 ○98枚ではいくらですか。 ○980 円をいろいろなお札で表わしてごらんなさい。	○10円札10枚集まると， 100円札１枚で表わすことができる。 ○１円札では980枚。 ○10円札では98枚。 ○100円札では９枚と10円札８枚である。 ○9（100 円札が９枚であること。） 8（10円札が８枚であること。） 0（１円札が１枚もないこと。） 円
問　題 ○10円札３枚と１円札２枚ではいくらですか。 ○10円札12枚と１円札３枚ではいくらですか。	○１円札が10枚集まると10円札１枚になおすことができる。 ○10円札が 10枚集まると 100円札１枚になおすことができる。

○10円札32枚と1円札12枚ではいくらですか。 ○10円札30枚と1円札20枚ではいくらですか。	
問　題 ○次のお金を，いろいろなお札で表わしてみなさい。 ○182円　○602円　○360円	○10円は10円札では1枚。 1円札では10枚。 ○100円は100円札では1枚。 10円札では10枚。 1円札では100枚。 ○602円 ⋮ 10円札がないこと。 ○360円 ⋮ 1円札がないこと。 ○1円札を示すところを1の位という。 10円札を示すところを10の位という。 100円札を示すところを100の位という
(2) 竹ひごでの計算 ○32本取ってください。 ○32本はどんなことを表わしているか。	○10本ずつ3たばと，ばらで2本取ると数えるのにつごうがよい。 3　⋮　10本たば三つ 2本　⋮　ばらが2本
問　題 ○10本たばが四つと，ばらが22本では何本か。 ○10本たばが30とばらが30本では何本か	
問　題 ○竹ひごが254本あるということは，どんなことなんだろう。	○254本 （ばらが 4本 / 1円札が 4枚 / 1の位） ↓ 10倍 （10本たばが 5束 / 10円札が 5枚 / 10の位） ↓ 10倍 （100本たばが 2束 / 100円札が 2枚 / 100の位）
(3) 抽象数での数の大きさを，理解しているかどうかの取扱。	

指導の実際（2）　ロ　かけ算の意味がはっきりしているだろうか

学　習　活　動	理　解　事　項
○次の問題をやりなさい。 1箱46円のえのぐを5箱買うと，お金はいくらはらえばよいですか。 ・2箱では　46 +46 ・3箱では　46 46 +46 ・4箱では　46 46 46 +46 ・5箱では　46 46 46 46 +46 とやればよい。	○1箱46円で5箱だから，46円ずつ5回加えればよい。 46 46 46 46 +46 6が五つだから　6×5=30 4が五つだから　4×5=20 ○乗数は被乗数の1の位や10の位の数字を何回加えればよいかを示したものである。
○どのように計算すればよいですか。 46 46 46 46 +46 は　46 ×5 とやる。	○ 46 46 46 46 +46 は46×5とやったほうが計算が早くできてめんどうでない。
○次の問題をやりなさい。 (イ) 32 32 32 +32　(ロ) 45 45 +45　(ハ) 24 24 24 24 +24	○乗法とは同数累加を手早くやる方法である。

指導の実際（2）　ハ　部分積の大きさがはっきりしているかどうか

学　習　活　動	理　解　事　項
○次の問題をやりなさい。 52 ×4 ○2は何円札を示すか。 2円が四つ集まれば。 ○5は何円札を示すか。 50円が四つ集まれば。 ○合わせていくらになりますか。	○2×4=8 ⋮ 1円札が8枚 ○5×4=20 ↓ 50円×4=200円である。 ○10円札が5枚の4倍だから，10円が20枚で200円である。 ○8+200=208

○次の問題をやりなさい。	
②① 88 × 5　　○8(①)は何円札を示すか。 8円が五つではいくらですか。	○8×5=40
	○80×5=400
○8(②)は何円札を示すか。 80円が五つではいくらですか。	○40+400=440
○合わせていくらになりますか。	

○指 導 の 結 果

指導したあとで,「被乗数の数字がどれも偶数であって,乗数が5である問題」すなわちA型の誤りやすい問題(20題)について調査してみた。全部正しい答を出した。指導をする前には,20題とも,A型の誤りをしていたこどもである。

したがって,第2回の指導計画によって指導していくと,Kというこどもについては,その障害を完全に取り除くことができたといってさしつかえない。はたしてその計画が他のこどもにも妥当であるかどうかはわからないことである。しかし,障害がKというこどもと同じところにあるならば,そのこどもにも,この指導計画によって指導していくことが適当であると考えられる。

このように考えて,第2回の指導計画によって,他の13名に対していっせいに指導してみた。

ハ 第 三 次 指 導

第2回目の指導計画に従って指導していけば,A型の誤りはなおすことができるかもしれないという目安がついた。しかし,こどもひとりについて,障害がどこにあったかは明らかでない。そこで乗法の理解事項を一つ一つ指

導して,その指導の様子からみて,こどもの障害となっているものを究明しようとした。

㋑指導計画~第二次の指導のときに用いた指導計画

㋺実施年月日~昭和25年11月21日,22日,23日の3日間午後1時より40分

㋩実験児童~5年生　男5名　女8名

㋥実験児童はどんなこどもか。

(1) 身体的欠陥はない。

(2) 出席状況は普通である。

(3) こどもを学校に送るのに普通の家庭である。

(4) 繰上がりのある加法はできる。(10%以上の誤りはしない)

(5) 乗法九九ができる。(10%以上の誤りはしない)

㋭ どんなになったら,こどもの誤りがなおったと見るか。

A型の誤りをおかしやすい問題(20問)をテストしてみて,これができればよい。

○指 導 の 結 果

1. 指導前における誤算の問題

前記の指導計画によって指導する前には,このこどもはA型の誤算をどのくらいしていたかは,次のようである。

A型の誤りをした問題数	誤算児童
20	7
15	1
7	1
6	2
5	1
2	1

被乗数の数字がどれも偶数であって,乗数が5である問題の個数50についてのものである。(実験児童13名)

2. 数の大きさについての指導した結果は,次のようである。

右の表からみてもわかるように，13 名のうち 7 名のこどもは，A 型の誤算をしなくなったのである。

A型の誤りをした問題数	誤算児童
20	2
18	1
9	1
1	2
0	7

3. かけ算の意味を指導した結果は，次のようになった。

A型の誤りをした問題数	誤算児童
20	1
9	1
2	1
1	2……（1名はかけ算九九の誤）
0	8

以上からみられるように，誤りをしないこどもが増加して，8 名となったのである。

4. 部分積の大きさを指導した結果は，次のようになった。

部分積の大きさまで指導したら，13 名のうちの 12 名までが A型の誤りをしなくなってしまった。

A型の誤りをした問題数	誤算児童
20	1
0	12

5. 繰上がりのある加法を指導した結果

残りの 1 名のこどもについては，繰上がりのある加法を指導しても，誤算をしなくなるという見込がないと断定したので，このこどもに対する指導は一応中止することにした。

6. 誤算がなくなったかどうかの調査

A型の反応が現れるかどうかについては，さきに何回もくり返し述べたように，「被乗数の 1 の位の数字も 10 の位の数字も偶数で，乗数が 5 である」計算ができることによって確かめることにした。ところが実験に用いている

こどもが，問題の形式に慣れてきてしまい，この問題の特異性を知り，A 型の誤りがなくなってしまったとも考えられる。

そこで，上にあげた形式の問題 20 題のほかに，新たな問題 20 題を付け加えて調査することにした。その結果は表（8）のとおりである。

表（8）

番号	1	2	3	4	5	6	7	8	9	10	11	12	13
氏名													
A 型の誤りをした問題	1	2	0	0	0	0	0	0	20	0	欠	0	0
その他の誤った問題数（かけ算九九 繰上がり加法）	3	1	4	2	0	4	2	10	6	17	欠	0	0

いろいろな形式の問題を混ぜて調査した結果からみて，A 型の誤りをしなくなったものとみてさしつかえないと思われる。

1 題ないし 2 題だけA型の誤りをするこどもが 2 名あった。このこどもについては，かけ算のもとになっている理解事項についての程度が不安定であるとみることができる。

20 題とも A 型の誤りをするこどもについては，指導の結果が全然現れていない。このこどもについては，誤算の原因をふたたび調査する必要があることは明らかである。

（4）どのようなことを指導すれば誤算はなくなるか。

表（9）のように，位取りの原理と，かけ算の意義を指導した結果からみると，ほとんど（1名を残して）のこどもはA型の誤算をしなくなった。そこで「2位数×基数」のかけ算においては，位取りの原理とかけ算の意義とその方法が理解されると，かけ算九々ができさえすれば，容易に繰上がりの

あるかけ算ができるという結論を得た。しかし，その原理が，他の型の誤りについても適用できるかどうかは，次の研究にまたなければならない。

表（9）

番号			1	2	3	4	5	6	7	8	9	10	11	12	13	14
氏名																
指導前の誤算した問題数			20	20	20	20	7	20	20	5	20	15	20	6	6	1
指導した結果の誤算	① 数の大きさを指導した結果誤算した問題数		0		18	0	9	1	0	0	1	20	20	0	0	0
	② 倍の観念を指導した結果誤算した問題数		1	欠	20	0	9	0	0	0	0	20	0	0	1	1
	③ 部分積の大きさを指導した結果　誤算した問題数		0	欠	0	0	0	0	0	0	0	20	0	0	2	0
	④ いろいろな型の問題を混ぜて調査した結果誤算した問題数	A型	1	2	0	0	0	0	0	0	20	0	欠	0	0	0
		かけ算九九繰上がり加法	3	1	4	2	0	4	2	10	6	17	欠	4	4	0

（5）他の型のこどもに対しての実験

A型のこどもについての実験が，7月から12月までにわたり，予定よりも非常に多くの日数を必要としてしまった。この実験を終えて3学期を迎えたのであるが，3学期は学校行事がいろいろと計画され，実施されたので，他の誤算の型を示したこどもに対して，ついに実験する機会に恵まれなかった。したがって，これらのこどもに対しての実験は，新学期を迎えて4月当初において実施されたものである。

a.　再　テ　ス　ト

7月および9月にテストを実施してから，時日を相当経過している。それらのこどもに対してその間，乗法については直接に指導するようにはしなかったから，こどもの無意識のうちに理解された内容も考慮されるので，実験当初実施したテストの結果は，そのままに用いることができないと考えた。そこで，同一問題で繰上がりのある加法・乗法九九・乗法について，再テス

トしてみた。

テストの結果は次の表（10）のとおりであった。実施者総員61名のうちで，正解児童21名，誤算児童は41名であった。それらの正解者21名は，最初の実験テストにおいては誤算しているのであったが，今回のテストにおいて誤算はみられなかったのである。もちろんこの中には実験指導すみのA型のこども12名も含まれている。これらのこどもが正解するのは当然のことである。しかも，その他の9名が誤算をしなくなった事実については，次のように考えられる。（表10）

すなわち実験期間中，それらのこどもの属している組においては，担任教師が計画的に乗法について指導はしなかった。しかし，算数の学習は平常どおり実施してきたことはいうまでもない。また，その間にテストを数多く実施したので，おのずから習得したことがあるためであると思われる。

残りの誤算児童41名について，乗法九九，繰上がりのある加法のテストを実施して，前回と同じように両者のできないこどもは，対象から除外することにした。除外した児童数は全部で22名であり，残りの19名を実験の対象にするこどもとして決めたわけである。

b.　前の誤算の類型と変化があったか。

前回の実験の対象として用いたこども33名については，A・B・G・I・J・K・Lの8種類の類型がみられた。今回の対象児童について調査してみると，その結果は例外なしに，全部Kの類型に属していることがわかった。すなわち，かけ算九九の誤りに一定しているのである。たとえば，7×6＝48と誤っているために，左のような誤りをしているのである。

$$\begin{array}{r} 71 \\ \times\ \ 6 \\ \hline 486 \end{array}$$

このように前回の類型と今度のテストによってみられる類型に非常な差異のあるのは，次のような理由によるものと考えられる。すなわち

① A型の指導の結果，数の大きさについてはっきりすること，かけ算の意味をはっきりすることが明らかになったので，各担任教師がそれらの誤算児童に対して，計画的に指導はしなかったが，平常の算数の学習において以上の2点に留意して指導した影響と思う。（実験の最初において，乗法の指導，特に2位数×基数については，意識的に指導しないことに打合せしてあったが，他の除法・加減の算法に，それらの点が強く出たことによるのである。）

② 次に考えられるのは，誤算児童に対してはテストを回数多く実施したので，こども自身に自己反省を与える機会があったと考えられる。また，回数多くテストしたことは，計画的ではなかったが，反復練習の指導をすることと相通ずるものがあるとみられる。こどもは，教師や家庭から全然指導や暗示がないとしても，こども自身で検討する態度は，多かれ少なかれできていると考えられる。このようなことから，テストの回数の多かったことは，どうしてもこどもの自学自習を刺激したと考えてさしつかえないものである。

③ 最初のテストと今回のテストとの間には，約1カ年間の期間があったと考えることができる。その間に，自然的なこどもの成長発達があったと考えることができる。それらの発達が，こどもの誤算の型を変えていった要素の一っであるとも考えられる。

c. これらのこどもに対しての指導

さきに述べたように，これら19名のこどもの誤算は，全部Kの類型に属していた。今その例をあげると次のようである。

1. 9×4＝63，4×9＝63 と誤っているために，

$\begin{array}{r}99\\ \times\ \ 4\\ \hline 693\end{array}$　$\begin{array}{r}24\\ \times\ \ 9\\ \hline 243\end{array}$

2. 8×6＝54 と誤っているために，

$\begin{array}{r}63\\ \times\ \ 8\\ \hline 564\end{array}$　$\begin{array}{r}87\\ \times\ \ 6\\ \hline 582\end{array}$

3. 6×9＝45，5×9＝54，9×6＝45，9×5＝54 と誤っているために，

$\begin{array}{r}96\\ \times\ \ 5\\ \hline 570\end{array}$　$\begin{array}{r}59\\ \times\ \ 9\\ \hline 621\end{array}$

4. 8×9＝54，9×8＝54 と誤っているために，

$\begin{array}{r}90\\ \times\ \ 8\\ \hline 540\end{array}$　$\begin{array}{r}49\\ \times\ \ 8\\ \hline 374\end{array}$　$\begin{array}{r}89\\ \times\ \ 9\\ \hline 621\end{array}$

5. 6×5＝35，5×6＝35 と誤っているために，

$\begin{array}{r}16\\ \times\ \ 5\\ \hline 85\end{array}$　$\begin{array}{r}61\\ \times\ \ 5\\ \hline 355\end{array}$　$\begin{array}{r}96\\ \times\ \ 5\\ \hline 485\end{array}$　$\begin{array}{r}85\\ \times\ \ 6\\ \hline 515\end{array}$　$\begin{array}{r}59\\ \times\ \ 6\\ \hline 404\end{array}$

このように，乗法九九の誤りにこどもの誤算の類型が一定していたのである。さらに，その誤った九九の種類も数多くなかった。9×4＝63，8×6＝54　6×9＝45，6×5＝35，5×9＝54 のうちの，どれか一つあるいは二つに限定されていることがわかった。また，1名のこどもを除けば，他のこどもは被乗数と乗数とを交換したものを，そろってまちがえているのである。

以上の結果から，次のようなことを結論としてあげることができる。

1. 誤った九九は，特定のきわめて少ない種類に限定されている。このようなまちがいやすい九九については，特に指導する必要がある。

2. まちがう特定の九九についてみると，他の組合せと混同しているからである。すなわちと，9×4＝63 は 9×7＝63 と取り違え，7×6＝42 は6×7＝42 と取り違え，9×6＝45 は 9×6＝54 と取り違えているのである。このような理由から，それらの二つの組合せをこどもに比較対照させて，めいめいの誤りを自覚させるようにすればよいと考える。

表（10）　　実験経過一覧表

児童番号	出席状況(欠席多し年二〇日以上)	知能指数	加法テストできない者	九九テストできない者	乗法誤算のタイプ	A型児童の指導結果	乗法再テスト誤算した児童	加法テストできない者	九九テストできない者	なお、指導を要する児童
1		劣			A.E.K.J	1/20	○2			
2	○	劣			J.K.L					
3	○	中下	○	○	A.J.K					
4		劣	○		J.K					
5		劣			A.J.K	欠				
6	○	中下			E.G.K					
7		劣			E.G.J.K					
8		中下			A.K	2/20				
9		中			B.E.K	0/20				
10	○	最劣	○	○			欠	○	○	○九・加
11		中下	○		G.J.K		×12			○加
12		劣			A.J	0/2				
13		劣		○	E.K.J		欠			
14		最劣	○	○	E.G.K					
15		中下			B.K.A	0/7				
16		劣			A.K	0/20				
17		中下			E.J.K		○9		○	
18		中下			E.J.K					
19		劣	○		K.J					
20	○	劣	○	○			×61	○	○	○九・加
21		最劣	○	○			×47	○	○	○九・加
22		劣		○			×33		○	○九
23		最劣	○	○			×41		○	○九
24		最劣	○	○			×60	○全	○	○九・加
25		劣	○	○			×32	○全	○	○九・加
26		最劣	○	○			×60	○	○	○九・加
27		最劣	○	○	J.K.L		×57	○	○	○九・加
28	○	劣	○	○	A.L		×11	欠	欠	○九・加
29		中下		○	A.G.K.J		×37	○全	○	○九・加
30		劣			E.J.K					
31		最劣			J					
32		中下			G.K		○2			
33		最劣			G.K		○8		○	
34		最劣	○	○			欠			○九・加
35		最劣		○			×11			○九
36	○	劣	○	○			×84	欠	欠	○九・加
37	○	中下		○	A.K.J		×35		○	○九
38	○	劣		○	B.K		×56		○	○九
39	○	劣		○	A.E.G.L		○8		○	
40		中下			A.L					
41		中下		○	A.E.K		○2		○	
42		中下			A.K.D					

児童番号	出席状況(欠席多し年二〇日以上)	知能指数	加法テストできない者	九九テストできない者	乗法誤算のタイプ	A型児童の指導結果	乗法再テスト誤算した児童	加法テストできない者	九九テストできない者	なお、指導を要する児童
43		中下			J.K		○9		○	
44		劣			A.J.K		欠			
45		劣	○		E.L		欠5			
46		劣		○	J.K		○6		○	
47	○	劣			A.K	20/20				
48		最劣			E.K	20/20	○9			
49		劣			J.K	0/20				
50		中下		○	A.K.L		欠			
51		劣	○	○	J.K		×59		○	○九
52		劣	○		D.H.J.K		○9		○	
53		中下			G.L.K		○2			
54		最劣			I.K.J	欠	×10	○	○	○九・加
55		劣	○	○	G.J.K		欠			○九・加
56		最劣		○			欠			
57		劣	○	○			欠	欠	欠	
58		最劣			K.L	0/6				
59		中下		○			○4			
60		最劣	○	○	K.L		×49	○	○	○九・加
61		最劣	○		C.D.G		○4	○	○	○九・加
62		劣	○	○						
63		劣		○						
64		中下			G.K.L					
65		中下			E.K.L					
66		中下			K.L					
67		劣		○	K					
68	○	最劣	○	○	D.K					
69		最劣		○	E.K					
70		中下			G.K					
71		中下	○		B.E.K					
72		劣		○	A.B.K					
73		最劣	○	○						
74		劣	○	○						
75		中下			L					
76		最劣			L.K					
77	○	最劣	○	○	A.E.K					
78		中下		○	E.L.K					
79	○	最劣		○	A.B.K.L					
80		最劣	○	○						
81		中下			B.K					
82	○	劣			E.K.L					
83	○	最劣	○	○	A.G.K.L					
84										

3.　九九にまちがいのあるこどもは，無意識のうちに誤っているのであり，そのまちがったことが口癖のようになっているのであるから，めいめいに誤りやすい特定の数の組合せを自覚させておくことが必要である。

上に述べた三つの点について，こどもに対して個別的に指導した結果，その19名のこどもは九九でまちがうようなことがなくなった。そこで，かけ算について再テストをしてみた。そのときに誤算したものと，そのほかに正解した問題とを混ぜることにした。テストの結果からみると，19名のうちで，前と同じ九九でまちがったものは3名であった。残りは全部正しくできた。誤算した3名も，無意識に誤算したらしいのである。験算をしてみるように注意を与えると，そのこどもはただちに自分の誤りを訂正することができた。

以上の実験の結果からみて，九九と繰上がり加法のできないこどもを除いた誤算児童については，全部その原因が明らかにされ，指導によって，それらの誤算は消失してしまったわけである。

九九と繰上がりのある加法のできないこどもについては，本実験の課題の範囲外であるので，それらのこどもについての研究は，追って述べる機会があると思うので，ここでは省略することにする。

5.　研究の結果について

（学習指導を，どのように改善したらよいか）

1　研究児童に対しての結論

これまでの研究の結果を総合してみると，次のような結論が出てくるものと考えられる。

（1）かけ算の指導においては，数の大きさ（位取りの観念）と倍の意味

についての理解がたいせつである。

A型の誤算をする13名について，表（9）からもわかるように，数の大きさについて指導すると，7名は全問題を正解することができるようになった。また，2名は，1題だけしかまちがうというまでになっている。次に倍の意味の指導をしたら2名はできるようになり，1名は誤算している。（まだ誤算のなくならないこどもは1名残っている。）

以上の結果からみて，A型のこどもに対しては数の大きさと倍の意味の理解が必要であることがわかった。また，他の型のこどもについては，期間が経過したので，誤算の類型が変ってきて，みんなK型に属するようになってきた。その変ってきたのは，A型のこどもに対する指導のおかげであり，数と倍の意味に関係のあることからみても，誤算児童の全体に対しても，ここに述べた結論が肯定されるものと考える。

（2）誤算する原因は，こども各個によって異なる点もあるが，どのこどもにも共通した要素がある。

こどもの考え方は，各個によって異なる点もあるが，また同じような考え方をした事がらもある。「2位数×基数」の計算で誤算したこどもは，全部で380名中100名であり，また，その上誤算の型がAからLまで12とおりであって，さらに細かく考えていくと，Aの型の19名でも，その考え方がそれぞれ違っている。

この事は，前に述べたように，こどもは問題解決にあたっては，当然それまでに理解している範囲内で，その問題を解決するわけである。そのもとになるものが異なっていれば，当然その解決の結果も違ってくるわけである。位取りの原理がわからないこどもが，2箇の部分積の和を求めるのに，位取りをそろえることをしないで，自分のつごうのよいやり方を用いているのである。さて，2位数に1位数をかける計算に対する理解事項を考えてみると

その個数が多くあるのでない。さきに述べたように，aからfまでの六つに分けることができる。このような理由から，こども各個によって，その考え方が違っているといっても，その原因を分類すれば，その六つに分けることができるのである。すなわち，誤算児童100名も，その原因を追求していけば，その六つのうちのいずれかに属するといえるわけである。

2　算数科学習に対しての考え方

（1）理解事項をはっきりすること。

誤算児童は，知能指数が中の下および劣の部類に属している。しかしその誤算の原因が，こどもの知能が他に比して劣っているか，あるいは指導の不徹底にあるかのどれにあるかは，別の研究によって実証しなければならないと思う。少なくとも誤算児童が乗法問題の一部についてだけ誤算し，他の問題について正解している事実は，必要な事がらでありながら，これについての理解が不足していることを示している。

こどもが理解事項のいくつかを習得していなかったり，また，一応は習得しているにしてもふじゅうぶんであるところに誤算の原因があると考えられる。このような事が原因になってきているのは，ややもすると教師がただ形式的に理解事項を考え，その本質についての指導を忘れたからではないかと考えられる。いいかえると，数の大きさについて，倍の意味についてなど，その他の事がらについての内容をもっとつっこんで指導することを軽んじられたためではないかと考えられる。乗法（2位数×基数）についての理解事項は，さきに述べたように，aからfまでの6項目に分けることができる。これをさらに分析すれば，いくつかに分けられるものである。たとえばcの数の大きさについて述べてみることにする。こどもが数の大きさをはっきり理解するには，次の事がらについて指導することが必要であると考えられる。

（a）書かれた数字の位置によって，その数字の表わしている単位が違う。

3 4 7

7……1位の数字は10個ずつまとめた残りの個数を示すものである。

4……10の位の数字は10個ずつのグループをさらに10個ずつまとめたときに，10個のグループがいくつ残ったかを示すものである。

3……できた100個のグループの個数る示している。

（b）数字の位置によって示される単位の大きさは，左に移るごとに，10倍になっている。

（c）どんな大きな数でも，0，1，2，3，4……9の10個の数字を使いさえすれば，これを書き表わすことができる。

（d）数の相対的な大きさについて理解する。

たとえば，405＝（100が4個，1が5個）＝（10が40個，1が5個）

＝（1が405個）

以上のような事がらをあげることができるが，実際の学習においては，それらの理解事項をはっきり意識しないで，形式的に計算の方法だけを記憶させるように指導しがちである。これが現在の算数指導の大きな欠点であると思う。この意味から学習を指導するにあたって，常にこどもの学習する内容が何であるかを，教師ははっきり研究しておかねばならない。もし，これについて深く研究しておかないと，こどもの学習において，その弱点が明らかにされるのである。

とにかく，われわれは誤算児童の研究をとおして，ふたたび同じ誤りをくり返さないように，また指導の不徹底になることを最小限度にとどめるように研究することが必要である。

（2）めいめいのこどもの能力をよく知っていること。

指導の内容を手落ちなく学習できるようにと考えて指導したとしても，こどもの能力は，めいめいのこどもによって相異しているのが普通である。いわば，めいめいのこどもの理解する程度がまちまちになるわけである。こどもの理解は，これまでに学習し，習得した要素が基礎になり，その上にだんだんと累積されていくものである。こどもの能力は，決して飛躍的に発展するものではない。倍の観念が理解できていないこどもに，乗法の計算についての理解をはっきりもたせようと思っても，それはできないことである。ただそのこどもを困惑におとしいれるだけである。いわば，その指導はむだな努力であるとしか考えられない。教師は，めいめいのこどもの能力をじゅうぶんに知っていて，決してこどもにとって飛び越えることのできない飛躍をできるものと考えて指導することがあってはならない。

同数累加の場合について，3が4個あるときに，3×4と書くことを理解したこどもに，すぐに2位数に基数をかける計算も同じであるとして，指導したとする。このような指導で，進んでいる2，3名を除いて，どのこどもも理解することができなかつたことを経験したが，これは1位数が，2位数にかわつても，やさしいように考えられるが，こどもにとっては大きな飛躍であることを示している。いわば，このように考えたのでは，当然こどもが段階的に理解することがらについての指導を忘れていることになる。

$$\begin{array}{r} 3 \\ 3 \\ 3 \\ +\ 3 \\ \hline \end{array} \rightarrow \begin{array}{r} 3 \\ \times\ 4 \\ \hline \end{array} \qquad \begin{array}{r} 12 \\ 12 \\ 12 \\ +12 \\ \hline \end{array} \rightarrow \begin{array}{r} 12 \\ \times\ \ 4 \\ \hline \end{array}$$

こどもの能力に対して意を用いねばならないことは，計算の方法を，こどもが形式的にわかったというだけでじゅうぶんであると考えてはならない。形式的にこどもが計算の方法を知ったのでは，その能力がこどものはたらきとして発展しないものである。2位数×基数についての理解事項を正確に学習しているこどもは，次の2位数×2位数の場合にも当然既習の理解事項を生かし，解決していくものである。しかし，形式的に計算の方法を記憶して

いるときには，その学習に必要な，特にその計算方法に対する理解を，ことさらに新しく指導していかねばならない。2位数に2位数をかける計算についての理解をするときに，さきに指導したものが生かされるときに，はじめて，さきに指導したことが能力となって生き生きとしたものとなるのである。

要するに，教師は，こどもの現在の状態をよくとらえておき，これによって学習の出発点を誤らないようにすることが必要である。また，指導がそのときだけに限らないで，あとの指導に生かされるようにくふうし，次の指導のりっぱな素地を作ることを忘れてはならないと考えるのである。

以上のようなことに気をつけていけば，こどもが混乱を起すようにはならないであろうし，誤算児童を作らないで済むであろう。

第 Ⅱ 部

事実問題の解決にあたって，こどものつまずく点とその理由。

千葉大学教育学部付属第一小学校

1.　研究のねらい

こどもの学習の様子をみると，計算問題は比較的よくできるが，書かれた事実問題（いろいろな問題とか応用問題とかいわれてきたもの）は，よくできなくて困るということは今までにいわれてきたことである。

ところが，算数科の目標からみると，日常生活において当面する問題を数量関係を用いて，手ぎわよく処理することができるようなこどもに育て上げることが，きわめて重要なこととされることになる。

このような意味から，書かれた事実問題を解決することができるようにすることは，非常に価値の高いものであるといわねばならない。

さて，教師としては書かれた事実問題を解決しようとするときに，こどもが，どんな点に抵抗を感じているかとか，また，どんなところでつまずいているかとか，またそれはどんなことが原因になっているかなどを，前もって知っておき，指導計画や指導法を考えなければ，効果のあがる能率的な取扱ができないのである。

この点に着眼して，本校においては標記の問題についての研究にとりかかったのである。

2.　研究の方法とその実際

今日まで，筆記テストによって書かれた事実問題の誤りを点検し調査してみたのであるが，いっせいの筆記テストによったのでは，この問題を解明することが困難であるとの見とおしがついたのである。そこで，1年から6年までの12学級から実験児童を選定し，その実験児童1名に対して1名の観察記録者（教官および教育実習生）をつけて，与えられた問題を児童が解決していく過程（発問およびそれに対する指導事項を含む）を，たんねんに記録していくことにした。

なお，このときに実験児童の心理的な面を考慮に入れて，こどもが実験されているという意識を，できるだけもたせないようにしてやりたいと考え，各学級全員に対しても同じ問題を配布して解決することにして，学習の場を同一にするようにした。

○　実験児童の選抜方針

1年から6年までの12学級（学級定員42男女半々）の各学級において，I.Q を中心として，それに担任教師の立場からみた算数の能力を加味して上・中・下の3段階の能力別グループを作り，各グループから男1女1を選抜して各学級で計6名を実験児童に決定した。

○　観察記録者に対する注意とその打合せ

実験にはいる前に，この実験の目的および方法についての打合せを行い，次にあげるようなことを約束した。

1.　調査票を配布する前に，下敷と鉛筆だけを出させる。

2.　調査票にまず学年・組・氏名を書かせる。

書き終ったところを見はからって，時刻を記入しながらどのように問題を解いていくかを観察する。（そのときに，参考のため時間を計ってみますからと，こどもにことわることもよい。）

3.　こどもの聞いたこと，それに対してこどもに答えたこと，または，こどもの行った動作など，必要だと思われることを，経過に従ってたんねんに記録する。

4.　こどもが問題解決をしようとして考えていく過程がよくわかるようにするために，消ゴムは使わせないようにする。もしまちがったといった

ら，＼（斜線）を引いてこれを消させることにする。

5.　こどもが「もういいです。」といって提出しようとしたら，「これがいちばんよいやり方ですか。」「それはどうしてですか。」と聞いてみる。そして，こどもがどうして調査票に書いてある方法を採用して解決したかをよく聞いて記録しておく。

6.　テストが終ったら，「どんなことにいちばん困りましたか。」と，こどもに聞いてみる。これによって，問題解決にあたって，こどもがいちばん大きな障害と感じたことをよく聞いて記録しておく。（本質的でないと思われることであっても，これは記録しておく。）

8.　問題を解き始めてからすべてを完了して提出するまでの時刻を，5分くぎりに記入しておく。

○　調査問題を決定してプリントする。

問題を作成するにあたっては，できるだけこどもの日常生活で当面するような，しかも，こどもの生活経験として，だれもがもっているような問題の場から，問題を選ぶようにする。その一例を次にあげておく。

年　組	なまえ		知能調査および教師の見た能力段階	I.Q. 上・中・下	問題解決に要した時間	分

日曜日にお友だちが4人あそびにきました。

お母さんがわたくしに，「くだものやさんからりんごを買ってきていっしょにおあがり。」とおっしゃって，100円札を1枚下さいました。くだものやさんに行ってみると，りんごは一つ25円のものと19円50銭のものと，13円40銭のものと9円80銭のものがありました。

わたくしはどれを買ったらよいかに困りました。

どんな買い方をするものがいちばんよいでしょう。

○ 実 施 の 期 日

2月8日の第2校時を全校の調査時間と定め，校内いっせいに実施した。

○ 観察記録表の一例

観 察 記 録 整 理 表

児童氏名　○　○　二の一　上　観察者　×　×

時間	こどもの行動と質問	応答および発問	行動から感じたこと
9:15	「先生，やりはじめていいですか」	「いいですよ」	
	二度くり返し読む。 首をかしげて考える。		目読ですらすらとよく読める。
	「先生のお話も書くの」	「お話ってなんの」	
	「どんな買い方をしたらよいかってこと」	「そうですね。いちばんよいと思うことをね」	相当にむずかしいらしい。
	もう一度読み返す。 「あれ，どうしてもはんぱになってしまう。じゃあ，おつりがきてもいいでしょう」	「あなたのいちばんいいと思うやり方でやってごらんなさい」	
9:20	25 25 25 25 と紙に書き，首をかしげて考えている。		お金の数え方がめんどうであるらしい。
	「50銭やなにかは数えにくいけど，25円はぴったりだから書いていい」	「それをみんなで食べるのですね」 「お友だちは何人」 「わたくしはどうするの」	
	初めから読みなおして 「5人」 「25円のでは足りなくなってしまう，どうしたらいいかなあと」		自分でよいと思っていたことがまちがっていたと気づき，落ち着きを失う。 あせり出す。

3. 得られた結果をどのように学習指導に活用しているか

【1　年】

1生においては，「　」などの読み方や意味が全然といってよいくらいにわからない。できるといわれるこどもについては，ていねいに指導を進めていくと，なんとか解決ができるだろうといった見とおしがつく。したがって一般的にいって，文章が全然読めない。まして文意をつかむことができない。

このことからして，この学年のこどもたちには，とにかく読む力をつけるようにすることがたいせつな事がらである。

結論として，1学年のこどもには，このような問題を解決させることは不適当であり，心身の発達に即していないといえる。

【2　年】

2年生においても，並のこども，遅れているこどもは1年生と同様である。問題がよく読めないで困っている。たとえば，26円80銭を，26円80円と読んだり，一字ずつ拾い読みをしている段階にある。とにかく一応読むことはできても意味がつかめないこどもが多い。

また，進んでいると思われるこどもは，読んで意味をつかみ取っている。しかし，その解決をするために計算の方法に苦労していることがわかる。たとえば，19円50銭の物を5個買う場に，

10円が五つで50円
9円が五つで45円
50銭が五つで2円50銭
全部で　97円50銭

などと，分析して処理している。

このように考えていくと，２年生に対しても１年生と同様に，たいていのこどもには読み，および読解力をつけることを重要視して指導することが必要である。それと同時に，計算などの指導においては，単に形式的に方法を指導しないで，じゅうぶん理解に訴えながら一つずつ分析して学習を進めていくように配慮する必要を感じる。

【３　年】

この学年の一般的な傾向としては，算数のテストであるという先入感が強い。問題を吟味して読み，よりよい解決をしようと努力しないで，単に数を見て，安直にぴったりあてはまるとそれで満足をしてしまい，誤りをおかしやすい。たとえば，25円×４と計算して，ちょうど100円になるとそれで満足して喜んでしまうなどである。ところが，遅れていると思われるこどもは２年生と同様に解決のために必要な計算方法に苦しんでいることがわかる。たとえば，繰上がってきた１の書き場所がわからなかったり，円と銭の単位関係がはっきりしないで混同してしまったり，２位数に基数をかける計算に苦労していることなどである。

そこで，この学年のこどもには，問題を吟味して読み，結果に誤りがないかどうかを確かめる験算の方法を身につけることが，指導の重点となる。また，２年生で重点とした計算方法を分析して理解させることに力を注ぐことも，あわせて考える必要がある。

【４　年】

４年生になると，問題の場をじゅうぶんに理解して，正しく解決しようと努めていることがうかがえる。たとえば，

19円50銭×５＝97円50銭

100円－97円50銭＝2円50銭

などのように，いくつかの方法を考えて，いちばん望ましい解決を見いだし

ていこうとしていることがわかる。

たとえば，お客様に出すのだから，よい品物を買って出すことがもてなすことになるとか，あまり安い物を出すのはお客様に失礼にあたるし，といってお客様だけに出して自分の分がなくなるのはつまらないなどと考え，実感をもって問題の解決にあたることができるようになっている。

遅れていると思われるこどもには，問題の意味とか内容とかを，関連的につかむことが困難であるらしい。たとえば，いくらのりんごがあったのか，だれが買いに行ったのか，おつりがくるとどうして困るかなどと，教師が発問して暗示を与えていくと，問題の内容を関連的に理解することができる。

この学年のこどもたちにとっては，この程度の問題は苦労をしないでも解決することができる。そこで解決の過程を正確に，そして自分の考えを他人にもよくわかるように一つの式にまとめることの必要をこどもに認めさせ，指導することがたいせつである。またその間に，余裕をつけては，特に遅れていると思われるこどもたちに対しては問題を分析し，数量関係を正しくはあくするように指導することが必要である。

【５　年】

５年生になると，わからないこととか，質問することなどがずっと少なくなってきて，一般に抵抗を感じているとは思われない。ただ，遅れていると思われるこどもは，次のようなことに困難を感じている。

○加減乗除のどれを使ったらよいか。

○小数点を打つ場所が不明である。

○問題の意味がわからない。

このようにあげてみると，何か全体に通じる傾向というよりは，むしろ個人的であって，今までの学習で理解のふじゅうぶんであったことが原因となり，解決できないで困っていることがわかる。教師としては，各個人につい

てはっきりわかっていない箇所を分析して調査し，その原因を排除するように個別的に特別な指導をすることがたいせつである。

【6　年】

この学年になると，特に遅れていると思われるこどもだけが解決できなくて困っている。

たとえば，100円－98円80銭＝　銭としたり，$9.80\overline{)100}$　の計算，つまり，小数で割る計算ができないで困難を感じたりしている。

そこで教師としては，そのこどもたちに即して問題となる点を分析して調査し，それを治療することに指導の重点をおくことが肝要である。いわば，5年生に対するのと同じことがいえる。

第　Ⅲ　部

学業不振児の計算指導

山梨県教育庁指導主事
弥　津　忠　則

学業不振児の計算指導

ここに学業不振児というのは，学問的な名称ではなくて，普通にいわれている学業成績のよくないこどものことをさしているのである。学業不振をひき起す原因としては，幼児期の病気・難産・素質・環境等によることもある。しかしその中には，教師が精神遅滞児の心理的特徴に考慮を払わず，こどもに指導の手を伸ばさなかったために，そのこどものもっている可能力をじゅうぶんに伸ばすことのできないためであることも多いのではないかと思われる。ここでは，主として学習不振児に対して，基礎的な計算を指導するときに，どんな点に留意したらよいかについての，自分の研究の一端を述べてみたい。（これは第6回IEFL特殊教育班において，レポートとして提出したものの一部分である。）

（1）こどもの能力に応じ指導し，個人指導に重点を置く

(1)　こどもの実力を調査し，その能力に応じて指導する。

(2)　こどもの計算のまちがいの傾向をはあくする。

(3)　個人差に基いて個人指導を徹底する。

（a）ひとりびとりに，指導が徹底したかどうか確かめながら指導を進めていく。（b）練習をしているときに，どのこどもにもいっせいに答えさせるようなことはしない。（c）めいめいが全力をあげて，学習ができるようにくふうする。（d）答が出さえすればよいというのではなくて，計算を生み出すまでの思考過程を重視する。（e）個別指導の機会を生かして，誤りを早く発見し，指導の時期を失わぬようにする。

（f）能力別グループ学習の指導を適切にする。

(4)　社会生活における最も共通な必要性と，最低の要求とを基準として，こどもの学習の可能な範囲で指導する。

（2）行動的，具体的に指導を進めるようにして，具体から抽象への過程を重視する。

(1)　具体から抽象への原則を守ること。

入学当初におけるこども，特に遅れているこどもの数観念は，きわめて具体的であって，計算をするにしても，すべて事物を足がかりとして行われるものである。

したがって，具体物を用いての指導によって，具体より漸次抽象へ導くという原則は，どこまでも厳守されなければならないものである。こどもの思考は，事物それ自体に依存しているといってさしつかえない。たとえば，数の2について述べると，2は常に同じであっても，二つの目，二つの耳，二つのお菓子といえば，どれも2とみられるといっても，それぞれ異なった観念を起させるものである。したがって，こどもがお菓子について2を学習したからといって，すぐにこの2を，さきのお菓子とまったく異なった種類のもの，たとえば，目や耳にも2を適用することができるというわけにはいかない。文部省発表の「児童・生徒の計算のまちがい」の中にも，次のようなことが述べられている。「低学年に見られる誤答の特徴は，数に対する概念が事物と結びついた概念であって，まだ抽象数の概念になっていないことからくる。」

このように考えると，学業不振児に対しては行動的，具体的に指導していくことが必要であり，事物による豊富な経験を，そのこどもに与えることを心がけねばならない。このようにして，具体的な経験から抽象へと進んでいくように注意しなければならない。

(2)　児童の数意識の発達に即した指導をすること。

一般に，算数の学習は学業不振児にとって，特に最も困難なものの一つとされている。その根本の原因は，これらのこどもに数意識が成立していないにもかかわらず，これを見過ごして，それよりも先のことについての指導をする点にあるのではないかと考えられる。このような意味から，知能の低いこどもには，数意識を確立するといったきわめて初歩のことにも，注意が向けられねばならない。いいかえると，数の多少，数えること，数系列などについて指導し，この上に立って，抽象数の意味を指導することに力を用いなければならないといえる。

さらに，こどもの数意識の発達の上からみて，注意したらよいと思われる点を述べることにする。

（a）数え方の適用を急がぬこと

こどもが，ものを数えていく過程は，（1）数詞の唱え方の習得（2）事物の群を個々のものに辨別すること，（3）各数詞を個々の事物に対応させ，数詞の系列と事物の連絡とを一致させることの三つの部分に分析することができる。こどもがある種のものを数えることができるからといって，それをほかの事物を数えるときに適用することができるとはいえない。したがって，初歩の数え方指導においては，こどもの最も使い慣れたなじみの事物を用いることが必要である。このことを忘れて，いたずらに数え方をほかの事物に適用することを急いではならない。こどもが，数え方に行きづまる原因は，この三つの中のどれかがじゅうぶんにできないところにある。

（b）数のはあくのしかたには，全体を直観的にはあくする方法と数える方法との二つの方法がある。

（c）4，5などの数は，こどもの数意識の発展において一大難関である。

人間の数意識の発展の歴史を見ると，1，2，3あるいは4の範囲内に，長く停滞していて，4以上には容易に発展することができなかったようである。これは，おそらく原始人やこどもが視覚的に，同時的にはあくすることができる事物の個数は，3または4の範囲を出ることができないためであろう。このような意味から，4，5などの数は，原始人やこどもの数意識の発展の上において一大難関である。これは特に，学業不振児に対して算数を指導するにあたって，ゆるがせにすることのできない事実である。われわれがこの事実に対してとんちゃくしないで，1から10まで，あるいはそれ以上までも，何の差別もしないで，一様に取り扱っていくことは，学業不振児の数意識の発展に重大な支障をきたす原因になるのである。

(3)　抽象的な計算への過程を重視すること。

（a）こどもが，具体的にしかも直観的に，内的関係を見とおすことができるように努める。

こどもの身近にある具体的な事実を通して，数と数との相対的な関係を発展させ，この上に立って一つの全体的な形態をもっているものであることを，よくのみこませるようにすることがたいせつである。

具体的な指導の一例をあげて，ここに述べたことを明らかにしてみよう。

〔例〕おはじき並べ

次にあるようなけいの引いてある紙をこどもに与えて，その上に，1から順に10まで，おはじきを図のように並べさせる。これは，おはじきをいちばん下から順に並べることにする。どこからでも並べ始めたり，一度に二つ以上を置いたりすることは許さない。このような方法でおはじきを確実に並べることができるようになったら，友だちと「並べっこ」の競争をさせたり，また，一定の時間に何回並べられるかをみてやる。このよう

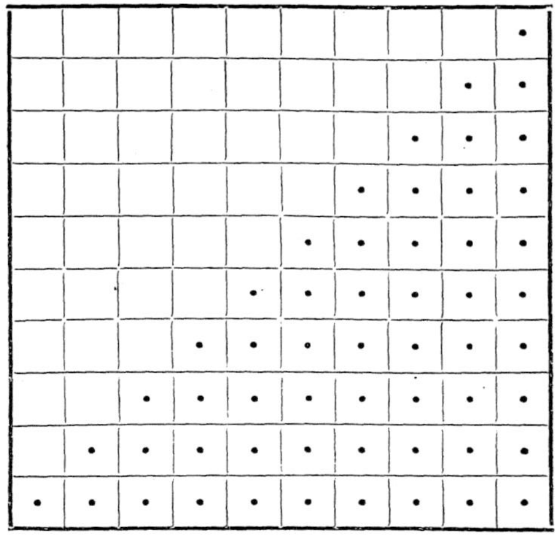

									•
								•	•
							•	•	•
						•	•	•	•
					•	•	•	•	•
				•	•	•	•	•	•
			•	•	•	•	•	•	•
		•	•	•	•	•	•	•	•
	•	•	•	•	•	•	•	•	•
•	•	•	•	•	•	•	•	•	•

に指導を進めると，こどもは常に進んで練習するようになる。

このような練習を積んでいくと，1から2，2から3へと数えるようになるとともに，1の次は2，2の次は3……ということも，おのずからわかるようになる。また，たとえば6を並べるときに，「3個並べたから，もうあと3個並べればよい。」とか，「これで5個並べたから，あと1個並べればよい。」と数えることもわかってくる。このようにして，こどもが練習を積んでいくようにすると，このおはじき並べは，具体的に，直観的にこどもが数の内的関係をはあくする上に，大いに役だつものであるといえる。

（b）抽象的な計算を指導するに先だって具体的な事物を通して，具体的に，直観的に加えたり引き去ったりする原理を，こどもがはっきり理解するように努めねばならない。

たとえば，2＋2＝4 についてみても，＋とか＝とかの記号を取り出すと抽象的なものである。こどもの中に，これらの計算のできないものがあるのは，そのこどもは具体的な物についての数を知っていても，まだ抽象的な数をもっていないからである。いわば，1から9までの数について，全体と部分との関連がはっきりしていないところに原因があるようである。減法の指導に先だって，二つの数の違い，いわば，おはじき並べなどでは

二つの数の距離を速く正確に見いだすことができるようにしなければならない。

（c）位取りの原理を明らかにする。

遅れているこどもでも，どうかすると形式的には相当の数まで数詞を唱えることのできるものがある。

教師が，これに幻惑されて，計算の指導にはいるに先だって指導しなければならない数観念の養成に意を用いないで，早くから加減の形式計算の指導をすることがある。これは，大いに反省しなければならないことである。基礎的な指導が不確実であったのでは，この影響は学年の進むにつれてだんだんと顕著になってくる。普通児は，315といっても，何の不思議もなくその大きさを知ることができる。学業不振児は，そう簡単にはこれを理解することができないのである。数観念をもっていないこどもは，315を3と1と5との三つの基数が，何の関係もなく並んだものであると考えるにすぎない。ただ「大きい数だ」ぐらいにしか受け取っていないのではないかと思われる。文部省調査の「児童・生徒の計算のまちがい」の中に，小学校3・4学年の誤答の中に，534＋384＝8127 のようなものがある。これは，こどもがこの位取りの概念をはっきり理解していないからであると考えられる。物の個数を数える場合に，一つずつ数えていってもよいが，個数が多くなると，このように数えていくのでは非常に労力もかかるし，また，他の条件からまちがいをしやすいといえる。そこで，1を10個集めた一かたまりとして10の位を考え，さらに，10を10個集めた一かたまりを100の位と考え，これを用いて数えるのであるが，これは手ぎわのよい数え方であるといわねばならない。このような数え方をして，1，10，100のかたまりをそのままに記録していくのが記数法である。ここに位取りの原理がある。2位数以上の計算を指導するに先だって，位取りの

原理による記数法を，こどもが具体的にはっきり理解していることがたいせつである。

（d）乗除計算の指導への準備的取扱をする。

かけたり，わったりする計算を指導するに先だって，たとえば4個のおはじきを2個ずつの2組に分けさせたり，6個のおはじきを3個ずつの2組に，あるいは2個ずつの3組に分けさせるような指導をして，数についての全体と部分との関係を明らかにすることがたいせつである。

(4)　具体より抽象への橋渡しとして，半具体物および教具を活用する。

こどもが数観念を得たり，数計算ができるようになるまでには，発達の段階として必ずこの半具体物を通して理解する時期を通るものである。たとえば，指を使わないこと，計算のできないこどもに指を使わないで計算させようとしても何にもならない。それよりも指を使わなければ計算のできない時期には，大いに指を使わせ，それによって数計算の意味を具体的に理解させるがよいと考える。しかし，それだけにとどまらないで指を使わなくても計算ができるようにしなくてはならない。指を使うことを禁止することよりも指を使う時期から，こどもが抜け出すように指導することがたいせつである。代用物・教具や半具体物を使う上に注意しなければならないことは，これを機械的に使用して頭を働かせることが少ないような使い方をしないことである。また，それを使用することによって，こどもが数関係を具体的にはあくすることができ，算数的な推理や原理をじゅうぶん理解することができるのに適切なものを選ばねばならない。

（a）おはじきの使い方の一例

たとえば，こどもにおはじきを使って5の合成分解を理解するように指導しようとして，おはじきを5個だけ机の上に出しておき，1と4，2と3のように分解させる。5の中から1をとると，あとは数えなくても4に

なるし，2をとればあとは当然3が残ることになる。このような方法を用いても，もちろん5の分解をある程度までは指導することができる。このような方法を用いたのでは，こどもがあまり考えないでも自然にその結果が現れてくる。これを6個または7個の中から5個取り出して，それを1と4または2と3のように分解させるようにすると，思考を用いねばならないであろう。また，たとえば8人いたのに3人が立ち去っていくと，何人残るかの場合についていえば，おはじきを8個並べておき，それから3個取り去って残りを1，2，3，4，5と数えて5人残っているというのではあまり思考を用いているとはいえない。それよりもまず3個を取り去らないで，1個取っては7人，また1個取っては6人というように順に数え引かせるようにすると，ひき算の意味の初歩の指導にかなっているといえるであろう。また，頭の中で5人残ることを考え，これを検証しようとして3個取り，残りが5個あることを確かめるようにするとさらに頭を働かせることになる。

（b）加法九九および減法九九の指導のため，次のようなカードを用意して活用するがよい。

A

B

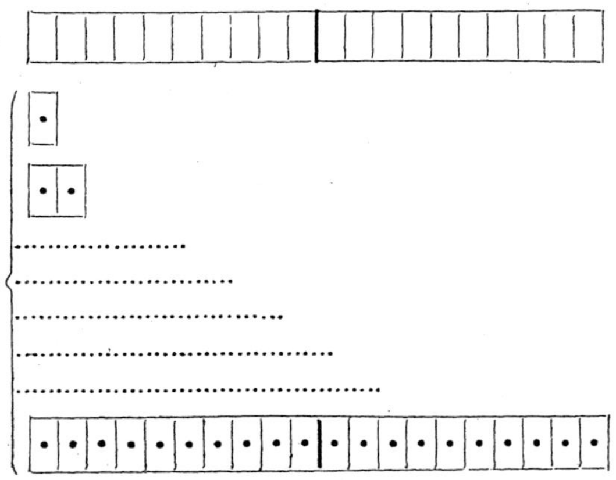

A図に示すように，20個のますを印刷したカードを1枚，B図に示すように，1から10までのカードを2枚ずつ11より20までのカードを1枚ずつ用意して置く。それを加法九九や減法九九の数関係を理解させるために，次の図に示すように使用する。

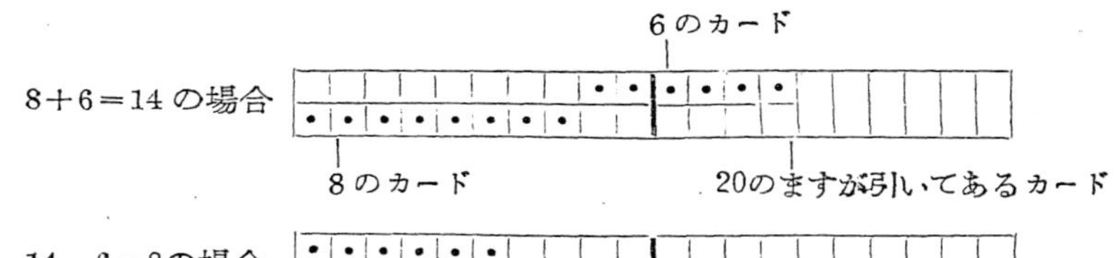

（c）乗法九九の指導のため，次のように100個の玉を印刷をしたものとかぎ形のボール紙とを用意して活用する。

A図に示すのは，100個の玉を等間隔に印刷したもの，B図に示すのはかぎ形のボール紙，C図に示すのは 4×6＝24 の活用例である。

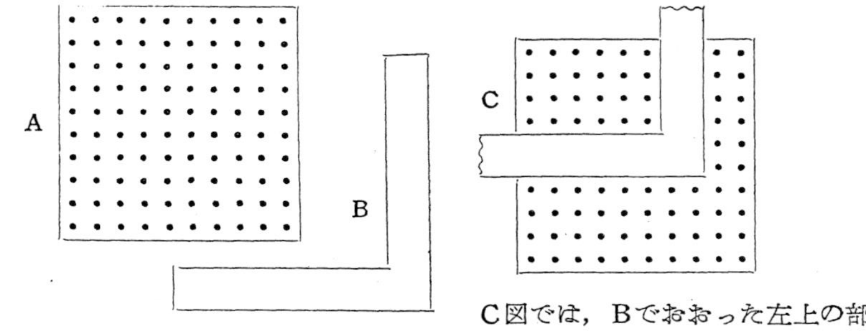

C図では，Bでおおった左上の部分が4の6倍が24となることを示している。

このように，かぎ形のボール紙を動かしながら九九を唱える練習をしたり，ときどき九九の意味をこれで示させたりすると，九九の意味を明確に理解する上に大いに役だつのである。

（加法九九，乗法九九練習器　省略）

（d）ゴムひもの利用

質のよいゴムひもに，等間隔に色のついたひもを結びつけて印をつける。それを数図にあてて適当な長さにゴムひもを引き伸ばして，その数関係をめいりょうに表示して理解させるのである。

使用の例　数図　0 1 2 3 4 5 6 7 8 9 10 11 12 13 14 15 16 17 18 19 20

ゴム　0　1　2　3　4　5

上の数図の上にゴムひもの1の印が3の上にくるように引き伸ばしたもので，これで3の2倍，3倍，4倍，5倍の関係を明らかに理解することができる。また，上図は，ゴムひもの5の印が15のところへ一致するように引き伸ばしたと考えると，15を5等分した場合と15を三つずつに分けた場合との関係もめいりょうに理解することができる。

（イ）

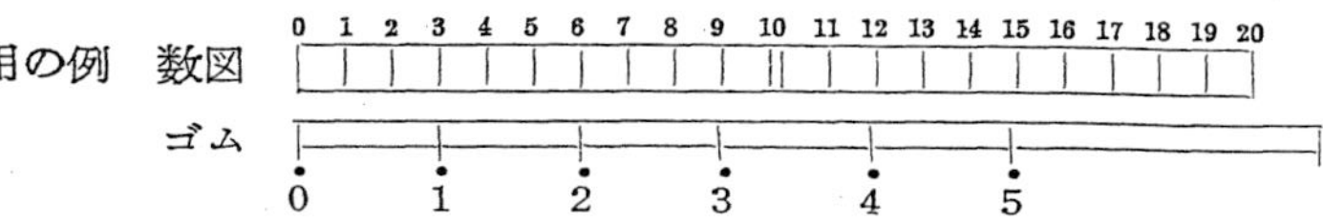

（e）色板または紙型の利用

ルップは，精神薄弱児に左図（イ）に示すような見本を見せて，続けてそれに描かせた。それによると，精神薄弱児は（ロ）の図に示すように描く。これは，精神薄弱児が場の再構成に困難を感じるからである。これはルップの蜂巣（はちす）模様の実験といわれるものである。このように，遅れているこどもは図形を描くことに不得手のものが多い。そこでそれを補う意味においても，赤・黄・青などのいろいろの形の色板を並べて，種々の図形を作らせてそれを数えさせたり，また，ボール紙から三角・四角・円などのいろいろな図形を切り抜

（ロ）

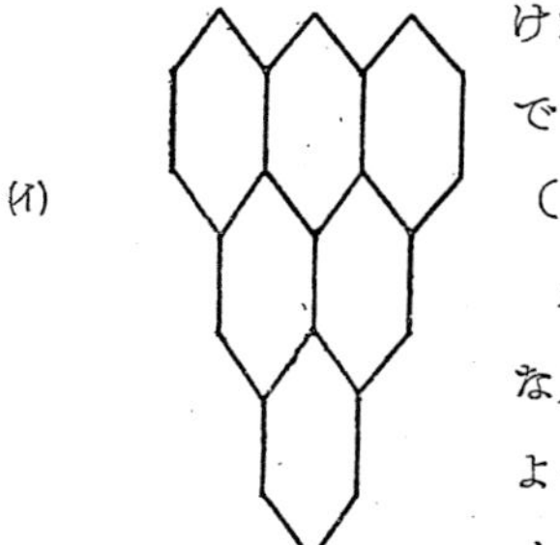

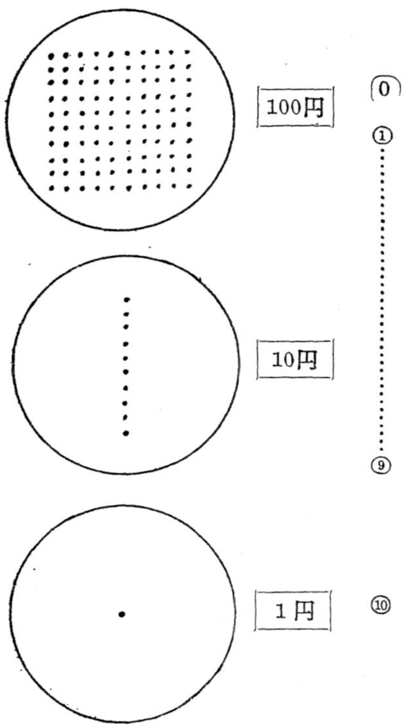

100円　10円　1円

(0)
①
⑨
⑩

いたものを与えて，それを紙にあて色鉛筆で切り抜いたところに色を塗らせて，いろいろな形をくふうして作らせたり，またこれを用いて図形を数えさせることもよい。

（f）位取りおよび加減法の原理を理解させるためのカード

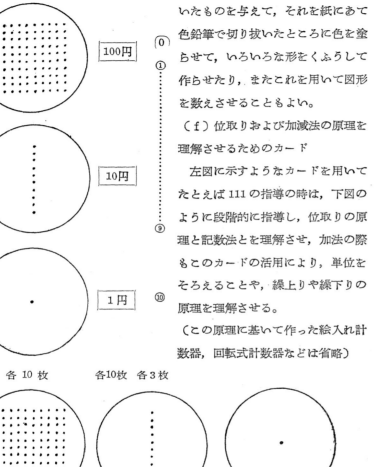

左図に示すようなカードを用いてたとえば111の指導の時は，下図のように段階的に指導し，位取りの原理と記数法とを理解させ，加法の際もこのカードの活用により，単位をそろえることや，繰上りや繰下りの原理を理解させる。

（この原理に基いて作った絵入れ計数器，回転式計数器などは省略）

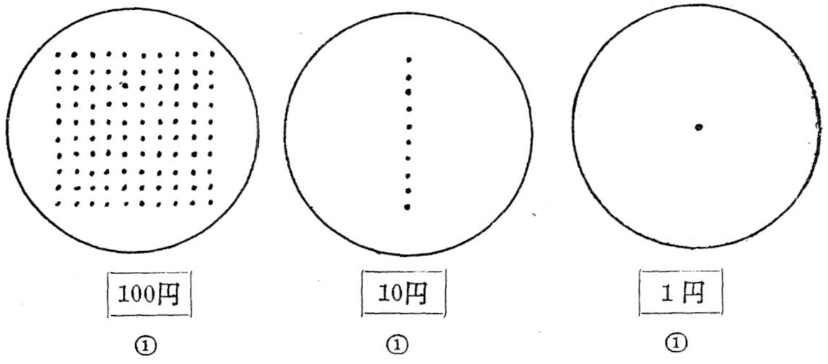

各10枚　各10枚　各3枚

100円　10円　1円
①　①　①
1　1　1

（3）反復練習することによって，じゅぶん身につけさせるようにする。

(1)　練習の必要をじゅうぶん感じさせた上で練習する。

(2)　じゅうぶんの理解の上に立って練習し，速さをあまり要求しない。

(3)　１回の時間を少なく，しかも回数多くする。

(4)　遅れているこどもには，特に既習の事項との関係を理解させるように努めることが肝要である。遅れているこどもは理解しないで，機械的に方法を覚えてしまうことがあるので注意しなければならない。

初等教育研究資料第Ⅰ集
算数実験学校の研究報告
（1）

MEJ 2085

昭和27年6月1日印刷
昭和27年6月5日発行

著作権所有　文部省

東京都中央区入船町3の3
発行者　藤原政雄

東京都板橋区板橋町8の1952
印刷者　中村榊
（新興印刷製本株式会社）

東京都中央区入船町3丁目3番地
発行所　明治図書出版株式会社
電話築地(55)867番　振替東京151318番

定価 70 円

明治図書出版株式会社刊
定価 70 円

MEJ 2312

初等教育研究資料第Ⅲ集

算　数
実験学校の研究報告
(2)

文　部　省

算数実験学校の研究報告

(2)

(1951年度)

文　部　省

ま　え　が　き

この実験学校の研究報告は，昭和26年度における文部省初等教育実験学校の研究成果の報告のうち，千葉市立検見川小学校の分を編集したものである。その他の学校の報告も順次に編集して，これを刊行する予定である。

初等教育資料の昭和27年10月号の算数指導についての全国的な研究の動きからみても，全国の各地において誤算についての研究が行われているようである。これは，こどもに正しい計算の技能を身につけていくときに考慮しなければならないことである。この意味において，この研究が推進されていくことは喜ばしいことである。

さて，誤算の研究としては，誤算の類型とその原因とを追及することも必要であるが，それと同様に重要なことは，誤算をするこどもを作らないようにすることである。いわば，ふつうの学習指導において，どのようなことに気をつけ，どのように指導したらよいかについて研究することが重要である。これが，26年度の検見川小学校の研究の主要なねらいであった。この研究を参考にされ，誤算の研究が一歩前進していくならば，この上もない幸であると考える。

尚，このような地味な研究に精進された検見川小学校に対して深甚の敬意を表するものである。

初等教育課　文部事務官　和　田　義　信

も　く　じ

検見川小学校　昭和26年度実験研究の報告

第１章　本年度の実験研究は，どんなねらいをもっているか

本校は，昭和25年度から，文部省の算数科についての初等教育実験学校として，本年度で，２箇年間継続研究をしている。研究課題は，「こどもは計算するにあたって，どんな点に，なぜつまずくか」である。

継続研究であるので，順序として，まず，昨年度にどんな結論が得られたか，次に，本年度の実験研究はどんなねらいで，その研究は実際にどのように進められたかについて，述べてみることにする。

1.　昨年度の実験研究から得た結論（仮説）について

昨年度は，５，６年の全部のこどもに対して，２位数に基数をかける計算問題100題をテストし，そのテストの結果から，誤算を類型別に分類した。その中のＡ型の誤算をするこども14名に対して，実験指導をしてみた。

その結果として，次のようなことがわかった。

Ａ．乗法の指導においては，数の大きさと乗法の意味を理解させることが大切である。

更に，数の大きさについての理解事項を分析すると，次のようである。

① 書かれた数字の位置によって，その数字の表わしている単位の大きさがちがう。

② 数字の位置によって示される単位の大きさは，左に一桁移るごとに，10倍になっている。

③ どんな大きな数でも，0，1，2，3，………９の10個の数字を使いさえすれば，これを書き表わすことができる。

④ 数の相対的な大きさについて理解する。

乗法の意味については，次の事項が重要であると考えられた。

① 乗法は，同じ大きさの数を加えあわせるときに，手ぎわよく計算する方法である。

② かけ算を筆算形式で書いた時に，乗数は，被乗数の１の位や，10の位の数字を何回加え合わせればよいかを示したものである。

Ｂ．誤算の原因は，誤算の類型から考えられる。

誤算者の誤算の型は，全部それぞれ違っているのではなく，いくつかの類型に分類される。即ち，Ａ型からＬ型までの12種類に分類され，それらの誤算の原因も，

① 繰上がりのある加法ができること。

② かけ算九九ができること。

③ 数の大きさについて理解していること。

④ 乗法の意味が，はっきりわかっていること。

⑤ 加法のとき，単位をそろえること。

⑥ 筆算の順序がわかっていること

の６つのうちの，どれかが欠けているためである。

2.　本年度の実験研究のねらい

本年度の研究課題は，昨年度の課題と同じく，「こどもは計算するに当っ

て，どんな点に，なぜつまずくか。」を限定した「こどもは2位数に基数をかける計算において，どんな点に，なぜつまずくか」とし，これについての継続研究とした。

本校の研究態度として，常に，実証的に研究をすすめるという考えから，本年度は，先に述べた昨年度の研究から得た結論（仮説）に対して，検証実験をして，その結論の妥当性を検証することにした。

昨年度の研究では，実験対象のこどもを，加法や乗法九九ができて，しかもA型の誤りをするこどもとしたために，僅に14名についての研究となり，特殊なこどもに対する実験のように考えられる。このために，これによって得られた結論に，更に，客観性をもたせるためには，一般のこどもを対象として，研究をする必要がある。それで，本年度は，研究主題である乗法の指導を，その配当学年である4年全員に対して，普通の学習形態で，その上，正規の授業時間において指導してみて，昨年度の結論を実証することにした。これが本年度の研究であり，ねらいとなるわけである。

第2章　第一次指導とその成果

第4学年5組全員249名を研究の対象として，次のように研究計画を作製し，研究を進めた。指導の期間は5月下旬である。

1. 第一次指導の研究計画

A. 予備調査

指導前のこどもの実態をはっきりとらえておくために，次の項目について，ペーパーテストで調査した。

① 数の大きさ

② 乗法の意味

③ 乗法九九

④ 繰上がりのある加法

B. 指導案の研究

題材，指導の目標，指導の展開

C. 指導の実施

① 1学級だけ先に1時間指導してみて，5学級の統一を図る。

② 指導案によって，学習を進める。

③ 指導の記録をとる。

i. 指導案のねらいを忠実に指導したか。

ii. 指導者とこどもの主な発言，動作，及び，指導中のテストにより，こどもの理解状態をはっきりとらえる。

D. 指導後の結果の検証

① 乗法計算問題のテスト（昨年度実施した問題と同一のもの）

② テストの結果と昨年度の誤算の比較

i. 結論は妥当であったか。

ii. どんな欠点が生じたか。

③ その原因はどうして生じたか。

以上の計画をたて，これを実施してみたわけである。以下その実際指導について述べることにする。

2. 第一次指導の実際

A. 予備調査

次のテスト問題を作製して，4年全員にテストした。

テスト問題　(1)

1. みんなで　いくらですか

④

マッチ　マッチ

こたえ □

⑤

100円　100円　100円　10円　10円　1円　1円　1円　1円　1円　1円　1円

こたえ □

⑥

100円　10円

こたえ □

⑦

100円が8まい
1円が2まい

こたえ □

2. おこたえを □ の中に　かきなさい

④ 406円は｛100円が □ まい／10円が □ まい／1円が □ まい｝

⑤ 136円は｛10円が □ まいと／1円が □ まいと／また，1円だけでは □ まい｝

⑥ 769は｛100がいくつ □／10がいくつ □／1がいくつ □｝

⑦ 420は｛100がいくつ □／10がいくつ □／1がいくつ □｝

⑧ 267円の｛7は何円札のかずですか □／6は何円札のかずですか □／2は何円札のかずですか □｝

⑨ 425の｛4は何のくらいのかずですか □／2は何のくらいのかずですか □／5は何のくらいのかずですか □｝

テスト問題　(2)

1. おさつが　すくなくてすむように　とりかえて下さい。

(左がわのおさつを，けしたぶんだけ，右がわのおさつに，○をつけな

さい）

みほん	☒☒☒☒☒□ ＝＝ ⑤　5

㋑

1円 1円 1円 1円 1円 1円 1円 1円 1円 1円
1円 1円 1円 1円 1円 1円 1円 1円 1円 1円
1円 1円
⇄ 10円 10円 10円 10円 10円

㋺

1円 1円 1円 1円 1円 1円 1円 1円 1円 1円
1円 1円 1円 1円 1円 1円 1円 1円 1円 1円
1円 1円 1円 1円 1円 1円 1円 1円 1円 1円
1円 1円 1円 1円 1円 1円 1円 1円 1円 1円
⇄ 10円 10円 10円 10円 10円

㋩

10円 10円 10円 10円 10円
10円 10円 10円 10円 10円 ⇄ 100円 100円 100円 100円 100円
10円

㋥

10円 10円 10円 10円 10円
10円 10円 10円 10円 10円
10円 10円 10円 10円 10円 ⇄ 100円 100円 100円 100円 100円
10円 10円 10円 10円 10円
10円 10円 10円 10円 10円
10円 10円 10円

2.　○△□のかたちをつかって，かずをあらわして下さい。

（○は１，□は10，△は 100をあらわします）

(イ)　12を○と□をつかってかいて下さい　［　　　］

(ロ)　253を○□△で，かいて下さい　［　　　］

(ハ)　460を，かたちでかいて下さい　［　　　］

(ニ)　503を，かたちでかいて下さい　［　　　］

3.　○を□で，□を△でかいて下さい。

（○は１，□は10，△は100をあらわします）

㋑　○○○○○○○○○○
○○○○○○○○○○ ⇄ ［　］
○○○○○○○○○○
○○○○○○○○○○
○○○○○○○○○○

㋺　□□□□□
□□□□□ ⇄ ［　］
□□□□□
□□□□□

テスト問題 (3)

1. みんなで，いくらになりますか，一番やりよいやり方で，おこたえをだしなさい。

㋑ こんごはみんなでいくつですか

やりかた　こたえ

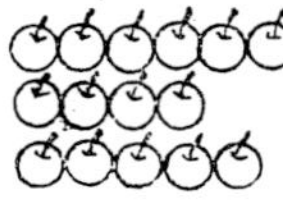

㋺ みんなでいくつですか

こたえ

㋩ ガラスは，みんなで何まいですか　あなたは，つぎのどのやりかたでかぞえますか，やりよいやりかたに○をつけなさい。

やりかたは
- じゅんじゅんにかぞえる
- よせざんでやる
- ひきざんでやる
- わりざんでやる

やりかた　こたえ

㊁ この家のガラスは，みんなで何まいですか

やりかたは
- じゅんじゅんにかぞえる
- よせざんでやる
- かけざんでやる
- ひきざんでやる
- わりざんでやる

やりかた　こたえ

㋭ おはじきがならべてあります。みんなでいくつありますか。

㋬ みんなで△がいくつありますか。

やりかた　こたえ

やりかた　こたえ

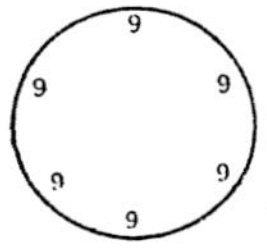

㋣ まわりのかずは，みんなでいくつになりますか。

やりかた

こたえ

㋠ ぜんぶのかずを，たして下さい。

7
7
7　7
7

やりかた

こたえ

2. どのようにせいりしておくと，はっきりわかるでしょう。

㋑ しげるくんのわなげをしたときの点数はつぎのように出しました，せいりのしかたは，次のうちどれが一番よいでしょう。

点＼回	1	2	3	4	5	6	7
7				○		○	
9				○		○	
5	○	○	○	○	○	○	○
4	○	○	○	○	○	○	○
3	○	○	○	○	○	○	○
2	○	○	○	○	○	○	○
1	○	○	○	○	○	○	○

- だいたい5点が多い
- 7回で5点と7点
- 5点が5回と7点が2回
- 4回と6回が7点であとは5点

㋺ 8＋8＋8＋8＋8＋8＋8は，なんとせいりしたら，はっきりわかるでしょう。

つぎのうちどれがよいでしょう。

- 8ばかり　よせてある
- 8を　じゅんじゅんに　よせていく
- 8＋8を　7かいやる
- 8を7かい　よせる

テスト問題 （4）

1. つぎの □ の中に，おこたえをかきなさい。

㋑ びわが，つぎのように，さらにのっています。太郎さんは，このように計算をして，おこたえをだしました。

5 × 3 ＝15　5は何のかずですか □
3は何のかずですか □

㋺ せっけんがおなじようにはいったはこがあります，花子さんは，みんなで，いくつあるか計算しました。

6 × 4 ＝24

6は何のかずですか □
4は何のかずですか □

㋩ [23円] と [23円] と [23円] では
23円 × □ と計算すればよい。

㊁ 65円 × 4 は
□ ＋ □ ＋ □ ＋ □ です

㋭
8 × 6 は，8 × 5 より □ つ大きい
8 × 6 は，8 × 7 より □ つ小さい

㋬ つぎのかずのならび方に気をつけて，□ の中に数字をかきなさい。
4，8，□ 16，

㋣ この四かくの中に，ぜんぶで○がいくつはいるでしょう。
やりかた　こたえ □

6 × 3 ＝ 3 □

2 × 9 ＝ □

2. つぎのもんだいで，やりよいやりかたを，かきなさい。

㋑ なつみかんが1つ13円です，4つではいくらですか。
やりかた

㋺ クレヨンが1組45円です。5組かいました。いくらはらえばよいでしょう。
やりかた

―――――― ○ ―――――― ○ ――――――

この外に，繰上がりのある加法の問題45問と，乗法九九全部について，昨年度と同じようにテストをした。その結果を集計してみると，次の表の通りであった。

学級	在籍人員	数の大きさ誤算者	乗法の意味誤算者	九九，加法誤算者
4の1	43	15	32	14
4の2	50	17	33	25
4の3	50	26	42	20
4の4	50	32	37	23
4の5	50	21	32	16
計	248	111	176	98

指導者は，個人別にこどもの能力を熟知しておき，指導をするときの資料とした。

繰上がりのある加法及び乗法九九の誤算者98名は，昨年度の実験指導の条件から考えると，当然除外しなければならないのであるが，前に述べたように，普通の学習状態において検証しようとするのであるから，これらのこどももともに指導することにした。

B. 指導の実施

指導案は，昨年度の結論として得られた理解事項をもとにして，次のようなものを作製した。この指導案によって，5月下旬に6日間，毎日1時間ず

つ指導を実施した。

時間	本時の問題	学習の問題	児童の学習問題	目標
第一時	• 私達は，今までどのように，お金を集めていたのだろう	• 前にお金を集めた時の集め方について，考えてみよう ×どんな集め方をしただろう。 • 誤りや，手間どる原因は，どんなところにあるだろう	• お金を集めたときの集め方について話しあう。 ×集めたもよう。 ×あやまりや，手間のかかったようす。 • 誤りがあったことや処理のしかたを反省する。	• 払った人のお札の出し方がまずかった。 • 係のお金の処理のし方がまずかった。 • 計算のし方やメモのし方がまずかった。
	• まちがいなくお金を集めるには，どうしたらよいか。	• どんな集め方がよい集め方だろう。	• よい集金のし方について発表討議する。 ×集金係のやくめ 班に集金係をおく 組全体の会計係をおく	• 班毎に集金係をおいて更に組全体の会計係をきめておくとよい • 集金係はもってきた人をメモして集金した金は会計係へ渡す。 • 会計係は組の集計表を作って記入しておくと計算に都合がよい
		• どんな準備が	• メモするノートを集	

	いるだろう。	金係が用意する。 • 会計係は集計表を作る（作業は他の時間へまわす）	
	• 集ったお金はどのようにまとめたらよいだろう。	• 集ったお金の処理のし方について話しあう。	• お金を払う時はすぐ数えられるように見易くして渡すとよい。 • 集まったお金は10円札1円札をわけて10枚ずつ束にしておく。
	• 集まったお金はどうすれば誤りがないかがわかるだろう。	• 集まったお金が正しいかどうかたしかめる方法を話しあう。 • 計算が誤りなく手早くできること。	• 集まった金高と集金表を計算した金額を合致すれば誤りがないことがわかる。 • 計算は正しくできなければいけない。
• 集めたお金をどのように計算したら，たしかめるのに都合がよいだろう。	• 集めたお金のけいさんのし方を考えましょう。 • お札で並べてみましょう。	• 4人の班の計算のし方を考える 1冊のねだん　21円 • 班毎にお札をならべる。 10円 10円 1 □□□ □□□ □□□ みやすいように	

	・どんな計算のし方があるだろう。	・１人分ではどこまでか ・２人分ではどこまでか ・３人分ではどこまでか ・４人分ではどこまでか ・みんなでいくらになるか ・計算でやってみよう。 どんな計算でお答をだすかしっているやり方でやってみよう。	・４人分のお金を数える。 。教師は見易いようにお札をならべる（板書） [10] [10] [1] 21 □ □ □ 21 □ □ □ 21 □ □ □ 21 ・ノートに計算する。 ・色々なやり方がわかるにはいくつも考える。	・21円の20は10円札２枚である。 ・21円の１は１円札１枚である。
	・集めたお金を計算でたしかめるにはどうしたらよいか	・前時に計算したたし方について，発表してもらおう。	・児童黒板へ板書する ・これについて，発表討議する。 ①加法でする (イ) 21 ＋21 ＝41 ＋21 ＝63 ＋21 ＝84 (ロ) 21 21 21 ＋21 ＝84	・合計の数を求めるには加えればよい。

第二時		・他の場合について考えてみよう。	② 21 21 21 ＋21 ＝84　九九を使って計算する　{１，４が４ ２，４が８ 12 12 ＋12　　25 25 25 ＋25　　17 17 17 17 ＋17 ・上の場合は，それぞれ何倍か。 ・次の場合は，かけ算でできるかについて考える。 12 22 26 ＋42　　15 21 15 21 ＋28 ・かけ算九九と関係づけて，４倍のいみを考える。	・20円……８枚（10円札で2×4） １円……４枚（１円札で1×4） 21 21 21 ＋21　１円を４回加えるから　1×4　20円を４回加えるから　2×4 ・21＋21＋21＋21＝21×４であること 21×４は，21である ×4 ・乗数はグループの数をいくつ加えたらよいかその個数をあらわす ・同数累加以外のたし算は，かけ算ではできない

	9 × 4 10 × 4 11 × 4	
・かけ算は，どんな方法で計算できるだろ	③ 　２１　かけ算で計算する × ４ 　　1 × 4 = 8 　　2 × 4 = 8	・同数累加のときはかけ算を使って，計算した方がよい。 ・同じ二位数をいくつも加える計算は，その数を被乗数とし加える個数を乗数とするかけ算できる。
	・計算順序を説明する 　２１ →　２１ × ４ ←　２１ 　　　　　２１ 　　　　＋２１ 同じことである	・乗数は一の位や十の位の数字を何回加えればよいかを示している。 ・乗数被乗数，答の位どりを，はっきりそろえてかく。 ・被乗数の一の位から順に左へかけていく。 ・数字は，おかれた位置によって大きさがちがうのでたしざんと同じように同じ位どりの所へ答をかく。

・どんなやり方がまちがいなく早く計算できるだろう。	・どの計算のし方がよいだろう。	・計算のし方の長所について発表し，かけ算のよさについて話し合う。	・かけ算でやれば便利で手間もかからずノートも経済に使える。 ・九九を使って簡単にできるから誤りが少ない。
	・もっとかけ算でしよう。	・計算する（ノートに） 　２１　　２１ × ２　× ２	・理解できたかけ算が同じ条件の他の場所に適用できる。
	・かけ算が正しいかどうか験算してみよう ・計算のし方が正しかったかもう一度考えよう。	・加法でやればよいことを思い出す。 加法でする。 　２１　　２１ ＋２１　　２１ 　　　　＋２１	・加法を用いてかけ算の結果をたしかめる。
・よい計算のし方を練習しよう。	・次の問題を練習しよう。	・教師説明する。 ・プリントに計算練習する。	・既習事項の徹底をはかる。
・自分の班の表をまちがいないかをためすのに色々な計算のし方を考えよう。	・昨日習った算のし方についておさらいしましょう。	２１　教師板書，児童と話し合いながら既習事項を確認する × ４	・前時の理解事項を再確認する。
	・今日は他の班の集ったお金を計算しよう ・６人全部集った班の計算はどんなにしたらよいだろう。	・計算の順序を考える ・計算する。 　２　１　　六一が六 ②↖ ↑①　六二が十二 × 　６ ・乗数被乗数をとりかえても答に変りがな	・1 × 6 = 6 × 1 　2 × 6 = 6 × 2 ・乗数被乗数を交換しても答に変

第三時			いことを色々の場合について考える。 • 板書して計算のし方について話し合う。 • 自分の計算のし方を反省し実証する。	りはない。 • 交換した方がやりよい。 • 十の位でくり上がっても，百の位には関係がないからそのまま繰上った数をかく。
		• 5人集ったらいくらになるでしょう。	21 × 5	
		• 計算がよくわかったようだからもっとむずかしい計算をしよう。	• くり上がりのある計算の仕方を考える。 23 × 6	• たしざんのくり上がりの場合を考えてくり上がりの処理をする。 • 3×6＝18（1円札3枚を6回加える） 2×6＝12（10円札2枚を6回加える）
		• 計算のし方がわかったか。	• 一の位からのくり上がりの問題の計算。 • 計算のし方を発表し検討する。	• 六三18くり上がる（10円にかえる） • 六二12 1加える（10円を加える）
		• 他の問題を練習しよう。	• プリントの計算問題をやる。	• 自分の計算が正しかったことをたしかめる。 • 繰上がりのある問題ができるようになったか評価する。

第四時	• 各班で集まったお金に誤りがなかったか計算しよう。	• 各班で集まったお金を計算しよう。 • 集金係の集めたお金に誤りはないだろうか。 • 計算をたしかめてみよう。	• 各班の集金係は集まった人数と金額を表にかきこむ（教師が代って記入してもよい）	
		• 会計係のところにお金がいくら集ればよいだろう。	• 児童計算して集計係の計算に誤はないかたしかめる。 • 会計係は各班の集まったお金を合計すればよい。	• 二位数に基数をかける算法を正しく練習する。 • 会計係の金高は教師がかけ算で計算してみせれば便利な事がわかる。 21円×48
	• 各班の集まったお金に誤りなかっ	• 他の組の集まった表についてしらべよう。	• 集金表をみて各班について考察する。	• 集金する時は定められた日に持ってくるのがよ

はん	人数	金高	
1			
2			
3			
4			
5			
6			
7			
8			
9			
合計			

たか計算しよう。	・人数の表について考えよう ・成績のよい班はどこか。 ・集金にひまどる班はどこか。	（人数の表）	い。 ・表の正しいみかたを理解する。
	・お金の表についてしらべる ・月曜日の金額に誤りはないか計算しよう ×1人ではいくらか。 ×2人ではいくらか ×3人ではいくらか ×4人ではいくらか ・火曜日，水曜日の計算をする。 ・全部集まったらいくらになるだろう。	（おかねの表） ・月曜日に集まったお金を，もう一度計算する。 ・たし算で計算して，たしかめてみる。 ・計算する。 ・たてよこの計算をする。	・加法を使って，かけ算の結果をたしかめる
・集金を上手にするにはどんなこと	・集金に，あやまりのないようにするには	・誤りをなくするにはどうしたらよいか話しあう。	

人数

はん	月	火	水
1			
2			
3			
4			
5			
6			
7			
9			
計			

おかね

はん	月	火	水	計

第五時	に気をつけたらよいだろう。	どんなことに注意したらよいだろう。 （せいり）	・係の名前を記入する名簿を作る。 ・お金をはらう時も，もらうときも数えてみやすいようにわたす。 ・集金係は，集金表に記入して集金する。 ・計算を正しくする。	
	・二位数と基数のかけ算をするとき，気をつけることはどんなことだろう。	・かけ算で，どんなことに気をつけたら，誤りがないだろう。 （せいり）	・話合いをしながらかけ算の理解をたしかめる。 21×6（六一が六　六二　十二） 23×6（三六　十八　くり上って　二六　十二　一加えて十三）	・既習の理解事項の徹底をはかる。
		・かけ算のお勉強がよくわかったかテストしよう。	・別紙プリントにより計算する。	・評価
第六時	・練習をしよう。	・テスト （テスト問題による） ・理解不十分な面の指導	・テスト	・自己評価 ・教師の評価

3. 第一次指導の成果とその考察

A. テストの結果

指導終了後２日間おいて，２位数に基数をかける計算問題100題について，昨年度と同じ問題で，同じ方法でテストをしてみた。その結果を整理してみると，次の表の通りである。

	1組		2組		3組		4組		5組		計		前年度	
在籍人数	49		50		50		50		50		249		380	
誤算人数	16		32		16		28		13		105		100	
加法・九九のできない児童を除いた誤算児童		13		11		6		13		3		46		33
A	13	10	22	10	10	6	20	11	8	3	73	40	19	11
B	5	4	12	4	5	1	12	7	1	0	35	16	14	1
C	1	1	4	2	1	0	1	1	0	0	7	4	3	0
D	1	0	4	0	1	0	7	3	3	1	16	4	5	0
E	5	4	16	7	4	2	16	10	6	2	47	15	25	2
F	0	0	4	1	0	0	2	1	0	0	6	2	2	0
G	1	1	14	7	3	1	4	2	0	0	22	11	20	0
H	0	0	7	2	0	0	1	1	0	0	8	3	7	0
I	2	1	6	3	0	0	1	1	3	0	12	5	32	5
J	13	10	21	10	10	5	12	6	8	2	64	33	41	11
K	16	13	29	10	15	5	22	10	13	3	95	41	55	22
L	12	9	23	6	11	5	18	6	5	0	79	26	20	2

〔備考〕・類型の欄の左側の数字は，誤算者全体の場合。
・　〃　右側　〃　，加法，乗法九九のできない児童を除いた場合。

表で見てもわかるように，誤算者の人数は，昨年度より多い。これは，昨年度のこどもが，５，６年生であって，本年度が，４年生であるという相違が原因であると考えられる。しかし，結果は，予想した人数より遥かに多かった。（予想としては，繰上がり加法，乗法九九のできるこどもは，全部正解するものと考えていた。）この指導は失敗に終ったといわねばならない。

B. 結果についての考察

1. 昨年度の仮説の検証について

理解事項の適切か否かについての課題については，指導終了後，こども全部について，数の大きさと，乗法の意味についてのテストをして，調査してみた。その結果，このテストを正解したこどもは，129 名で，２位数に基数をかける計算問題を正解した144 名の中に全部含まれていた。数の大きさと，乗法の意味についてのテストを誤ったこども15名は，計算問題に対しては，正解しているが，これは，形式的な計算の方法だけを記憶していて，ある程度の計算については，誤算はしないということを証明している。

然し，このように，昨年度の理解事項の不徹底なこどもだけが，誤算していることから，理解事項についての問題は，昨年度の考えが正しいとみてよいことがわかった。

2. 誤算者が多かった原因についての考察

第一次指導において，誤算者105名も出た原因については，次のように昨年度の実験指導と相違した条件が考えられる。

① 昨年度は，繰上がりのある加法，乗法九九のできないものは，対象外として除外した。

② 昨年度の実験指導は，僅か14名であったので，個別指導が徹底したが，本年度は，各学級48名から50名であったので，個別指導を徹底して行なうことができなかった。

以上のように，実験指導の条件に相違があったのであるが，誤算者が予想したより多いので，その原因を細かに考えてみた。その原因としては，次の項目が指導の実際から考えられた。

a. 指導計画に対する考察

① 指導の目標が，各時間とも多すぎる。

例をあげて考えてみよう，第二時限の取扱いについてみると，次の項目が指導案に立案され実施されている。

- 21×4の4倍の意味
- 筆算の順序
- 部分積をおく位置(数字の位置によって数の大きさが違ってくる)

このように目標が多いために，こどもは一時間の中にいくつもの目標について学習をするのであるから，こどもに次々と負担が重なり消化しきれないようになるのではないかと考えられる。また，指導者の側からすると，おのおのの目標についてゆっくり指導する時間がなくなり，ただ形式的に指導しやすくなり，指導がうわすべりになりやすい。いわば時間に追われて理解が不徹底になりがちになると考えられる。

② 理解がこども1人1人に徹底し，こどもの身につくようにする機会を作るように考えていなかった。

一つの目標を理解させたあとで，こどもにもう一度理解した事柄について，適用練習をして，はっきりとこどもの1人1人につかませていくようにする機会を設けていなかった。指導によって，こどもは成程と承知しても，自分でもう一度たしかめたり，適用練習をしてみたりしなければ，確実に理解することのできない場合が非常に多いのである。にもかかわらず，理解をこどもの身につけるような時間が，用意されていなかったのである。

③ こどもの発達段階に応じた計画をたてなかった。

1学級50人のこどもがいる場合に，必ず，こどもの能力はそれぞれ異っている。繰上がりのある加法のまだできないこども，乗法九九を誤るこども，または，数の大きさをよく理解していないこどもというように，さまざまなこどもがいる。このように能力の異なっているこどもに対して，指導者が一斉に同じような内容を指導したとすると，当然これを学習するまでに到達していないこどもに対しては，無理な学習を強いることになる。

このことは，繰上がりのある加法や，乗法九九のできるこどもでも，今度の実験指導において，途中で落伍していったものが多く見られた。然し，一斉指導の形式をとったにしても，極めて少数のこどもであるならば，救うことができるが，おくれているこどもが3割程度ある現状においては，不可能なことである。そこで，指導計画をたてるときに，当然これらのこどもに対応する学習指導の計画をたてておかなければならないことになる。

b. 指導法に対する考察

① 第一次の指導は全般に抽象的に取り扱っていながら，こどもの理解を成立させようとした。

6時間の指導計画の中で，半具体物を使ったのは，お金をだす時には，10円札と1円札を使って，枚数をなるべく少くする。即ち，見やすいように出すには，どうしたらよいかという指導の場合だけで，お札カードを利用する程度であった。その他は多く抽象数だけで，こどもの理解を指導しようとする方法によって進められていった。これは抽象数だけで理解していく程度のこどもだけであるならば，それでもよいが，それ以下の発達のこどもには困難がともなってくる。どのこどもにも理解を成立させようとするならば，抽象的に取扱う前に，具体物或は半具体物によっての理解を計ることが必要となってくる。

② 指導者とこどもの話しあいだけで，学習が進められた。

各時間とも，大半は話合いで指導が終始している。話しあいをしているこどもは，ふつうあるいは進んでいるこどもであって，これだけが学習に参加して，他のこどもはそれに参加できなかったわけである。つまり，話合いで学習が進められている為に，指導者はどのこどもが現在どの程度に理解しているのか，これをはっきりつかむことが困難である。そのためにこどものひとりびとりに対する指導の観点をはっきりつかむことができないので，知らず知らずの間に，学習に参加することのできないこどもを取り残していってしまう。

このようなわけで，話合いの時間をできるだけ少くして，ひとりびとりのこどもが直接手を使って作業したりするなどして，めいめいの考える時間をできるだけ多くとるようにしたらよいと思う。

―――――○―――――○―――――

第一次指導を反省して，上に述べたようなことがあげられたわけである。ただここで注意しておきたいのは，本年度のはじめの研究実施計画の中で，研究の目標が，昨年度の仮説の検証においたのであったが，この指導の結果理解事項の検証の外に，「どのように指導したら，理解事項がこどもの1人1人に理解できて，誤算がなくなるか」という指導計画と，指導法の研究が新しい目標として考えられてきたことである。

第3章　第二次指導とその成果

1.　指導計画をたてる時，どんな点に留意したか

第一次指導は，前述のように，理解事項の徹底には，全力をつくしたのであるが，実は，結果から見ると，理解のできなかったこどもが多く，期待した結果は得られなかった。指導内容が，昨年度の研究で，はっきりしていて，それに基づいて指導計画をたてたのに，予期した結果にならなかったのは，指導計画と，それを生かすための指導法とに，欠点があったのではないかと反省したわけである。これについては，第二章の終りに述べたところである。

この反省をもとにして，次の3点について研究してみた。

① かけ算を学習するにさきだって，ひとりびとりのこどもの能力はどうであろうか。

② 指導計画でどんな点は改善しなければならないか。

③ 第二次指導は，どんな方法で行ったらよいだろうか。

これらについての研究は，次のようである。

A. ひとりびとりのこどもは，どのようなところまで，進歩してきているだろうか。

すじ道を通しながら，1段1段ふみかためて進むことの必要な算数の学習においては，指導が失敗であったか，成功であったかは，あくまで個人毎に考えねばならぬことである。第一次指導の失敗の原因として，おくれているこどもの能力に応ずるように，考慮しなかったことがあげられている。このよ

うなことを再び起さないようにするには，第二次指導にさきだって，かけ算の理解事項について，個人ごとにわかっている点，ふみこなせないで困惑を感じている所を，調査してみなくてはならないわけである。それで「数の大きさ」と「かけ算の意味」について，予備テストをしてみた。その結果は，次の表の通りであった。

第二次指導前の予備調査の結果　—26・12—

要　項	A	B	C	D
A　数の大きさについて				
①　数えているときに，最後にとなえた数詞は，全体の個数を表わす。	156	78	12	3
②　2つずつ，5つずつ，10ずつ，100ずつまとめて数えると，つごうがよい。	79	117	45	8
③　10こずつあるいは100こずつのグループにまとまったものを，他のものにおきかえるとつごうがよい。	141	68	23	17
④　10の位の数字は，10こずつにまとまったグループの個数を示すものである。	165	40	21	23
⑤　1の位の数字は，10こずつにまとまったときの残りの個数を示すものである。	118	71	30	30
⑥　1の位の数字の0は，10こずつのグループにまとめて，残りのないことを示したものである。	97	73	42	37
⑦　100の位の数字は，100こずつにまとめたグループの個数を表わす。	138	61	25	25
⑧　10の位の数字の0は，100こずつのグループにまとめて，残りのないことを示している。	151	72	14	12
⑨　ある数の単位の大きさは，その右の単位の大きさの10倍である。	159	58	14	18
⑩　ある単位の大きさは，その左の位の単位の$\frac{1}{10}$である。	176	35	0	38
⑪　次の用語を理解する。十の位，一の位，百の位，千の位，すうじ，	141	56	25	27
B　乗法の意味について				
①　同数累加の時は，かけ算九九を使ってやればよい。	89	113	28	19
②　同数累加の時は，グループの個数を乗数とすればよい。	148	64	16	21
③　乗数は被乗数を何回加えればよいかを示したものである。	110	64	35	40
④　記号「×」は乗法を示すものである。	115	115	0	19

※　備　考

㋑　ABCDは，Aは全部正解したこどもの数，Dは全部できないこどもの数である。

㋺　第二次指導では，この能力差によってグループを編成した。

㋩　この個人毎の障碍を，各時間の指導で除去しようとしたわけである。

——○——○——

B．どんな点を考慮して，指導計画をたてたか。

前述の予備調査でわかるように，こどもの能力差は，非常に大きいといえる。かけ算の計算をする時に，かけ算九九を使って，計算することのできないこどもが相当に多いことがわかった。そこで25年度の報告にあるように，次の6つの事項

①　繰上がりのある加法ができること，

②　かけ算九九ができること，

③　数の大きさについて理解していること，

④　かけ算の意味がはっきりわかっていること，

⑤　部分積の大きさがわかっていること，

③　加法の時に単位をそろえること，

がわかっていれば，誤算者はなくなるだろうと予想したのである。今年は，昨年度の5，6年生から実験対象児童を選定しての指導とちがって，4年生全員である為に，昨年度は対象外とされた「繰上がりのある加法」ができないこども，「かけ算九九」ができないこどもも，指導していかねばならないわけである。ここに本年度の指導の複雑さがあるわけで，指導計画をたてたり，学習指導をしたりするときに，これらのこどもも救っていくような，工夫をしなければならなくなってくるわけである。

1. 第二次指導の実験研究の方法

このように，いろいろな能力差をもったこどもの指導であるので，第二次指導は，次の2つの方法で研究を進めてみることにした。

① 昨年度と同じく，実験対象児童をえらんで，これを対象として，検証的指導をする学級。

② 個人差に応じた学習指導をしながら，検証的研究をする学級。

4年が5学級あるが，1学級だけ，実験児童をえらび出して，昨年の指導案をもとにして指導し，仮説の検証をしようとし，他の4学級は，こどもの能力によって，グループをわけ，それぞれの力に応じられる指導計画をたて個人毎の障碍をのぞくことによって，誤算をなくするようにした。

要するに，①のいき方は，繰上がりのある加法と乗法九九ができるのに誤算するこどもの指導である。②のいき方は，前述の6つの要素のどれかに障碍の原因のあるこどもを含んでの指導であり，この指導をするには，能力別グループ学習を必要とすることはいうまでもない。

2. どんな観点から指導計画を修正したか。

さて，研究の方法を決定したので，次に，6月の指導における指導計画の反省をもとにして，指導計画をたてる場合の根本態度について述べておく。

a. 1時間のめあては，必ず，1つであること。

われわれは，往々にして，1時間の学習において，めあてを余りにも多くもちすぎるきらいがある。しかも，そのめあてが，こどもの能力にあっていない指導計画である場合も相当に多い。このようでは，1時間終ってから，果してこの時間に，何を学習したのか，こどもにつかめないわけである。したがって，こどもが自分で，自分の進歩を評価することもできず，また，成功の喜びを味わうこともなく，学習を進めていることになる。いはば効果のある学習とはいえないわけである。そこで本校では，このような失敗を，繰り返えさないために，理解事項を分析して，それへの発達段階を考えて，それを1時間に1つのめあてとして，指導に当ることが大切であると考えた。つまり「この時間は，このことだけを徹底させるのだ。」というはっきりとしためあてをもって，学習指導を進めることができるように，指導計画をたてることにした。

更に，同じ1つのめあてでも，こどもがそのめあてに達するための手ぎわは，幾通りもでてくるわけであるから，指導計画をたてる時に，この点も考えなくてはならない。このことについては，後述する予定であるが，能力別にグループをわけて，予想されるこどもの能力にあうような指導計画をたててみた。

b. 具体物や半具体物を，適切に使用して，こどもの理解を援助することに努力した。

算数のできないということは，抽象数ではわかりにくいこどものことである。こうしたこどもには，具体物や半具体物を使って，目に見えない原理や法則を，見えるようにすると，理解を助けることができる。また，物を動かす作業を観察することによって，ひとりびとりのこどもの作業の手ぎわを知り，これによって，こどもの能力を評価することもできるのである。

要するに，算数のむずかしさは，すじみちとしては，目に見えないからである。そこで，教具を使って，目に見えないものを目に見えるようにして，理解の成立を援助することが大切である。

それであるから，指導計画をたてるにも，こどもの能力に応じて，ふみこせない段階がどこにあるかをはっきりつかむとともに，それに応じて，どのような教具を準備しておいたらよいかを考えなくてはならない。

c. グループの仕事が，能力に応じて，質，量ともに，適切であるようにする。

これも大切な要素である。b項に述べたことと重複するようであるが，b項では，どのように教具を使ったらよいかを考え，ここでは，それぞれの能力のちがうグループに，どのような仕事をどのくらい与えたらよいかについて考察するのである。

学習の最初に，「本時のめあて」を，こどもにしっかりわからせる。さて，そのつかんだめあてを解決しようとすると，それに必要な処理は，どのようなやり口になるかが，次の問題になってくる。いわゆる，能力別グループ学習の段階である。あるグループでは，すぐ抽象数で処理できるだろうし，あるグループでは，教具の力を借りて思考を助けなくては，困難であるものもいるのである。

このように，指導計画をたてる場合に，それぞれのグループの能力に合うように，適切な処理の方法を工夫できるように考えながら，計画をたてることが大切である。そして，その処理の方法を，1段ずつ手際のよいものに，高めていくように計画しなくてはならない。

2. 第二次指導の指導計画

A. 指導計画をたてる。

指導計画は，以上のような留意点を考えて，4年全職員で作製した。それを算数部員で協議し，全職員で検討を加えた。

協議は，いつもこどもの立場になって考え，あらゆる可能な場を予想しながら，このようなやり方で，このような教具の与え方で，果して，こどもは理解することができるかという点についての検討を加えていった。

単元は「かいもの」――「同じねだんの品をいくつも買ったときに，支払う金高を早く見つけたり，買った品のねだんや個数を，わかり易く表わすには，どのようにしたらよいか」というこどもの学習問題にした。この問題解決によって，三位数×基数の乗法を指導しようとしたのである。

B. ここでの学習事項（この単元の数学的なねらい）

1. 10円以上の値段の品でも，同じものをいくつも買ったときには，今までと同様に，×を使って表わすと，1個のねだんや買った個数が，よくわかって便利である。

例えば，23円のノート4冊買ったときには，23円×4と表わす。

2. 1個のねだんが，高くなっても，1円札，10円札，100円札と別々に数えれば，今までと同じように，かけ算九九で計算できる。

23円の品を4個買ったときの計算は，次のようにする。

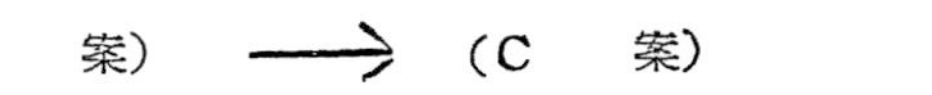

（A　案） → （B　案） → （C　案）

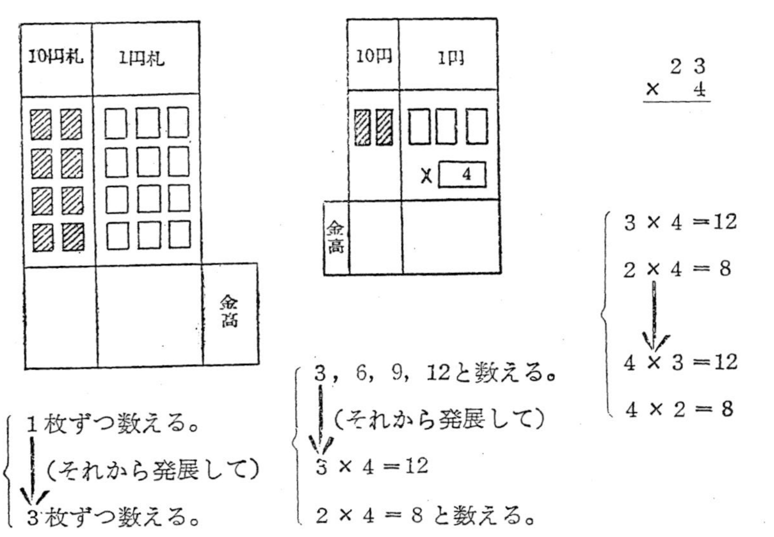

1枚ずつ数える。
↓（それから発展して）
3枚ずつ数える。

3，6，9，12と数える。
↓（それから発展して）
3 × 4 ＝12
2 × 4 ＝ 8 と数える。

$$\begin{array}{r} 23 \\ \times\ \ 4 \\ \hline \end{array}$$

3 × 4 ＝12
2 × 4 ＝ 8
↓
4 × 3 ＝12
4 × 2 ＝ 8

3.　同じお札が10枚以上になったら，上のお札にかえてだすと，金高を知るのにわかりやすい。

4.　これらを通じて，かけ算について，次の理解事項をまとめる。

①　同じ二位数や三位数を，いくつも加える計算は，その同じ数を被乗数とし，加える個数を乗数とするかけ算で求めると早くできる。

②　被乗数が大きくなっても，1の位，10の位，100の位等の数字を，別々に考えれば，今までと同じようにかけ算九九で計算できる。

③　乗数は，被乗数を何回加えればよいかを表わしているものである。

④　乗数によって，どの段のかけ算九九を使えばよいかがわかる。

⑤　かけ算の結果のたしかめは，加法によってできる。

5.　二位数および三位数に，一位数をかける計算ができるようにする。

6.　似よりの数を加えあわせるにも，かけ算を使って，計算を手ぎわよく

することができることもある。

3.　指導の経過と，毎時間の計画の修正点

A.　全体的な問題について

1.　教師は，どんな点に留意して，指導に当ったか。

指導を効果的にする為には，綿密な計画が必要であることはいうまでもない。

そこで，指導に当る時の教師の根本態度を決定し，十分な打合せをすることが，大切なことになってくる。

第二次指導に当って，以下に述べる四つのことがらを，指導に当っての教師の根本態度とした。

a.　指導に当っては，個々のこどもの手ぎわをはっきりととらえて，それに応じた対策をたてる。

こどもの問題解決の手ぎわは，50人50通りであるといってもよい。それ程ひとりびとりのこどもの能力には差があるのである。したがって，あらわれてくる処理のやり口は，千差万別である。指導に当っては，こどもひとりびとりが，どのように処理するかを，たえずみつめていなくてはならない。ここに，ひとりびとりのこどもにあった指導のポイントがある訳で，現在やっているこどもの手口が，どんなに幼稚であっても，また，失敗であったとしても，その方法をみきわめてさえいれば，こどもの失敗を救う最も適切な指導の手がうてるわけである。このように，ひとりびとりの手ぎわを，よくみつめることによってのみ，個人差に応じた指導をして，個人毎に成功感を味わせることができ，そのこどもは，一段うまい手ぎわで処理できるように導くことができる。

b. 個々のこどもに，それぞれ成功の喜びを味わせるようにする。

こどもが，困難を感じふみこせないでいる原因を，教師が早期に発見できれば，その原因を除去するために，適切な指導の手を早く，しかも，多くの時間をとることができる。この時に，こどもは始めて成功感を味わえるのである。

ところが「かけ算」というように，計算をむき出しにした指導計画では，かけ算九九のできないこどもは，到底できないで，とり残されてしまい，成功の喜びを味わうことはできない。そこで，個々のこどものふみこせないでいる原因を見きわめて，どの手口でも，解決できるような場で，学習を進めるようにすることが大切である。また，1時間に少しずつ高まるように，無理のない順序を考えておけば，自力で解決できるので，やがては，次の学習への意欲も生れてくるであろうし，進んで学習する態度もできあがってくるであろう。

特に，本年度は，4年全員であるため，能力差が大きいのであるから，教師は根気良く，しかも，注意深く指導するようにしなくてはならない。

c. 教師の発問も，指導上重要なことがらである。

我々は往々にして，「はい」とか「いいえ」とか答えればよいように発問し，しかも，そのどちらかであるかが考えないでもわかるような場合が多い。

このような発問をして学習を進めていくのでは，こどもは決して考えようとはしないし，問題ももたないであろう。教師は常に，こどもが自分の問題として考えるように，発問することが大切である。教師のよい発問は，環境構成になり，学習の場の設定になる。生きた問題として，こどもが学習するようになるためにも，教師は発問をするとき，十分考慮しなければならない。

今までは，概して，数学的な内容をそのままに，こどもに与えていくような指導になりがちであった。場の構成については，今後の指導で，特に強調

しなければならないことの一つであろうと思う。

このような場の構成，即ち，こどもに問題をもたせるために，教師の発問は考えられなくてはならない。

更に，このことは，学習指導全般にわたっていえることであるが，おくれているこどもは，とかく劣等感をもち，算数がきらいになる。おくれているこどもを勇気づける教師のことばも考えたいものである。「そこのところをもう一度やってごらん」という言葉によって，ひとりびとりのこどもに，仕事を確認させたり，「それでいいのかな」あるいは，「もっとよい方法をくふうしてごらん」という言葉によって，今までとかく無意識的に，何も考えないで学習していたこどもに，目的的に，自分の問題を，はっきりと意識して，学習するようにしむけることができる。

d. 計画された時間以外には指導しない。

実験研究である立場から，指導計画に示された時間以外は，指導をしない方針をとった。つまり，その1時間に，理解不十分なこどもがいたとしても，他の時間に特別に補充的な時間を設けて，指導しないようにした。

これは，事前の準備を十分にし，指導計画を綿密にたて，1時間1時間を確実に進めていき，学習能率をあげるとして，教師が指導に当って必要なことがらの最低限を見出そうとしたからである。

以上の四つのことがらが，指導に当っての根本になる態度である。

2. 指導はどのように進めたか，

a. 能力別グループ学習にした。

能力別にグループを編成し，グループ学習を中心として，学習を展開した。進んでいるこどもから，ABCDEの5段階にわけた。本校の研究主題である「誤算者は，どのように指導したら，なくすることができるか」を研究するのであるから，対象になるこどもは，主に，DEグループにいるわけであ

る。ABグループのこども，即ち，進んでいるこどもの能力をのばすということについては，一応考えないことにした。

要するに，誤算しそうなこどもを対象として，それらのこどもに，適切な指導の手を加えて，誤算をなくしようとする意味における，能力別グループ学習である。

b.　1時間1時間必ずテストを行って，評価しながら，学習を進める。

第二に考えたことは，評価の問題である。学習を最も効果的にするためには，どこがわかって，どこがわからないかを，正しく把握しなければならない。このような意味から，一時間終ったら，必ず，テストを行って，評価するようにした。それによって，その時間のめあてを，個人毎にどこまで理解したかを評価して，誤算者が多いときは，先の方へ進まないようにした。即ち，次の時間に計画された学習に進まないで，もう1時間，不完全なところを指導して，こどもが理解できないままに，先の方へ進むことは，絶対にしないことにしたのである。そのために，評価の結果に基づいて，指導計画を修正しつつ進めていくことにした。

テストは，毎時間の最後に，約5分，印刷して用意しておいたプリントによって実施した。直ちに採点し，放課後に打合せ会を開くことにした。

もし，一割程度のこどもが誤算をした場合には，先へ進まないことにした。10％とおさえたのは，学級によって多少の差はあるが，予備テストの結果，DEグループに属するこどもが，各項目について，大体1～2割あった。その半分位ずつ救っていきたいと思って，10％をめやすにおいたわけである。

尚，この10％については，この指導の結果，各時間，各段階において，誤算率は多少はちがうので，来年度の指導計画においては，本年度を参考にして，一時間めの指導では，誤算者が何％，2時間めの指導では何％と，大体のめやすが出るものと思う。

評価の方法は，各時間の終りに行う，筆記テストを主とした。これは記録を後に残す必要からである。この外，教師は学習の展開中に見られる，こどもの手ぎわを見つめながら，チェックしつつ評価し，時間後の筆記テストとあわせて，その時間のこどもの理解を評価することは，いうまでもない。

c.　一時間の学習課程は，どのようにしたか。

一時間毎に，しっかり身につけることをねらい，あいまいなままで，次の時間に送りこまないようにしたり，こどもの理解を成立させるための課程を考えたりすると，一時間の学習をどのように展開したらよいかを考えることは，大変に重要なことである。これは，学習指導法の上から見て，大きな課題であると思う。

以下，本校で行った一時間の学習の課程について，説明を加えてみよう。

①　学習の最初の一斉扱い

学習の最初に，全部のこどもに，その時間のめあてを，はっきりとつかませるようにした。そのため，指導計画をたてる時に，めあてを一つにして，指導内容を単純化するという方針をとった。この単一なめあてを，全部のこどもに理解させるための段階が，学習の最初の一斉扱いである。いはば，第一次の理解の段階である。

この時の扱いで，一番注意したことは，場の構成である。こどもが，それぞれの能力に応じて，自分の学習問題を把握できるように，場を構成しなくてはならない。つまり，かけ算をするのに，かけ算九九をとり出すわけにいかない関係で，生活上のこどもの問題をとりあげてきて，学習の場とした。更に，この場合の取扱いの程度は，DEグループのこどもにもわかるようにくふうすることが大切である。この時間は，約15分である。

②　能力別グループ学習

一つの事例によって，第一次の理解のできたこどもには，この時間は，適用練習をすることになる。即ち，それぞれの能力に応じて，処理の手ぎわがちがうので，同じ程度の手ぎわで処理するこどもを，一つのグループにまとめたので，グループ毎に，練習問題を中心として，第一次の理解を一般化するための，適用練習をする。

教師は，それぞれのグループをまわり，グループ全体の共通な困難点について指導したり，個人個人の手ぎわを観察しては，適切な助言を与えて，次の段階にある手ぎわのよい方法に，進歩していくようにする。

ＡＢＣグループでは，大体プリントを中心として，自ら解決する喜びを味わせるようにし，主に自習の時間になる。

ＤＥグループに対して，教師は主力をそそいで，指導することにする。この時に，ＤＥグループでは，主に，具体物や半具物体を使って，理解できるように橋渡しをすることに努める。

要するに，ＡＢグループでは，ぐんぐん適用練習をして，生活を広め深めて，一般化していく。ＤＥグループでは，教師が適切な助言を与えながら，一歩一歩ふみかためて，次の段階に進めるようにする。このようにすると，能力のちがいがあるので，学習したことにちがいはあるが，しかし，一時間終ったときには，その時間のねらいを，確実に身につけているわけである。それで，こどもは，喜んで次の学習に参加できる安定した気分になるものと考えたのである。

このグループ別の学習が成功するかどうかは，一時間の学習指導の成功不成功をきめるものであると考えられる。

③ 最後の一斉扱い

約25分間のグループ学習のあとで，その時間のまとめを約５分行った。即ち，本時の理解事項について，整理し，すじみちをたてる段階である。

こどもの理解を成立するために，以上のような学習の課程を考えて，実施

してみた。第一次の理解から，適用練習をして，まとめをすることによって，それぞれの段階における学習から，共通要素をぬき出すことができ，ここに始めて，こどもは，理解が成立したことになる。ここでできた理解は，一つの事例ではなく，すべてのものについて考えられる要素であるので，抽象化され，一般化されたことになるわけである。

④ 時間の終りのテスト

本時の理解事項が，どこまで理解されたかについて，時間の終りに約５分，筆記テストによる評価を行った。この時のテスト問題は，能力に関係なく，全部同じ問題である。

以上に述べてきた学習の課程を図示すると，次のようになる。

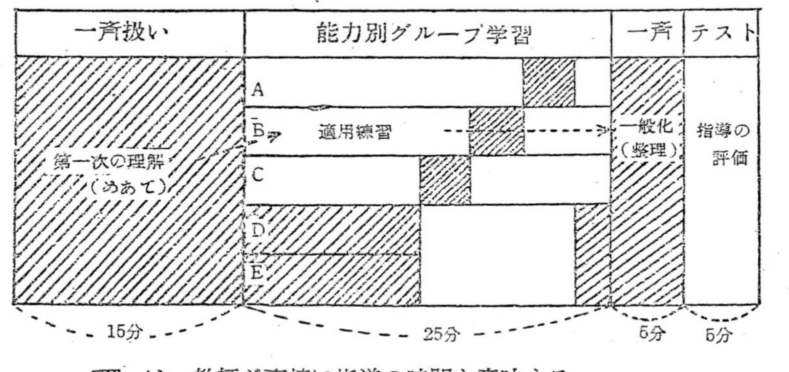

は，教師が直接に指導の時間を意味する。

⑤ 打合せ会

学習指導を，最も効果的に進めるためには，常に，反省する機会をもつことが大切である。そのような理由で，実験指導中は，毎日，放課後打合せ会を行った。

打合せをすることがらは，主として，次の二つのことがらについてであ

る。

i. 本時の反省を中心として，テストの結果はどうであろうか。

ii. その事から，次時はどのようにしたらよいか。

受持は，テストの結果と，学習中の個個のこどもの観察とをもちよって，誤算者がどの位あるかについて話合いをする。

この場合に，誤算者が，10%以上あったら，次時に予定された指導計画に進まないで，本時の指導で，不十分な点はどんなところであるかを，個人毎に考え，指導計画を修正して，その不安定な要素を克服するための計画をたてる。

尚，この打合せ会で，指導法の問題も，あわせて考えていった。教師の発問とか，こどもの学習態度とか，教師とこどものかもしだす美しい教室の雰囲気とかという問題が，学習効果を決定する重要なポイントであると考えるので，これも，あわせて協議した。

⑥ 固定化ということ

指導計画を密にして，理解が成立しても，計算の手続きが複雑になると，あやしくなるこどもがでてくる。それに，相当数のこどもはかけ算の計算をする時，かけ算九九を自在に使えるとはいえない。このようなこどもは，具体物や半具体物を使って，いくつかずつとんでかぞえるという最も初歩の方法から，抽象数だけでもできるようにと，こどもの手ぎわをよくしていくようにしなくてはならない。このおくれているこどもには，学習の分量と時間を多くしてやらなくてはならない。このように指導していかないと，不安定な要素をそのままに残すようになる。このようなことから，指導計画をたてる際に，固定化する必要のある技能については，その次の時間に，前日の学習内容を固定化し，一般化する為の時間を設け，ひとりびとりのこどもの不安定な要素をとりのぞくようにした。

今までの学習では，この点についての考慮が，割合に乏しかったようである。こどもができても，できなくても，計画された通りに学習を進めていくという場合が多かった。これでは，一段ずつ段階を追って，累積し，発展していく特質をもつ算数の学習で，こどもの力が伸びないわけである。基礎ができていない上に，次第にわからないことを重ねていくこどもが多くなり，遂には，算数をきらうこどもになってしまうのは当然である。

固定化の時間は，ひとりびとりのふみこせない不安定な要素を，はっきりとつかんで，その障碍を克服するための指導をし，正しくできるように身につけるために置いたのである。

以上述べてきたことが，第二次指導に当って，全般的な問題として，考慮してきた点である。

要するに，教師の側からは，（i）指導→（ii）評価→（iii）指導計画の修正という段階を通り，子供の側では，（i）第一次の理解→（ii）適用練習で，場を広め→（iii）一般化して，理解を成立し→（iv）固定化するという段階を経て，こどもの学習は深まっていったのである。

B. 毎時間の指導

以下，毎時間の指導の実際について，説明をしていくのであるが，順序として，先に，説明したように，二つの方法で，実験指導を進めたので，

1. 実験児童の指導についての検証的指導の概要，次に 2. 一般学級の能力別グループ学習による検証的指導の概要について述べたいと思う。

1. 実験児童を対象としての，実験学級の検証的指導は，どのように行ったか。

a. 指導のあらまし，

この学級は，11名で特別編成をした。この中で，実験対象児童は，加減乗九九ができて，尚誤算するこどもであるが，この対象児童は3名である。こ

の3名は，かけ算九九と繰上がりのある加法はできるが，実際には，数の大きさやかけ算の意味を理解していないために，誤算をするものと，昨年度仮説を立てたのである。かけ算九九についても，形式的に暗記している程度である。したがって，九九についても，一度つまずくと，かけ算九九がどうしてできているかが，わかっていないので，九九の修正やたしかめができないので，誤算をするといったわけである。

尚，残った8名は，ＤＥクラスのこどもであるが，指導中，余り少人数では，こどもの心理的な影響が大きいと思って，8名を加えて，計11名で編成をすることにした。

指導に当っては，かけ算九九や加法はできるのであるが，できないものとして指導を進めていった。即ち，8名のＤＥクラスのこどもと同じように，数の大きさとかけ算の意味を中心として指導をした。

指導は，第一時に，数の大きさの理解，第二時と三時に，かけ算の意味について指導するように計画が立ててあった。しかし，第一時の数の大きさの指導が不徹底であったために，指導計画を修正して，第二時には数の大きさの指導を中心にして，かけ算の意味にも少しふれていった。

第二時の指導を速記録からぬき出してみると，次のようである。

〔第二時の指導〕　―12. 10.（月）実施―

〔備考〕

⦿①②……は，学習問題

⦿―印……は，板書事項

⦿・印……は，教師の発問

①お店に買いものに行ったことがありますね。1円札知っていますか。みんなのカードで，1円札はどれですか，では，10円札は，100円札は，1000円札はありますか。

（こどもは，それぞれ1円札は赤カード，10円札は黄カード，100円札は緑カードをとる。このカードの色別は，全校統一してある。）

②もう1度いいますよ。カードをとったら，並べてみましょう。

・1円，1番右におきましょう。

・10円，その次は 100円，おけますね。

・赤が1番右になっていますか，右はどっちかわかりますね。

・いいですね，1番右に1円，その次10円，その次 100円になっていますね。

③では，今度は買いものにいきましょう。

・お金を出すとき，どんなふうに出したらいいですか。

（こどもわからない）

・では，こんなふうに出してごらんなさい（教師は板書する）

―見ただけで，すぐに，いくらあるかわかる。―

・見ただけで，すぐいくらあるかわかるように，出すんですよ。

・では，りんごを買いました。1こ10円，さあ，お金を出してごらん。

（教師は，こどもがどのように出すかを見てまわる）

（出せないこどもも何人かいる）

④じょうずにできたから，もっと買ってみましょう。こんどできたら，おまるをつけてあげます。

・えんぴつ1本いくら，7円，さあ，出してごらん，見てまわります。

・おまるをもらった人は，ノート12円をやってごらん。見てすぐわかるようにおくのですよ。お札をただ重ねただけではわかりませんね。

⑤こんどは，少しむずかしいよ。二つかいます。

―　えんぴつ　7円　―

―　ノート　18円　―

・見てあげますから，もっとよくわかるようにくふうして下さい。

・えんぴつとノートを別々に，よくわかるようにおくのです。

⑥こんどは，別々にだすと，ごちゃごちゃになりますから，一しょに出してごらん。

（教師は，机間を巡視して，ひとりびとりのこどもの手ぎわを見る）

・できて，先生におまるをもらった人は，ほかの人のを見て歩きましょう。

⑦ずいぶん，いろんな出し方をした人がいますよ。ほかの人のをよく見てください。

・見てすぐわかるという約束でしたね。これを忘れてはだめですよ。

・誰のが１番よいか，わかりますか。

⑧こんなのがありますね。

き　　　　　あか

— ▨ ▨　　□ □ □ □ □ —

・どうして，こうなおしたんですか。

（こどもは，赤10枚と黄１枚とをとりかえました，と答える）

— 黄　　　赤 —

—１枚 ←—— 10枚 —

⑨いいですね，これは，カードのねうちについての約束ですよ。約束を忘れちゃだめですね。

・では，先生が今の約束をかいてみます。

—あか10まいは，黄１まいと同じです—

・いいですね，約束わかったでしょう。

・その次の約束は何でしたね。

—き10まい——→みどり１まい—

・みんなは忘れてしまったから，こんどは約束なしにしましょう。

・36枚出してごらん，約束がないんですよ。

（き▨ 赤□□□ と並べたものあり）

・だめだめ，約束がないんですよ，できましたね，いちばん早い人で，２分半，こんどは，約束を守ってやってごらん，早い早い，もうできてしまった。

・どっちが早くできるかな。

・みんなできましたね，この約束忘れないようにしましょう。

⑩では，この字はどんな約束がありますか。

— 36 —

・わかりますか。36の３は黄色，６は赤ですね。これも約束ですよ。

— 43 —

・４は黄色，３は赤，約束ですよ。

⑪次のお勉強をするけど，もう一つ先生と，約束をしましょう。

左　右

き	あか

・こたえをかく場所わかりますね。

・では，黒板に書く問題をやってごらん。

— たこ　５円 —

— はね　15円 —

— かるた　15円 —

・これだけお金をはらいました，ならべてごらん，

（こどもは，▨ □□□ とおく，赤と黄の間に線を引かせる）

⑫みんなうまくできたようだね。お札の数は，どうしてかぞえましたか。

・五 三 十五とやった人。２ ４ ６……とやった人，１ ２ ３……とやった人，５10 15……とやった人，

・では，みんなで，５ 10 15……でやってみましょう。

⑬では，こんな時はどうでしょう。

・３６９……とかぞえてみましょう。

・できましたね，３はみんなで15になりますね，この15をどこにかきますか。

・そうそう，約束を思い出しましたね。赤の約束は，10枚になると，黄１枚ととりかえるんでしたね。

```
  1 3
  1 3
  1 3
  1 3
＋1 3
```

⑭13が５回，今はこうかきましたが，その外にどんなかき方がありますか。

```
  1 3
×   5
```

⑮では，先生のいうのをノートにかいてごらん 。

・８円のノート６冊ではいくらですか。

— あか　　まい —

— 　き　　まい —

・おきかえの約束を，忘れないようにしましょうね。

⑯今日のお勉強も終りですから，かぞえ方，２とび，３とび，４とび，５とび，６とびを，うんと練習しておきましょう。

・２とびはすぐできるね。（こどももやってみる）

・５とびもすぐできるね。２とび，５とびはそつぎょうだ。こんどは３とびを練習しましょう。

———— ○ ———— ○ ————

以上が第二時の指導である。

b.　どのような数え方をしたか。

計算は，結局，数える仕方の進歩である。それ故４年生であっても，おくれているこどもは，低学年でやったと同じように，いちばん低い程度から，順序を追って数え方の学習をさせることが必要である。

ここでは，いちばん素朴な数え方から始まって，この学習に必要な繰上がりのある加法までの指導について述べてみたい。

(イ)　素朴な数え方

１，２年で行われるような，ものを数える方法である。例えば，30本の棒は，１２３……と１本ずつに数詞をあてはめて数えるし，おはじき20ことってごらんといえば，一つ二つ三つ……と１こずつとっていく最も初歩の素朴な数え方である。然し，この数え方では，こどもはやがて，不便と不満を感じてくる。そして，もっと早くできる，便利な方法がないかと考えてくる。

(ロ)　とんで数える数え方

１２３……と１つずつ数える数え方で，不便を感じてきたこどもは，２４６と２個ずつ数える方が，早くて便利なことに気がつくであろう。このことは，かけ算九九の前の段階であり，これを身につけることがたいせつである。

そこで，２年生では，特に，２とび３とび……で，とびかぞえをする方法を，十分練習して身につけることが大切である。実際に，４年の実験指導をしてみて，このとびかぞえの方法が，身についていないこどもは案外に多い。３年までに，どんなにおくれているこどもでも，ここまではじゅうぶん身についているように，学習を進めておくことは必要である。

このことを，数を並べる場合について考えて見ても同じである。例えば，「24本の棒をわかり易く並べてみなさい。」といえば，最初は１本ずつ24本を並べておいていくが，「もっとわかり易いようにおくには，どうしたらいいでしょう。」という問に対して，こどもは幾通りもの方法をくふうする。即ち，２本ずつのかたまりを12こ作るもの，３つずつを８つ，４つを６つ，６つを４つ，８つを３つ，更には，12を２つというのも出てくる。要するに，こどもの能力に応じて，いく通りものしかたが現れてくる。このことはこどもの数え方についての進歩の度合を物語っていると考えられる。

したがって，このような行動を見れば，現在このこどもは，どの程度の能力があるかを知ることができる。また，更に，次の手ぎわに進ませるようにするには，どうしたらよいかを知ることもできる。この数え方の進歩の系統によって，教師は指導の体系，つまり，理解の系統を考えておき，できるだけ早く，一歩進んだ手ぎわのよい処理へと進ませるようにするのである。

(ハ) 位取りの原理をわからせる指導

今までは，一位数の数え方を述べてきたのであるが，二位数での処理は，どのようにしたらよいかを次に考えてみよう。

いわゆる，位取りの原理の指導である。例えば，69本というようなたくさんの棒を数えるというような場合に，どのようにしたら，早く数えることができるかということである。このようにたくさんの棒を並べると，数が多いのでごちゃごちゃになり，これを処理する便利な方法を学習する必要が起るわけである。

これは，我々の日常生活に，たくさん見られることであって，お札の出し方に位取りの原理を用いるのは，その1つの例である。1円札を1千枚も持ってあるくことは，非常に不便なことであるから，1000円札が生れてきたのである。

70円のお金を，1円札で70枚もっているよりも，10円札7枚の方がよく，更に，50円札1枚に10円札2枚の方が便利なところから，50円札が生れてきたのであると考えられる。要するに，算数は，すべて生活に都合がよいように，ものごとをおきかえていくのである。さきに述べた色の約束は，これと同じ考え方から出てきたものである。この約束によって，69本あることを示すには，今までのように，ずらりと並べただけでは不便であるので，黄棒6本と赤棒9本で，あらわすことができ，非常に便利になるわけである。

さて，赤が10で，黄1ととりかえるということは，りくつの上では，すぐ

わかるのであるが，処理が，反射的機械的にできるようにすることは，なかなか努力しなければならないのである。機械的にできるまでにすることは，行動にうったえて，何度も練習することが必要である。

なお，位取りの原理の理解を深めるために，黄棒を使わないで，赤棒だけで69本とらせてみて，これではどんなに不便であるかを感じさせるように指導するとともに，赤棒と黄棒を使うことの便利さが身にしみて体験するようにした。

このように，具体物・半具体物を使って，完全に処理できるようになったら，抽象数で69と書きあらわすことを指導した。おくれているこどもは，一挙に抽象数だけで処理することができないので，具体物や半具体物で並べた数を，ノートに数字で書きあらわしてみたり，逆に，ノートに書かれた抽象数を，具体物・半具体物におきかえてみたりするようにして，指導していった。

要するに，抽象数の約束も，教具の約束も，すべて，何かを何かにおきかえるという考え方であって，具体物・半具体物・抽象数も同じ考え方で，生れてきたものであることを，実際の動作にうったえて，こどもに理解できるように指導した。

左に一桁移るごとに，単位は10倍になるという，位取りの原理を，こどもはカードの約束による作業によって，理解することはできたが，更に，次の図のようなわく付の台紙を使って，いっそうこのことがらについての理解を早めることができた。

100	10	1
みどり	き	あか

このことに気づいたのは，指導中に，DEグループの数の大きさのはっきりしていないこどもは，赤と黄を左右逆におくこどもがでてきたので，単位の間に線を引いて，試みたところ，よくこの原

理を理解することができたので，台紙を作って，前の図のようにして使用させた 。この台紙に色棒や色カードで，作業する場合に注意したことは，先にも述べたが，並べた棒の数が，わくの中で見ただけですぐわかるようにおくということである。この点を忘れないように指導して，こどもはいつも「どう並べたら，見ただけでわかるか」をくふうするようにさせるわけである。

次に，69本の棒を使って作業をする場合に，こどもはどんな手ぎわを示すかについて，説明をしてみよう。

69 を色棒でおくのに，黄棒2本ずつを，|| || || と，||| ||| ||| と赤棒を並べるこどもがある。これでも一応見ただけでわかる。しかし，「こっちは2本ずつ，こっちは3本ずつですね，もっとよい並べ方を工夫してごらんなさい」というと，こどもは考える。大抵のこどもは，赤棒9本を || || || || と4回まで並べてみて，1本余るので困り，また，もとのように3本ずつになおし，黄棒を ||| ||| と並べてみる。このように，こどもは，試行しながらも，何とかくふうしようとする気持と，教師の適切な示唆によって，自らの力で，69 本は黄棒赤棒それぞれを，3本ずつに並べると，見ただけでよくわかる，いちばんよい並べ方であることに気がつく。このように，こどもの解決しくふうする力を信じながら，教師の適切な指導と助言によって，こどもが自らの力で，解決する喜びを味わいながら，もっとよい手ぎわで処理できるようにしようとつとめるところに，ここでの指導のねらいがあるわけである。

このような学習の進め方は，大変まわりくどいようである。しかし，この過程によって，数の大きさと位取りの原理との関係がわかるのである。

このように，自分で試みてみては，成功感を味わいながら，学習を進めていくと，こどもはものの考え方を，自らの力で体得してくる。これが他の作業をする場合にも，もっと手ぎわのよい方法で処理できないかを，くふうす

るようになってくるもとになるものである。

ところが，このような場合に，われわれは，ともすると，「黄棒の方は2本ずつ，赤棒は3本ずつ，これではおかしいでしょう。黄棒を3本ずつに並べてごらん」と直接指示してしまうことがある。これでは，こどもはいつも考えようとはしないで，教師の言うままに動けばよいということになってしまい，自主性が欠けてくる。このような生活にとって意義のある，心の芽をつんでしまうといったことは，われわれが，無意識のうちに，くり返しているのである。

要するに，こどもが問題を解決するとか，学習するとかいうことは，どんなことであろうか，この段階で，こどもに思考させ，くふうさせることは，何であるかを研究し指導に当ることによって，こどもの算数の力はついてくるし，ひとりびとりのこどもの能力が高まってくるのであると思う。

ただ，ここでおことわりしたいことは，実際に4年生になっても，こどもの手ぎわをこまかに観察すると，このように発達段階をふんで指導していかなければ，救うことのできないこどももいるということである。ここで，とりあげて述べてきたことは，4年の指導内容ではないということである。むしろ，1年のはじめから，算数の指導において，確実に指導しておかねばならないことである。もし，今までに述べてきたような考え方で，指導を進めてくるならば，4年になって，このようなことがらについての，指導をしなくてもすむはずである。ただ，私の学校のこどもを見ると，3年までにこのようなことがらについての学習ができないで，とり残されてきて，ふみこせない困難点をもっているこどもが多いことは事実であった。

(二)　具体物から抽象数へと，自然に進むように指導する。

今までに述べてきたことは，おもに，教具を使っての学習であったが，次の段階の，半具体物から最も抽象化された数字の世界へと進むと，こどもは，

その処理に，また一つの抵抗を感ずる。

どのようにしたら，この抵抗を克服して，抽象数の世界へ橋渡しをすることができるかということについて，述べることにする。

われわれは，指導中に錯覚を起すことがある。それは，具体物・半具体物を使用して，処理できるようになると，そのこどもは，すぐ抽象数の上でも処理できるものと思いこむことである。教具で処理できても，数字の上で処理できないこどもは案外に多いものである。そこで，教具の約束を抽象数の約束に結びつけて，数字の上で処理できるように，指導を進めることがたいせつになってくる。

ここに述べたことを，もう一度，さきにあげた 69.本の色棒の処理を例にとって説明してみよう。

今までの指導で，教具を使って，数の大きさをあらわすことができるようになったこどもは，69をあらわしてみなさいといえば，カードや色棒で，69をあらわすことができ，しかも，わかり易く並べることができる。

こんどは，逆に，「今並べた色棒を数えてごらん，何本でしたね」と質問すると，こどもは，「69です」と答えることができる。「では，ノートにその数を書いてごらんなさい」といって，ノートに書かせてみる。このように，（i）カード（あるいは色棒）で並べてみる，（ii）その数を口でとなえてみる，（iii）それをノートに書いてみる。このような段階を経て，やがて，こどもは，抽象的な数の世界にはいってくるのである。

以上の方法は，数の大きさの指導における抽象化への段階であるが，演算の意味についても，計算の意味についても，同じようなことがいえるわけである。

この指導において，最初はできるだけ，具体的な行動を通して，こどもが，理解するようにしなくてはならないので，台紙などを利用することが大切で

ある。これは，あくまでも，思考を助けるためのものであるから，できるだけ早い時期に，台紙なしでもできるようにしなくてはならない。

今の指導の段階を図示すると，次のようになる。

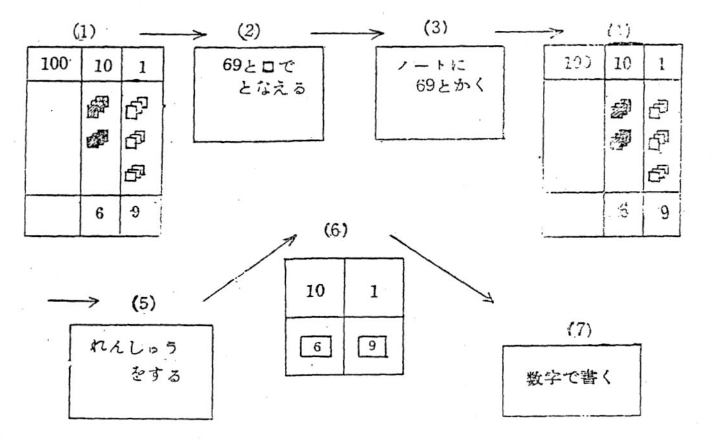

（色付の数字カード）

上に述べたような，経過で指導すると，こどもは割合にやさしく，抽象数を理解することができたようである。この中で，（4）は（1）を確認することに当り，特に大切なことである。（6）の色数字を用いての練習をしてから，更に，（1）にもどって，もう1度練習するようにした。（5）の練習の方法は，・教師が口でとなえて練習させる方法，（例えば，169はどうおきますかというように言って練習させる方法）・黒板に，325，95などと書いて練習する方法などが考えられる。その他に，例えば，358というような数の大きさを学習する場合に，色棒を使えば，緑3本，黄5本，赤8本になる。これをばらばらに，机の上において，それを正しく，緑 ||| 黄 ||||| 赤 |||||||| というように並べさせ，更に，ノートへ 358 と書くといった，数の構成の練習もさしてみた。この場合に，色カードや色棒のおき方は，最

初は，赤５本黄８本緑３本というように，単位ごとにまとめて，順序不同において，それを正しくおくことを練習させ，それが完全にできたところで，それらをばらばらにおくようにした。

このような練習は，位取りの理解，倍の観念，繰上がりの指導の基礎になるものを確かなものにすることができ，また，これからあとの指導に，特に，効果があったようである。

―――――○―――――○―――――

以上の指導で，特に，効果があったと思われるのは，次のようなことがらである。

① 69は，60と９であるが，これを，６と９で書き表わす約束を，こどもが理解したことである。６は，勿論60であるが，黄棒のもつ10の単位が６であることを，こどもが確実に理解しさえすれば，４年での学習問題である，「二位数×基数」のかけ算は，やさしくできるはずである。32は，３という黄の単位で表わせる10の単位が三つ，１の単位が二つである。それで，32×６は，３×６と２×６というかけ算九九を使えば，計算できることが，やさしく考えつくわけである。この場合に，次のように教具を使い，理解をいっそう早く，確かなものとすることができた。

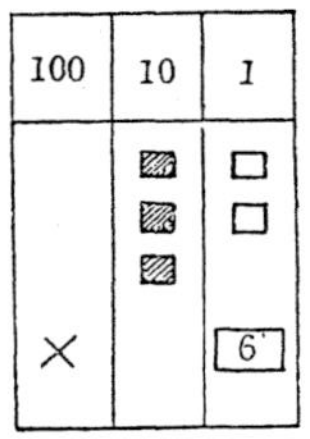

100	10	1
×	▨ ▨ ▨	□ □ 6

即ち，32×６では，３×６は，黄カードと10位のわくの中で，２×６は，赤カードと１位のわくの中で処理できる。

黄のかけ算九九と赤のかけ算九九で，計算できるということは，こどもの思考を助け，すじ道をはっきりわからせるために，非常に効果があった。

② 次によかったと思われる点は，前述の69で考えると，||| ||| の黄棒と，||| ||| ||| の赤棒で表わすことができることを知ったこどもは，黄棒は

３が二つ，赤棒は３が三つであるというように，自然の間におぼえたのである。この考え方を理解したということは，「同数累加の時は，グループの個数を乗数とすればよい」というかけ算の演算の意味を知ったわけである。これが更に発展して，「６円のりんご３こ買ったとき」は，６円のものが三つであるから，これは式で，６×３と書き表わすことができることを，おさらいしたことにもなったわけである。

このようなことも，３年のかけ算九九の指導をする時に，当然，学習できておらねばならないことはいうまでもない。

(ヘ) 繰上がりのある加法の練習について

今までは，単独数についての指導であったが，この数をいくつか加えて，繰上がりのある加法についての学習に入っていく。

さて，この指導をする場合に，２年生程度の「基数＋基数」の繰上がりのある練習から，学習を進めていくことにした。程度が低いようであるが，この程度のことしかできないこどもが相当いるので，ここから指導を始めることにした。次に，「二位数に基数を加える」場合の学習に入った。例えば，47本に赤棒４本を加えるとき，赤棒７本に赤棒４本をおくので，赤棒は，11本になる。この時に，最初はまだおきかえが徹底しないので，赤わくの中に，11本の赤棒をそのままにおいているこどもが，相当にいる。その時には，いつも「お約束は何でしたか」と，おきかえの約束を思いださせるようにした。

この練習には，相当時間をかけることが必要である。この指導も，一位数だけから始まり，二位数の練習では，一位が繰上がりのある場合から，二位だけ繰上がりのある場合，更に，一位，二位ともに繰上がりのある場合というように，一段一段と段階を高めていくように指導した。

このような練習によって，位取りの原理をつかんだこどもは，色棒，色カ

ードは，どれも９本あるいは，９まいでよいことに気がついてくる。これはすべての数は，０から９までの10この数字で，書き表わすことができるということが，理解できたことを示している。赤９，黄９，緑９こずつをもっておれば，999までの数を，自在に表わすことができることを知ってくるであろう。

しかし，最初から，９本をもたせて処理するようにすると，９本に２本を加えるようなとき，おきかえの完全にできないこどもは，頭で考え，抽象的になるので，学習に困難を感じ，困乱を起すことがある。最初は，10本以上自由にもたせて，やがて10本で処理し，もう１本とって，９本ではできないだろうかというように，指導をする。こうして，最後には，10本は必要がないことを知るようになる。

以上述べてきたことは，実験対象児童を選び出しての指導の経過である。いわば，数の大きさとか，かけ算の意味についての理解の成立について，重点をおいて指導してきた。計算の意味については，他の学級の指導で，先にいってふれるので，ここでは省略したい。

この学級の実験対象児童は，今まで述べてきたような演算の意味の理解が不十分なための誤算者であったから，このように指導した結果，三時間の指導で，誤算者はなくなり，昨年度の仮説である，「かずの大きさの理解」と「かけ算の意味」がわかれば，誤算者はなくなると考えた仮説を，検証することができた。

2. 一般学級の指導——能力別グループ学習による検証的研究はどのようにしたか。

（併せて，その指導経過と計画の修正点について）

a. ここでの研究で考えたこと

実験学級の指導では，昨年度の結論として考えられた「数の大きさ」と「かけ算の意味」について，特別指導した結果，完全に誤算がなくなり，昨年度に考えた結論（仮説）の正しかったことが，証明されたわけである。

そこで，今度は，昨年度の結論を，一般のこどもを対象として指導し，この結論の正しいことを検証しようとするのである。

この一般学級のこどもには，かけ算九九のできないこども，加法九九のできないこどもも，いろいろな能力差をもつこどもがいる。そこで，個人毎の処理の手ぎわによって（ことばをかえると，個人毎の障碍をみて），能力別に同じような障碍をもつものをわけて，１つのグループに編成し，指導法の改善によって，誤算者をなくし，この指導によって，検証的研究をしようとしたのである。

指導計画は，最初は５時間でたてられた。しかし，こどもの理解を成立させて誤算者をなくするためには，こどもの進歩とにらみあわせて評価しながら学習を進めたので，最初の計画された時間だけでは不足で，指導計画の修正のために，９時間かけることが必要になってきた。

b. 学習の展開

① **第１時の学習指導の展開**

(イ) 目　標

○同じ値段のものを何個か買ったときに，１個の値段を被乗数とし，個数を乗数とするかけ算で書き表わすと，買いものの値段や個数がわかりやすい。

○同数累加の場合には，その個数を乗数とするかけ算で表わすとよい。

○数がまじっていても，同じ大きさの数と見て，かけ算で表わし，後で修正すればよい。

(ロ) 学習の展開

時間	学習の問題（教師の発問を含む）	子供の学習活動（A, B, C, D, は分団名，能力）	目　　標	指導のねらいと準備
一〇分	○買いものでは，どんなことが，じょうずにできなくて困るのですか。	○背面黒板やノートの記録から，話しあって，次のことをきめる。 a.　1個のねだんや数のすぐわかる書き方。 b.　払う金高を早くみつける計算の方法 c.　お札の出し方		○背面黒板にかかれた困った原因について，事前に機会あるごとに，個々のこどもと話しあって，研究する意欲やわかった原因を朱書しておく。 ○子供の発表を，教師の予定した問題と，一致するように導く。
一五分	○買ったねだんや数を，わかりやすく書くには，どのようにしたらよいでしょうか。 「15円のりんごを七つ買った」として，ノートに書いてみなさい。	○（一斉） 考えをノートする。 ○板書によって，比較する。 ・15円＋15円＋15円＋15円＋15円＋15円＋15円 ・15円×7	○幾つも買ったときは，よせ算で計算すると，払う金高を求めることができる ○15円を7個加えるとき「15円×7」と書くと，ねだんと個数が見ただけで，すぐわかる。	○15円のりんごを七つ買ったのであるから，15円を七つ分寄せて金を払うので，寄算で計算することを，まず明確にして，かけ算九九の場合と比較しながら同数累加の表わしかたの正しいことを，はっきりさせる。 ○「15円のを七つ」買ったという。その言葉のまま，書

				くとよいこと。かけ算九九の場合を思いだして気づかせる。
一五分	この考え方で，次の場合も，書けるか（板書） a.　24円＋24円＋24円＋24円＋23円 b.　13＋13＋13＋12 c.　54＋28＋19	○各人ノートする a.（24円×4＋23円 24円×5－1円 b.（13×3＋12 13×4－1 c.「×」では，書けない。 それぞれを，比較して話し合う	○似た数のときは，全部同じ数と考えて，×を使って表わすことができる。そのときには，あとで，ちがいをひくか，加えるかする。	○全くちがった数は，×では表わせないことに気づかせる。 ○同じ数にみなすことのできる数は同じ数とみて，×を使うとよいことに気づかせる。
一五分	プリントで，勉強しましょう。 ○A・B班は，今勉強したような式で，書ける問題を作りなさい。 ○C班の人は，もう少し，続けましょう。 （プリント配布） 【別紙1参照】 ○D班の人は，先生と一しょにしましょう。 「15円のりんご五つ買いました」 ・26＋26＋26＋26 ・320＋320＋320＋320＋320＋	○A・B班は，買物やそのほかのことで，×を使うとよいことを考えて，問題を作る（自習） ○10分たったら，ノートを，友だちと交換して，かけ算の式に書く。 C班は，今のことに気をつけて式で書く。（自習） D班は，次の様に具体物を並べる。	○15円×5を，「15円が五つでは」と読む。 ○×5の5は，5個加えることをあらわしてい	具体物あるいは，半具体物を使って，ものとおかねと，演算を結びつけて，はっきりさせる。 ○D級では，特に

	320＋320 は，どう書きますか。 ・18×7，74×6 をよせざんで書きなさい。	各人，ノートして先生に見てもらう。	る。	かけ算という言葉やかけるという用語は，使わないようにして，まず「意味」を，はっきりさせる。
五 分	今日の勉強をまとめましょう。 ○×は，どんなとき使うとよいですか。 ○70円のまりを，7つ買いました。どう書きますか。	○二位数や三位数になっても同じ数を，いくつか寄せるときには，×を使うとかんたんに表わすことができる。 ○同じねだんの品を，いくつも買ったときかけ算で表わすと，1個の値段と，いくつ買ったかの数が，すぐわかってよい。 これを，まとめる。 ○たし算で書いてみる。 ○×を使って書いてみる。		○子供の発表を板書と結びつけて，「どのように書いたらよいか」の下に，朱で書くようにする。 ○たし算で書く時間と，×で書く時間とを比較させるようにする。
	○プリントをあげますから，よく考えて，式で書きなさい。 【プリント2】	プリント配布		○本時のねらいが達せられたか，特にCDに注意して時間がきたら提出させる。

附 【プリント】 C班用

㋑ みんなで，いくつありますか。□ の中に，式を書きなさい。

式 □

㋺ □ の中に，ちょうどよいかずを，書きいれなさい。

87円＋87円＋87円＋87円＋87円＋87円は，□×□

125＋125＋125は，□×□

㋩ クレパスを5箱買いました。1箱は34円です。買いものがよくわかるように，書きなさい。

附 【プリント2】 テスト用

㋑ つぎの，えのぜんぶの数は，どんなやりかたで出せますか。式に書いて下さい。

やりかた＿＿＿＿＿＿＿＿＿＿

㋺ つぎの式の中で，べんりな表わしかたがあったら，そのやりかたを書いて下さい。

14＋14＋14＝（　　　　　）

26＋37＋95＋46＝（　　　　　）

395＋395＋395＋365＋395＝（　　　　　）

㋩ よしおくんの班は9人です。給食ひは，1人75円です。ぜんぶもってきました。金高をしらべるのに，どんな計算をしますか。式に書いて下さい。

No. 1　テスト問題

(1) つぎのえのぜんぶのかずは，いくつですか。

どんなやり方でするか，式に書いて下さい。

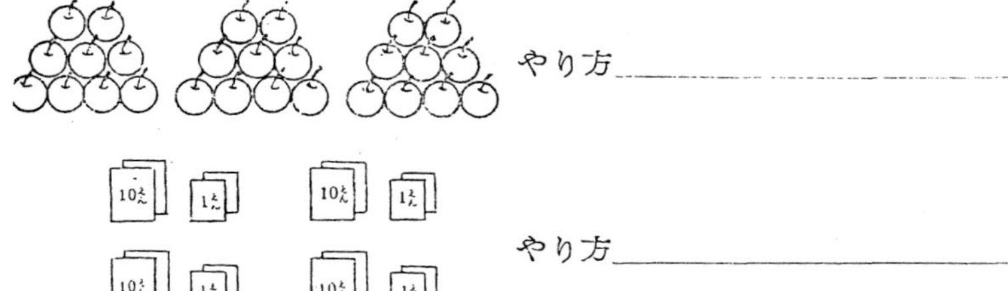

やり方＿＿＿＿＿＿

やり方＿＿＿＿＿＿

(2) つぎの式の中で，べんりなやり方でできるのがあったら，そのやり方を書いて下さい。

14＋14＋14＝

26＋35＋95＋46＝

395＋395＋395＋395＝

(3) つぎのえのガラスは，ぜんぶでなんまいありますか。

やりよいやり方を式に書いて下さい。

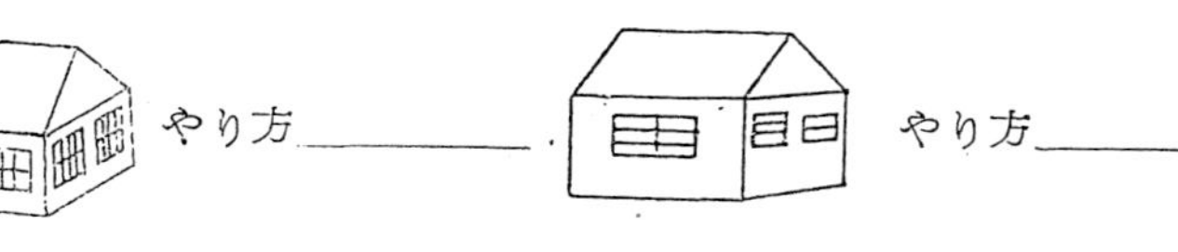

やり方＿＿＿＿＿＿ やり方＿＿＿＿＿＿

(4) よしおくんのはんは９人おります。１人給食ひ75円あつめると，ぜんぶでいくらですか。どんなやり方でするか，式に書いて下さい。

② 第２時の学習指導の展開

(ｲ) 目標

○かけ算で表わされたものを，よせ算に直して書き表わす。

(ﾛ) 学習の展開

時間	学習の問題	子供の学習活動	目標	指導のねらいと準備
一〇分	○この前の時間には，買いものの，どんなことを勉強しましたか。 ○23円の白菜を，４個買ったときはどう書きますか。わかりやすい方法で書きなさい。 ○先生のお札の絵と，くらべて下さい。	○子供は，ノートを見たり思い出したりして，話し合う。子供のノートを，板書し，比較して話し合う。 23円＋23円＋23円＋23 23円×４ ○展示板を提出 10円　1円 ○×４は，どんなことを表わすか，展示板で話し合う	○かけられる数は，１個の値段，かける数は，いくつ寄せるかの個数である。	○子供の発表を生かして，次のように板書をする。 同じねだんの品いくつも買ったとき ×をつかう ○ a×bの，aやbは，何を表わすかをはっきりさせる
五分	○きょうは，この前と反対に，15×7のようなとき，よせ算にする練習をしましょう。 ・15×７を，よせ算で，書いてみましょう。	・ノートする。 ・15が７個あればよいことを，はっきりさせる。	・15×７を，＋を使って表わすときは，７個あるかどうか，たしかめるとよい	・特に，Ｄ班の子供の理解が固定しているかどうかを観察して進める。

二〇分	・A・B班は，昨日の自分の問題をよせ算で書いてみる。 ・C班は，昨日のプリントを，よせ算でしなさい。 ・D班は先生としましょう。 〇Tさんは，13円のノートを4さつ買いました。 はらったおかねは「13円×4」だそうです。お札で並べてみましょう 並べ終わったら，たし算で書きましょう。 〇先生の書くのを，よせ算で書いて下さい。 26×3，　47×5 126×4，214×7	A・B・C班は自習 D班の学習活動 100円 10円 1円 上のように，各自展示板に並べて次に，よせ算で書く。 13円＋13円＋13円＋13円 〇すぐわからない人は，展示板に出してみて，次によせ算で書く。	〇乗数は，被乗数を何回加えれば，よいかを表わした数である	〇「13円×4」は，13円のノート4冊買ったことであることをはっきりつかませる。 〇展示板に色カード（赤1，黄10，緑100を表わす約束がしてある）を並べさせて，買った数とねだんを，はっきりさせる。 〇D班が書いている間に，A・B・C班を巡視して，仕事の進みぐあいを見る。
一〇分	〇(一斉)まとめをしましょう。 76×9を，よせざんで書いて下さい。 〇プリントで，力だめしをしましょ	〇よせざんで，次のように表わす。 76＋76……＋76 ・9個あるか数え直す。 〇プリントを配布 〇10分で，できた	〇かけ算を，よせ算に書きなおすことができる	〇どちらが，書くのに手数がかからないか，また，わかりやすい数をはっきり考えるように仕向ける。

	う。 【プリント3】	だけでよい。		

附　【プリント】　テスト用

㋑　つぎを，よせざんに，なおしなさい。

14×5＝　　　　64×4＝　　　　432×7＝

㋺　おさつが，並べてあります。正さんは，26円×3と書きました。おさつはどんなおさつでしょう。□の中に，すうじを書きいれなさい。

㋩　つぎのように，おさつがならべてあります。

22円×5にあうように，1まとまりを，〇でかこみなさい。

10	10	10	10	10
10	10	10	10	10
1	1	1	1	1
1	1	1	1	1

No.　2　　テスト問題

(1)　つぎのかけざんを，よせざんになおして下さい。

14×5＝　　　　$\begin{array}{r} 64 \\ \times\ \ 4 \\ \hline \end{array}$　　　　$\begin{array}{r} 432 \\ \times\ \ \ 7 \\ \hline \end{array}$

236×3＝

(3)　つぎのかけざんにあうように，えに数字を入れて下さい。

26円×3＝　　　　362円×4＝

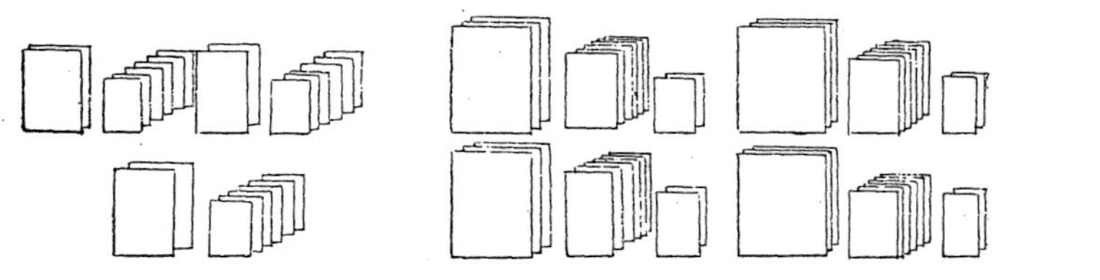

(3) つぎのかけざんにあうように，えをまるでかこんで下さい。

22 × 3

10 10 10 10 10 10 10 10 10 10
1 1 1 1 1 1 1 1 1 1

214 × 2

100 100 100 100 100 100 100 100 100 100
10 10 10 10 10 10 10 10 10 10
1 1 1 1 1 1 1 1 1 1

③ **第3時の学習指導の展開**

(イ) 目　標

○何百何十何円等の品を，いくつも買ったときは，お札を別々に計算するとよい。

○かけられる数が，何百何十何のように大きくなっても，一の位，十の位，百の位の数を，別々にすれば，お札と同じように，かけ算九九を使って計算できる。

(ロ) 展　開

時間	学習の問題	子供の学習活動	目　標	指導のねらいと準備
	○同じ値段の品をいくつも買ったとき，金高は，どのようにしたら早くわかるか。	○「132円×３」と書くと，かんたんで，わかりよかった。 ○こんどは，計算		○×を使うと，１個の値段や，買った個数が，わかって都合がよかったことをはっきりさ

時間	学習の問題	子供の学習活動	目　標	指導のねらいと準備
二〇分	①132円の品を，三つ買いました。いくら，はらったらよいか，お札で数えましょう。 ○たし算でするときには，どんな順に計算しますか。 ○１円札を計算したら，答はどこに書きますか。 10円札の数は，どこに書きますか 100円札は，どこですか。 ○かけ算九九を使うとき，2×3，3×3，1×3，とするのは，なぜですか。	のしかたをくふうする。 ○子供のあらわれから，次の二つを板書して，比較する。 Ⓐ 132円 Ⓑ 132円 132　　× 3 ＋ 132 ○ 132円 × 3 } の３は３つあることを表わすのだから，たしていくよりも，もっとうまい方法を考える。 ○ 132円 × 3 2 × 3 = 6 3 × 3 = 9 1 × 3 = 3 上のかけ算九九を使うわけを，たし算の方法と，比較して考える。	○たし算Ⓐの方法でするときは1円，10円，100円を別々に，計算する。 即ち，２，４，６と数えて，１円の下に書く。10円は，３，６，９として，その下に書く，100円も同じにする。 ○Ⓑの方法は，Ⓐと同じように３回とんで数えて，答を出してもよい。 ○かけ算九九を使えば，いっそう早くできる。	せる。 ○計算するときは位取りを揃えて，たてに書いた方が横より，誤りを起さなかったことに気づかせる。 ○かけ算でも，たし算のようにたてにすると，答の位どりを合わせるのに都合がよい。 $\begin{array}{ccc} 100 & 10 & 1 \\ 1 & 3 & 2 \\ \times & & 3 \\ 3 & 9 & 6 \end{array}$ このことに，気づかせる。 ○かけ算九九を知らぬ子供がいるので，その子にも，できるように，発展的にきちんと，気づかせる。
	②231円×3はいくらでしょう。 ○できたら，次のことを考えなさい。 ○かけ算九九をわすれたり，あやし	○各自すきな方法で計算する。 ○たし算と，かけ算をくらべながら，次のことをはっきりきめる。 ①計算の順序。	○かけ算のしかたを，次のようにまとめる。 ①１,10,100の位を，別々に１の位から計算する。	○９より小さい数を，いくつも加えるときには，かけ算九九で計算すると，次々と加えたり，とんで数えるより，早くできる

	いと思ったら，どうするか。 ○答は，どこに書いたらよいか。	②かけ算九九の使いかた。 ③答の書く位置。	②かける数だけとんで数えてもかけ算九九を使ってもよい。 ③答は，位を誤らないように下に書く。	ことを，はっきりさせる。 ○しかし，九九のうまくできぬ人がいるので，次々と数えたす方法からはっきりさせる。
二〇分	○こんどは，練習をしましょう（班別） ・Aは，定価表を見て，問題5題作って，次に計算する。 ・B，C，Dはプリント。 【プリント4】 ○D班について ・ 123×3を，カードで，並べてみなさい。 ・どんな数えかたをすると，答が出ますか。 ・そのしかたで，次のもしてみなさい。 ・こんどは，始めの一つだけカードを置いて，計算し	A，B，Cは，自習をはじめる。 Dは，教師とともにプリントを学習する。 Dの学習活動 123×3 をまずお金でならべる 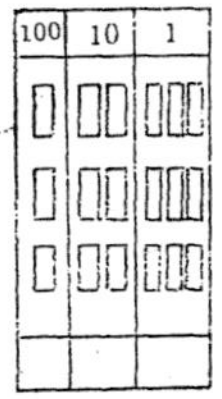 (100 / 10 / 1) ・とんで数えるしかた数えたすくふうをして答を出す 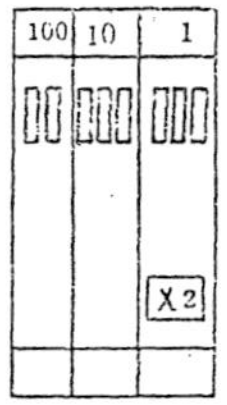 (100 / 10 / 1 ×2)	○ものを数えるときには，一つずつ数えるよりまとめて，とんで数えるとよい ・被乗数の3を左手で出し，それを何回数えたか，右手に出して計算するとよい。 ・ ×2 は，どの位のカードも二段並んだとし	○一つずつ，次にまとめて，とんで数える方法に進むことに気づかせる ○カードを使わないで，数字の上で数えるようにしむける。 ○2ずつ，とんで数えられる子供は右手に回数を出し

	ましょう。 243×2 の，243だけ，カードを置いて， ×2 としてできますか。 ・できたら，数字のままで答を出す。	上のように並べて， ×2 は，どの位の数も，二回加えることであることを考えて，計算する。	て数えればよいことを表わしている。	てかけ算九九を，おぼえると，つごうのよいことに気づかせる。 ○三つずつ，とんで数えることについても同じように気づかせる。
五分	○（一斉）213円×3は，いくらでしょう。計算でなさい。 ○プリントを，先生に，出して下さい。	○各自筆算する。 ○教師の，板書の（　）中に順に記入させる。 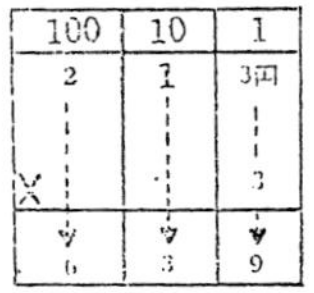 (100 / 10 / 1: 2, 1, 3円 ×→ 6, 3, 9)		○位どりごとに，別々に計算して，位を誤らずに，下に書くことを，注意させる。

附　プリント4　（練習用，提出させて，評価する）

① 次の計算をしなさい。

123円×3　243円×2　341円×2　212円×3　112円×4　431円×2　342円×2

No. 3　テスト問題

(1) つぎのかけざんで，けいさんする時の九九をじゅんじょをまちがえずに書いて下さい。

14×5　236×3　64×4　432×7

(2) つぎのたしざんを，たてに書いて下さい。

4＋15＋200＝　　10＋100＋5＝　　400＋5＋19＝

(3) つぎのかけざんの，九九のこたえを，わりばしで書いて下さい。

$$\begin{array}{r} 23 \\ \times\ 5 \\ \hline \end{array}$$
3×5は あか　本／き　本／みどり　本　　2×5は あか　本／き　本／みどり　本

$$\begin{array}{r} 34 \\ \times\ 2 \\ \hline \end{array}$$
4×2は あか　本／き　本／みどり　本　　3×2は あか　本／き　本／みどり　本

$$\begin{array}{r} 132 \\ \times\ 4 \\ \hline \end{array}$$
2×4は あか　本／き　本／みどり　本　　3×4は あか　本／き　本／みどり　本

1×4は あか　本／き　本／みどり　本

④ 第4時の学習指導の展開

(イ) 目　標

○たし算を，かけ算に書きなおす練習。

○かけ算を，たし算に書きなおす練習。

○くり上がりのないかけ算の練習。

(ロ) 展　開

① 班別の能力

A班（最も手際よく計算する者）

B班（かけ算九九を使って計算する者）

C班（かけ算九九に不確実なものがあり，時々誤算をする者）

D班（かけ算九九はできない。とんで数えたり，ものに替えて一つずつ数える者）

回 班別に対するプリントの内容

A班　B班に程度を高めた，47＋47＋46＋47を，47×4－1の形に表わ

すものを加える。

B班　同数累加を乗法に，また乗法で表されたものを加法に，繰り上がりのない乗法。

C班　B班と同じ。

D班　B班と同じ。

(ハ) 指導に当たって，今までのことを，しっかり身につけることに目標をきめて，学習にはいる。

No. 4　テスト問題

(1) 13×6　(2) 17×8　(3) 32×4　(4) 36×9　(5) 55×6

(6) 44×7　(7) 25×8　(8) 265×3　(9) 145×4　(10) 249×5

⑤ 第5時の学習指導の展開

(イ) 目　標

繰り上がりの起る場合のかけ算のしかたを理解し，計算能力を伸ばす。

(ロ) 展　開

時間	学習の問題	子供の学習活動	目　標	指導のねらい
	○同じお札が，10枚以上になったらどんなくふうをしてお金を出すとわかりやすいか。	○100円，10円，1円と，色別にした，台紙の上に，カードを並べる。		○今まで，お札が10枚以内である計算だったことを，はっきりする。 ○お札に，1，10，

一五分

①「217円×3」では，どのように払えばよいか。お札で調べましょう。

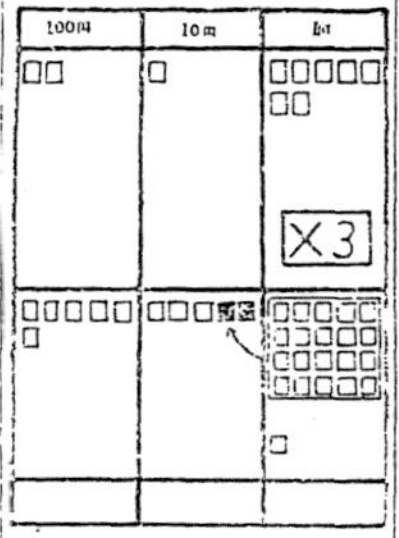

100円	10円	1円
□□	□	□□□□□ □□ ×3
□□□□□ □	□□□□	□□□□□ □□□□□ □□□□□ □

○1円20枚を，10円2枚にして，10円の欄に繰り上げる。

○同じお札が，10枚より多くなったら，上位のお札にとりかえて出すと，わかりやすい。

○おさつを，10枚まとめて，上の1枚にするのと，繰り上がりの計算は同じである。

100円などがもとになっているのと，数の単位のしくみとが同じであることをいっそうはっきりするようにしむける。

○位毎に，とんで数えたり，かけ算九九で上の位に繰り上げるときは，忘れないように，小さい数字で，書いておくようにする。

その際に答を書く場所に小さく記入させるとよい。たし算のときのように，かけられる数の上に書くと，誤りを起す。

②お札を並べかえたことを考えて，計算のしかたを考えてみましょう。

100	10	1
2 ×	1	7 3
6	5^2	1

上のように，位ごとにわくの中に入れて考える。

③答を見て，どのお札を何枚出せばよいか考えましょう。

○ 651円の，各数字は，100円，10円，1円のお札の枚数を表わしていることを上の，カードを並べたもので考える。

○ 651円の6は100円，5は10円，1は1円の枚数を表わしている。

○これは，651が100，10，1の単位で，何個あるかを表わしているのと同じである。

二五分

○プリントで練習しましょう。

【プリント5】

○A，B，Cはプリントをして終ったらたしかめてから，友だちと合わせて下さい。

プリントの問題を，まず，カードで被乗数を置く。

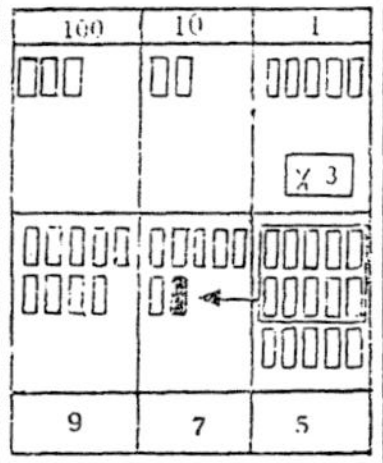

100	10	1
□□□	□□	□□□□□ ×3
□□□□□ □□□□	□□□□□ □□	□□□□□ □□□□□ □□□□□
9	7	5

○かけ算九九のよくできない子供，全くできない子供が，D班であるから，指を折りながら，数え足すことから，次第にとんで数えることに進めていく。

○かけ算九九は，いちいち，とんで数えるかわりに，作ったものであることに気づかせる

○Dは，プリントを先生と一しょにやりましょう。

○次に，1円10枚を，10円札1枚にとりかえて，枚数を書く。

100	10	1
3 ×	2	5 3

の答を，上のカード並べを考えながら求める。

○1円が10枚まとまったら，10円1枚にして，10円の方に繰り上げる。

○この方法を，数字でするときも，同じである。

○かけ算九九表を見て，唱えておぼえるようにしむける。

○同じように，次の問題をする。

$$\begin{array}{r} 216 \\ \times\quad 4 \\ \hline \end{array}$$

$$\begin{array}{r} 113 \\ \times\quad 7 \\ \hline \end{array}$$

$$\begin{array}{r} 112 \\ \times\quad 3 \\ \hline \end{array}$$

$$\begin{array}{r} 172 \\ \times\quad 4 \\ \hline \end{array}$$

○同じように，カードで，まず置いて，次に計算する。

○次の問題は，先に計算でしてからカードでたしかめる。

○1，10，100の位をきめたノートに，書く方法を考

○計算で出てきた数を，お札別にきちんと書かないと誤りを起す。

○ノートは，特別に，100，10，1，の位が，はっきりわかるように次のような，たて算を印刷してあげる。

時間	学習の問題	子供の学習活動	目標	指導のねらい
		える。		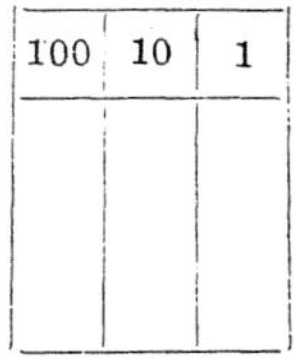 100 10 1
五分	○(一斉)お札の数を少なくして，わかりよくすることと，計算のしかたと，どんなところがにていましたか。 ○かけ算九九は，どのように使いましたか。 ○７×４＝28の２は，どうしておくと，誤りを起しませんか。 ○プリントを提出して終わる。	○次のカードで話し合う。 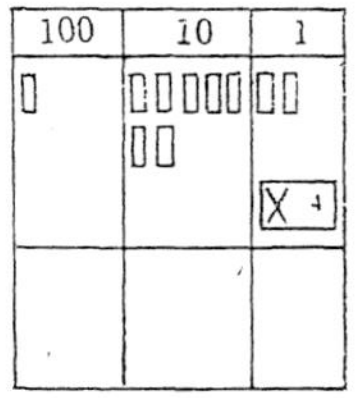 100 10 1 〔備考〕プリント５は１位か，２位で繰り上がる問題である。（省略）	○かけ算のしかたについて，まとめる。 ①位取りで，書く位置がきまる ②繰り上った数は忘れぬように小さい字で書いておく。	○部分積の書く位置は，その数字のもっている単位の大きさで，きまることを，はっきりつかむように，お札の種類と関係づけるようにする。

⑥　第６時の学習指導の展開

(イ)　目　標

○お札を，わかりやすく出す方法と関係して，一位数或は二位数が繰り上がる計算を，誤りなくできるようにする。

○ＡＢ班には，早さも要求する。Ｃは確実に固定することをねらう。Ｄは，部分積をとんで数えて出すことが，すらすらできるようにする。部分積を書く位置を，はっきり身につけさせる。

(ロ)　展　開

㋑　プリントによって，自習する（Ａ，Ｂ)。Ｃ班は，部分積の書く位置を教師と話しあって，あと自習。

㋺　Ｄ班は，主として，教師の援助で進める。

㋩　指導の順序

一斉………各自の本時の学習目的を，教師と話し合う。

分団別……まず，Ｄに行く。まず展示板にカードを並べて数え，次にプリントに答を書く仕事を話し合って，次にＣに行く。Ｃで，部分積の書く位置をたしかめ，Ｄにかえって，援助する。

㋥　プリントについて，

$$\begin{array}{r}126\\ \times\ \ 3\\ \hline\end{array}\quad\begin{array}{r}142\\ \times\ \ \times\\ \hline\end{array}\quad\begin{array}{r}131\\ \times\ \ 7\\ \hline\end{array}$$

のように，一位か，十位で，繰り上がるもの。

㋭　テスト

プリント用紙を提出させて，代行する。

⑦　第７時の学習指導の展開

（ａ）　目　標

○お札をわかりやすく出すくふうと関係して，一位と十位の数が，同時に繰り上がる場合のかけ算について理解し，その計算能力を伸ばす。

（ｂ）　展　開

時間	学習の問題	子供の学習活動	目　標	指導のねらい
	○同じお札がたくさんになったとき，どのようにすると，わかりやす	○子供の発表を，次のように，まとめる。 ①10枚以上になっ	○一位か，十位がくり上るときの計算のしかたを，お札を見や	○お札は，数を少なく出すくふうをすれば，見ただけで金高がわかる。

一五分	くお札が出せるでしょう。 • 325円のものを3つ買ったときは，どうでしたか。 • それを，計算でするとき，どのようにするとよいか。 ○今日は，1円と10円が，いっしょに，たくさんになるときの，くふうをどうしたらよいか考えましょう。 • 276円の品を，3つ買ったときはどうしたらよいでしょう。	たら，大きいお札に繰り上げる。 ②かけ算九九や，とんで数えて，繰り上がったものは小さく書いておく ③下の位から計算すると，書き直さなくてすむ。 ○カードを並べて考える。 (100 / 10 / 1 ×3 ; 2 6 8 / 2 1 2 / 1 8) ○気づいた方法をノートする。	すく少なく出す方法と結びつけて，はっきりつかむ。 ○計算の順序は下の位からする ○どの位の数が10や20になったかを考えて，繰り上がる1や2の位を，はっきりきめれば，手数がかかるだけで今までと同じである。 ○繰上げた数字を，小さく書いておけば，忘れないでよい。	○金高が，見ただけでわかれば誤りを起さない。 ○このような点に注意させて，お札を少なくするくふうをさせ，それと計算のしかたと結びつける。 ○D班の子供も，部分積を，カードで置くことを少なくして，左のように，数字で書いて，繰り上げができるようにつとめる。
二〇分	○プリントで練習しましょう。 こまったことは先生に相談しましょう。 ○D班については部分積の大きさと書く位置についてよく考えるように	ABCDとも，計算のしかたは変わっているが自習 D班は，ノートに次のように書いて計算する。	位取りをそろえて，たてに書けば，二つ繰り上がっても，誤	A, B, CはDの指導の空き時間に，相談に応ずる。 D班で，まだ数字のもつ単位の大きさのわからぬ子供には，お札やカ

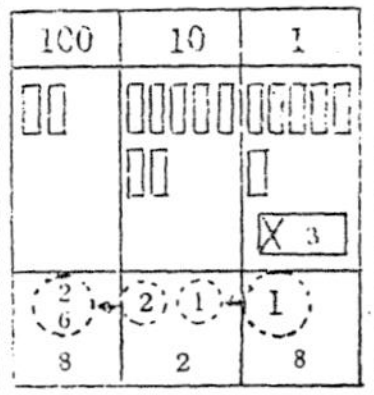

	はたらきかける。	(2 4 7 / × 4 ; 1 9 / 2 8 / 8)	りを起さない。	ードを使って，はっきりさせる。
一〇分	○(一斉) 470円のくつを，3足買ったら，お札を，どのように出しますか。 ①お札を並べてみましょう。 ②次に，計算してみましょう。 ③どんなお札を出せばよいですか。 ○この次の時間に途中に0のあるときについて，勉強しましょう。 ○力だめしをして終わりましょう。	カードを，次のように並べる。 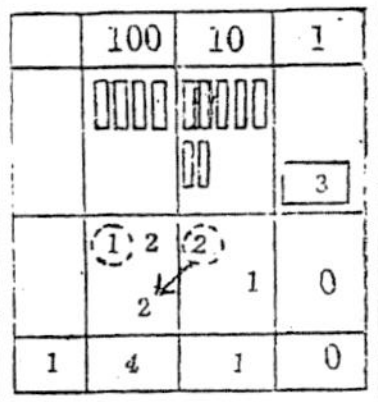 (100 / 10 / 1 ; 3 ; 1 2 2 / 1 / 0 ; 1 4 1 0) $\begin{array}{r} 470 \\ \times\ \ 3 \\ \hline 1410 \end{array}$ (繰り上がり 2) 千円札・百円札・十円札・一円札 プリント配布	○お札のないところは，はっきりと，0と書いて，わすれないようにする。 ○数字の上で計算するときも同じである。 ○1，10，100，1000の単位が何個あるかと，出すお札の種類も同じである。	100円 10枚は1000円であることに気づかせる。

附 プリント問題，及び，テストの問題。

$\begin{array}{r} 176 \\ \times\ \ 3 \\ \hline \end{array}$ $\begin{array}{r} 247 \\ \times\ \ 4 \\ \hline \end{array}$ $\begin{array}{r} 168 \\ \times\ \ 5 \\ \hline \end{array}$ $\begin{array}{r} 149 \\ \times\ \ 6 \\ \hline \end{array}$ $\begin{array}{r} 130 \\ \times\ \ 7 \\ \hline \end{array}$

のように，一，二位の数が繰り上がるもの。

⑧ 第8時の学習指導の展開

(イ) 目　標

○前時の問題と同じであるが，被乗数の途中に0がある場合や，繰り上がって，何百や何千になるような場合の計算の理解を深め，それらの計算能力をつける。

(ロ) 展　開

時間	学習の問題	子供の学習活動	目標	指導のねらい
一五分	○前に続いて，わかりやすくお札を出すくふうをしましょう。 ①18円のノートを6さつ買ったときは，お札をどのように出したらよいでしょう。	○お札を，並べて考える。 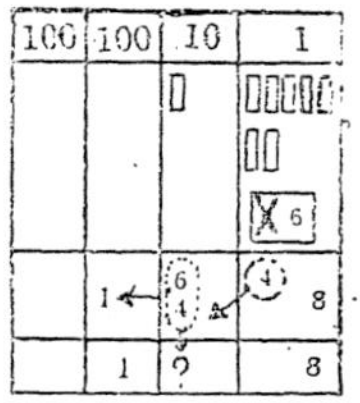 100 100 10 1 / ×6 / 1 ← 6 4 / 8 / 1 0 8	○繰り上げて，途中の位のお札が無いときには0を書く。 ○数字の上で，計算するときにも繰り上って無くなったら，0を忘れずに書く	○お札を，実際に並べてみて，10円札の欄が，無くなったことを，はっきりわからせる。 ○無いときには，0を書いておかないと，誤りを起すことに気づかせる
	②お札を並べ終ったら，どんなお札を，何枚出せばよいかを書きなさい。	○カードを見て， 100円札　1枚 10円札　0枚 1円札　8枚 とまとめる		
	③次に，計算でしてみなさい。	1 8 × 6 1 0 8	○百の位の1を書くときは，10の位と，はっきり区別して書く	○1，10の位と同じ程，はなして100の位の数を書くようにしむける
	④次の問題をしましょう。	○全児童自習 ○D班は，1題計算する毎にカード	○念頭で数えられないときは，	(D班)

時間	学習の問題	子供の学習活動	目標	指導のねらい
	17×6　13×8 25×4　276×4 48×5　156×9	を並べて，たしかめる。 ○D班の中に，乗数が多くなると，念頭で数えられない者があるので，指を折って数えるくふうをさせる。	数え足した回数を指で折ると，誤りを防ぐことができる。	○6×9は，6を左手で一回数えたら，右指を1本曲げ，また左手で6数えたら右指を1本曲げ，順次，9回数えればよいことを，九九のできない子にはっきりわからせる。
二〇分	⑤（一斉）こんどは，205円×4のようなとき，特に気をつけることはどんなことですか ○カードを並べて次に計算をして，考えましょう。 ⑥205円×5，このときは，どうですか。	○カードを並べて調べる。 1000 100 10 1 ○カードと，計算の繰上がりの場所をくらべる。 2 0 5 × 4 8 2 0	○途中に0があっても，どのお札が0かが，はっきりしていれば，今までの計算と同じにできる。	○途中にある0はどのお札が無いかを，カードを並べてはっきりつかませる。 ○数のときは，どの位が0かをはっきりすれば，お札を並べたときと同じである。
	⑦つぎの問題をしましょう。 409×2　308×3 407×3 206×5 409×7 360×8	○カードで調べ，次に筆算で答を出して，誤る場所や出すお札をきめる ＡＢＣは主として自習。 Ｄ班は，教師が必要に応じて援助	○部分積の大きさを誤りなく書いて，計算できるようにする。	○ＡＢＣは，たしかめを，累加でするとよいことに気づかせ，たしかめ

	460×9 276×4 250×4 167×6	する。 ①できるだけ，数字の上で計算していく。 ②あやしいときはカードでたしかめる。		をして，あっているものに○をつけるようにする。
一〇分	○プリントで，力だめし。			○類似の問題をプリントして。

⑨ **第9時の学習指導の展開**

(イ) 目　標

○お札の出し方，かけ算の総合練習。

○かけ算の総合練習

(ロ) 展　開

○お札は，どのように出すと，わかりやすく，誤りを起さないか。

(一斉)

○同じ数をいくつも寄せるときの計算は，どのようにするとよいか。

① 位取りを誤らぬようにするには，どんな書きかたがよいか。

② 繰り上がった数は，どう書いておくと，誤りを起さないか。

③ 答の途中で，お札が無くなったら，どう書いておくか。

(以上，約10分)

○プリントにより計算練習

① 繰り上がりなし，一位が繰り上がる，十位が繰り上がる，一，十位ともに繰り上がる。一，十位が繰り上がり，更に千位を繰り上がらせる。被乗数の終りが0，途中に0のあるもの，繰り上がって何

百となる。繰り上がって何千，或は，何千何となるもの等，段階を区切って問題を作る。

② 特に先年度誤算の多かった 55×8 の形式の問題は，留意して，部分積を書く位置に留意する。

(ハ) プリント

24 × 3	15 × 8	28 × 4	26 × 4	52 × 6	55 × 4
75 × 2	28 × 7	48 × 5	28 × 7	74 × 2	62 × 9
49 × 3	73 × 6	65 × 5	65 × 8	59 × 9	67 × 8

4. 第二次指導後，誤算の実態はどうなったか

昭和26年12月5日から始まった第二次指導は，12月14日で終了した。翌15日から，1日10題ずつ9日間，計90題の問題で，指導後のテストを行った。テスト問題は，昨年度と同じであるので，初等数育研究資料第Ⅱ集を参照せられたい。

A. テストについて

テスト中の9日間は，一切指導を加えないことにした。これは，指導をすると，前の指導の効果を判定することができないからである。その他，テスト中に考慮したことは次のようである。

イ　こどもが楽な気持で，テストを受けられるように配慮した。

そのためには，教師の言葉とか，説明の用語には，特に気をつけた。

ロ　理解の固定化していないこどもがいるので，速度は考えなかった。時間をゆっくりかけて，正確に計算することと，計算したら必ず，験算をする

ように仕向けた。ABグループのこどもは，5～6分ででき，DEクラスのこどもでも，15分位たてば大抵提出している。

ハ　次に，採点についてであるが，誤算者というのは，同じ傾向で何題か間違ったこどものことをいい，1題まちがったから誤算児童ということにはならないはずである。あわてたための間違いとか，どわすれしたための間違いがあるが，それは，誤算とは考えられない。しかし，整理の関係上，90題中2題以上誤算したものは，誤算者として，あげることにした。したがって誤算者の中にも，理解不十分な個所があるために，誤算したものと，不注意で誤算したこどもとがあるわけである。

B.　テストの結果についての感想

イ　予想したよりも誤算者が少かった。このことは，理解事項の分析と，その発達段階に応じての，個人個人の障碍を救っていったためである。ここに，第一次指導と比べて，指導の上に差がある。第一次指導では，理解事項の分析には，つとめたのであるが，おくれているこどもは，ほとんど，わからないままに，過したということになったわけである。

ロ　こどもの能力ののびを認めることができた。能力別グループ学習の指導であったことは，それぞれの手ぎわをみつめていなくては，適正な指導の手がうてない。それで，この点についての考慮をしたために，こどもの一人一人が相当に能力がのびてきた。少くとも，全然でたらめに処理するこどもは見受けられなかった。理解の成立を個人ごとにさせた嬉しい結果である。

ハ　D・Eグループのこどもには，一般化するまでいっていなかった。このグループのこどもは，いはば，低学年での借金が残っているので，一つの事例を理解して，更に，多くの問題で練習し，一般化するまで，時間的な余裕がなかった。このことは，同時に，数学的な内容から，低学年での発達段階を追って指導せねばならぬことを示唆していると考えたい。

ニ　誤算の傾向は，大略述べてみると，次のようなことがいえる。

①　1位のかけ算は大体できるが，10位のかけ算でまちがうものが多かった。このことは，かけ算九九の意味は大体わかったが，計算形式の練習不足ということである。

②　繰上がりのある加法のまちがいも，相当数にのぼっている。

要するに，本校できめた誤算型のA，J，Kの3つの型が多いといえる。この中で，J型は，繰上がりのある加法のあやまり。K型は，かけ算九九の誤りであるので，低学年の指導で，相当数までは救われるということが考えられる。4年のかけ算指導としては，A型即ち，繰上がった数字を数とまちがえる型，即ち部分積を書く位置を，どのようにすると，かけられる数が二位数になっても，かけ算九九だけで計算できるかの指導ということが，中心であってよいわけである。

更に，以上のことをまとめて見ると，今年第二次指導においては，「かけ算の意味」が理解できた。しかし，計算練習をじゅうぶんにし，それを一般化し固定化することに，やや欠ける点があったとみるべきである。

C.　テストの結果について

昭和25年度と，本年6月の第一次，第二次の指導後のテスト結果を表にまとめて比較してみると，次の通りである。

年度 / 要項	昭和25年度	26年6月 第一次指導	26年12月 第二次指導
在籍人員	380	249	250
誤算人員	100	105	18
加法・乗法九九ができて，誤算する児童	33	46	0

第一次指導の誤算者105名の中には，加法や乗法九九ができるのに，なお誤算するこども46名を含んでいる。第二次指導では，加法や乗法九九ができて誤算するこどもは一人もいなくなったというわけで，18名の誤算者はいずれも，加法・乗法の九九のできないこどもである。そのこどもでも，6月の指導に比較すると，かなりできるようになっている。

〔第二次指導後の誤算の類型別実態〕

要項 / 誤算の型 ※1	昭和 25 年度		昭和 26 年度		
			第一次指導		第二次指導
	a ※2	b	c	d	
A	19	11	73	40	1
B	14	1	35	16	0
C	3	0	7	4	0
D	5	0	16	4	0
E	25	2	47	25	2
F	2	0	6	2	0
G	20	0	22	11	0
H	7	0	8	3	1
I	32	5	12	5	2
J	41	11	64	33	5
K	55	22	95	41	9
L	20	2	69	26	5

上の表は，誤算をしたこどもは，どんなあやまりをしているかを，誤算の型で分類した表である。表の中で※1は誤算の型であるが，これについては，初等教育研究資料第Ⅱ集を参照せられたい。※2のaとcは誤算者の数で，

bとdは，その中に含まれるかけ算九九と繰り上がりのある加法ができるのに，まちがうこどもの数である。第二次指導にその区別のないのは，能力別にこどもの手ぎわから，段階をおってわけたので，わけなかったためである。

18人の誤算者を，個人別に分析すると，次のようになる。

第三表　第二次指導後の児童別誤算の実態

	番号	①		2		3		4		⑤		⑥		⑦		8		⑨		⑩		11		⑫		13		14		15	16	17	18
	性別	女		女		女		女		男		女		男		女		男		女		男		女		女		男		男	女	男	女
	I. Q. (三浦式)	90		77		115		102		94		83		91		69		71		56		58		56		50		80				50	50
誤算の型	A	○			○																				○	○	○	○		十までの数詞もいえない	加法九九は具体物があればできる	加法九九は具体物があればできる	繰り上りのあがる加法ができない
	B																											○					
	C																																
	D											○																					
	E			○																													
	F																																
	G																																
	H			○																										○数で計算ができないので再テストは具体物での処理の程度をテストした			
	I			○																						○							
	J				○	○		○	○							○		○								○	○						
	K			○		○	○			○		○		○		○	○			○		○	○	○			○		○				
	L							○				○								○						○	○	○	○				
	誤答数	4		6		2		8		2		4		2		2		2		3		6		3		11		6					

〔備考〕

- 上の欄の○で，左は第二次指導後のテスト結果，誤算した型であり，右の○は，テスト後まちがった問題だけ再テストしたその誤算の型である。したがって，右の○のないのは，再テストで正解したのである。

第二次指導の誤算者を，個人別に，どのような誤算の型を示しているかをまとめた表である。18人の誤算者の中で，1～14番のこどもは，9時間の指導で，教具を使うことから，抽象数で処理できるまで手ぎわが進んで，テストは，抽象数で処理できた。ところが，15～18までの4人のこどもは，数字で計算ができず全然でたらめであった。いわば，このこどもは，このような指導では救えないこどもということになる。この4名のこどもの手ぎわは，テスト終了の翌日，再テストを，間違った問題だけについて行ったが，90題中4，5題しかできなかった。色カードを使って操作する程度の手ぎわである。

誤算をした型を見ると，多いのはA，J，K，L型であることがわかった。個人のらんを2つに切ってあるが，左はテストの際の誤算であり，右は，テストの翌日行った再テストの結果のまちがいである。但し，この○印は，誤答数は示していない。

再テストは，9回のテストが終った翌日行った。なぜ再テストをしたかというと誤算の状況をみると，9回の中，1，2，3回に誤算したこどもで，4回以後誤算をしなくなったこどもがかなりあった。勿論，この間には，指導しなかったのであるが，このような結果になったのは，原因はともかくとして，もう一度，間違った問題だけでしらべてみる必要を感じた。そこで，誤算したこどもを集めて，間違った問題だけについて再テストをしてみたわけである。その結果，第三表の性別の欄に，○印でかこんであるこどもは自分のまちがった問題を全部正しく解答したこどもである。即ち，1，5，6，7，9，10，12の7名である。であるから，第二次指導における誤算者は，11名と考えることができ，更に，この中には，4名の抽象数で処理できないこどもがまじっているので，正しくは，誤算者は7名ということになる。

では，この14名のこどもは，90題の中で，何題まちがっているかというと

一番多い13番のこどもが11題で，他のこどもは10題以下である。しかも，13番のこどもは，智能指数（三浦B式により）は50である。一般には，当然，見込なしとして棄てられそうなこどもであるが，今まで述べてきた指導によって，智能指数50のこどもでも，ここまでいけるようになったということは，指導計画と指導法に改善すべき点を示唆しているものと思う。

さて，今述べた，再テストの結果と，指導後9日間のテストの結果を誤算の類型から比較してみると次のようになる。

第二次テストの結果は，A，J，K，Lの型が多かった。しかし，再テストの結果は，A，J，K，Lの4つの型だけになってしまった。

〔類型別誤算の実態〕

――再テストとの比較――

誤算型 / テスト別	A	B	C	D	E	F	G	H	I	J	K	L
第二次テスト	人 4	1	—	—	2	—	—	1	2	5	9	5
再テスト	4	—	—	—	—	—	—	—	—	3	5	2

昨年度の結論である，「数の大きさ」と「かけ算の意味」がわかれば，誤算者がいなくなるということは，かけ算の意味の不十分なものは，A型，K型の誤りとなってあらわれ，数の大きさのよくわからないこどもは，J型の誤りをおかすことになる。このことからも，昨年度の結論の正しかったことが，証明されるわけである。

第4章　本年度の結論と今後の問題

本校が，文部省の初等教育実験学校として，こどものつまずきの研究をはじめてから，早くも2ケ年を経過した。昨年度の研究の成果については，初等教育研究資料第Ⅱ集として，皆さまに広く御批判をいただいたところである。

その研究をもとにして，本26年度の研究のあとについては，既に，第二，第三章にわたって述べてきた。この研究から，本年度の結論と今後の問題について考えられることを述べてみたい。

この研究は，今見ると（昭和27年9月）決して，じゅうぶんでないことがわかる。しかも，研究は掘り下げれば，掘り下げるほど深くなるもので，いつになって結論が出るのか，実に心細い気もする。しかし，われわれは，毎日こどもを見つめつつ，そして，何度か子どもに教えられながら，試行錯誤をくり返してきた。ほんとうにたどたどしい歩みである。だが，例えそれは失敗の記録であっても，これはわれわれにとっては，何物にもかえがたい尊い記録である，今後のわれわれの歩みは，この土台の上に築かれるものである。

このような気持から，明日の研究のめどをここに求めてといったような意味で，ここに本年度の研究から考えられる一応の結論を出してみる。

結論として，次の2点をあげることができる。即ち，

① 二位数に基数をかける計算において，こどもはどんな点に，なぜつまずくかについての，昨年度の結論の検証的研究について。

② どのように指導したら，それぞれのもっている障碍を除去して，誤算

をなくすることができるかについて。――そのために能力別グループ学習の指導はどうしたらよいかについてである。

この①②のことから，結論をぬき出してみる。

㋑ 昭和25年度の結論である「数の大きさ」と「かけ算の意味」がわかれば，誤算はなくなるということがらは，検証できた。

㋺ 能力別グループ学習の指導がよいといえる。

更に，能力別グループ学習指導をする場合に，考えられることがらは，

i. 能力段階をこどもの手ぎわからきる。

ii. 指導目標は，いつも一つにして指導を単純化する。

iii. こどもの能力に応じて，具体物を適切に使う。

iv. 一歩一歩ふみかためて，固定化する時間を入れる。

v. 評価と指導計画の修正は，常に表裏の関係にある。

以上が，本年度の一応の結論である。次にこれについて，詳細に説明していきたい。

1. 二位数×基数の計算における，理解事項にはどんなことがあるか

指導計画をたてる場合に，重要なことがらは，理解事項はどんなものであるか，それは，どのような発達段階をふんで進歩していくものであるかを，考えることであると思う。

昨年の報告にも述べてあるように，（初等教育研究資料第Ⅱ集31頁）「二位数×基数」の理解事項として，次の六つの要項を考えることができる。

㋑ 繰上がりのある加法ができること。

㋺ かけ算九九ができること。

㋩　数の大きさについて理解していること。

㋥　かけ算の意味がはっきりわかっていること。

㋭　部分積の大きさがはっきりわかっていること。

㋬　加法のときに単位をそろえること。

昨年の研究における実験対象児童は，繰上がりのある加法とかけ算九九のできるこどもであった。そのこどもに対しては，「数の大きさの理解」即ち，

㋑　すべての数は，0～9までの10個の数字で書き表わすことができる。

㋺　数字は，その書いてある位置によって，その数字のもっている単位の大きさがちがう。

㋩　左に一桁移るごとに，数字によって示される単位の大きさは10倍になっている。

このことと，「かけ算の意味」をはっきり理解していることが大切である。「かけ算の意味の理解」は，次の二つのことである。

㋑　乗法は，同じ大きさの数をいくつも加えるとき，手ぎわよくする計算方法である。

㋺　かけ算を筆算形式で書いたときに，乗数は被乗数の1の位や，10の位の数字を何回加えあわせればよいかを示したものである。

以上述べたような，二つの理解事項について，4年1学級の3名の実験対象児童について指導をした結果は，完全に理解することができ，誤算はなくなった。

ところが，本年度は，4年全員であるので，上にのべた二つの理解事項の徹底だけでは，二位数×基数の計算ができて，誤算がなくなるというわけにはいかないのである。つまり，かけ算の計算をする時に，かけ算九九を使って，計算することのできないこどもが多いのである。このようなこどもに対しては，かけ算をするための基礎能力が欠けているので，そこから，指導の

手をのばさなくてはならないわけである。このようなかけ算をする為の基礎能力の欠けているこどもは，次にのべるような障碍をもっているこどもであるから，具体的な行動を通しながら，そのこどもの障碍をとりのぞいて，少しでも早く，その障碍が除去できるようにしなくてはならない。その障碍というのは，

㋑　繰上がりのある加法ができない。

㋺　かけ算九九ができない。

㋩　部分積の大きさがわからない。

㋥　加法の時，単位をそろえて計算することができない。

ということである。昨年度は，このような障碍をもったこどもは，実験の対象外のこどもであったが，今年は，このようなおくれているこどもも，何とかして障碍を除去して，成功感を味わえるように指導してきたのである。再び，くり返すが，このような能力差をもつこどもの指導であるだけに，能力別グループ学習となり，ひとりびとりの力に応じられるように指導計画がたてられ，指導の上で，ひとりびとりに応じられる手をうったことは，当然なことである。

2.　能力の考え方と，実際指導の方法について

能力とは何か，更に，能力別グループ学習の指導とはどんなことか。――これは，とてもむずかしい問題である。しかし，実際の学習の場において，こどもに能力差のあることは，いなめない事実である。であるから結論からいえば，学習を効果的にするためには，ひとりびとりの能力に応じた指導をするように，くふうしなければならないことは，いうまでもない。

a.　能力の考え方

イ　能力別に指導を考えていかねばならない根拠は，どんなところにあるだろうか。

こどもの能力を考えるとき，どこに焦点をあわせるかによって，考え方もちがってくると思う。即ち，大別して，こどもが理解を成立するまでの過程を能力別にする場合，計算の技能をいっそううまくできるようにする練習について能力別で行う場合によって見方はちがってくるはずである。前者は，一つの教材を理解するために，現在このこどもは，どのような障碍をもっているかをみて，その発達に応じて，適切な指導の手を加えつつ，一歩一歩能力を高めて，理解を成立させるという点を考えての能力であり，後者は，こどもが，かけ算ができるようになった。それを伸ばそうとするもので，現在もっている技術を中心として能力をわけて，能率的な方法に高める考え方である。それで，前者の場合は，同質の教材で同学年でできるし，後者は，異質の教材を，時によっては，学年を撤廃して行わなくてはならぬ場合もでてくるであろう。

本校において，主に論じたいのは，前者の，いかにして一人一人のこどもの理解を成立させるかについての能力であり，それから考えられる指導である。

こどもの理解を成立させる場合に，一斉指導では，おくれているこどもは，毎時間ほとんど，わからないままに先に進むということになりがちであり，個人差が大きくなり，やがては，算数のきらいなこどもがでてくる。

こどもに能力差のある以上，その能力に応じた方法で学習させ，一歩一歩成功感を味わせつつ手ぎわを高めていく，能力に応じた指導でなければならないことは，論をまたない。

算数を学習する場合の一大障碍は，抽象数では困難なこどもがいるということである。であるから，数字で処理できないこどもには，他の何かをもってきて，その思考を助けるようにしなくてはならない訳である。ここに教具

の必要さが考えられ，それらの使用によって思考を進めるようにしなくてはならない。いずれにしても，算数の困難なことは，目に見えない概念や原理を扱う点であるから，教具を使って目に見えるようにくふうしつつ，そのすじみちをわからせ，正しい計算ができるように高めなければならない。

今，このことを具体的な例で考えてみよう。

15×5という筆算による計算はできない人でも，15円のりんごを5個買った場合に，まちがいなくお金を支払ったり，おつりをもらったりすることができる。ここに能力別に指導を考えていかねばならない第一の手がかりがある。即ち，物におきかえることによって，おくれているこどもでも数の生活はできるのである。これを実際の学習の場で考えてみると，15円のりんごを5個買ってお金を支払うとき，次のいくつかの方法が考えられる。

i.　15＋15＋15＋15＋15と抽象数でよせ算でお金をだす方法。

ii.　15×5というかけ算の形で，かけ算九九を使ってだす方法。

iii.　具体物・半具体物を並べて計算する方法。

iv.　具体物・半具体物を使いながら，かけ算九九を使って計算する方法である。

この四つの方法は，支払う金高をみつけるというねらいからみれば，いずれも正しいのである。それは，こどもの能力によって，どちらかの方法でやるということになるわけである。

更に，もう一つの例をひいて考えてみよう。

例えば，3×6というかけ算九九の場合に，18という正しい答を出したとしても，そのだし方を大別して，次の三つが考えられる。

i.　「サブロクジューハチ」とかけ算九九を使ってだす方法。

ii.　3×6を，3を6回よせることだから，3，6，9，……と，三つずつ6回とんで数えて18とだす方法。

iii.　もっともおくれているこどもは，左指で，1，2，3と数えて，右指を1本まげ，左指で4，5，6とかぞえて又右指を1本まげる。このように一つずつ数えて18と出す方法。

このように指を使って18と正しく答をだしたこどもを，Aクラスとしたら，このこどもは，もっと大きな数の計算になるとできなくなってくる。

今まで述べてきた二つの例は，いわば，かけ算に到るまでの発達段階を示したものである。であるから，こどもが現在どのような方法によって，処理しているかをみて，それより一歩高い方法に進めようとくふうするところに，かけ算を理解させる段階の指導があるわけである。

つまり，本校では，このように，こどもがどんな手ぎわでやっているかをみることから，逆にこどもの発達の度合を知り，指導の手がかりを見つけるようにしていった。

ロ　本校で，能力別グループ学習の指導をとりあげるまでの経緯

6月の第一次指導の失敗については，先に述べてきたが，如何に指導内容がはっきりしていても，こどもの能力がいろいろであるので，おくれているこどもは，それによっては，理解することができなかった。

そこで，前項に述べた理解事項について，個人ごとにどこが障碍になっているかを調査して，同じ傾向のことがらで困難を感じているこどもを，A，B，C，D，Eの5段階にわけてみた。

このようなことから，こども一人一人の予想される手ぎわを，次のように段階づけてみた。

グループ	E	D	C	B	A
評　価	－2	－1	0	＋1	＋2
やり方	ものにおきかえて計算する	とんでかぞえて計算する	13×4　「かけ算九九」で計算する	「かけ算九九」で機械的に計算する	ちがった数がでてきてもかけ算で処理する

b.　実際指導の方法について

能力別のグループにわけて指導するといっても，本校の研究主題が，いわゆるつまずきをなくするという点にあるので，おくれているこどもを中心として考え，A・Bグループのような進んでいるこどもは，直接の対象でないことを，最初におことわりしておく。

どのように学習を進めたかについては，今までに述べてきたところであるが，D・Eグループ即ち，おくれているこどもの指導であるから，どうしても教具の介在を必要としてきた。要するに，こどもの手ぎわを見ると，このグループのこどもは，殆ど，抽象数では処理できないので，教具の介在によって，目に見えない原理や概念をわからせつつ，すじみちを通すように行ったということになる。

このように，こどもの障碍が，かけ算に到るまでの発達段階のどこかにあるので，そこから次第に指導していったので，テストの結果に見られるように，好結果をおさめることができたのである。なお，こどもの理解を中心に学習を進めたので，テストの結果を見ると，まだこれだけの指導では，かけ算九九が反射的に使えないようなこどもは，36×4というような計算をするときに，

36＋36＋36＋36という累加の形になおして，計算したこどもが多かった。すすんでいるこどもでも，験算の時は，このような形でするこどもも多かった。このことは，数学的な内容であるかけ算の演算の意味「同数累加のときは，グループの個数を乗数とすればよい」ということを理解したからである。

c.　能力別グループ学習の指導をする時に，どんな注意が必要か。

イ　こどもの可能な力を信ずることである。そして学習中にたえずこどもの手ぎわを見つめて高めるようにする。

ロ　あらゆる方法によって，こどもの現在の能力を見きわめる努力をすること，これなくしては，個々のこどもの力にあって，成功感を味わせながら，学習を進めることはできない。

ハ　指導計画をたてるときに，それぞれの能力を一歩ずつ伸ばすことができるような時間をおいて，能力にあった指導のできる計画でありたい。

ニ　具体的な行動にうったえて理解させるようにする。ロでいくら説明しても，本当にわかったことにならない場合が，案外に多いのである。

ホ　それぞれの能力に応じて，こどもが自分ですじみちをたてられるようにしてやる。

ヘ　おくれているこどもに，劣等感をもたせないような教師の温かい心づかいは必要である。

ト　教師の発問も大切なことである。そして，常に，こどもの能力に応じて「もっとよい方法を工夫してみましょう」とはげましながら，こどもが自らの力でくふうしようとする態度を培いたい。

チ　教師は，こどもの学習のあとをよくみつめて，少しの進歩に対しても，賞讃をおしまないようにしたい。

リ　机の配置にも考慮したい。所謂，グループ毎に机をかためて学習することだけが，能力別グループ学習の指導ではない。

要は，能力別グループ学習の指導は，教師の能力と，こどもの精神衛生の二面を考えてするようにしたい。

d.　能力別グループの学習の指導は可能か

能力差があり，個人差がある以上，どのような形式をとろうとも，誰しも考えて実施しているところであろう。

ただ，先にも述べたように，どの面についての能力を考えることが，現在いわゆる，学力低下云々を叫ばれているときに，必要なことであるかについては，十分研究の要があると思う。

本校に於て，６月の指導が，こどもの能力に応じるようなことを考えない一斉学習であったために，105名もの誤算者を出したのに対して，12月の指導がこどもの能力を考えて行った結果，僅か18名になった。少くとも，本校で考えて実施した理解の成立を考えての能力別のグループ学習の指導は，おくれているこどもを救う立場から考えれば，最も適切な方法であると考える。

では，このような能力別のグループ学習の指導を可能にする条件として，どんなことが考えられるであろうか。

イ　こどもの能力を発達の上から正しく段階づけて，それに適切な指導の手を考えること。

ロ　教師の教材研究が必要である。いわゆる理解事項の分析が必要であり，それは，こどもの障碍の発見ともなり，発達段階を知ることにもなる。この二つの研究によって，始めて適切な能力別のグループの学習指導の手がうてると考えられる。

3.　指導と評価との関係

a.　指導と評価が，常に，表裏の関係において，学習が進められねばならぬことはいうまでもない。ところが今までは，指導と評価を別個に考えていた傾向がなかったでもない。それは，指導の手がかりをつかむとか，指導の反省の為の評価ではなかったといえる。それで，1学期終ったときとか，1単元が終ってから，測定するといった訳である。

評価には，二つの考え方があるようである。その一つは，ある集団に於ける個人の位置を知らうとするものであり，他の一つは，指導の上から，個人の伸びを見ようとするものである。

本校において，又ここで述べようとするのは，後者の評価についてである。

b.　さて，このような評価を考えてみたとき，当然考えねばならぬことは，いつ評価したらよいかということである。

個人の成長を測定して，正しい指導の手をうつためには，できうれば毎時間，何らかの形で，こどもの学習の進歩を見なくてはならない。いわゆる，一単元が終ってから評価するような方法であっては，こどもの中には，毎時間毎時間，ふみこせないで困惑を感じている障碍を残すこどもがでてくる。第一次指導の失敗の一つの原因は，こんなところにあった。即ち，第一次指導では，毎時間評価らしいことは行わないで，指導が全部終ってから評価した。これでは誤算者がでるのは当然な話で，どこにこどもがつまずいているか，そのつまずきの早期発見ができなかったのである。したがって，単なる測定にすぎなく，できなかったという事実をたしかめただけである。

そこで，第二次指導においては，このような失敗を二度とくり返さないために，毎時間の終りにテストを行って，こどもの行為から，障碍の早期発見をして，どこで指導の手ぬかりがあったかを反省して，次の手を打ちつつ進んだのである。このことは，指導計画を，こどもの成長に応じて修正することになるわけである。できないこどもが多いのに，先に進むということはできないのは当然な話である。

このように，評価しながら，学習を進めなければ，一時間ごとにすじみちをふんで，学習を進める算数の学習において，誤算者がでてくることも，又当然な話である。

c.　ただ，この場合に問題になることは，毎時間テストをするような繁雑なことが，実際指導において可能であるかどうかということである。

これについては，本校では，4年の実験指導では勿論，時間ごとにペーパーテストをして，資料を残したのであるが，評価ということは，必ずしも，ペーパーテストだけではないので，次のような観点からの評価を考えて実施している。

i.　時間中に，こどもの行動をチェックしながらの評価。

ii.　1単元の流れを見ると，必ず，そこには学習の節がある。その節ごとに注意人物を見ていく。

iii.　こどものノートの検閲によって，わからない点を見つける。

などの方法である。

d.　このように，こどもの困難点の発見から，指導の手がかりをつかみ，指導計画を修正していった結果，第二次指導では，最初は5時間計画で立案したのに，9時間もかからざるを得なかった。

これは，実験指導であるなしにかかわらず，こどもに本当に能力をつけるためには，教師の良心的な指導は，こうせねばならない訳であろうと思う。

e.　評価の留意点

多少の重複をかえりみず，この問題をもう一度ほり下げてみたい。

イ　評価は，その時間のねらいを，どこまでわかったかについて，行われなくてはならない。この場合，今まで何度も述べてきたように，めあてが単一であることが大切な条件となる。めあてが単一であれば，そのことについて，評価すればよいわけである。

ロ　いつ評価するかについては，前にもふれたところであるが，学習中に，たくさんこどもの障碍を見つけて，評価する機会があるということを，例によって説明してみよう。

$$\begin{array}{r} 55 \\ \times\ \ 2 \\ \hline 110 \end{array}$$

左の例にあるような問題をやっていたこどもがあった。答は正しく110とできたので，結果からみれば，○をつけるところである。ところが，このこどもの計算の順序がちがうのである。

即ち最初の５×２＝10の１を書く場所を，10位の下でなく，100位の下にかき，次の10の１を10位の下に書くといったあやまりをしたのである。このこどもは，部分積を書く位置を正しく理解していないのである。果して×であろうか○であろうか，いうまでもなく×であるが，われわれの現在の評価の考え方や観察力では，○にして見逃してしまいがちである。

このような例でもわかる通り，評価は，こどもの思考が，教師の目でわかるように，いつもくふうしなくてはならないのである。

これは，次の教具の使い方と同様であるから，それを参照してほしい。

4.　教具の活用の時期と方法について

算数指導を能率的にし，こどもの能力にあうように指導をしながら，学習効果をあげていく上に，重要な役割をなすものは教具である。

算数指導において，具体的な行動を通して，すじ道をたてながら理解していくということは，指導の上で十分考慮されなければならないことである。

a.　教具は何のために，いつ使うか。

このことについては，今まであらゆる場合に述べてきたのであるが，ここでもう一度まとめてみたい。

教具を使う場合は，次のいくつかについて考えることができる。

i.　抽象数で処理の困難なこどもに，その原理や概念を知るための橋渡しとして使われる。

ii.　すじ道をたてるために，具体的な行動を通す場合

iii.　本当に理解したかどうかは，具体的な行動を通して診断するのに

iv.　言葉でいかほど説明してもわからない

即ち，目に見えない原理や概念をつかみとらせるのに，教具を使う。

なお，本校でかけ算指導に使った教具は，ごくせまい意味，即ち，どのように使用したら，こどもが思考のすじ道をたてることができるかについてのもので，具体物・半具体物の約束は，抽象数の約束と同じであることをわからせる場合に使用したのである。

b.　本校ではどんな教具を使ったか。

このような意味において使った教具は，できるだけ安価で，しかも，もちはこびに便利で，誰でもが使えるようなものでなくてはならない。

主に使用したのは，お札カード，色カード，色付の数字カード，黒字の数字カードの４種類であり，それらそれとの操作をするために便利なような台紙である。

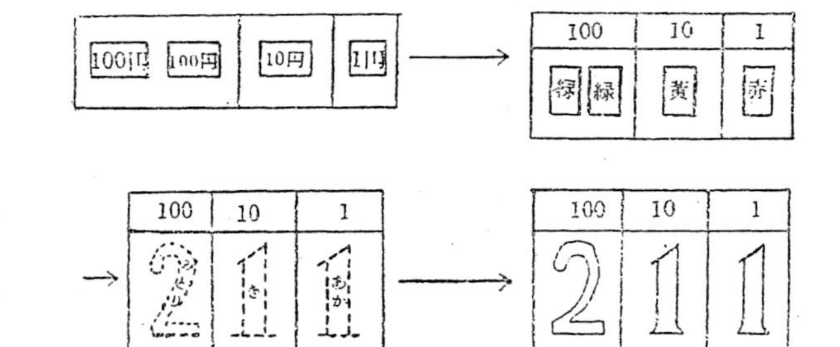

色わけの約束は，１位はすべて赤，10位はすべて黄，100位は緑とした。この約束は，低学年から十分練習しておかないと，こんらんするこどもがで

てくる。この約束がよくわかると，十進数の法則を知ることになり，あらゆる場合（例えば，諸等数など）に利用して考えることができるようになる。

5. 教師の態度

教育の効果は，指導計画や指導法の以前にある。即ち，教師そのものにあるということは，論をまたないところであろう。

そこで，本校においては，この研究の成果をおさめるものは，実に教師にありと考え，指導に当っての教師の態度については，じゅうぶんの考慮と反省を加えていった。

本校で考えた指導中の教師の態度は，次のようなことである。

イ　ひとりのこどもをよく見つめる，常にこどもの手ぎわを見つめ，少しの成功を喜びあいながら，進歩への意欲をわきたたせたい。

ロ　教師の発問の苦心，——教師の使う言葉が，こどもの思考を妨げている場合も案外多い。はげましとか，くふうさせようとするとか，こどもにわかり易い言葉を使うとか，つまり，こどもが，喜んで学習に参加できる，場の構成につとめたい。

ハ　常に，こどもは意識的に学習に参加するようにしむける。

ニ　ひとりびとりのこどもの能力にあった学習の進め方を考える。

ホ　こどもの能力を信頼する。結果にもでているように，250人の中4人を除いては，できないこどもはいないわけである。

6. 今後の問題

以上，昭和26年度の研究の概略について述べてきたのであるが，この研究

から，今後の問題として，どんなことがらが残されているであろうかについて考えてみたい。

イ　指導計画についての検討

指導計画については，かなり吟味してきて，12月の指導計画で，一応の成果を見出したわけであるが，まだ，次のようなことがらについて研究の余地がある。

i.　学習の場を作るために。即ち，こどもに学習問題をつかませるために教師はどのような発問をしたらよいか。

ii.　4年になって，始めて，かけ算がでるので，演算の意味の指導にはもっと注意して，こくめいに作りたい。

iii.　各能力のこどもにあうような適用練習の問題の吟味。

iv.　能力別のグループの学習を進めるためには，個人ごとの障碍が，本時のどんな点にあるかをはっきりとつかまなくてはならない。即ち，個人の障碍がわかるような指導計画でありたい。

ロ　能力別のグループ学習の指導についての研究。

今まで，本校の研究は主に，おくれているこどもの研究に重点がおかれていたが，進んでいるこどもをどのようにしたらのばすことができるかの研究も考えていきたい。

更に，算数が生活改善をめざさねばならぬところから，算数が，生活にうまく使えるようになるには，どんな研究と指導が必要か。

要するに，来年度は4年になって，始めてかけ算を学習するこどもに，5月頃の第一回の実験指導で成功し，検証的研究の結論の正しさを生み出したいと思う。

初等教育研究資料第Ⅲ集
算数実験学校の研究報告
（2）

MEJ 2312

昭和28 1月15日 印刷
昭和28 1月20日 発行

著作権所有　文部省

東京都中央区入船町3の3
発行者　藤原政雄

東京都板橋区坂橋町2の1952
印刷者　中村榊
（新興印刷製本株式会社）

東京都中央区入船町3丁目3番地
発行所　明治図書出版株式会社
電話 築地(55)4351・867番　振替 東京151318

定価77円

明治図書出版株式会社刊
定価 77 円

初等教育研究資料第Ⅳ集

算　数
実験学校の研究報告
(3)

文　部　省

算数実験学校の研究報告
（3）

（1952年度）

文　部　省

も く じ

ま え が き

この実験学校の研究報告は，昭和27年度における文部省初等教育実験学校として，千葉市立検見川小学校の研究成果の前半年度の報告を編集したものである。

この実験研究の主要な内容は，さきに発表した研究成果を実証するのに，ふつうの学級を用いての指導をしたことがらである。実証の対象としていることがらは，さきに，この初等教育研究資料第Ⅲ集に述べてあるので，省略することにする。さて，実験研究の成果からみると，所期の目的を達成することができたようにみえる。しかし，これは，検見川小学校についてだけ言えることであるかもしれない。もし，そうであるとすると，この実験研究をもっと一般化する必要があるわけである。とにかく，このことについては，多くの学校において，この冊子に述べられている指導案によって実施してみて，この資料を検討してわかることである。

そこで，昭和28年度には，この指導案による指導を実施してもらう学校をつのりたいと考えている。これによって，この研究をもう一歩前進させることができればと希っている。

終りに，困難で地味な研究を，昭和25年度から三ケ年間にわたって続けてこられた検見川小学校に対して深甚の敬意を表したい。また，この研究報告が，算数指導についての実験的研究をしていく上に役立てていたゞくならば幸であると考える。

昭和28年1月13日

文部事務官 和 田 義 信

I まえがき

検見川小学校が，文部省の算数科の初等教育実験学校として，誤算の研究を始めてから，第3回の実験報告になるわけである。この3年間にどんな歩みを続けたかについて，くわしく述べて，識者の御批判を得，わが校の研究を一歩前進させたいと考えるとともに，同じような研究をしていられる方々に，同じような失敗を繰返さぬような資料を提供したいと念願するものである。

『研究とは，問題解決の連続である』と言われているが，本校の研究もまた，毎年毎年が，問題解決の連続である。

昭和25年度の研究内容は，誤算の原因と，その原因となっていた数学的理解事項の分析であった。昭和26年度には，この25年度の験証指導のほかに，『ひとり残らずの子どもに理解できるようにするには，どのようにしたらよいか』という問題が新らたに附け加えられた。昭和27年度には，26年度に一応考えてきていた能力別グループ学習によって，25年度にわかった数学的内容を指導したら果して誤算者が無くなるかどうかの験証とともに，新しい問題として，『できない子どもが無くなるだけでなく，日常の生活において，かけ算をうまく使うような態度，傾向ができてくるまでに子どもの学習を高めるには，どのように指導したらよいか』が附け加えられてきた。

この歩みは，暗夜に燈火をつけて見ることにたとえることができる。一本のろうそくを点じたときに，見える視野は狭い。しかし，だんだんに明るいろうそくをつけると，視野はだんだんに拡まってくるが，やはり見えないところが残っていることに気ずいてくる。3年間の研究の歩みは，この例のように，ある部分については解決できたと思われるが，これと同時に，いままでに気のつかなかった未解決の部分が見えてきて，新しい問題となってきたのである。

こうした問題解決の歩みは，既に，昭和25年度分は，初等教育研究資料第Ⅱ集，昭和26年度分は，初等教育研究資料第Ⅲ集として公にされているので，それらを参照していたゞきたい。また昭和27年度のこの資料についても，検討していただければ幸甚である。

さて，くわしく昭和27年度の実験報告を述べるにさきだって，常日頃強く感じていることをとりまとめ，これを列挙して，本年度の仕事の内容や次の年度に残されている問題を，明らかにしたいと思う。

(1) 成功や失敗の原因が明らかになるように，細大漏らさず記録をとっておく。

「同じ失敗は再び繰返してはならない」また，「既に成功したものがあったらこれをこれからあとの研究に大いにとりいれて，研究の能率をあげるようにしたい」と念願している。誤算の研究ととりくんでから，いろいろの資料を求めたのであるが，抽象的に分析された文献はあっても，子どもと実際にとりくんで指導した資料はほとんどないといってよかった。そのために，全部実際に子どもを指導しては，子どもの反応を見，これに対する考察をもとにして次に進むという方法をとらねばならなかった。

私たちの研究の指針となったものは，この子どもの反応の記録である。これからあとの研究を進める上にも，この生きた資料を相互に活用できるよう，研究学校が資料をくわしく記録しておき，これを交換することが，きわめて重要である。

(2) 指導内容についての研究を深め，系統的に各学年の指導内容の位置を明確にする。

本校の実験指導の対象児童は，４年生であり，数学的には，２位数に基数

をかける乗法の指導である。この乗法だけに限定しても，これを指導するのに必要な素地として，どんな数学的な事項があるかを考えてみよう。

① 数の大きさ……数字を使って量の大きさを，どのように表わしているか，また数の系列はどんな順序に仕組まれているかについてである。

② 加法九九……加えるときはどんな操作をするか，また，加法九九を使うとどんなに計算の能率をあげることができるかについてである。

③ 乗法九九……同じ数を幾つも加えるときに，乗法九九を使うと，どんなに計算の能率をあげることができるかについてである。

④ 乗法の意味……どんな数量関係のときに，「×」によって示される演算を用いたらよいかについてである。

以上はごくあらましであるが，これらのうちのどれかの学習に欠陥があると，子どもは誤算をするわけである。しかも，欠陥となってあらわれてくるところをみると，上に述べたことがらを子どもが行為と結びついて理解しているのではなくて，これを形式的に暗記したことから生れてくるようである。このようなことの起らないようにするには，子どもの発達は，どのような過程を通って，現在の子どもの行為の形式にまで高まるかをよく研究し，「子どもなりの系統」を確立することがたいせつである。いわば，この意味における系統をたて，学年配当を研究することが必要である。

本校が３年間にわたって，どのように系統立てたかを，充分批判していただきたいと考えている。

(3) 子どもの身近かにある生活事例から出発して，その考えを色々な生活にあてはめていき，だんだんにこどもが一般化して理解していくようにする。

「誤算をする子ども」これは遅れている子どもといわれるもので，飛躍できない子どもである。

おはじきとりをして，８個ずつのグループを７回とったとしよう。

この成績を言い表わすのに，56個と言ったり，８個ずつ７回と言ったりする。この二つを比較すると，成績のようすのわかるのは後者である。56個では，10個ずつ５回と，９個を１回とった成績やら，５個ずつ11回と，１個を１回とったやら，おはじきのとり方がはっきりわからないからである。このように子どもの身近かに起る生活事例の数量関係をとりあげて，「8×7」の書き方や，読み方を指導していけば，こどもは，「×」の記号の意味をはっきり把握できるわけである。

このように，いつも子どもが経験し，実践していることがらをだんだんに高めていくように指導することは，きわめて重要である。

(4) ひとり残らずの子どもが精一杯の仕事をするように，計画を立てたり，指導するには，どのようにしたらよいか。

よい学習とは，どの子どもも自己の能力に応じて，精一杯のしごとをして，学習を進めていくようにすることである。また，よい指導とは，ひとりびとりの子どもの障碍をできるだけ早く見ぬいて，一刻も早くその障碍を除去するように手をうつことである。このように考えてくると，指導は，教師自身がはっきり意識するとしないとに関係なく，すべて子どもの能力に応じたものであるといえる。学習指導の計画も，このことをよく考えた上で立案されなければならないことは当然である。昨年12月の指導の成功の原因は，一つは子どもの能力に応じた指導計画をたて，子どもを評価しながら指導を進めた結果であると考える。これからあとの研究においては，この問題を更に，究明していかねばならないであろうと思う。

要するに，本校としては，「できない子どもはいない。」ということについては，一応の見通しをもつことができたと考える。しかし，かけ算の指導においてさえ，「４人の子どもを除いては」という註をつけなければならない現状であるから，その前途は容易ならざるものがあることは事実である。

しかし，私たちは，できない子どもはいないということを信じたい。それは，教材研究と指導計画がよろしきをえさえすればという前提と，教師（最後には，人間教師の問題になるであろうが）の熱情がすべてを解決するということを，基本的な条件としてであることは，いうまでもない。

以上は，常日頃痛感している事項であるが，次に，昭和28年度に残された問題をあげてみよう。

(1) 乗法についての演算の意味や，かけ算を使うことのできる場を拡張すること。

実験報告でもわかるように，本校でとりあげたものは，同数累加の場合からはじめて，乗法についての演算の意味を指導することである。しかし乗法はこのほかに，「AはBのn倍である」という関係の場合にも使われるわけである。

この演算の意味は，どんな時期に指導するか，また，似よった数を加える場合にもかけ算を用いると，結果を能率的に求めることができるのであるが，これらは，どこで指導するかも，今後に残された問題である。

(2) 250人中残された４人の子どもを，救うことはできないか。また，進んでいる子どもを，更に伸すように指導することはできないか。

昭和26年度の報告においては，250人中４人，昭和27年度においては，別表のように，233人中４人の子どもを救うことができず，残してしまったのである。この子どもは，箸にも棒にもかからぬ子どもとして，研究の対象外におかざるを得なかったのであるが，救う手はないであろうか。医療的な対策はとにかくとしても，教材研究や指導計画の改善によって救う手はないだろうか。

また，進んでいる子どもについても，指導が万全であるとは言えないのである。一斉指導や，適用練習の指導をするときに，その指導する内容を一歩前進することができないであろうか。

これらもまた，これからあとの研究として残されている問題である。

(3) 『できない子どもがなくなった』ことと，『学習効果があがった』ことと一体とするには，指導をどのように改善したらよいか。

3年間の努力の結果によって，できない子どもをなくすることについて一応の解決ができたのである。しかしながら，単に算数の時間だけでなく，算数を意識しない生活においても，かけ算をうまく使って生活に役立てることが子どもの日常の行為の傾向とならないようでは，学習効果があがったとは言えないわけである。

このようなことがらを解決するために，本年度の指導計画をたてるときにかけ算の演算としての意味が理解できるようにしようとして，私たちは，非常な努力をしてみたのである。また，かけ算の指導をしたあとで，A，B，C，D，の能力別のグループから係を出してもらい，遠足の費用集めをさせるなど，生活への反応を調査してみたのである。

ともあれ，「よりよい生活を創造してやまない人間育成」をねらう学習に即した算数の学習指導は，「できないこどもがなくなる」とともに，それを無意識のうちに生活に活用して，生活を切り開く態度にまで高まっていくのでなければ，学習効果があがったと言えぬはずである。昭和27年度の実験研究は，「誤算をなくする指導」から，「意識しない生活の場に算数を使うことのできるようにする指導」の研究に一歩踏み入れたことになる。これは，今後に残された問題である。

(4) 他校の協力によって，いままでの成果を一般化すること，

誤算をなくする指導について，一応の解決ができたようであるが，これは，本校の職員と，本校の子どもとから生れてきた結論である。そのために，これに一般性をもたせるためには，本校で実施した条件を同じ条件のもとに，

他校において実地に指導して，同じように成果をあげることができるかどうかの実験が必要になってくる。昭和28年度においては，協力していたゞく学校を求め，こゝで，同じような成果が得られるかどうかを確かめることにしている。これで，はじめて，本校の研究が一般性をもつこととなり，客観性のある学習指導であると言えるわけである。

このような実験のうらづけがなくては，3年間の研究は単なる特殊現象と言われてもしかたがない。昭和28年度においては，現場の皆様の協力により，この験証の段階に進みたいと考えている。

以上は，本年度において解明された点，残された点を要約したのであるが，このような点を記録からできるだけくわしく書きあげて報告書をつくったのである。

Ⅱ　昭和27年度の研究に到るまでの経過

この研究は，昭和25年度からの継続研究である。今年度の研究について述べるまえに，どのような研究の経過をたどって，本年度に引継がれたか，そして改善を加えていった点は，どんなことであったかを述べることにする。これは，本年度の指導のあり方や，研究が，どんな位置にあって，どのように進みつつあるかを知る上に大切なことであると考えるからである。

1　昭和25，26年度にどんな研究をしたか

1　昭和25年度の研究と結論（初等教育研究資料第Ⅱ集参照）

⑴　誤算調査

（a）　テスト問題の作製

（b）　調査実施――5，6年生 380 名（かけ算の学習の終った子ども）

（c）　誤算の原因調査

⑵　第1回の試行的指導とその概略

昭和25年度第1回の実験指導は，女の子一人について，試みの指導をしてみた。これは，A型即ち，「くり上った数字を数とまちがえる」誤算をした子どもを対象としての指導であった。

この時の指導の目標は，次のようなところにあった。

① 数の構成をはっきりする。

② 倍の観念をはっきりする。

③ 部分積の大きさをはっきりする。

④ 部分積の位どりをそろえてから加えることを明らかにする。

この四つのことがらをめあてとして指導に当ったが，この子どもの誤算は

なおらなかった。失敗に終ったわけである。その理由として考えられることは，つぎのようである。実際の指導や指導計画が，ほとんど，抽象的な数だけを使っての学習になるように立案され，また実施されたために，この子どもに，理解を成立させることができなかつた。

(3) 第2回の試行的指導とその概略

第2回の試行実験は，男子1名を実験対象児童として選び，これを指導してみた。第1回の指導では，抽象的な数を使って指導して失敗したので，次のように指導計画を修正してみた。

① 数の大きさの指導にあたっては，色カードや色棒などを使い，こどもが数の大きさについて理解しやすいようにした。

② かけ算の意味を具体的な生活事例で明らかにするようにした。

③ 部分積の大きさを色棒や色カードを使って理解できるようにした。

この三つのことがらをめあてとして指導してみた。そして，最後に，A型の誤り易い問題20題について，テストを実施した結果，全部正しく解答することができ，この男の子を救うことができた。このことから，A型のあやまりをする子どもに対しては，この指導計画によって指導していけば，誤算をなくすることができるのではないかという見通しをもつことができた。

このときの指導で特に気をつけたことがらは，ひとりびとりの子どもが思考のすぢ道をたてやすくするために，教具を使い，具体的な行動にうったえて学習できるようにしたことであった。このような意味において，算数の学習指導において教具の活用を考えることが必要であることを痛感したのであった。

(4) 第3回の試行的指導とその概略

この時の指導は，第2回の指導で成功したので，そのときの指導計画をそのまゝに用いて，同じようにA型の誤算をした14名の子どもを対象としたも

のであって，一斉に指導した。この結果，1名を除いて，他の子どもは全部正解することができた。このときの実験の対象とした子どもは，かけ算九九やくり上がりのある加法ができるのに誤算をする子ども（本校では，仮に，実験対象児童と呼んでいる）であった。あとで調べてみると，この残った1名の子どもは，かけ算九九やくり上がりのある加法ができないことがわかり，実験対象児童ではなかったわけである。したがって13名の実験対象児童が，正解したので，実験は一応成功したとみてよいわけである。

さて，第2回の試行的指導では，子どもがひとりであったため，教師の観察によって，わかったかわからないかを評価しながら，学習を進めていくことができた。また，三つの指導目標についての指導がすっかり終ってからテストを実施したのである。しかし今回は，一斉指導の形式を用いたので，①の数の大きさについて指導しては，誤算が無くなったかどうかをテストする方法をとった。いわば，ひとつの目標を指導してみては，評価しながら学習を進めていった。これは，これからあとの実験指導で誤算者が多いときには，指導計画を修正するということと，評価しては一段ずつ学習を累積していくようにすることがたいせつであるという考え方をうみだしてくるもとになったのである。

(5) 昭和25年度の研究の結論

以上は，昭和25年度の研究の概略である。この3回の実験指導の結果をみて，「かけ算の理解事項」として，次の二つのことがらがたいせつであることがわかった。

① かけ算の意味の理解

② かずの大きさの理解

これによって，かけ算九九とくり上がりのある加法ができる子どもに対しては，この二つのことがわかれば，誤算をしなくなるであろうという見通し

(理解事項に対する仮説)をもつことができるようになったわけである。

更に，かけ算に進むための素地となる基礎能力としては，次のことがらがたいせつであることはいうまでもない。

① くり上がりのある加法ができること

② かけ算九九ができること

③ 部分積の大きさがわかっていること

④ 加法のとき，単位をそろえること

上に述べたことを逆にいうと，誤算をする子どもは，上に述べた6つの中のどれかがわからないために誤算をするということがいえるわけである。

これが，昭和25年度の研究から考えられた結論である。

2 昭和26年度の研究と結論(初等教育研究資料第Ⅲ集参照)

(1) 研究の目標

昭和25年度の研究は，特別に実験対象児童をぬきだして指導し，かけ算を指導するために必要な基礎的なことがらについて実験して，仮説をだしてみたのである。

昭和26年度では，かけ算を初めて学習する4年生全員に対して指導して，果して，前述の仮説が正しいかどうかを，験証的に実験研究しようとするのである。

(2) 昭和26年度第一次指導(6月)の概略

実験指導は，昨年の指導計画をもとにして立案した指導計画によって実施した。結果は，249名中105名もの誤算者がでて失敗してしまった。その失敗の原因を考えると，次のようになる。

① 4年生全員であるので，子どもの能力差が大きい。即ち，加法九九や乗法九九のできない子ども(即ち，かけ算に進むために必要な基礎能力のない子ども)がいたにもかゝわらず，それらの子どもの

学習にも応じていけるような指導計画をたてなかった。

② 評価をしなかった。毎時間評価して，一段一段ふみかため，次へ発展する素地ができてから，先へ進むということを，あまり深く考えもしないでいた。即ち，学習が，累積的連続的でなかったのであるから，おくれている子どもは自然に学習することができなくなってしまった。

③ おくれている子どもに，目に見えない原理や法則をわからせるように教具を使用することについて，あまり考慮されなかった。

④ 一般化するための適用練習の問題がふじゆうぶんであった。

(3) 昭和26年度第二次指導(12月)の概略

第一次指導の失敗から，どうしても考えなくてはならないことは，子どもの能力差が大きいことである。この能力差に応じて，即ち，おくれている子どもにも進んでいる子どもにも，それぞれ精一杯に学習できるような学習指導の計画をどのようにたてたらよいかということが，中心の問題になってきた。

この時の指導で考えたのは，次のようなことである。

① 能力差に応じて，精一杯学習できるような学習指導の計画はどのように立案したらよいか。

② おくれている子どもには，どんな場合に，どのように教具を与えて指導したらよいか。

③ 毎時間評価をして，それにもとづいて，指導計画を修正していきたい。

このように考えて指導計画を立案し，指導した結果からみると，250名中7名の誤算者だけになり，指導は成功したといえる。

(4) 昭和26年度の研究の結論

昭和25年度の研究の結果から考えられた結論（仮説）については，今年度において，一応験証することができたといえる。特に，能力のおくれているこどもに対しては，それぞれの発達段階に応じて指導をすることが，どんなにたいせつなことであるかということは，これによって，はっきりわかつた。それに，このようなおくれている子どもに対しては，かけ算九九を使って計算するようなことを考えないで，先に述べたように，かけ算を学習するための基礎能力ができてくるように，学習指導の計画を立案することがたいせつであることがわかった。ただ，一応成功したといっても，第一次指導で失敗したのであるから，かけ算を初めて学習する子どもではなかったということが重要である。そこで，このような指導計画によって実施すると，果して初めてかけ算を学習するる子どもに対しても，今年度と同じような結果を生むかどうかという問題が，昭和27年度の研究問題として残されているわけである。

26年12月の指導で，ひとりびとりの子どもの能力に応じて，精一杯学習できるような指導計画をたてて実施すれば，いわゆる「できない子ども」はいなくなるという見通しをもつことができた。そこで，27年5月の指導をするときには，これらの点からみて指導計画を改善し，指導法についての研究をした上で，学習を展開したわけである。

以上が，昭和26年度までの2年間にわたっての研究の大略である。

2 昭和26年度までの研究でどんなことが考えられたか

このことについては，さきに刊行された初等教育研究資料第Ⅲ集にくわしく述べてあるので，ここではこれを要約したものをあげておくことにする。

① 指導計画は，ひとりびとりの子どもの能力に応じて，精一杯学習できるように立案しなければならない。

② 子どもの身近かに起る生活事例から問題をとりあげ，だんだんに，

数学的内容を高めていくようにする。

③ おくれている子どもには，適切な教具を使って指導することがたいせつである。そして，目に見えない原理や概念を子どもにわからせるようにする。

④ 学習のめあては，いつも単純にしておくようにする。

⑤ 学習は，いつも一つの事項だけでなく，多くの問題について適用練習をし，固定化し，一般化するようにくふうすることが必要である。

Ⅲ　昭和27年度の研究の目標と研究計画

1　研究のめあて

1　全体的に見てどんなことがいえるか

先にも述べたように，昨年度の第二次指導において，一応の成果をおさめ，見通しをつけることはできた。しかし，第一次指導では失敗していることに注意したいのである。したがって初めて，かけ算を学習する子どもに対しての験証実験としては，成功しているか，成功していないかを，はっきり言うことができないのである。

本年度においては，かけ算を初めて学習する４年生に指導して，どんな結果がでるかということは，当然，本年度の問題になるわけである。即ち，初めてかけ算を学習する子どもに，昨年，結論として考えられた五つの事項を考えて，指導計画を立案し，学習指導をすることによって，誤算者をなくすることができるかどうかの問題，これと昭和25年度から考えている，かけ算を学習するのに必要な理解事項「数の大きさ」，「かけ算の意味」，かけ算を学習するために基礎となる「繰上がりのある加法ができること」「かけ算九九ができること」「部分積の大きさがわかること」「加法のとき，単位をそろえること」を指導すればよいということの二つが，本年度の実験験証のねらいとなるわけである。これが，本年度の研究の第１の目標である。

たゞし，この第１の目標については，予想としては昨年12月の結果ぐらいは成功するという見通しをもつことができた。そこでこの事には軽くふれて，更に，考えられる第２の研究のめあてについての研究を計画してみた。

即ち，本校の今までの研究が，いわゆるおくれている子どもを対象として，教材研究や指導計画を検討して実施してきたので，いきおい進んでいる子どもに対してどのようにしたら算数を生活の中で，もっとうまく使えるようにすることができるかといった研究はおろそかになっていた。そこで，進んでいる子どもにも応じられる指導をするに必要な教材研究や指導計画，指導法の研究へと実験研究を進めることにした。これが，本年度新たに加えられた第２の研究目標である。

このようなことから，内容的には，次のようなことが，本年度の研究のめあてになっているわけである。

2　実験研究の内容からみて，どんなことが言えるか

内容からみると，実験研究の目標は，験証する内容と，新たに加えられた内容との二つになるわけである。

(1)　験証実験の内容の要約

(a)　数学的内容についての理解事項

かけ算を学習するときに必要な理解事項については，昭和25年度の研究によって仮説をたて，それを昭和26年度に，験証したわけである。「かけ算のいみ」と「数の大きさ」の理解が大切であり，更に，対象が４年全員であるために，この二つの要素の外に，先に述べた四つの事項が，基礎になるものとして考慮することが必要になったわけである。いわば，誤算する子どもは，この六つの中の何れかが理解できていないところに原因があると考えているわけである。指導計画を立案するときに，この六つのことがらを理解するように指導していきさえすれば，どんなおくれている子どもにも応じた指導ができると考えているわけである。理解事項の面から考えると，この六つのことがらについて，こどもが理解できるようにして誤算者をなくしようとするのが，本年度の験証実験の第１のめあてである。

(b)　能力別グループ学習の指導の方法

おくれている子どもを救い，ひとりびとりのこどもに成功感を味わせながら，しかも進んでいる子どもにも精一杯に学習できるようにするためには，能力別グループ学習の方法が，いちばんよいと考えられた。このような能力別グループ学習の方法は，能力差に応ずる学習として，極めて効果的な方法であると考えられるのであるが，どんな点がよいか，更に，どんな点を改善したらよいかを考え，能力別グループ学習の指導の方法について研究していきたいと考えた。これが本年度の研究の第２の目標である。

尚，本校で行った能力別グループ学習の指導については，あとで，くわしく述べることにしたい。

(2)　新たに加えられた研究問題の内容

今までの算数指導が，大体において，計算ができるとか，これを書かれた問題に適用することができるというところにめあてをおいて，研究を進めてきた。これは，研究の段階として，必要なことであった。しかし，これでは生活が能率的にできるようにしようなどという人間育成の面からみると，程遠いといわねばならない。いわば，今後の算数指導においては，計算ができるとか，これを適用して書かれた問題をとくことができるというだけでなく，計算が生活にうまく使えるようにするとか，更に，生活に起る問題を解決する能力を身につけるようにするところまで考えられなくてはならないと考える。このように，問題解決の能力を身につける算数の学習指導を考えると，算数の学習指導が，単に計算ができればよいということであってはならない，即ち算数の学習と限定しない，他の生活の場においても，習得した算数を，そのはたらきをよく発揮できるように，事実の内に潜む数量関係を判断し，これをうまく使えるようになるまでに高められなければ，算数を生活改善に役立てることはできないわけである。

このようなことから，新たに考えられた研究問題は，子どもが算数である

ということを意識しない生活の場において，そのはたらきを生かして，うまく使えるようにするための学習指導はどうしたらよいかを研究のねらいとして追加したのである。そのためにまず，第一に，乗法についての演算の意味をじゆうぶん理解できるように指導することにした。そのために子どもの生活にある具体的な身近な事例をとりあげて，学習の問題として学習を進め，正確に計算できるようにするとともに，更に，この正確に処理できる力が，実際生活の場において，実践できるようにするということをねらっての指導についての研究としたのである。

これが，本年度の研究の第３の目標である。

要するに，本年度においては，おくれているこどもには，正しい理解の上にたって，正確に（この場合に速度を要求しないことは言うまでもない）計算できるようになることをねらうとともに，進んでいるこどもに対しては，学習の場を広め，学習して身についた能力が，態度にまでなって現われてくるようにすることをねらった。

このためには，同じ学習の場であっても，子どものひとりびとりの能力によって，処理の方法に違いがあるわけであるから，こどもの能力差に応ずるとともに，子どものひとりびとりの障碍によってグループを編成して指導し，毎時間ひとり残らず，成功感を味わいながら学習を進めていくように，能力別のグループ学習を展開することが必要であると考える。

2　昭和27年度の研究計画

以上の考えから，ここに，昭和27年度の研究を進めるための，教師の心構えを中心として計画を立案してみた。

(1)　研究は，自分で自分の問題をみつけ，その問題に対して，自分で解決のめどを考え，方法をうちたてることが肝要であるから，教師全員がこの

ような研究態度を身につけるようにしたいと考えた。

さて，自分の問題を見つけるためには，自分の歩んできた道について，冷静に反省しなければならない。それと同様に，解決のめどをもってしごとを進めていくことも困難である。しかし，およそ研究というからには，「このようにしたら，多分，望ましい結果が得られるだろう」という見通しをもたなくては，研究とはいえない。ところがとかく我々が，一つの仕事をする場合に，これを見逃しがちである。これについて考慮しないようでは，研究の結果についての考察と計画をもたないといわれても，しかたのないことである。

これが，本校の研究において，第一に考えた条件である。

(2)　研究は，継続して行はれるものであり，累積的に進めていくようにしたいと考えた。

研究計画をたてるときには，いつも研究を累積していくようにくふうしてきた。例えば，昭和25年度の研究を出発点とし，これをもとにして研究を進めていくようにした。つまり，本校の研究が，どのように進展したかを知って始めて，本年度の問題がどこにあるかはっきり知ることができるわけである。

例えば，学習指導の計画において，昭和25年度から，昭和26年度へと少しずつではあるが，次々と改善が加えられてきている。しかも，この改善は，いつも昭和25年度の指導計画を基盤において行はれてきたのである。このように継続的に，しかも前者の轍を再びふまないように，研究を進めていくことは，たいせつなことであるし，またこれなくては，進歩は望めないと考える。

また，子どもの面についても，これと，同じようなことがいえる。3ケ年の研究を通じて，指導の上に最も困難を感じた点は，子どもの学習内容が一

貫した筋をもって累積されていくようにすることについてである。その理由は，いろいろあるであろうが，例えば，1，2年生において，数えることと書かれた数字のもつ役割を理解していない子どもは，記数法と計算との関係がわからぬために，「2位数×基数」の計算となると，すぐ困惑を感ずるのである。1，2年において，数の大きさの学習がふじゆうぶんである子どもについても同じである。これは，本校で能力段階をきるときの，根本になる考え方である。とにかく，低学年から，その基礎になるものを，確実に，一歩一歩積み重ねてきていない子どもは，いたずらに精力を使い，困惑を感ずるだけである。更に，指導においても，この累積的な系統の上からすばやくその困惑を感じている点を発見して，適切な援助の手をさしのべなければ，到底理解できず，ついには算数の嫌いな子どもとなってしまう。

このような意味において，研究では，今までの歩みをつまびらかに知るとともに，子どもひとりびとりについては，系統上のどの点に困難を感じているかを，数学的な発達段階にてらしあわせて知ることが，実験指導を最も効果的にするためにたいせつなことがらであると思う。

Ⅳ　昭和27年5月の実験指導とその成果

1　5月の実験指導に当って，どんな準備をしたか

1　実験研究の準備

実験指導が，成功するためには，立案した計画を，全職員が細部にわたって知っていることがたいせつである。即ち，細かに計画を知って，始めて真の協力ができるからである。このような意味において，実験指導を始めるにさきだって，次のようないろいろな点について協議し検討を加えて，準備をするようにした。

(1)　指導計画の作製（原案）
(2)　指導計画の検討…………算数部員
(3)　指導計画の指導…………和田先生
(4)　指導計画の協議会………全職員
(5)　指導計画の印刷

2　指導の準備

指導計画ができあがったので，指導の準備にとりかかった。

(1)　指導に当って，和田先生から，次のような指導をいただく。

（a）　指導計画は，昭和25年度とどのような関連をもって，累積されてきたかを考えること。
（b）　予備調査を十分やること。
（c）　記録係をおいて，記録をとり，比較検討するようにすること。
（d）　発問の研究をすること，――評価ができるように。
（e）　見学者は，子どもの気分を害さないようにすること。

⑵ 全職員の協議会

（ａ） 記録係を，各学級に毎日２人ずつ依頼して，記録をとる。

それは，教師の発問と，それに対する子どもの反応をみるためである。それで，できるだけ速記録をとることにし，教師の発問，子どもの反応，（ことば，作業など）板書事項等を詳細に記録するようにする。

（ｂ） 全職員の参観予定日をきめる。

昨年度得られた結論からそれないように，実験指導をしなければならないから，昨年度に結論として考えられた項目を，どのように学習に生かしているかをよく考え，各学年の教室にも生かしてもらうことができるように，職員の見学の計画をたてた。即ち，項目とは，

① 能力別のグループ学習の指導の方法

② 具体物をどのように使ったらよいか。

③ 理解を単純化するために，めあてを単一にすることが，学習にはどんなにあらわれているか，（めあてのつかみ方）

④ 固定化し，一般化するために，練習はどのようにするか。

⑤ 指導と評価を考え，どんなときに，指導計画を修正するか。

である。この外に，次のことも考えた。

① 子どもが，めいめいの力に応じて，精一杯に学習し，理解できるようにするには，一時限の学習過程は，どのようにしたらよいか。（即ち，一時限の学習過程において，一斉，グループ，一斉の扱いを，どのようにするか）

② 本校において，おくれている子どもにも，数概念ができるように，色カードや色棒を使っている。この使用法やその価値についてよく知ってもらいたい。子どもは，常に具体的な行動から出発して，考えさせるようにする。

③ 教師の発問については，今後も重要な研究課題になるわけであるが，特に，学習の場を作るための教師の発問は，どのようにしたらよいか。

以上のことが，実験指導を参観する場合の注意であり，研究問題であった。

（ｃ） 教材と指導計画の分析をした。

① 今年度の指導は，子どもが，かけ算のよさを知って，生活にうまく使えるように演算の意味を十分指導したいのである。それで演算の意味の指導はどのようにしたらよいかを考える。

② 演算と計算がはっきり区別できるようにしたい。それで式と計算を考えこれをうまく使っていくようにするには，どうしたらよいかを考える。

③ 見学する場合に，指導計画が，頭の中に入って見るのと，そうでないのとでは，ずいぶん違いがあるはずである。そこで，指導計画を作製した人から，「私は，こんな立場で，こんな学習問題をもってきて指導計画を作製した」などと，立案の趣旨について，話してもらい，これを検討し，全員が，指導案を見るのに，便利なようにした。尚，立案する場合には，常に，学習にふしがあるようにした。例えば，第一時の学習問題は，「１つ８円のりんごを６個買ったとき，そのねだんや個数が，すぐわかるような記録をするには，どのようにしたらよいか」ということである。ここで子どもが学習することがらを分析すると，お札の並べ方とそのいい方，かき方になるわけである。それで，学習の展開では，最初に，お札の並べ方，次にそのいい方で，最後に，かき方というようになるわけである。このように指導計画の骨子を説明してもらい，そのふしをよく知り，この観点から，学習の展開を観察するようにするわけである。

（d） その他，テスト問題の作製，練習問題の作製印刷などもあるが，これについては，4年の担任以外にも協力を求めた。

(3) 実験学級の担当者との協議会

（a） 指導上の留意点として，どんなことがあるか。

① 一般の職員との打合せは見学のめあてを明らかにするところにあるが，これはまた，授業者にとっては指導上の留意点ともなることを明らかにすることでもある。

② 特に気をつける点としては，

a 教師の発問
b めあてをつかませるための努力（板書事項）
} 場を作ること。

c 常に，ことばを少くして，子どもがよく考え，具体的な行動を通して考えたりするようにして，子どもの反応を見ていくようにする。

③ 能力別グループ学習を展開するためにとくにその時間過程について考慮する。

④ 学習指導に当っていつも考えてもらいたいことは，「個人の障碍を早く見つけて，それを除去する為の時間が多くなるようにする」ことである。

⑤ 5学級の中，1学級だけを先行学級とし，その学級の指導における失敗をその他の学級の指導において再びくり返さないようにするとともに，よかったところは，これをもっと生かしていくようにする。

⑥ 指導後のテストは，毎時間行う。また，反省会も毎日行い，誤算の状況によっては，指導計画の修正を考える。

⑦ 実験指導の修了後のテストは，1日10題ずつ9日間とし，その

問題は，それぞれ昨年度と同じ問題を使うことにする。

⑧ 実験指導は，5月9日（金）から9日間にわたって実施する。しかし，指導計画を修正したときは，これに応じて，日数の延びることもある。

⑨ 最後に，テストを実施するがその結果は，その学級がよいとか，わるいとかを判断するためのものではない。まして受持教師のことをとやかく批判するために使うものではない。みんなが，気楽に，毎日毎日の学習指導に全力をつくしてもらいたい。といっても，毎日毎日自己反省することだけは忘れないようにしたいものである。

以上が，実験指導を受持つ職員との協議事項である。

3 予備調査

ひとりびとりのこどもに成功感を味わうことができるようにするためには，指導計画の立案に先だって，めいめいの子どもが困難を感じている点などについて，じゅうぶんに知っていることが必要である。それなしには，ひとりびとりの子どもに適切な指導の手をうつことができないからである。

このようなことから，指導前に，めいめいの子どもの発達段階を知るために，予備調査を行ってみた。

(1) 予備調査の内容

（a） かけ算を学習するに必要な理解事項は，既に，昭和25年度の実験指導の結果から，仮説として考えられ，験証されたが，その事項とかけ算を学習するために必要な基礎能力とについては，先に述べてきた通りである。予備調査をするのは，ひとりびとりの子どもの発達段階をおさえて，それに適した指導の手をうつためである。そこで予備調査をする場合には，子どもの発達段階を，どのような観点からおさえていたらよいかについて，考えて

みる必要があり，またそれに即して予備調査が実施されなければならない。

昭和26年6月の第一次指導の結果から，理解事項として考えられた，「数の大きさ」と「かけ算の意味」だけがわかりさえすれば，誤算をしないであろうという仮説は，おくれている子どもに対して成り立たないことが明らかにされている。これは，ことばをかえて言えば，「かけ算をするとき」に，かけ算九九で計算する方法に限定して指導していくと，かけ算九九のできない遅れている子どもには，わけのわからぬ方法を強いることになり，どうしてもついていけないということである。さて，おくれている子どもや誤算をした子どもの手ぎわをみると，かけ算九九を使わないで，指を使って，累加の方法で答をだしたり，カードなどの教具を使って，答をだしていることを発見した。このことは，かけ算九九を使って計算するところまでに，おくれている子どもが進歩していないことを示しているわけである。また，一方どんなおくれている子どもでも，指を使ったりカードを使ったりすればできるということである。このことから素朴な指を使って結果を出す方法から次第に進歩して最も能率のあがる方法に進み，数字の上でかけ算九九を使って計算するようになることがわかった。しかも，これが，かけ算に発展していく発達段階であることにも気がついた。

このようなことから，予備調査をするということは，ひとりびとりの子どもの発達段階を確実に把握するためであることを考え，次のようなことについて調査した。

（b） まず，子どもの能力で知っておきたいことは，①かけ算の意味と②かけ算九九は機械的にどこまでできるかの二つで，まずはじめに子どもをフルイにかけた。またそれでできる子どもは，かけ算九九を使って計算できる子どもであることもわかった。次に，そのフルイにかかった子ども，即ち，おくれている子どもに対しては，①どんな数え方をしているかを観察し，

個別に手ぎわをみていくようにする。尚，このときに，できるだけ具体的な行動にうったえるようにして，子どもの思考は教師が見ていてわかるようにするため，教具を使うことにした。次に②数の大きさについては量の大きさを数字であらわすことができるかをテストし，③加減法九九について，特に，計算の原理である単位をそろえるということが，どこまでできるかをしらべた。

このような段階によって子どもの発達を知り，ひとりびとりの障碍によって，グループを編成しようとするわけである。

(2) 予備調査のテスト問題

（a） 予備調査の内容

① 数の大きさについて

a 数えているときのとなえかた

b 二つずつ，三つずつ，五つずつ，十ずつ……とまとめて数えるとつごうがよい。

c 10こずつ，100こずつのグループにまとめたものにおきかえると都合がよい。

d 10の位の数字は10こずつにまとめたグループの箇数を示すものである。

e 1の位の数字は10箇ずつにまとめたときの残りの箇数を示すものである。

f 1の位の数字の0は10箇ずつのグループにまとめて残りのないことを示したものである。

g 100の位の数字は100箇ずつにまとめたグループの箇数を表わす。

h 10の位の数字の0は100箇ずつにまとめて残りのないことを示す。

i　ある位の単位の大きさはその右の単位の大きさの10倍である。

j　ある位の単位の大きさはその左の単位の大きさの，10分の1である。

k　次の用語を理解する。一の位，十の位，百の位，千の位，数字。

② かけ算の意味について

a　同数累加のときは九九を使って計算すればよい。

b　同数累加のときはグループの箇数を乗数とすればよい。

c　乗数は被乗数を何回加えればよいかを示したものである。

d　記号「×」は乗法を示すものである。

③ かけ算九九について

④ 九九の手ぎわについて

⑤ 加法について

⑥ 加法の手ぎわについて

以上の内容について次の問題を作り学級毎にテストを実施した。（4月21日から4月23日まで）

（b）予備調査の問題　註 {Aは数の大きさ / Bはかけ算の意味

[Aの(3)]　つぎのぼうのかずをすうじでかきなさい。

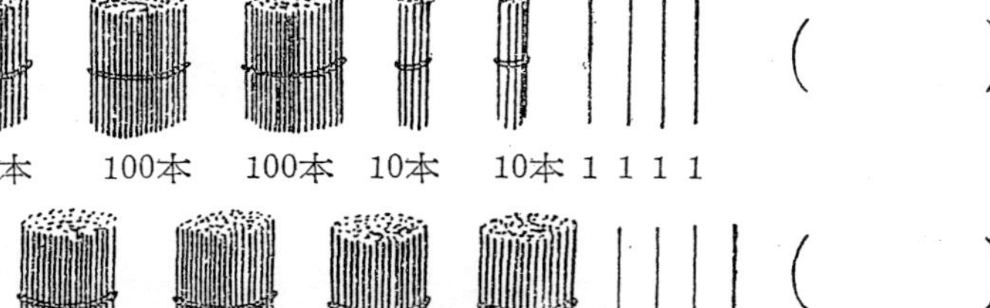

（　　　　）

（　　　　）

[Aの(4)の1]　おはじきが35あります。10こずつの山にまとめると，いくつ山ができますか。

（　　　　　　）

[Aの(4)の2]　おにいさんがまきわりをしました。あとでこれを10本ずつのたばにたばねています。ぜんぶで5たばと4本でした。何本できたでしょう。

（　　　　　　）

[Aの(5)の1]　赤カード43枚は {黄カード（　　）まい / 赤カード（　　）まい

[Aの(5)の2]

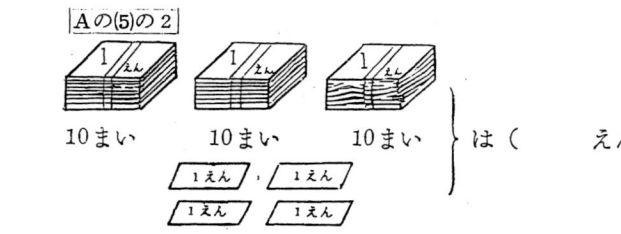

10まい　10まい　10まい　1えん，1えん，1えん，1えん ｝は（　　　えん）

[Aの(5)の3]　さんすうの本は61円でした。10円さつ[　　]まいと1円さつ[　　]まいをはらえばよいと　おもいます。

[Aの(6)の1]　すみえさんは　おこづかいを57円もっていました。また，おつかいちんに33円いただきました。おこづかいは　ぜんぶでいくらになりますか。

（　　　　円）

[Aの(6)の2]　どんなお金ではらったら　おさつの数が　すくないでしょう。　10円さつ（　　　まい）

1円さつ（　　　まい）

［Aの(6)の3］ 28は黄カード（　まい）と赤カード（　まい）です。

30は黄カード（　まい）と赤カード（　まい）です。

［Aの(7)］ 100円さつ9枚は　1円さつになおすと何まいになりますか。（　　　　　　）

500本の色ぼうを100本たばにするといくたばできますか。

（　　　　　　）

［Aの(8)］ 508円＝100円さつが□まいと　10円さつが□まいと　1円さつが□まい　です。

800円＝□円さつが8まいです。

赤カード　307まいは　緑カード□まい　黄カード□まい　赤カード□ふい　です。

［Aの(9)］ 赤カード40まいは　黄カード□まい

黄カード50まいは　緑カード□まい

黄カード9まいは　赤カード□まい

緑カード6まいは　赤カード□まい

25円を1円さつではらうと　なんまいになりますか

（　　まい）

320円を10円さつではらうと　なんまいになりますか

（　　まい）

［Bの(1)の1］ ガラスはみんなで何枚みえますか

ガラスのかず＿＿＿＿＿＿

どんなやりかたでしましたか。○をつけなさい。

• 1，2，3，4……とかぞえた。

• よせざんでやりました。

• ひきざんでやりました。

• かけざんでやりました。

• わりざんでやりました。

［Bの(1)の2］ おはじきがならべてあります。みんなでいくつありますか。こたえ＿＿＿＿＿＿

つぎのやりかたのうち，どれでやりましたか。○をつけなさい。

• 5×4

• 1，2，3，4……とかぞえた。

• 4×5

• 4＋4＋4＋4＋4

［Bの(1)の3］ お金はぜんぶでいくらありますか。

＿＿＿＿＿＿円

つぎのやりかたのどれでやりましたか。○をつけなさい。

• 3＋3＋3＋3

• 1円，2円，3円……とかぞえた。

• 3×4

• 4×3

［Bの(1)の4］ カードの点はみんなでどれだけになりますか。

7	7
7	7
7	7

こたえ＿＿＿＿＿＿

どのやりかたでやりましたか。○をつけなさい。

• 6×7

・7＋7＋7＋7＋7＋7

・7×6

|Bの(1)の5| みんなでいくつですか。

こたえ＿＿＿＿＿

どんなやりかたでしましたか。

□

|Bの(2)の1| つぎのよせ算を九九をつかってけいさんしなさい。

3＋3＋3＋3＋3，6＋6＋6＋6，9＋9＋9＋9＋9＋9

□ □ □

4 4 4 ＋4	□	5 5 5 5 ＋5	□	7 7 ＋7	□

8円のノートを5さつかいました，いくらはらえばよいでしょう。

やりかた　　　　　　こたえ

ノートを7さつかいました。1さつ9円です，いくらはらえばよいでしょう。

やりかた　　　　　　こたえ

6円のノート8さつと4円のノート7さつかいました。ぜんぶでいくらはらいますか。

やりかた　　　　　　こたえ

|Bの(2)の2| りんごがいくつありますか，これを5×3＝15とけいさんしました。よいとおもうものに○をつけなさい。

5は{1さらのりんごのかず / りんごのかず}です。

3は{さらのかず / りんご5つをのせたさらのかず}です。

23円と23円と23円では　23円×□とけいさんすればよい。

せっけんが6こずつはいったはこがあります。みんなでいくつあるかをけいさんしました。

6×4＝24

6は□のかずです。

4は□のかずです。

三郎さんは，つぎのよせざんを九九でけいさんしました。次のこたえをだしてください。

4＋4＋4＋4＋4　　　　7＋7＋7＋7＋7＋7＋7＋7

4 ×5	5は□のかずです	7 ×8	8は□のかずです。

15 15 15 15 ×15	15×5	5は□のかずです。

|Bの(2)の3| 次のかけざんをよせ算になおしなさい。

6 ×4	□	3 ×5	□	7 ×2	□
9 ×4	□	8 ×7	□	4 ×7	□

8×6は　8×5より□大きい。

8×7は　8×8より□小さい。

5 × 7は　5 × 6 より□大きい。

5 × 8は　5 × 7 より□大きい。

つぎのかずのならび方にきをつけて □ の中に数字をかきなさい。

4, 8, 12, □, 20

21, □, 35, 42

5, 10, □, 20

Bの(2)の4

8 × 7　8は {かけるかず / かけられるかず}

7は {かけるかず / かけられるかず}

9 × 4　4は {かけるかず / かけられるかず}

9は {かけるかず / かけられるかず}

つぎの □ の中にこたえをかきなさい。

6 × 3 = 3 × □

2 × 9 = 9 × □

加法テスト

83 + 8　44 + 9　75 + 8　24 + 6　45 + 7　73 + 7　94 + 7　28 + 4

56 + 7　58 + 5　63 + 9　18 + 3　15 + 6　36 + 9　97 + 4　99 + 9

48 + 9　49 + 1　82 + 9　88 + 6　37 + 6　77 + 5　91 + 9　69 + 2

14 + 8　95 + 9　12 + 8　59 + 8

36 + 4　38 + 8　67 + 8　69 + 7　57 + 7　47 + 3　39 + 3　28 + 7

78 + 5　26 + 8　58 + 2　19 + 5　66 + 5　29 + 6

九九テスト(1)

2 × 2 =　5 × 3 =　6 × 7 =　6 × 0 =　9 × 2 =　1 × 1 =

3 × 5 =　4 × 8 =　9 × 1 =　8 × 7 =　7 × 4 =　0 × 7 =

6 × 2 =　1 × 9 =　5 × 1 =　3 × 3 =　2 × 0 =　8 × 3 =

5 × 5 =　9 × 5 =　9 × 9 =　4 × 0 =　7 × 5 =　0 × 3 =

1 × 4 =　8 × 0 =　4 × 9 =　8 × 6 =　0 × 5 =　7 × 8 =

9 × 4 =　0 × 2 =　4 × 2 =　6 × 9 =　9 × 8 =　1 × 5 =

2 × 1 =　2 × 9 =　4 × 6 =　6 × 6 =　3 × 4 =　1 × 8 =

7 × 1 =　9 × 0 =　8 × 2 =　3 × 7 =　4 × 4 =　9 × 7 =

3 × 1 =　5 × 4 =

九九テスト(2)

2 × 7 =　4 × 5 =　5 × 8 =　1 × 6 =　7 × 6 =　9 × 6 =

3 × 2 =　2 × 6 =　0 × 7 =　3 × 0 =　9 × 3 =　5 × 2 =

7 × 7 =　1 × 7 =　7 × 9 =　7 × 3 =　7 × 0 =　0 × 0 =

2 × 8 =　8 × 5 =　1 × 0 =　2 × 4 =　6 × 8 =　6 × 3 =

0 × 6 =　0 × 4 =　2 × 3 =　1 × 2 =　5 × 7 =　7 × 2 =

8 × 1 =　1 × 3 =　6 × 5 =　6 × 4 =　4 × 3 =　4 × 1 =

3 × 9 =　5 × 9 =　4 × 7 =　5 × 6 =　6 × 1 =　2 × 5 =

8 × 8 =　5 × 0 =　0 × 9 =　3 × 8 =　8 × 4 =

0 × 1 =　3 × 6 =　8 × 7 =

(3) 予備調査の結果（実施人員　243名）

問題＼誤算者内訳	誤算者内訳	人数	指導計画との関連
Aの3	1問中1問できた人数	209人	
	1問中1問できない人数	34人	
Aの4	2問中2問できた人数	136人	
	2問中1問，又は2問できた人数	107人	
Aの5	3問中2問か3問できた人数	207人	
	3問中1問できたか，3問中3問ともできない人数	36人	
Aの6	4問中4問か3問できた人数	168人	
	4問中1問できたか，全然できない人数	75人	
Aの7	1問中できた人数	136人	
	1問中できない人数	107人	
Aの8	1問中できた人数	198人	
	1問中できない人数	45人	
Aの9	1問中できた人数	152人	
	1問中できない人数	91人	
Aの1.2.10.11	特別にペーパーテストは行わない		
	9問中 7.8.9. 問できた人数	154人	

Bの1	9問中 4.5.6. 問できた人数	55人	
	9問中 0.1.2.3. 問できた人数	35人	
Bの2	4問中3.4.問できた人数	131人	
	4問中 0.1.2.問できた人数	112人	
Bの3	3問中2.3.問できた人数	166人	
	3問中0.1.問できた人数	77人	
Bの4	2問中2問正答人数		
	2問中1問正答人数		
	2問中2問できない人数		
C(九九100問中) 別表	全正解	155人	
	1～5の誤答人数	55人	
	6～10の誤答人数	15人	
	11～25の誤答人数	11人	
	26～50の誤答人数	4人	
	50以上の誤答人数	3人	

(4) 予備調査の結果から，どのようなグループを編成したか。

グループ	A.B.	C	D	E
1. 数の観念について	抽象数の上ではっきりとらえている。	抽象数の上でははっきりしないがだいたいとらえている	抽象数の上では，困難で，具体物との結びつきがない。	具体物でなければわからない。

2.	かけ算の意味	同上	大体わかっている。	困難で，具体物でなければわからない。	同上
3.	九九	間違いなく九九ができる。意味もわかっている。	九九ですこし間違いがあるが，大体九九が使える。	九九の間違いが多い。（10以上間違う）	九九が殆ど使えない。
4.	九九の手際	抽象数で，九九で，	数字で，九九で，	具体物で，とび数え，	具体物で始めから数える。
5.	加法について	抽象数で正確にできる。	抽象数で，ほとんど間違いなくできる。	抽象数で，少し間違う。（繰上りのある場合）	具体物を使わねば困難。
6.	加法の手ぎわ	抽象数で機械的に，	抽象数でできる。	指で数えたす。	具体物に置きかえて，始めから数えなおす。

備考 グループを分ける場合に一般的には上記のように分けたのであるが，個人ごとにその障碍を知り，指導計画のどの場所で救うかは，個人ごとに考えることにする。特にこの場合に，重視せねばならないのは，加法，乗法，九九の手ぎわであり，両者によって，おおむねグループを分けることができる。

2 指導計画をたてるとき，どんなことを考えたか

昨年12月の指導計画を根幹において，今年度の指導計画を立案してみた。ところが，始めてかけ算を学習する子どもであるというだけでなく，かけ算が生活に使えるようにするということを考え，更に，ひとりびとりの障碍を除去しようとすると，昨年12月の指導計画では，物足りない点がでてくるの

は当然なことである。

このような観点から，昨年12月の指導計画で改善しなければならないのは，どんなことがらであるかについて考えてみたい。

1 主なる改善点について

(1) 12月の指導計画は，ひとりびとりの障碍を，いつ除去するか，また除去できたかを明らかにするように意識して立案していなかった。即ち，どこの，どの時間の指導で，ひとりびとりの障碍を除去するか，また，いつ除去されていったかがわかるような指導計画ではなかった。

指導していくと，毎時間困惑を感じている子どもがいるわけであるから，それらの子どもを救っていかなければならない。そのために，時前に予備調査をやったわけである。指導計画を立案するとき，また学習に移るときに，この時間につまずきを起して，困惑を感じそうなこどもは誰と誰であるかを，指導計画をたてるときに，考えに入れられないものかと考えてきた。そこで，指導計画の形式を，次のような形式にまとめてみた。

学習問題	時間様式	学習活動	目標	指導のねらい	個人の指導点

この表でわかるように，新たに加えられた事項は，「個人の指導点」である。即ち，予備調査の結果から，子どものつまずきがわかっているのであるから，第一時の学習で，つまずきを起すこどもは誰と誰であるから，その子どもに対しては，できるだけ早く指導の手をうてるようにという教師のめやすとして氏名を記入するようにしたわけである。更に，このように指導を要

することもの名前を記入しておくと，一斉扱いのときには，その子どもだけを見てまわればよいことになる，指導の能率をあげることもできるわけである。なお，このような形式をもって，学習を進めると，一時限終了後に，テストをしたときにも，理解できた子どもと，そうでない子どもがわかり，評価もできるわけである。これは形式上のことではあるが，第一の改善点である。

(2) 学習の場を，子どもの生活の問題とする。

今までの指導計画では，これを立案する前に，教材研究をして，数学的な内容，即ち，理解事項の分析をするのに，相当苦労してきたのである。しかも教師の立案であり，それを子どもに押しつけた感じがないでもなかつた。教師の意図する数学的内容はあるにしても，それをあくまで裏にひそめて，子どもが自分の問題として学習するようにしたいという点についての考慮が乏しかったのである。それで，子どもの問題になったということは，どんなことかという学習問題の検討が，第二の改善点となるわけである。

これまでの指導計画では，ややもすると，子どもの問題になっていない問題を，子どもに学習させたという感じがあった。

例えば，「同数累加のときは，＋より×がよい」という数学的な内容を，そのままの形で子どもに与えたのでは，こどもには問題にならないわけである。そこで，「一つ15円のりんごを６つ買いました，このときに，どんなにかくと，一つのねだんや買った個数がわかるか考えてみましょう」というふうに，こどもの身近かな生活の中から問題をとりあげることにすると，こどもは自分の学習問題として考えてくることになる。更に，「一つのねだんや個数がわかるような，並べ方，いい方，書き方をお勉強しましょう」といえば，こどもは，はっきりと，その時間の学習のねらいをつかむことができるのである。

そこで，今述べたように，どのような教師の発問によって，子どもの学習問題にすることができるかについてはかなり苦労して，指導計画を立案してみた。

また，このような教師の発問は，同時に，学習の場の構成ともなり，更に，いろいろな生活の場において考えさせることになり，こどもは，どんな生活の場でも，その機能をうまく使うことができるようになるであろうし，本年度の研究のめあてであるところの「意識しない生活の場でも算数が，うまく使えるようになる」ということも解決できると考える。

(3) 演算の意味を強調した。

今までの指導計画や学習指導での大きな反省は，演算の意味についての理解に対する指導に，あまり力が用いられていなかったといえる。それの反面として，計算技能を伸ばすことだけを強調した傾向があった。このような反省から，演算の意味や計算の方法についての理解を強調した指導計画を，立案しなければならないと考え，指導計画では演算の意味についての理解の成立に特に力を入れることにした。

かけ算の演算としての意味は，相当に広いはずである。本校においては，同数累加の場合の演算を中心として指導し，進んでいる子どもに，同じ大きさの数でないものを加える場合についても考えさせた程度であった。広い意味におけるかけ算の演算としての意味を指導しなかったことは，最初にことわったとおりである。また，そのような意味における，演算の意味を広めるということは，来年度の課題ともなってくる。

更に，同数累加の場合の演算の意味がわかるためには，大きさの違う数がまじっている場合も取扱う必要があると考えられる。しかし，おくれている子どもを中心として考えると，どうしても，同数累加の場合を中心にして，指導を展開していかなくてはならないことと思う。

(4) 各時限の学習においては，ひとりびとりの子どもが自分の能力に応じて，精一ぱい学習できるように計画した。

いわゆるおくれているこどもも，進んでいるこどもも，力一ぱいに学習し，総ての子どもが成功感を味うように立案するためには，その力に応じて学習できる，適用練習の問題を吟味しなくてはならないわけである。この練習問題の質，量及び提出方法については，昨年度の報告でも述べたが，更に再検討を要する点があった。そこで，今年度の指導計画の立案にあたっては，質と量を考えての適用練習の問題に対して特に考慮した。これが第四の改善点である。

2 昨年度の指導計画でよかった点を考えた

昨年度の指導計画でよかったと思われる点は，次のようである。

(1) 指導計画は，ひとりびとりの子どもに理解が成立するようにたてた。

このことについては，昨年度の報告書の中にも述べたのであるが，ひとりびとりの子どもの能力に応じて学習し，理解が成立するためには，①一斉扱いで，めあてをつかみ，第一次の理解をし，②グループ学習で，それぞれの能力に応じて，適用練習をし，③更に，最後に，一斉でまとめて，一般化するといった段階を通って，学習が展開できるようにした。このように，一時限の学習課程をくむことは，大変効果的な方法であったので，この方法は，本年もそのまま行うことにした。

ただ，ここで考えていただきたいことは，このように立案するということは，根本は，教師がいくら教壇の上で，一斉学習をしても，おくれている子どもを救うことができないからである。そして，できるだけ早く，教壇を下りて，困惑を感じている子どもに対して，その障碍除去のための手をうつ時間をとるようにしなければならないからである。これは，いはば指導計画の活用の面であるが，特に，考えておかなくてはならないことであると思う。

(2) 昨年の指導計画は，めいめいの子どもにも指導の手を伸ばしていけるような，即ち，能力別グループ学習ができるような指導計画であった。

これは(1)のことと関連することであるが，特に，考えて立案しなくてはならないと思う。即ち，おくれている子どもに対しては，どうしたらよいか，どのような教具を準備しておいたらよいかを考えなければならない。また，進んでいる子どもに対しては，一層手ぎわのよい方法でできるようにくふうさせなければならない。要するに，能力別のグループ学習は，ひとりびとりの子どもが，一時限終った後で，心から成功感が味わえるようにすると共に一歩高い手ぎわでしごとができるようにくふうしなければならないわけである。

このような考え方から，指導計画の中に，A，B，C，D，Eの5段階に分け，それぞれの段階に予想される手ぎわを書いておき，これを指導の手がかりとした。また，一時限の指導過程としては，一斉を約15分，グループ学習を約25分，一斉のまとめを5分とした。この方法は，本年も，そのまま引継ぐつもりで，立案した。

(3) 更に，形式的な面に対して考えたことは，1の(1)で述べてある図を参考にして知ってもらいたい。子どもの学習は，学習問題をもつことによって，めいめいの能力に応じた学習活動が始まる。この学習活動は，いうまでもなく，本時のめあてに達するための学習活動である。ところが，子どもの中には，能力によって，ちがう方向に進む子どもがでたり，困惑を感じて先へ進むことができないで困っている子どももでてくる。そのめあてに向って，進むことができない子どもに対して，教師は適切な示唆を与えて，その方向を誤まらないようにしてやらなければならない。これが，最後の欄である「指導のねらい」である。要するに，この指導計画の形式は，学習は子どもがするものであり，教師は，それに対して適切な援助の手をさしのべるものであるという，学習と指導とを一応分離して考えた指導計画であるといえる。それで，子どもは，どのように学習を進めるであろうかの見通しを持ち，また，それに対して，どんな子どもでも成功できる方策を講じ，教師は，その困難を感じている子どもに対して，どんな援助の手をさしのべたらよいかがわかるようにたてた指導計画であるといえる。

3 学習指導の計画と，その修正点

昭和27年5月9日から，以上述べてきたような観点から，新らしく4年生に指導する，指導計画を立案した。子どものひとりびとりの進歩をいつも評価し，指導計画を修正しながら学習を進めていった。このような関係から，最初の指導計画は，9時限であったが，（これは，昨年12月の指導計画が最後の修正までいれて9時限であったので，一応9時限として立案したのであった）14時限に修正した。それについては，次の項から詳細に述べるつもりである。今回の指導においては，特に，演算の意味を強調して，かけ算の適用の場を一般化し，子どもの生活に適用するような態度ができるように考えたので14時限になったわけである。

尚，次の2項によって見るとよくわかるが，子どもの困難点はどんなところにあるか，また，その困難点は前学年までにおけるどんな指導の手薄から生れてきたのかが明らかになったわけである。これから，算数指導が，累積的連続的に段階を追って，指導の手を加えなければならないことを考えさせられた。

1 学習指導計画の骨子

（a） 社会生活において，おとなが，「お金あつめ」をどのように行っているかを考えてみよう。お金を集める場合には，次に述べる3つのことがらを考えて，金高を確かめたり，集金したり，支払いをしていると考える。

即ち，

① まず，ひとりいくらもってきたか(あるいは単価)，と，何人もってきたか（或は個数は何こか）を確かめるはずである。

② 次に，その集まったお札をかぞえる仕事がある。この場合に，お札は種類別に，1円は1円，10円は10円，100円は100円とわけて，数えることは，一般人の常識である。

③ 最後に，この集まったお札の現金と，計算の上での金高を照合してたしかめる。

このように，実際生活で金銭の出し入れをしているわけである。かけ算の計算についての学習においても，このような実際生活にある生活の場をもってきて，学習の場とすれば，子どもも，いわゆる算数の学習といったような特別に改たまった気分で学習しないで，気楽な学習の中に，生活をよりよくする能力を身につけることができることと思う。であるから，指導計画をたてるとき，この①②③の3つのことがらをどのようにしたら，こどもの問題にすることができるかを考えればよいわけである。

（b） 子どもの学習問題と，数学的な内容の概要

① 単元「お金あつめ」

② 「二位数×基数」

③ 時限　9時限――1時限は50分とする。

④ 展開の内容（最初の指導計画）

時限	子どもの学習問題	数学的な内容
1	同じねだんの品をいくつも買ったとき，1個のねだんや，個数がす	同数累加のときは，＋より×で記録した方がよい。

	ぐわかるように記録するには，どのようにしたらよいか。	8円×6 ⇄ 8円＋8円＋8円＋8円＋8円＋8円
2	1個のねだんが，10円以上になっても，×を使ってできるでしょうか。	「32円×3」…×の記号を教える。 •かき方　32円＋32円＋32円よりよい •いい方　32円が3つと読む
3	集まったお金は，どのように数えてまとめておけばよいか。	◦10円は10円，・1円は1円にわけて，別々に数える。 ◦数えるときには，いくつかずつとんで数えるか，かけ算九九を使うとよい。
4	集まったお金を，計算でたしかめるには，どのようにしたら早くできるか。	乗法の筆算形式の書きかたと計算の順序。 （繰上がりのないとき）
5	今までに学習したことがらを，うまく使えるようにしましょう。	固定化の時間（練習）
6	集まったお金の，1円札や10円札がたくさんになったとき，どのようにだすとわかり易いか。	両替えして，上の単位になおす，（カードを動かして，繰上がりの操作をする）
7	金高を確かめるのに，どんな計算をしたらよいか。	繰上がりのある計算形式
8	まちがいやすい問題を練習してみましょう。	44×5のように，A，J，Kのあやまり易い問題の練習
9	練習（計算のまとめ）	

以上は，学習の問題と，数学的な内容を表にまとめたものである。指導計画では，数学的な内容は表面に出さないように気をつけるとともにそれを，教師の発問によって，子供の学習問題にするように立案した。

更に，この時に考えたことはおくれている子どもも多いので，そのおくれている子どもに応じられるようにするためには，学習のめあてを単一にして，理解を単純化することが必要である。それで，一時限のめあては常に1つに

した。

2　最初の指導計画で，修正された点はどんな点か

(1)　指導計画を修正するときの条件

指導計画は，どんな場合に修正をするかについて述べてみたい。換言すれば，どの程度までいったら学習を進めてよいかということである。

（a）　学習内容について

①　学習内容については，演算の意味ではたくさん時間をとることが必要であると思う。であるから，最初に2時間位とり，少くとも，演算の意味をどの子どもも理解するようにしたい。そのための指導計画の修正は，是非必要なことであると思う。

②　次に，指導計画の中で，次の時間に障碍を除去する機会があるかどうかで，誤算者の百分率は多少多くても，先に進んでよいかどうかがわかれると思う。例えば，繰上がりのある計算問題の練習の時間は，3時間としてあるので，その時間に誤算者の百分率は多くても，個人ごとの障碍点を確実におさえておけば，次の時間に救う機会はあるので，先へ進んでもよいということがいえるわけである。

③　更に，算数の学習が，一段一段累積的に進まねばならぬという点から考えて，わからないままに学習を進めないために，一単元の中に学習の節を考えてある。その節ごとに練習時間をとっておけば，そこまでの学習でわからないことを，その際に除去できることになる。とにかく，先で救済することのできぬままに進めてはならない。ここに第三の指導計画の修正の根拠を考えた。

（b）　修正の実際

では，実際には，どのような状態のときに指導計画を修正したかについて述べて見たい。

① 昭和26年第二次指導においては，テストの結果約10%の誤算者がでたら，指導計画を修正した。事実，指導をしてみて，始めてかけ算を学習する子どもの場合に，しかも，3年までの学習においてふじゅうぶんなことをもっている子どもが多いという現状にあっては，10%と限定したのでは，予定された時間内に学習を進めることができないということがわかった。そこで，あとで参考に14時限の誤算率を附記する予定であるが，(a)の条件を考えて，15～17%位までの時は先に進むということにした。しかし，この場合に，担任者が，この誤算の内容についてじゅうぶんに個人ごとに知っているかどうかが重要なポイントである。しかも担任者が，次の時間で救える見込ありと考えた場合にだけ，先に進めてよいことをつけ加えておきたい。いずれにしても，担任は，よくひとりびとりの子どもの手ぎわをおさえておくことが，学習を予定通り進めるかあるいは計画を修正するかのわかれめである。

② 誤算の百分率の多少にかかわらず，予備調査の結果，誤算しないと考えた子どもが，新たに誤算者となった場合は，その原因をつきとめてみる必要がある。こんな場合には，誤算率が少くても修正する必要はあるわけである。機械的におぼえていて，その意味を理解していない子どもがあると，こんな場合がでてくることがありうるのである。

(c) 14時限の誤算の百分率はどの位であったか。

第 一 時――44%（修正をした）	第 八 時――39%（通過）
第 二 時――17%（修正第一時分）	第 九 時――29%（修正）
第 三 時――27%（通過）	第 十 時―― 9%（通過）
第 四 時――15%（通過）	第十一時――29%（練習）
第 五 時――59%（修正）	第十二時――23%（練習）
第 六 時――27%（練習）	第十三時（テストなし）
第 七 時――14%（練習）	第十四時（テストなし）

〔備　考〕○この百分率は，1題でも誤算した場合は，誤算者とみなして計算したものである。

○1題のまちがいは各時間とも，相当に多いのである。であるから1題のまちがいが，どのくらいあるかを調べることは，通過か，修正かのポイントでもある。

(2) 指導計画の修正点の内容と指導上の注意点

〔第一時〕

○学習問題

「1個のねだんや，個数がすぐわかるように，記録するには，どのようにしたらよいか」――8円の品ものも6つというように，1位数で考える。

○数学的内容

① グループの大きさと，グループの個数をはっきりする。具体物で並べて行動にうつして学習する。

② そのためのならべ方

③ 並べられたものについて，どのように口でいったらよいか。

④ それをかくには，どのようにするか。即ち，＋で記録するより，×の方がよい。

⑤ ×の符号の意味を学習する。

○修正した原因（指導の反省）

① 学習の場の構成を考える。次のように板書すると，子どもは，学習のめあてをはっきりつかまえることができる。

「1つのねだんや，うれたかずがよくわかるような〝ならべかた〟〝いいかた〟〝かきかた〟」と書いて，「…について勉強しましょう」と言葉で補う。

② 具体物を並べて，その並べられたグループの大きさと，その個数をはっきりと手でおさえるようにしてつかませることが大切である。

③ すぐに，全体の個数がいくつであるかの答を求めることではない。「何が」「いくつ」あるかを言わせればよいのであって本時は答を求める必要はない。

④ 子どもの反応を見ながら，学習を進めるようにする。おくれている子どもが，正しく行動化できるかどうかを特によくみることが大切である。

⑤ 本時は，正しく並べて，それを口でいえる程度でよい。内容が多すぎたきらいがある。

⑥ テスト問題の形式と用語が，演算の意味を診断するのにふさわしくなかった。

⑦ 修正する。

〔第二時〕

○学習問題は第一時と同じ

○数学的内容は，第一時の③④⑤を中心にするとよい。

○指導の反省

① 練習問題の吟味，――1葉にはDEグループでもできる問題，2葉めには若干高度の，しかも十分練習量があるように考えて作製すること。

② まとめの時間は大切である。常に，本時の学習のめあてつまり問題と結びつけてまとめるようにしたい。それと共に，数学的な内容をまとめる。このことは，いろいろの学習において一般化し，抽象化する場合の参考になる。

③ 常に，既習の加法つまり＋との比較において×をわからせるように

する。例えば，8円が三つは，8円＋8円＋8円であるが，もっとかんたんで便利なのは，かけ算で8円×3のあらわし方であるというようにする。

④ 一斉扱いで，全部の子どもにわからせようとするのは無理である。だいたんに，しかもできるだけ早く，グループ学習に入るようにする。

⑤ 学習過程は大略次の標準がよい。

1斉 ― グループ学習 ― まとめテスト

（15分）　（25分）　（5分）（5分）　計50分

⑥ 個人別の指導の留意点をはっきりとつかむようにしたい。

⑦ 手をあげて，口頭で答えさせてわかったと思って，進めていくと落伍する子どもができる。

⑧ 本時は通過

〔第3時〕

○学習問題

「1個のねだんが，10円以上になっても，「×」を使って記録できるでしょうか」――数学的には，23円の品もの三つでは，＋で，23円＋23円＋23円と書くより23円×3の方がよい。

○数学的内容

① 二位数の場合のグループの大きさ，個数をわからせる。

② 数の大きさをはっきりする。

③ 並べ方，いい方，かき方，「×」の符号をはっきりする。

○指導の反省

① 演算の意味の指導は特にたいせつであるので，じゅうぶん時間をかけたい。

② 練習問題の〝たしかめ〟の方法を，進んでいる子どもによく指導す

る。

③ テストの場合には，条件を同一にする。

④ $+\rightleftarrows\times$ ―― この指導がふじゅうぶんである。加法，乗法いずれの形でも書き表わせるように指導したい。

⑤ 判定――予定通り学習を進める。

〔第４時〕

○学習問題

「集まったお札は，どのようにまとめて，どのように数えると，わかり易いか」

○数学的内容

① 10円は10円，１円は１円と種類別にわけること。

② わけたお札は別々に数えること。

○指導の反省

① ひとりびとりの子どもが，どんな数え方をしているかを教師は知っていることがたいせつである。

② 一つずつ，とびかぞえ，九九といずれの数え方でした子どもの方法も，一応是認すること，そして，もっと能率的な方法に高めるようにする。

③ わけたお金をどのように並べると，数えやすいかを考えさせながら，いろいろな並べ方を子どもに考えさせる，――たてがよい。

④ 子どもの力を信頼して，もっと自由にやらせ，それを認めてやるとよい。教師の発言は，最少限でありたい。

⑤ おくれている子どもの方法をみとめ，もっと賞讃するようにしたい。

⑥ 判定――合格

〔第５時〕

○学習問題

「集まったお金を，計算でたしかめるには，どのようにしたら早くできるか」

○数学的内容

① 乗法の筆算形式と順序（繰上がらない場合の計算）

○指導の反省

① 演算の意味と計算の意味の混同したものがある。即ち，式と計算を混同しないようにしたい。

② 式を計算の形になおすことにじゅうぶん指導する。

即ち，$32\times3\rightarrow\begin{array}{r}32\\32\\+\,32\\\hline\end{array}\rightleftarrows\begin{array}{r}32\\\times\ \ 3\\\hline\end{array}$

③ この程度の計算は，やさしいと思っているが，案外できない子どもが多い，即ち，41×２の計算のできないものが，230人中72人もいた子どもひとりびとりをよく見ることがたいせつである。

④ 判定――次時に教えるというので合格としたが，明日の練習の結果をみて更に考慮する。

〔第６時〕

○学習問題

「今まで，いろいろなお勉強をしてきたが，今日は，じょうずにできるように勉強しましょう」

○数学的内容

① 今までの学習を，個人ごとに固定化し，一般化するための練習時間。

② 個々に，数え方の練習をする。

③ 個々に，カードと抽象数との結びつきを考える。

○指導の反省

① まだ，＋─→×，×─→＋になおせない者が多い。

② 1位と，10位の数字のもつ役割がよくわからない。

③ カードの操作は，いつも抽象数と結びつくように指導したい。

1 2
× 4 } できない子どもには，

× 4

→48 となおせないものがある。

④ カードの数え方が，とびかぞえのものが多い，よく個別にみて指導することが必要である。また，これを数字でおいて，数えられるようにしたい。

⑤ 判定　不合格，もう一時間指導する。

〔第7時〕

○学習問題は第6時と同じ。

○数学的内容は，次の関係を個人ごとにはっきりする。

① 12×4 ⇄ 12＋12＋12＋12

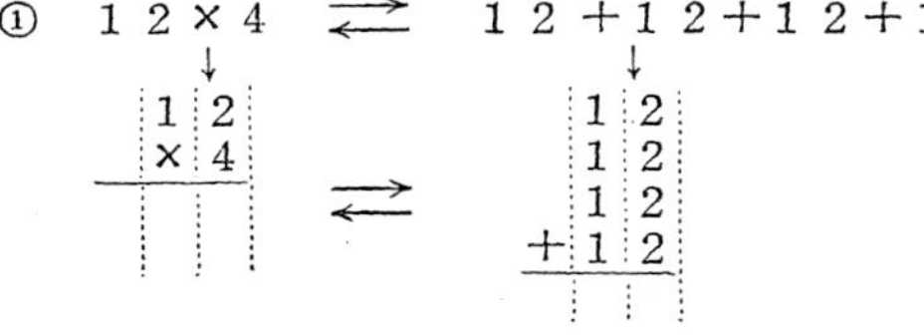

② 数え方

Cグループ　　Dグループ　　Eグループ

12
×4

× 4

＋

○指導の反省

① グループ学習に，十分時間をかけて，個人ごとの障碍除去につとめたので，学習効果は上った。

② 数え方のふじゅうぶんな子どもに対しては，特に，根気よく念を入れて指導しなくてはならない。

③ 合格

〔第8時〕

○学習問題

「集まったお金の1円や10円札が，たくさんになったとき，どのようにだすとわかりやすいか」

○数学的内容

① 両替えして，上の単位になおす。

（カードを動かす操作を通じて，繰上がりの理法を理解させる）

○指導の反省

① 計算の原理を，カード等を動かす操作を通じてよくわからせるようにする。即ち，同じお札が10枚になったら，上の単位のお札1枚ととりかえるということと，同じ単位のものはそろえるということである。

② ここでは，ほとんどの子どもはわかっているのであるから，進んでいる子どもには，練習問題を多くして自修，おくれている子どもをじゅうぶん見るようにしたい。

③ 合格

〔第9時〕

○学習問題

「金高を確かめるのに，どんな計算をしたらよいだろうか」

○数学的内容

① 乗法の計算形式の繰上がりのある場合について

○指導の反省

① 一斉扱いにかける時間を少くする。前時の学習がよくわかって，か

け算九九のできる子どもはすぐに計算練習に入るとよい。

② 繰上がった部分積を書く位置をよく指導すること。

③ 教師は，繰上がりのある加法のできない子どもについて，個別に指導の手を加えるようにするとよい。

④ 要するに，前時のお札を動かすのと同じであることを明らかにして，指導のすぢを通すようにしたい。

⑤ 子どもが，1円札がこんなに多くなったら困るということを，身をもって感じさせておけば，抽象数でもよく結びつくはずである。

⑥ かけ算九九のできない子どもには，特に時間をかけるとよい。

⑦ もう一時間，おくれている子どものために練習したい。

〔第10時〕

○学習問題は前時と同じ

○数学的内容

繰上がりのある計算であるが，一位数のみ繰上がる計算練習

〔第11時〕〔第12時〕

○学習問題

「次々と上のお札をとりかえるときの計算は，どのようにしたらよいか」

○数学的内容

① 2位数のみくりあがる場合の計算

② 1，2位がくりあがって3位にひびく場合の計算

〔第13時〕

○学習問題

「おさつが，全部上のものになる場合の計算は，どのようにしたらよいか」

○数学的内容

① 1位2位がくりあがって3位にひびく
② 2位が0になる
③ 1位2位が0になる
} くりあがりのある計算

〔第14時〕

○あらゆる形式の計算についての一般化，――綜合練習。

4 修正した指導計画 昭27.5.9～5.24 算数科指導案 第四学年

I 単元 お金あつめ

II 指導の目標

A 実際の場に於て，二位数に一位数をかける計算をする能力を伸す。

イ 同じ二位数を，いくつか加えるときには，一位数と同じように「×」を使うと，わかりやすい。

ロ 計算はその同じ数を被乗数とし加える個数を乗数として，十位と一位の数を別々にすると，かけ算九九を使ってできる。

ハ かけ算とよせ算を比べて，乗数は，被乗数の一の位や十の位の数字を何回加えればよいかを示したものである。

ニ 乗数が一だけふえると，積は被乗数だけ増えて行くことが分る。

ホ 二位数に一位数をかけて，繰上りのない計算が出来る。

ヘ 二位数に一位数をかけて，一の位で繰上る計算が出来る。又十の位で繰上がる計算が出来る。

B 具体的な経験を通して，被乗数と乗数を交換してかけても，積は変らないことが分る。

C お金は，渡す時も受取る時も，お札の種類毎に数えてまとめるとよい。

D お金は，枚数を少くするように工夫すると，数え易く誤りをおこさない。

E　掛算の確めは，寄算でもできるし，もう一度計算して見てもよい。

F　お金を出す時は，おつりのいらないようにつとめる。

Ⅲ　学習の展開

27. 5. 9　第一時の問題……１人当りのお金や集った人数が，すぐ分るように記録するにはどのようにしたらよいか。（グループの箇数を乗数とすれば，分り易く書き表わすことができる。）

8円×6……「8円が6つ」とよむ。

時間様式	学習問題	学習活動	指導のねらい	個人の指導点
一斉15分	・集ったお金や人数が，いくらあるかというのをわかり易くノートに書くのにはどうしたらよいか。			
	・8円のノートを6さつ買いました。お金をどのように並べたらすぐわかるでしょう。	・色カード(赤)で並べてみる。	・8円ずつ6個あることがすぐわかる並べ方にみちびく	
	・言葉ではどのようにいうとはっきりするでしょう。	・8円，8円，8円，8円，8円，8円， ・8円が6つである	・「はちえんとはちえんとはちえんと……」と言うより「はちえんがむっつある」と言った方がわかり易いことに気づかせる。	
	・ノートに書くにはどのように書いたら分りよいでしょう。	・8円+8円+…8円 ・8円×6		
	・「8円×6」はどういったらよいでしょう。	・8円×6は「はちえんかけるろく」とよむ。	・×のよみ方 ・×のいみ ・同数累加の場合は×を使うと簡単に書くことができる。	
	・「8円×4」はどんなことですか。	・8円×4は「8円が4つ」 8円+8円+…8円		
	・つぎのような場合はどう書いたらよいでしょう。 1 教室のまどガラス 2 抽象数の累加 5+5+5+5 7人+7人+7人+7人+7人+7人+7人+7人	5×4 7人×8	今迄のまとめ	
20分 グループ別指導 A B C D E	・プリントの練習問題をやってみましょう。	・（異数の場合・文章で書かれた場合）にはどのようにするか。 C.D.Eはカードで ↓ 抽象数でかく	・異数の場合でも同数とみなして考えることができる。 ・カードで正しく置くことができる。 ・カードで置いたのを抽象数で書くことができる。	
5分	・まとめ，8円のノート6冊では…をとりあげて黒板で整理する。		・×の記号はどんな時に使ったかをはっきりまとめる。	
5分	・テスト			

れんしゅうもんだい〔1〕の1　5月9日

(1)　ぜんたいのかずは，どのようにしきに書くとわかりやすいでしょう。

①　________

②　△△△△△△　△△△△△△
△△△△△△　△△△△△△　________

③　________

④ 1円 1円 1円 1円 ＿＿＿＿

(2) はなびらがいくつありますか。どのように書くとわかりやすいでしょう。

＿＿＿＿

(3) つぎのよせざんを×をつかって書きなさい。こたえはどれだけですか。

① 2＋2＋2＋2　② 5＋5＋5　③ 7＋7＋7＋7＋7＋7

④ 6＋6＋6＋6＋6　⑤ 8＋8＋8＋8＋8＋8＋8＋8

(4) つぎのかけざんを，＋をつかって書きなさい。こたえはどれだけですか。

① 2×7　② 3×4　③ 9×6　④ 1×9　⑤ 4×5

(5) あき子さんは，5円のはがきを7枚かいました。はらうお金はいくらですか。

① よせざんで書くとどのようになるでしょう。＿＿＿＿

② かけざんで書くとどのようになるでしょう。＿＿＿＿

(6) [7] [7] [7] [7] [7] [7] [7]　○カードのてんは，みんなでいくらになりますか。

○どんなやり方でしましたか。

れんしゅうもんだい〔1〕の2

(1) □の中にちょうどよいかずをいれなさい。

① 4＋4＋4＋4＋4＝4×□

② 9＋9＋9＋9＋9＋9＋9＝9×□

③ 8＋8＝□×2

④ 1＋1＋1＋1＋1＋1＋1＝□×□

(2) つぎのよせざんを，もっとかんたんにわかりよく書きなさい。

① 4＋8＋8＋4＋8＋4　② 8＋7＋7＋8＋10

③ 6＋8＋6＋8＋6＋8　④ 9＋10＋10＋9＋7

⑤ 6＋8＋4＋8＋4＋4＋8＋8＋6＋8＋4＋6＋6

(3) こどもが，6人1組になってなわとびをしています。ぜんぶのこどものかずは6×7とけいさんしてあります。6と7はなにをさしているでしょう。

6は ＿＿＿＿

7は ＿＿＿＿

(4) あきらさんは，あと4しゅうかんでおたんじょう日がくるそうです。あとなん日あるでしょう。式を書きなさい。

(5) 9円のりんごを6こ買いました。10円さつしかありません。

① 10円さつをなんまい出せばよいでしょう。

② おつりはいくらもらえばよいでしょう。

(6) みのるくんは，8円のノート4さつと，5円のえんぴつ7本買いました。いくらお金をはらえばよいでしょう。

① よせざんで書きなさい。

② かけざんで書きなさい。

(7) たろうさんたちは，左の図のように玉を入れました。

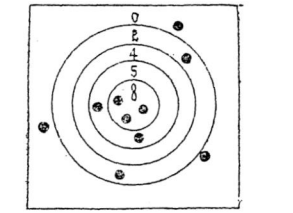

このせいせきを右のひょうにまとめなさい。

○てんはなんてんでしょう。

テストの実施方法

a テストの実際

1 名前を書いて下さい。

2　今日のお勉強は，みんなよく分ったと思います。これからテストしますから，よく考えて丁寧に書いて下さい。

3　先生が一回，1番から5番迄読みますからよく聞いて下さい。（文意をつかめるように補足しても差支えないが答を暗示する云い方は注意する。）

4　答は線の上に書いて下さい。

5　できた人は，裏返しておいて静かに待っていて下さい。

b　テストの処理の方法

1　7えん×5（7×5でも○　5×7は×）

2　4えん×3（4×3でも○　3×4は×）

3　5人×4　（5×4でも○　4×5は×）

4　5人＋5人＋5人（5＋5＋5でも○）

5　7×8　　（8×7は×）

全問題　正解した人数

誤算した人数

内訳
- 1番
- 2番
- 3番
- 4番
- 5番

算数テスト　5月9日

1　えんぴつ1本7えんです。1本ずつ5人買いました。どんな書き方をすると，1本のねだんやうれたかずがよくわかるでしょう。

2　お金が下のようにならんでいます。これを分りやすくしきに書くには，どのように書いたらよいでしょう。

3　5人＋5人＋5人＋5人を，もっとかんたんに分りよく書くと，どのように書いたらよいでしょう。

4　5人×3は，ほかのしきで書いたらどのように書いたらよいでしょう。

5　つぎのしきを，×で書きなさい。

7＋7＋7＋7＋7＋7＋7＋7は

27．5．10　第二時の問題……同じ値段の品をいくつも買った時，1個の値段や個数がすぐ分るように記録するにはどのようにしたらよいか。（グループの個数を乗数とすればよい。）

時間様式	学習問題	学習活動	指導のねらい	個人の指導点
一斉15分	○昨日は，お店やさんのお手伝いをしてもらいましたね。同じ値段の品をいくつも買った時のお札の並べ方や，いい方，書き方についてお勉強しましたが，今日は，その事をもう一度はっきりしましょう。 (1)前のお店で，1本4円の鉛筆を5本買いました。色カードで分り易く並べて下さい。 ・できた人は，まちがえないかどうかかぞえて下さい。			

	・言葉では，何といったらよいでしょう。どちらが分り易いでしょう。	・(4円，4円，4円，4円，4円，4円が5つ	・「よえんとよえんとよえんと……」というより「よえんが5つ」といった方が分りよいことを確認させる。	
	・ノートに書くにはどんなに書いたら分りよいでしょうどちらが分り易いでしょう。	・(4円+4円+4円+4円+4円 4円×5	・かけ算を使った方が見ても書いても分り易い事をはっきりする。	
	・かけ算で式を書いた時，1本の値段や，買った数がはっきり分りますか	・1本4円，5本買った。		
	・「4円×5」はどんなふうに読みますか。	・4円×5…「4円かける5」と読む	・×の読み方	
	・どんなことですか	・4円×5…「4円が5つ」ということ。	・×の意味	
	・よせざんでは	・4円×5…4円+4円+4円+4円+4円		
	(2)こんな場合もかけ算を使えますか。			
	・1冊5円のノート3冊と1箇2円の消ごむ1箇買いました。 よせ算でノートに書いて下さい。 かけ算でできますか。 ノートに書いて下さい。	・5円+5円+5円+2円 ・5円×3+2円	・異数の場合でも，同数とみなして×を使った方が簡単にできる。	
25分グループA別B指導	A，B，C，D別に目的指示（問題配布）			
	・AB，プリントの問題をやってみましょう。色々な場合かけ算でできる	・異数の場合 ・文章で書かれた場合かけ算で式に書く。		

	か考えて工夫してやってみましょう			
C	・C，カードで並べて分ったらノートに式を書いてみましょう。	・プリントの問題をカードで並べてからノートに式を書く。		
D	・D，4枚ずつのガラスのはいった窓が3つあります。ガラスは何枚でしょう。			
	・色カードで並べて下さい。			
	・かぞえて下さい。	・数え方→4，8，12		
	・どんなやり方でしますか。	・(4枚+4枚+4枚 4枚×3		
	・なんといったらよいでしょう。	・4枚が3つ		
	・プリントの問題をカードで並べてみましょう。(教師読んでやる)	・プリントの問題をカードで並べてからノートに式を書く。		
一斉5分	まとめ 6人ずつの班が4組あります。 (カードで並べ方は いい方は…… 書き方は……	6人が4つ 6人×4	並べ方，いい方，書き方，×の意味をはっきりまとめる。	
5分	テスト(プリント)			

れんしゅうもんだい〔1〕の1

(1) ぜんたいのかずは，どのように書くとわかりやすいでしょう。

①

②

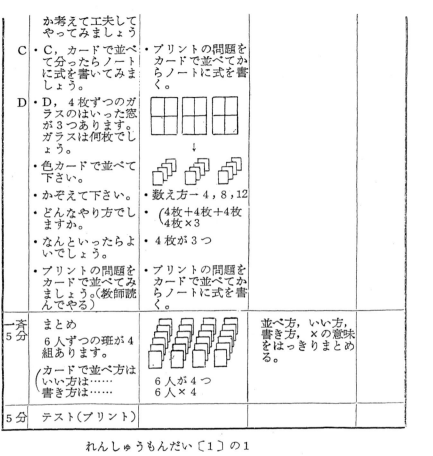

(2) りんごがひとさらに6つずつのっています。みんなでいくつあるか，どのように書くとわかりやすいでしょう。

(3) つぎのことばは，かけざんではどう書きますか。

① 8円が6つ ＿＿＿＿＿＿

② 5本が7つ ＿＿＿＿＿＿

③ 9まいが4つ ＿＿＿＿＿＿

(4) つぎのよせざんを，かんたんにわかりやすく書きなおしましょう。

① 5＋5＋5＋5　② 8＋8＋8　③ 2+2+2+2+2+2+2+2

(5) つぎのしきを，よせざんに書きなおしなさい。

① 4×7　② 1×3　③ 6×9

れんしゅうもんだい〔1〕の2

(1) あき子さんは5円のはがきを6枚かいました。はらうお金はいくらでしょう。

① よせざんで書くとどのようになるでしょう。

② もっとわかりやすく×をつかって書きなさい。

(2) ノートを9さつと，えんぴつを6本かいました。ノートは1さつ9円で，えんぴつは1本5円です。お金はいくらはらえばよいでしょう。

(3) つぎのよせざんを，×をつかってわかりやすく書きなおしなさい。

① 4＋8＋4＋8＋8＋4　② 7＋6＋6＋7＋7

③ 9＋9＋10＋10＋9＋10　④ 6＋8＋6＋8＋6＋8

(4)

上のように米だわらがつんであります。なんびょうありますか。

。どんなやり方でしたらよいでしょう。

(5) たろうさんたちは，下のずのようにたまを入れました。

。このせいせきをひょうにまとめなさい。

。てんはぜんぶでなんてんでしょう。やり方を書きなさい。

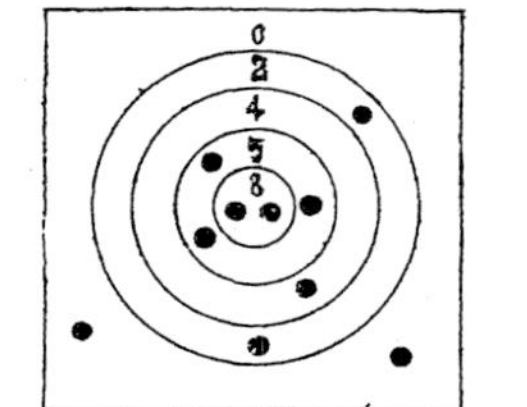

算数テスト 5月10日

(1) お金が下のようにならべてあります。ぜんぶでいくらあるかを，どんなやり方でしたらよいか書いて下さい。

(2) 7円のえんぴつを5本かいました。いくらお金をはらったらよいか，どんなやり方でしたらよいでしょう。

(3) 8人＋8人＋8人＋8人を，もっとかんたんにわかりよく書くと，どのように書いたらよいでしょう。

(4) 4人×3を，ほかのしきで書いたらどのように書いたらよいでしょう。

(5) つぎのしきを，もっとかんたんになおしてみなさい。

9＋9＋9＋9＋9＋9

27．5．12　第三時の問題……1人当りが，1個の値段が10円以上になっても×を使って書けるでしょうか。(グループの個数を乗数とすれば分り易く書き表す事ができる。)32円×3「32円が3つ」とよむ。

時間様式	学習問題	学習活動	指導のねらい	個人の指導点
一斉15分	• 昨日の勉強は，1冊が8円の時であった。今日は1人が10円以上になっても×を使って表すことができるかを考えましょう。 • 遠足のお金を1人分32円ずつ集めました。3人分のお金はどのように並べたらすぐわかるでしょう。			
	• カードで並べてみましょう。 (•色わけ(10円,1円) •1人分ずつ) • 10円と1円にわけて，1人ずつまとめたのは1番わかり易いですね。	• 色カードで並べてみる。	• 見易いように並べる。 (•10と1にわける •1人分をまとめる) 時に注意させる。 • 32円が3つある事がすぐ分る並べ方に導く。 • 32円はカードで並べると黄カード3枚と赤カード2枚である事をはっきりする。	
	• 言葉では，どのようにいうとはっきりするでしょう。	• 32円，32円，32円 32円が3つ	• 「さんじゅうにえんとさんじゅうにえんと……」というより「さんじゅうにえんがみっつある」と云った方が分り易い事を気ずかせる。	
	• ノートに書くにはどのように書いたら分りよいでしょう。	• 32円+32円+32円 32円×3	• 同数累加の場合は×を使うと簡単に書く事ができる。 • ×の読み方 • ×の意味	
	• 32円×3は，どういったらよいでしょう。	• 32円×3「さんじゅうにえんかけるさん」と読む。		
	• 32円×5は，どんな事ですか。カードで置いてみなさい。	• 32円×5 32円が5つ 32円+32円+32円+32円+32円	今迄のまとめ	
	• つぎのような場合は，どう書いたらよいでしょう。 1，班別の人数 2，抽象数の累加	21+21+21+21 12×3		
25分グループ別指導 AB(5分)	• プリントの練習問題をやってみましょう。 • AB，異る数がまざっている時にも簡単にやるやり方をよく考えて下さい。	• プリント問題(1)(2)をする。	• 異数がまじっている場合乗法を二回使ってやる。 • 異数を同数と見なして考えてやる。	
C(5分)	• C，確める時にカードで確めてみなさい。	• プリント問題(1)をする。	• 抽象数で書いた答をカードで確めさせて乗法の意味をはっきりさせる。	
DE(15分)	• DE，分らない時はカードを並べてプリントを間違えなくやりましょう。	• プリント問題(1)をする。	• カードを並べさせて抽象数に書かせる。	
5分	• 今日勉強したことをまとめてみましょう。 • 例　遠足代4人分はいくらでしょう	• 例に対し考え答える。 • 32円+32円+32円+32円 32円が4つと読む	• 32円のように1人分が10円以上になっても×を使うと1人分のお金と人数がはっきりする(同じものがいくつもある時はかけ	

		32円×4	算を使うと便利である。)	
5分	テスト			

れんしゅうもんだい〔2〕の1

(1) はやくぜんたいのかずをしるには，どのようにしたらよいでしょう。
（しきを書きなさい）

①

③

②

◇◇◇◇　◇◇◇◇　◇◇◇◇　◇◇◇◇
◇◇◇◇　◇◇◇◇　◇◇◇◇　◇◇◇◇
◇◇◇◇　◇◇◇◇　◇◇◇◇　◇◇◇◇

(2) つぎのしきを，もっと早いやり方になおしましょう。

① 3＋3＋3＋3　② 10＋10＋10　③ 23＋23＋23＋23

④ 45＋45＋45＋45＋45＋45　⑤ 18＋18＋18＋18＋18＋18

(3) ひろしくんはえんぴつを5ダース買いました。えんぴつはなん本か，早くしるにはどんなやり方でしたらよいでしょう。

(4) つぎのしきを，たしざんになおしなさい。

① 9×2　② 13×5　③ 25×4

④ 68×7　⑤ 50×9

れんしゅうもんだい〔2〕の2

(1) カードのてんは，みんなでなんてんになるでしょう。やり方を書きましょう。

17　17　17

17　17　17

(2) □の中に，ちょうどよいかずをいれなさい。

① 12＋12＋12＋12＝□×□　② 25＋25＋25＝□×□

③ 43＋43＋43＋43＋43＝□×5　④ 87×3＝□＋□＋□

(3) ひろしくんたちはてんとりあそびをして，下のようなひょうにまとめました。だれがかったか，どのようにしたら早くてんすうがわかるでしょう。

ひろし	15	15	20	15	20	20	15
あきら	15	20	20	15	15	15	15
はる子	20	15	15	15	20	20	20
ふみえ	15	15	15	20	15	15	20

∘ひろし＿＿＿＿
∘あきら＿＿＿＿
∘はる子＿＿＿＿
∘ふみえ＿＿＿＿

(4) つぎのしきを，かんたんにわかりやすく書きなさい。

① 32＋32＋32＋32　② 58＋57＋58＋58＋60

③ 15＋15＋15＋20　④ 12＋12＋24＋12＋12

⑤ 40＋40＋40＋41＋41＋40

(5) 絵本を4さつ買いました。どれも36円です。いくらはらえばよいでしょう。

∘やり方を書きなさい。

算数テスト

(1) お金が下のようにならんでいます。これをわかりやすくしきに書くには，どのように書いたらよいでしょう。

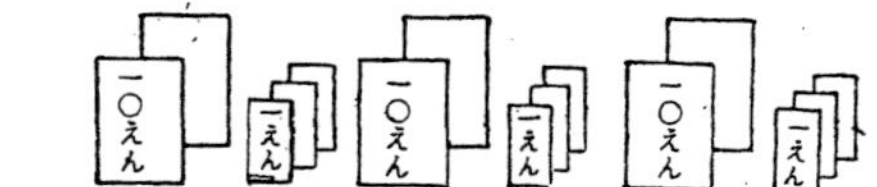

(2) りんご1つ12えんです。よし夫君は7つ買いました。いくらお金をはらったらよいか。ノートにどんなやり方で書いたらよいでしょう。

(3) 25人＋25人＋25人＋25人を，もっとかんたんに分りよく書くとどのように書いたらよいでしょう。

(4) 13人×3は，ほかのしきで書いたらどのように書いたらよいでしょう。

(5) つぎのしきを，×で書きなさい。

47+47+47+47+47+47+47+47は

27. 5. 13　第四時の問題……「集ったお金は，どのように数えておけば分り易いか。」（1と10を別々に数えてその位の下に数を書く。数え方に1，2，3，……の仕方，2とび3とびの仕方，九九を使う仕方と3つのやり方がある。）

時間様式	学習問題	学習活動	指導のねらい	個人の指導点
一斉15分	1，復習 • 昨日迄のお勉強は ①お金を集める時にどんな風に並べるとひとりびとりのお金や，何人持ってきたかが，わかるということでしたね	1，復習（約3分） ① 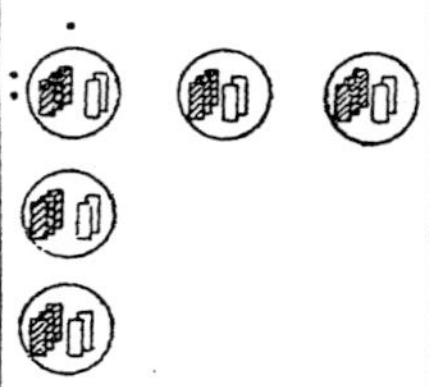	• 1人はいくらでしょうか（32円） • 何人ですか（3人） • 32円は黄と赤であること • ・と・・をおさえていく • 口でもいわせる（C，Dの子ども）	
	②もう1つは，それを書く時にはどんなに書くとよいかという事でした。 • 書けますね。並べられますね。 • 並べてみましょう • 書いてみましょう	②書く事 32円が3つ→32円×3 32円+32円+32円	• 32円が3つと書く 32円×3と書く 32× 3→ 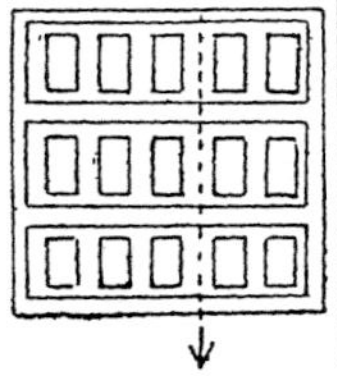	

時間様式	学習問題	学習活動	指導のねらい	個人の指導点
			数え方 • 1，2，3， • 2とび2，4，6， 3とび3，6，9， • 2×3 3×3	
	2，今日は，今並べたお札をどのように数えると早くできるか考えましょう	2， 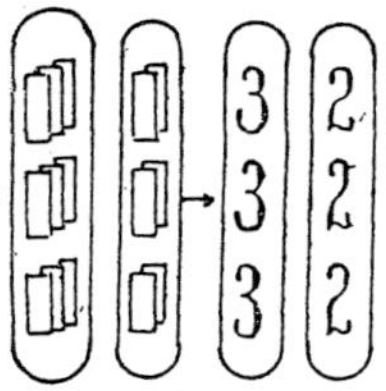	※わけて並べる事 • 32は黄3枚，赤2枚 • 32(数字)は30と2 • 3人の時は 黄が3つ 赤が3つ 30が3つ 2が3つ • 整理すると10は10 1は1で分けること。	
	①カードは何枚あるだろう。 ②どんな数え方がありますか。 a. ○○さんのように1つ2つ……と数える仕方がありますね。 b. △君のように2，4，6……と数える仕方もありますね。 c. □さんのように2×3が6という仕方もありますね。これでいいでしょうか。 • 黄色カードはどう数えますか（1の位と同じようにする） ③数えた数は，どこに書いておけばよ	• 1枚ずつ数える • 2とびに数える • 3とびに数える • 九九を使って数える 赤カードを数えてみる。 黄カードを数えてみる。 ③2×4 ②2，4，6，8 ①1，2，3，4……と数える。	• 1枚ずつより2とび，3とびが早く九九が1番早い事をしっかりわからせる。 • 子どもひとりびとりが，どんな数え方をするかをよくみていく。 • 能力に応じて色々でてくる（もっと早い方法を考えさせる） • 子どもにどんなに数えたかをいわせてみる。 • かき方	

	いでしょう。 ・赤はどこに書きましたか。 ・黄色はどこに書きましたか。 ④数字で書いた時はどうですか。 ・12円ずつ4人分集めた時はどう書きますか（上と同じ方法）	④ 12×4は　1 2 1 2 1 2 ×1 2	・わける事，かぞえる事が今日のめあてであることを，もう一度念を押す	
25分 グループ別指導	3，プリントで数え方を練習しましょう ・1枚目が終ったらよく確めて誤りがなければ2枚目をやりなさい。	・A，B，Cは主として自習 ・DE，数字で書いたものをカードで並べる。次に，数字でたし算の縦書にする。次に，数えて答を書く。	・特にDEに対しては 32×3は 3 2 / 3 2 / 3 2 と同じ事を，はっきりつかませる。 ・特にDEグループは，1つ2つの数え方からとんで数える仕方に高める事を，前に集めて指導する。	
5分 一斉	4，まとめ ・23×3は，たし算の縦書にするとどうなるか，ノートに書いてみましょう。 ・どのように数えますか。 ・答はどこに書きま	・ノートに書いてから話をする。	・×→＋の縦書（位取りを揃える） ・数え方（能力別） ・答の書く位置（位取りの下）	

	すか。			
5分	テスト			

れんしゅうもんだい〔3〕の1

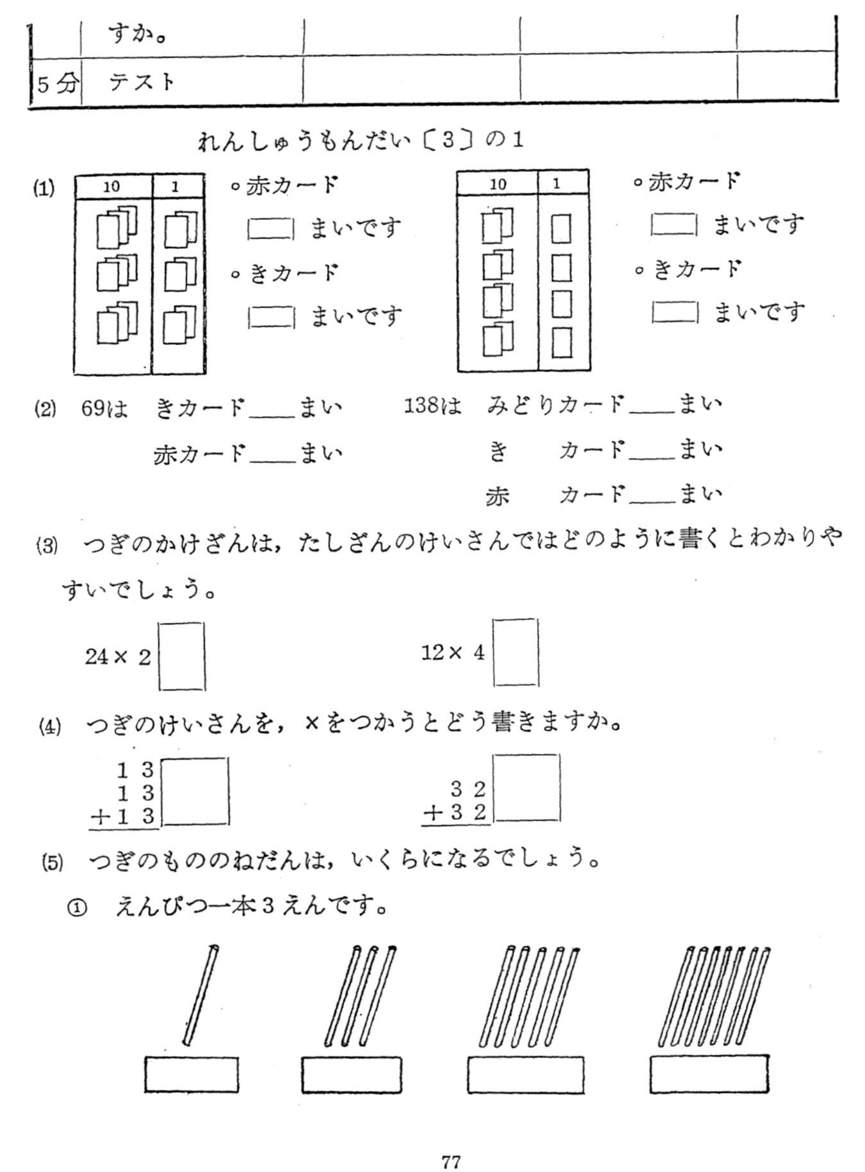

(1) 10　1　。赤カード　□まいです　。きカード　□まいです

10　1　。赤カード　□まいです　。きカード　□まいです

(2) 69は　きカード＿まい　赤カード＿まい

138は　みどりカード＿まい　き　カード＿まい　赤　カード＿まい

(3) つぎのかけざんは，たしざんのけいさんではどのように書くとわかりやすいでしょう。

24×2 □　　12×4 □

(4) つぎのけいさんを，×をつかうとどう書きますか。

1 3 / 1 3 / ＋1 3 □　　3 2 / ＋3 2 □

(5) つぎのもののねだんは，いくらになるでしょう。

① えんぴつ一本3えんです。

② ゆうびんはがき一枚５えんです。

れんしゅうもんだい〔3〕の２

(1) つぎのかずを，カードでだしてみましょう。

①

赤カード ＿＿まい

きカード ＿＿まい

②

赤カード ＿＿まい

きカード ＿＿まい

(2) ①赤カード７枚，きカード９枚をすうじで書いてごらんなさい。

②赤カード７枚，きカード３枚，みどりカード４枚をすうじで書いてごらんなさい。

(3) つぎのかけざんを，よせざんのけいさんでは，どのように書くとわかりやすいでしょう。

① 14×2　② 20×4　③ 31×3　④ 42×2

⑤ 40×2　⑥ 11×7　⑦ 12×4　⑧ 32×2

(4) つぎのけいさんを，×をつかうとどう書きますか。

① 11＋11＋11＋11＋11

$$\begin{array}{r} 11 \\ 11 \\ 11 \\ 11 \\ +11 \\ \hline \end{array}$$

②
$$\begin{array}{r} 21 \\ 21 \\ 21 \\ +21 \\ \hline \end{array}$$

③
$$\begin{array}{r} 33 \\ 33 \\ +33 \\ \hline \end{array}$$

④
$$\begin{array}{r} 43 \\ +43 \\ \hline \end{array}$$

⑤
$$\begin{array}{r} 24 \\ +24 \\ \hline \end{array}$$

⑥
$$\begin{array}{r} 41 \\ +41 \\ \hline \end{array}$$

⑦
$$\begin{array}{r} 12 \\ 12 \\ 12 \\ +12 \\ \hline \end{array}$$

⑧
$$\begin{array}{r} 20 \\ 20 \\ 20 \\ +20 \\ \hline \end{array}$$

算数テスト

(1) お金が下のように並んでいます。みんなでいくらあるか。どんなかぞえ方をしますか。

1えん

1えん

1えん

かぞえ方＿＿＿＿＿＿＿＿

(2) 下のたしざんは，どんなかぞえ方をしたら早くこたえがでるでしょう。

$$\begin{array}{r} 4 \\ 4 \\ +4 \\ \hline \end{array}$$

かぞえ方＿＿＿＿＿＿＿＿

(3) つぎのかけざんを，たしざんでたてに書いて下さい。

12×4　たしざんで

(4) つぎのたしざんを，たてにけいさんしてみましょう。

14＋25＋3 ＝ □

27. 5. 14　第五時の問題……「集ったお金」を計算で確めるには，どのようにしたら早くできるか。

（繰上らぬ場合）（筆算形式と順序）

時間様式	学　習　問　題	学　習　活　動	指導のねらい	個人の指導点
一斉15分	1，復習 。昨日のお勉強は，カードを早く数えられるような並べ方についてお勉強しましたね。 ・並べてみましょう ・書いてみましょう 。もう一つは，カードの数え方についてでしたね。どんな数え方がありましたか。 。数えた数は，どこに書きましたか。 ・赤は＿＿＿ ・黄は＿＿＿	1，復習（約5分） 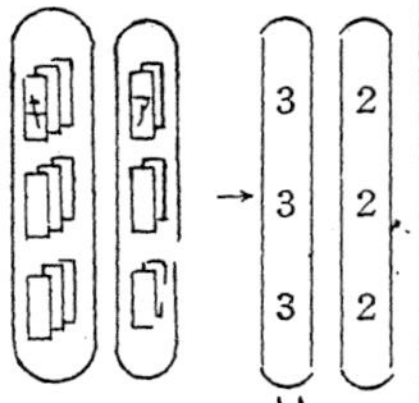 32× 3 ・1枚ずつ数える ・とんで数える ・九九を使って数える	※10は10 1は1 に分けて並べる。 ・九九が一番早いことをしっかり分らせる。	
	2，今日は，数字で早く計算をする仕方を考えてみましょう。 ・カードでは，どのように数えましたか。 ・どのカードから数えましたか。 ・答はどこに書きましたか。 この事を考えて，32×3の仕方を考えて，どう計算するかをきめノートに書きなさい。	2， 32 ←― 32 × 3　　＋32 　　　　＋32 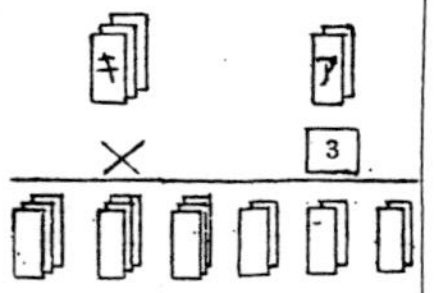 ・九九の順序 ① 2×3 ② 3×3 DEには， 32×3 → 32 × 3 → カードで並べて数える事を指導する 32円×3…… 32 ×②3 ）①…計算	・32が3つだから一の位の数にも十の位の数にも3をかける。 ・計算の順序は ①一の位から ②十の位 ③百の位 ・位取りを間違えぬ ・九九を使えない子にはとんで数えて計算させる。 ・今日のめあてである筆算形式と順序についてもう一度はっきりする。	
25分グループ別指導	・プリントで，計算の順序を練習しよう。 一枚目が終ったらよく確めて二枚目をやりなさい。 それでも時間があったらP31(2)(3)をやってみなさい。	・AB，は主として自習 ・C，カードで並べてたしかめる ・DE，カードを並べて計算し，次に数字でやってみるそして答を書く。		
5分	まとめ			

一斉	• 23×3を計算する時どう書くと計算しやすいでしょう • どんなふうに数えますか。 （1つずつ数える とんで数える 九九で数える） • 答はどこに書きますか。 （赤(1の位)は赤の下 黄(10の位)は黄の下） に書く。	（×3の意味 順序 答） • ノートに書く 23×3 ⇄ 23 ×3		
5分	テスト			

27．5．15　第六時の問題……今迄のお勉強をしっかり練習しよう。

（個々に数え方の練習やカードと抽象数との結びつきについて考える――練習第一時）

時間様式	学習問題	学習活動	指導のねらい	個人の指導点
一斉10分	• 今日は昨日迄のお勉強のおさらいをしましょう。一人残らず皆がはっきり分る迄やりましょう。 今迄のお勉強で，まだよくわからない事がありますか…… よくわかった事は…… • 1人21円ずつお金を持ってきた時，4人分ではいくら			

	あればよいでしょう。 （1人分のお金や人数がわかるようにノートに書いてみましょう。 たし算では………） どう計算しますか（かけ算） （色カードでは…… 色数字カードでは 数字では…………） （かける順序は…… 答の書く場所は…） よせ算では	•（21円×4 21円＋21円＋21円＋21円） 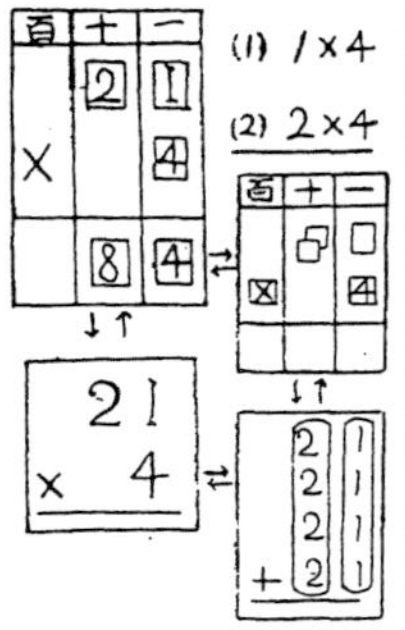 (1) 1×4 (2) 2×4 21 ×4 （(1)1×4　1，2，3，4， (2)2×4　2，4，6，8，）	• ×4の意味をはっきりする。 • 計算の順序をはっきりする。（位取りを間違えないよう） • 九九のできない子はとび数えでやらせる。	
30分グループ別指導 ABCDE	• 印刷した練習問題配布 間違わないように練習問題をやりましょう。できた人は確めをする。	• 練習問題で • カードで23円ずつ3人分おいて下さい。 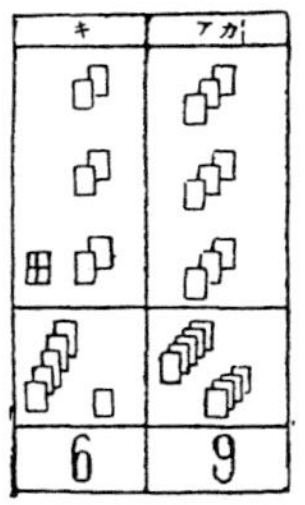 6　9		

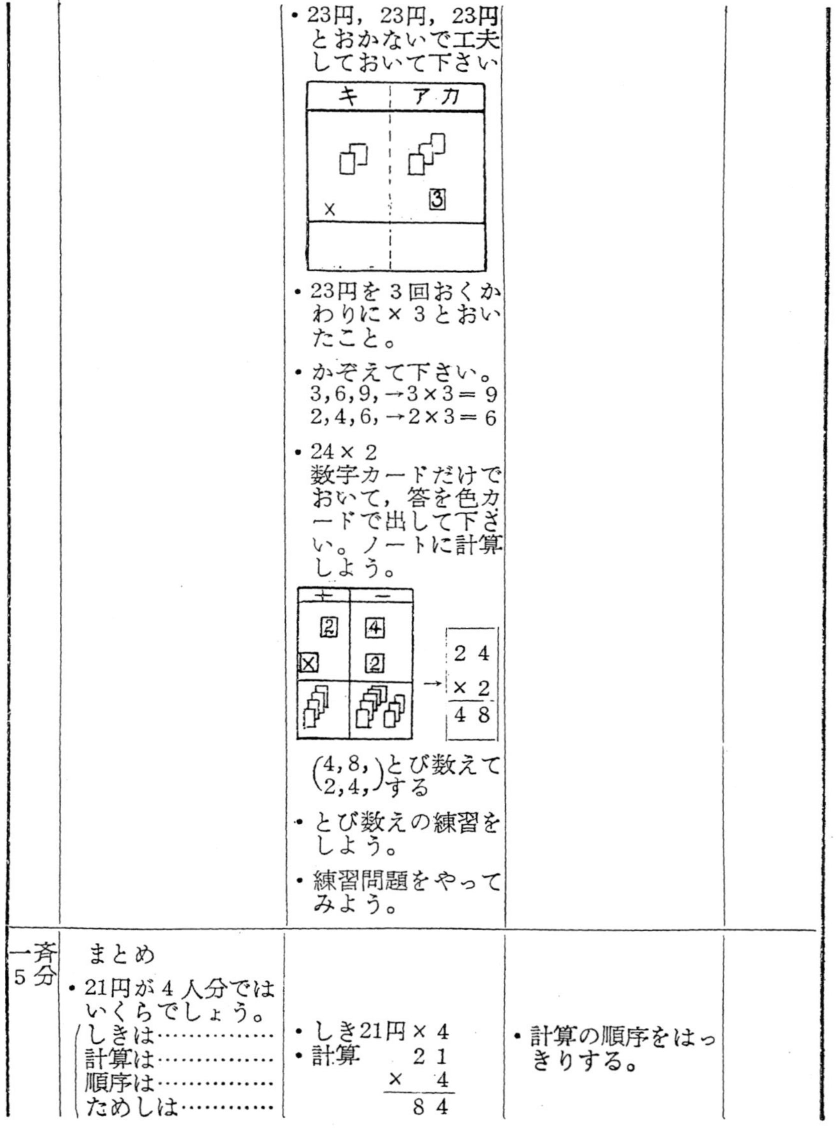

		・23円，23円，23円とおかないで工夫しておいて下さい ・23円を３回おくかわりに×３とおいたこと。 ・かぞえて下さい。 3,6,9,→3×3＝9 2,4,6,→2×3＝6 ・24×２ 数字カードだけでおいて，答を色カードで出して下さい。ノートに計算しよう。 (4,8,)(2,4,)とび数えてする ・とび数えの練習をしよう。 ・練習問題をやってみよう。		
一斉 ５分	まとめ ・21円が４人分ではいくらでしょう。 （しきは…………… 計算は…………… 順序は…………… ためしは…………）	・しき21円×４ ・計算　21 ×　4 84	・計算の順序をはっきりする。	

		・順序 {①1×4 ②2×4 ・(九九で とんで数える) ・答の書く位置は (1の位→ 1の位の下 10の位→ 10の位の下) ・試しは (九九を反対に寄算で)	・九九でできない子はとび数えでする ・答の書く位置をはっきりする。 ・試しは必ずする事
５分	テスト（印刷）		

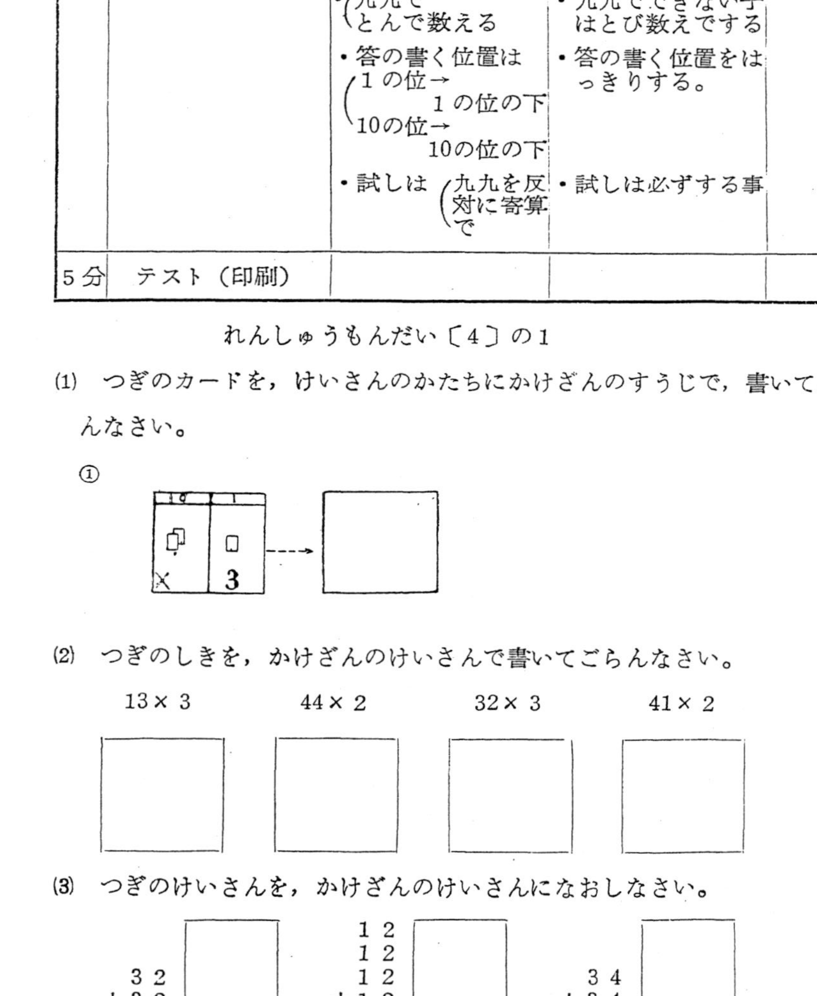

れんしゅうもんだい〔4〕の１

(1)　つぎのカードを，けいさんのかたちにかけざんのすうじで，書いてごらんなさい。

①

(2)　つぎのしきを，かけざんのけいさんで書いてごらんなさい。

13×３　　44×２　　32×３　　41×２

(3)　つぎのけいさんを，かけざんのけいさんになおしなさい。

$$\begin{array}{r}32\\+32\\\hline\end{array}\qquad\begin{array}{r}12\\12\\12\\+12\\\hline\end{array}\qquad\begin{array}{r}34\\+34\\\hline\end{array}$$

(4) ①

10	1
×	2
きカード　まい	赤カード　まい

②

10	1
×	4
きカード　まい	赤カード　まい

③

10	1
×	2
きカード　まい	赤カード　まい

(5) つぎのけいさんのじゅんじょを書いてごらんなさい。

31×3　①　②　　14×2　①　②

42×2　①　②　　12×4　①　②

23×3　①　②　　22×3　①　②

れんしゅうもんだい〔4〕の2

(1) つぎのけいさんをしなさい。

11×5　13×3　32×3　24×2　41×2

33×2　22×4　23×3　31×2　34×2

(2) 一郎さんがおかいものをしました。お金はいくらはらえばよいでしょう。

① えほん一さつ23円です。2さつかいました。

一さつ23えん

② りんご1こ12えんです。4こ買いました。

1こ12えん

③ キャラメル一こ20えんです。3こかいました。

1こ20えん

算数テスト

(1) つぎのかけざんのこたえを，色カードでこたえなさい。

12×4

2×4は□のカードが□まい

1×4は□のカードが□まい

(2) けいさんは，どんなじゅんにしますか。

32×3　けいさんのじゅんじょ　①　②

(3) けいさんのこたえをどこに書いたらよいですか。

3	4
×	2
き	あか

4×2のこたえは□に書きます。

3×2のこたえは□に書きます。

(4) けいさんしなさい

41×2

(5) けいさんしなさい

13×3

27．5．16　第七時の問題……昨日と同じ事を，もう一度しっかり練習しよう。（カードと抽象数の結びつきに重点を置く——練習第二時）

時間様式	学習問題	学習活動	指導のねらい	個人の指導点
一斉10分	• 今日は昨日と同じ事についてお勉強しよう。まだよくわからない人もあるようですから，今日は一人残らず分るように，よく考えてやりましょう。 • 1冊32円の絵本を3冊買いました。お金をいくら払ったらよいでしょう (しきは いい方は 計算は)(かけ算で カードで)	• しき，32円×3 32円＋32円＋32円 • いい方，32円が3つ	• ×3の意味をしっかりとらえさせる	
	計算の順序は (しき 計算)(よせ算で カードで)	計算 32円 × 3 = 96 ①2×3 ②3×3 32＋32＋32 = 96 (とんで数える 九九を使って) 9 6	• 計算の順序をはっきりする。 • D，Eはとんで数える。	
30分	• プリント配布			

グループ別指導	• 間違えぬように，練習問題をやりましょう。 • 九九の間違い易い場合は，カードを使ってとび数えでやりましょう。 • 試しはしっかりやりなさい。	• D，Eは間違い易い九九は色カードを使ってやる。 • 個人毎の障害の除去に努める。	• 個人毎の障害の除去に努めるよう，教師は留意する。	
一斉5分	まとめ	• 始めの一斉学習をはっきりまとめる		
5分	テスト			

れんしゅうもんだい 1

(1) つぎのけいさんをしなさい。

12 × 3	31 × 2	21 × 4	43 × 2	23 × 2	11 × 5	41 × 2	10 × 4
11 × 2	20 × 3	33 × 3	21 × 2	30 × 3	42 × 2	13 × 2	14 × 2
32 × 1	12 × 4	30 × 1	32 × 3	22 × 3	11 × 8	33 × 2	22 × 4
31 × 3	12 × 2	21 × 3	10 × 2	11 × 4	22 × 2	32 × 2	34 × 2
31 × 3	20 × 4	24 × 2	23 × 3	30 × 2	31 × 1	14 × 1	20 × 2
10 × 3	12 × 1	44 × 2	23 × 1	40 × 1	10 × 7	43 × 0	34 × 1
37 × 1	29 × 0						

(2) かけざんになおしなさい。

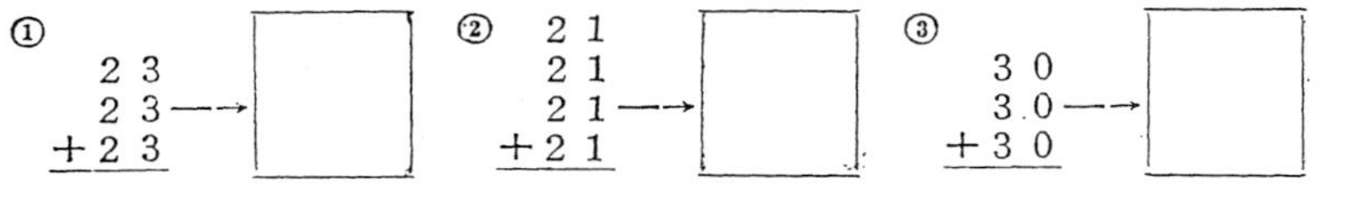

れんしゅうもんだい　2

(3) つぎの□の中に，ちょうどよいかずを書きいれなさい。

① 2＋2＋2＋2＋2＋2＋2＋2＋2＋2＝□

(　)(　)(　)(　)(　)(　)(　)(　)(　)

上の（　）の中に，2とびにかぞえたかずを書きなさい。

② 4×□＝48　31×□＝93　1□×2＝28　□2×3＝96　27×□＝27　10×□＝30　24×□＝00

③ 39×1＝□□　21×4＝□□　12×4＝□8　13×□＝3□　32×□＝9□　23×3＝6□　12×□＝□8

(4) かず子さんたちは，えんそくをしました。でんしゃちんは，1人ぶんが12円です。4人ぶんでは，いくらあればよいでしょう。

(5) ① くつはいくらですか（　　円）

② 3ぞくではいくらですか（　　円）

③ おかねのけいさんを，つぎのずでかんがえなさい。

100円	10円	1円
2	3	0
×		3

(6) 1円さつが10まいあります。どんなおさつととりかえると，かぞえやすいでしょう。□円さつ□まいととりかえます。

(7) 1円さつが24まいあります。10円さつ□まいと，のこりは1円で□まいにとりかえておけばわかりやすい。

90

(8) 10円さつ30まいは，100円さつ□まいとおなじです。

算数テスト

(1) □の中にあうすうじをいれなさい。

みほん

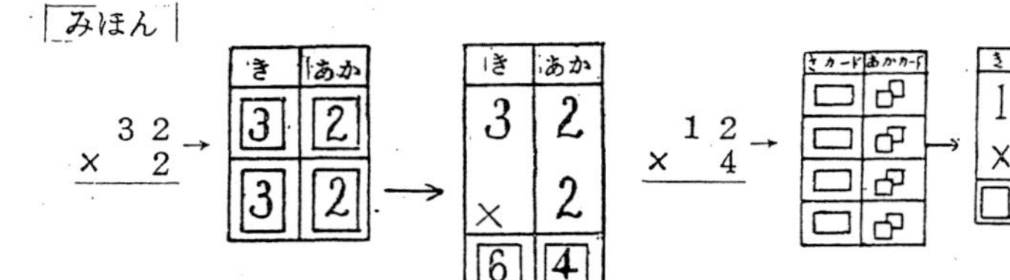

(2) つぎのかけざんをしなさい。

21×4　32×3　30×3　29×1

(3) こたえのただしいものに○をつけなさい。

27×1＝28　14×2＝28　34×2＝36　31×3＝93

27．5．17　第八時の問題……1円さつや10円さつがたくさんある時，どのような工夫をすると分り易くなるでしょう。

数学的なねらい　① 10円（10の位）と1円（1の位）を別々に数える。

② 10枚以上になったら，上のお札（上の単位）に繰上げると枚数が少くなって数え易い。

③ 数字の上で繰上げるのは，1円のお札を10円札と取りかえるのと同じである。

91

時間様式	学習問題	学習活動	指導のねらい	個人の指導点
一斉15分	1,23円ずつ3人分のお金が集ったら全部でいくらあればよいでしょう。			
	•計算してごらんなさい。	•計算を始める。	•かけ算で計算できるかどうかを確める。特にD，Eグループについて，誤算の実態を見て指導する。	
	•全部でいくらあればよいでしょう。	•69円と答える。		
	•1円札は何枚で10円札は何枚か。ノートしてみなさい	•お札の数をノートする。(1円札 9枚 10円札 6枚)と書く	•特にD，Eについて位取りのよくわからぬ子どもにはカードを出させてみる。	
	2,今日は4人持ってきました。お札がどれだけあればよいかしらべましょう。			
	•色カードを並べて数えてごらんなさい。	•カードを並べる。 •カードの枚数を，色カードの下にカードで置かせる。	•D，Eに対しては2とび3とびに数える仕方をカードを指しながら指導する。	
	•1円札は何枚になりましたか。	•12枚と答える。		
	•見ただけですぐわかるようにするには，どんな工夫をしたらよいか考えてみなさい。	•1円札12枚を見ただけですぐわかる工夫をする。	•12枚の10枚を，10円札1枚と取かえて黄カードの下につけ加えるとよいことに気づかせる。	
	•取かえた10円札をどこにおくと分り易いでしょう。	•次の事に気づく。	•右肩におく事に注意する。	

時間様式	学習問題	学習活動	指導のねらい	個人の指導点
		9 2	$\begin{array}{r}23\\ \times\ 4\\ \hline 92\end{array}$ この形式に発展させる含みを持つ。	
	3,もう一度，分り易くお札をだす仕方を練習しましょう 1人分17円です。5人分集まりました。カードを並べて数えてみましょう。	3,カードを並べて数える。		
	•並べたら，10円札と取かえて分り易くしなさい。	•台紙にカードを並べる。	•特にD，Eに対しては，1円札10枚を10円札1枚ととりかえる事に注意して指導する。	
	•答は(10円札何枚 1円札何枚)とノートしましょう。	•答をノートする。	•とんで数える事になれさせる。	
	4,お札がたくさんになるとわかりずらくなりますので，どんな工夫をするとよいでしたか。	4,大きいお札ととりかえる。		
	•1円札10枚は，何円札ととりかえますか。	•1円札 10枚は 10円札 1枚 10円札 10枚は 100円札 1枚	•10の位の数は10円札，1位の数は1円札として，はっきり身につけるようにする。	
	•10円札10枚は，何円札と取かえますか。	•お札の数がすくなくなって分り易い •上の事をしっかりとつかませる。		

25分 グループ別指導	・プリントで，今の事を練習しましょう。 お勉強の仕方は，いつもと同じです用意が出来たら始めなさい。	ＡＢＣＤＥにプリントを渡す。 ＡＢＣ		
	・Ｄ，Ｅに対しては ａ赤カードで26枚並べてみなさい。 きカードととりかえてみなさい。	・Ｄ，Ｅカードを並べて取りかえる。	・赤カード10枚になると，きカード１枚ととりかえるとよい。	
	ｂ３番に「１人13円ずつ６人持ってきたらお札はどうなるか。」というのがありますね。 ・１人分を机に並べてみなさい。			
	・６人分では，１円札は何枚になりましたか。 ・もう１回数えてみましょう。 ・３とびで数えられましたか。一諸に数えてみましょう	〔×６〕をカードで置いて，赤黄を数えて下に置く。 ・右指を１本折りながら６，12……と数える。	・Ｄ，Ｅに対しては１円が10枚以上になったら10枚をまとめて，黄１枚にとりかえる事をしっかり身につける ・これによって数の大きさの表わし方を，はっきりさせる事を心掛ける。	
	・18枚を10円札ととりかえて，分り易く並べてみましょう。	・１円札10枚を，10円札１枚にとりかえる。		
	・10円札は何枚になりましたか。 ・答をいってみなさい。 ・それを（10円何枚　１円何枚）と答に書きなさい ・あとの問題をつづけなさい。	・10円札を数える。		

５分 一斉	まとめ ・１円札はどこに置きますか。 ・１円札が多くなったらどうしますか ・10円札が多くなったらどうしますか	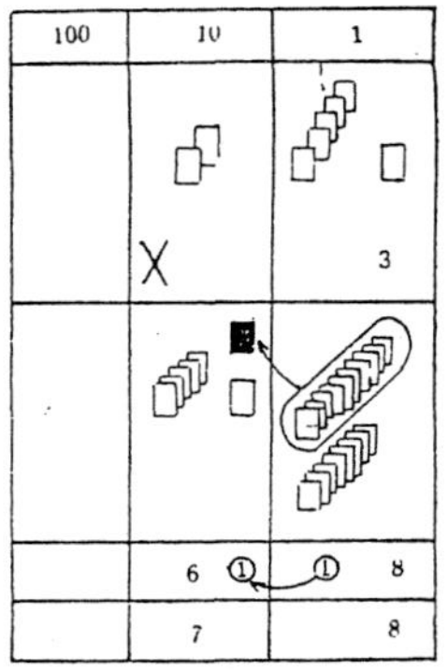 ・上のように図解して分らせる。		
５分	テスト			

れんしゅうもんだい〔８〕

(1)　26円は｛10円さつ □ まいと　１円さつ □ まいです　　237円は｛100円さつ □ まいと　10円さつ □ まいと　１円さつ □ まいです。

46円は｛赤カード □ まいと　きカード □ まいです　　136円は｛みどりカード □ まいと　きカード □ まいと　赤カード □ まいです。

(2)　赤カード24まいは｛赤カード □ まいと　きカード □ まいにとりかえられる。

赤カード56まいは｛赤カード □ まいと　きカード □ まいにとりかえられる。

赤カード 246 まいは｛赤カード □ まいと　きカード □ まいと　みどりカード □ まいにとりかえられる。

(3)　カードをとりかえて，すうじで書いて下さい。

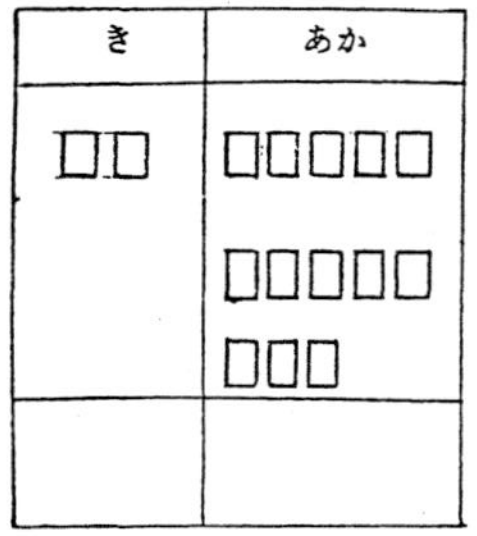

き	あか
□□	□□□□□ □□□□□ □□□

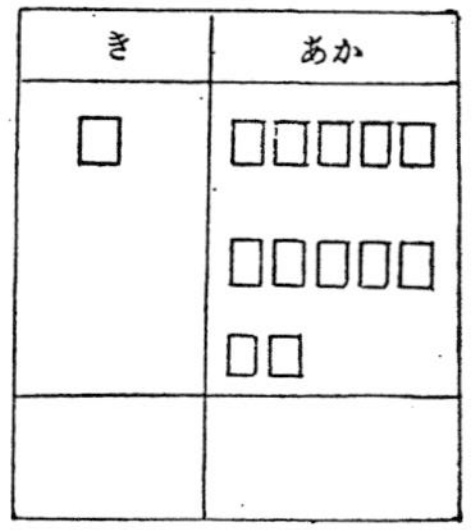

き	あか
□	□□□□□ □□□□□ □□

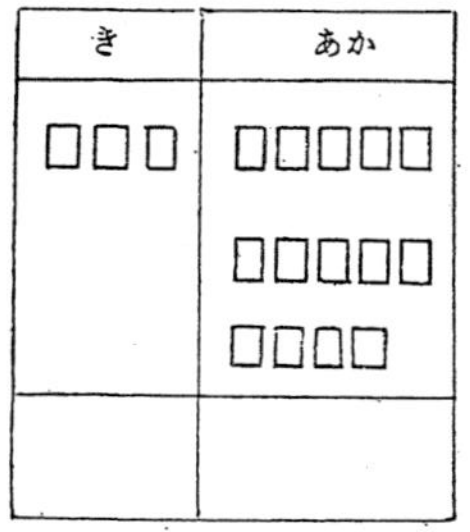

き	あか
□□□	□□□□□ □□□□□ □□□□

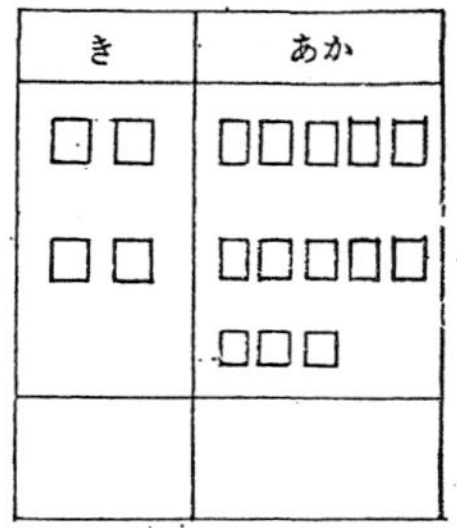

き	あか
□□ □□	□□□□□ □□□□□ □□□

(4) つぎのけいさんをしなさい。

48 + 9	91 + 9	12 + 8	59 + 8	45 + 7
38 + 8	39 + 3	87 + 9	48 +27	95 +19
89 +28	94 +47	15 +56	69 +37	19 +45
93 +49	145 + 26	256 + 36	249 + 35	236 + 45
586 + 95	516 + 85	408 + 43	786 + 96	245 +346
586 +136	495 +285	585 +216	455 +195	345 +275

145 +386	589 +385

算数テスト

(1) 156は あ か カード □ まい
き カード □ まい
みどりカード □ まいです。

(2) つぎのカードをとりかえて，すうじで書いてみなさい。

①

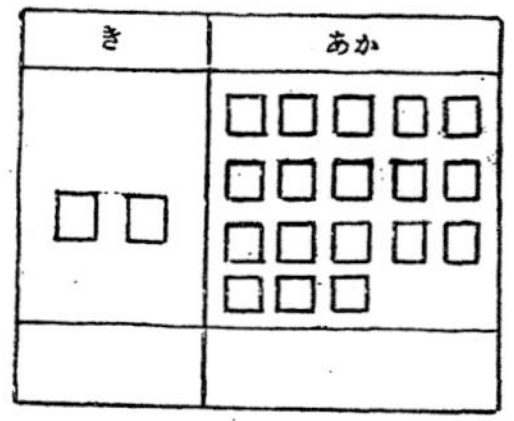

き	あか
□□	□□□□□ □□□□□ □□□□□ □□□

②

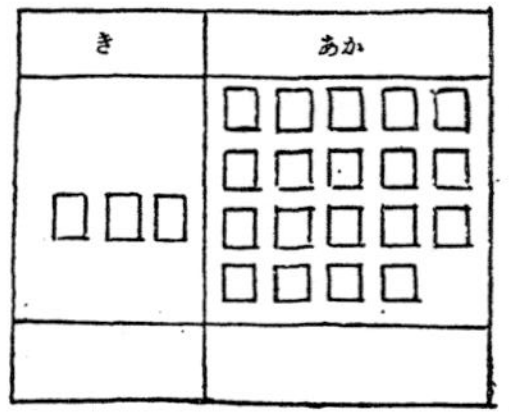

き	あか
□□□	□□□□□ □□□□□ □□□□□ □□□□

(3) あかカード34まいは＜あかカード □ まいと／き カード □ まいととりかえる。

(4) １円さつ４まいと，10円さつ３まいは，おさつをとりかえて
{１円さつ □ まいと
10円さつ □ まいにすればよい。

27．5．19 第九時の問題……集った金高をたしかめるのに，どんな計算をしたらよいか。

数学的なねらい……繰上りのあるかけ算の計算ができるようにする（１位数が繰上る場合）

a 部分積が10より大きい場合は，10位の数は100位の位置に繰上げる。

b 繰上るのは，１円札を10円札ととりかえるのと同じである。

時間様式	学習問題	学習活動	指導のねらい	個人の指導点
一斉15分	1, 土曜日に勉強した事はどんな事でしたか，分っている事を云ってみなさい。		・前時のねらいを，もう一度まとめる	
		a, お札をとりかえる	a, 赤カードと黄カードを別々に数える（九々を使ったりとんで数えたり）	
		b, 1円札10枚を，10円札1枚ととりかえる。	b, 10枚以上になったら上のカードととりかえる。	
		c. とりかえたお札は右肩に置く。		
	2, 今日は土曜日にお勉強した事を忘れないで，計算のやり方を勉強しましょう。 24円ずつ3人がお金を持ってきたら全部でいくらあればよいでしょう。			
	a, カードで並べて，考えてごらんなさい。	a, 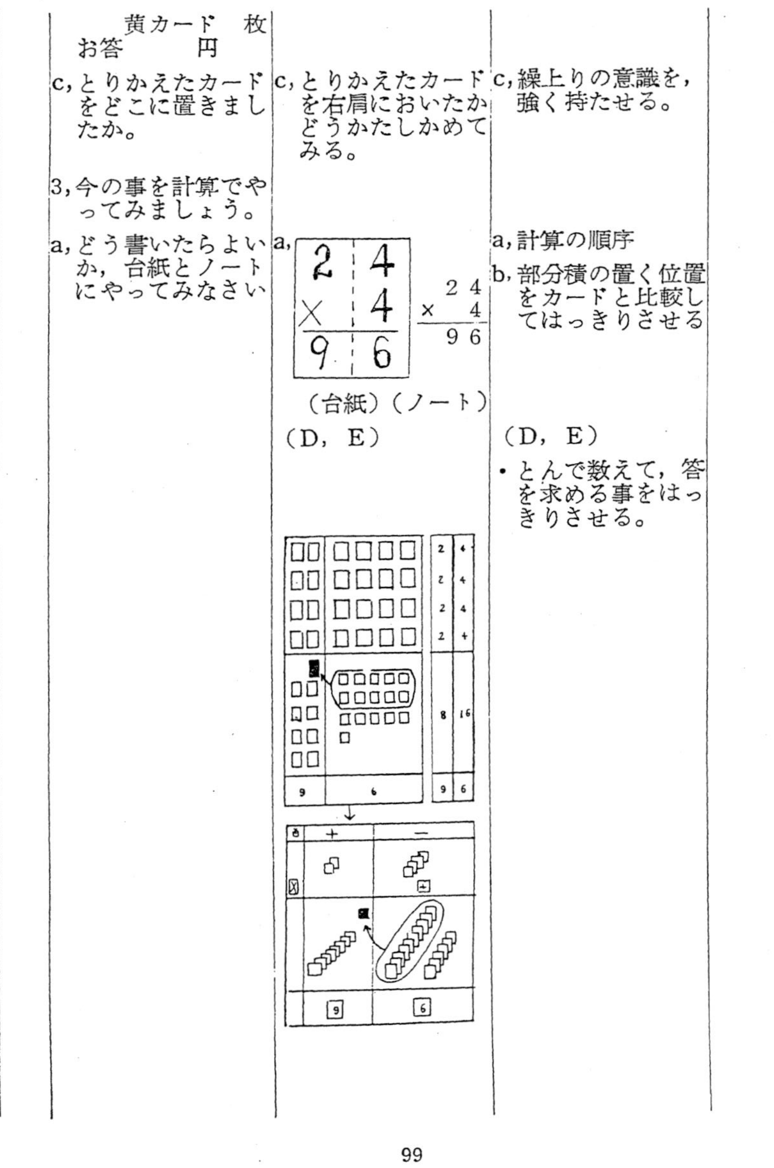	a, 赤カード10枚になったら黄カード1枚にとりかえなくてはならない。（D，Eはとんで数える事をなれさせる。）	
	b, ノートしなさい。 始め赤カード　枚 黄カード　枚 とりかえた後で 赤カード　枚	b, 並べてからノートする。	b, aの事をノートする事によりはっきりさせる。	

学習問題	学習活動	指導のねらい	個人の指導点
黄カード　枚 お答　円			
c, とりかえたカードをどこに置きましたか。	c, とりかえたカードを右肩においたかどうかたしかめてみる。	c, 繰上りの意識を，強く持たせる。	
3, 今の事を計算でやってみましょう。			
a, どう書いたらよいか，台紙とノートにやってみなさい	a, $24 \times 4 = 96$（台紙） $\begin{array}{r} 24 \\ \times\ 4 \\ \hline 96 \end{array}$（ノート） （D，E）	a, 計算の順序 b, 部分積の置く位置をカードと比較してはっきりさせる （D，E） ・とんで数えて，答を求める事をはっきりさせる。	

	b,繰上りがあった時はどうしますか。 4,今の事をよく考えて14円ずつ6人お金を持ってきたら全部でいくらあればよいかノートに書いてみなさい。	b,10位の数字を忘れずに書いて置く。次の部分積と加える。	b,繰上ったカードの場合と比較して繰上った数を小さくかいておく，（繰上りは，赤カード10枚を黄カード1枚ととりかえるのと同じである。）	
25分 グループ別指導	5,プリントで今の事を勉強しましょうもしも九九のよくできないものがあった場合は，カードを並べたり数字を並べてやってみなさい。 D，Eに対して • 1番の問題をやってみましょう。 • カードを並べて下さい。 • 1人分でいくら • 4人分でいくら • 赤カード何枚 • とんで数えてみましょう。 • 黄カード何枚 • とんで数えてみましょう。 • 赤カード何枚になったらとりかえられますか。 • 全部でいくらになりましたか，数字カードをおいてみ	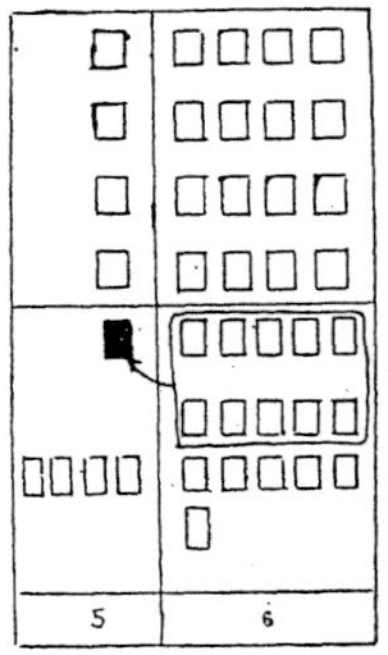	D，Eは • カードを並べてやってみる。 • とんで数えて答をだす。 • 10枚ととりかえる	

	なさい。 • お答を書いてみなさい。 • 次の問題をやりましょう。		• カードをみて答を書く。	
5分	6,まとめ • 繰上りの計算の時はどうすればよいのでしたか。	a,赤カードの繰上った数は，黄カードの所にしるしをつけておく。 b,黄カードの答と繰上った数とを加えて黄カードの所に書く。	a,部分積が10より大きい場合は，1位は10位の位置に繰上げる。 b,繰上げるのは，1円札を10円札ととりかえるのと同じ事である。	
5分	テスト			

れんしゅうもんだい〔9〕の1

(1) つぎのお金を，いちばんみよいだしかたで書いてごらんなさい。

56円＜10円さつ □ まい／1円さつ □ まい

1円さつ315まいは＜100円さつ □ まい／10円さつ □ まい／1円さつ □ まい

162円＜100円さつ □ まい／10円さつ □ まい／1円さつ □ まい

1円さつ506まいは＜100円さつ □ まい／10円さつ □ まい／1円さつ □ まい

(2) カードをとりかえて，すうじで書きなさい。

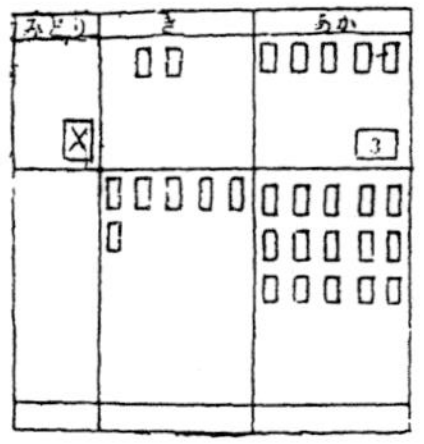

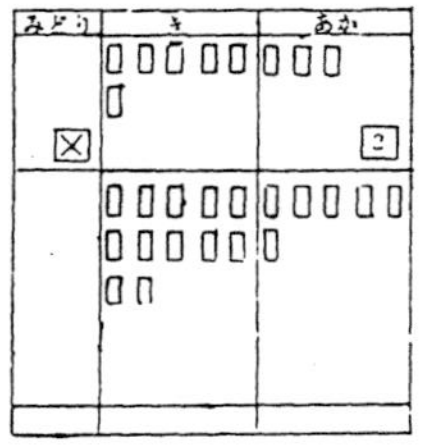

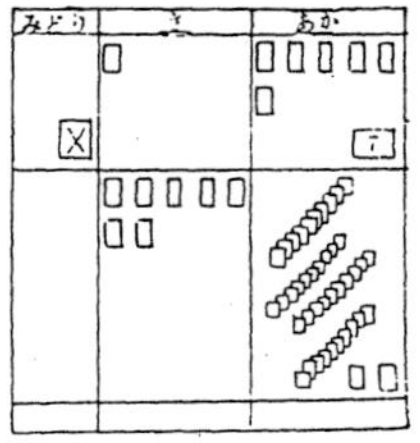

みどり	き	あか
☒	□□	□□□□□ [4]
	□□□□□ □□□	□□□□□ □□□□□ □□□□□ □□□□□

みどり	き	あか
☒	□□□□	□□□□ [5]
	□□□□□ □□□□□ □□□□□ □□□□□	□□□□□ □□□□□ □□□□□ □□□□□

※　できたらもういちどためしてみなさい。これでよいとおもったら，二まいめのれんしゅうもんだいをやってみましょう。

れんしゅうもんだい〔9〕の2

(1)　つぎのけいさんをなさい。

14 × 4	14 × 6	27 × 3	31 × 4	43 × 3
72 × 4	30 × 7	34 × 3	38 × 4	39 × 3
43 × 4	52 × 6	83 × 5	34 × 6	50 × 2
25 × 4	40 × 5	35 × 2	45 × 8	48 × 5

(2)　えんそくのお金あつめをしました。1人分82円です。いくらあつまったでしょう。

。よしおさんのはんは（4人）

やりかた　しき　　けいさん　　こたえ

。よしこさんのはんは（7人）

やりかた　しき　　けいさん　　こたえ

算数テスト

(1)　カードの下にすうじをいれて下さい。

10	1
□	□□□□
□	□□□□
□	□□□□
□	□□□□

こたえ {あか □ まい / き □ まい}

(2)　あかカード56まいは {き　カード □ まいと，/ あかカード □ まいです。}

(3)　25 × 3　　18 × 4　　13 × 5

(4)　46 × 4　　56 × 3

(5)　17 × 8　　44 × 7

27. 5. 20　第十時の問題……集ったお金の1円札がたくさんになった時，どのように出すとわかりやすいか。

一位数のみ繰上る場合の計算練習

時間様式	学習問題	学習活動	指導のねらい	個人の指導点
一斉10分	• お札には，どんな種類がありますか	• 1円，10円，100円 1000円，5円，50円，500円		
	• なぜ，こんなに色々のお札の種類があるのでしょう。	• 手数がかからないために		
	• 運動靴1足200円位しますね。1円札ではらったらどうでしょう。			
	• カードにも種類がありましたね。			

	カードでもお札と同じ事です。 • 昨日の問題で 18 × 4 の計算の違った人がだいぶありました。 • これは，どんな事でしたか。 • この計算の仕方を手数がかからないように色カードで答を出して下さい • 答が出たら，色数字カードで下においで下さい。 • 色数字カードで，今の事をやってみよう。 • ノートに書いて計算しましょう。	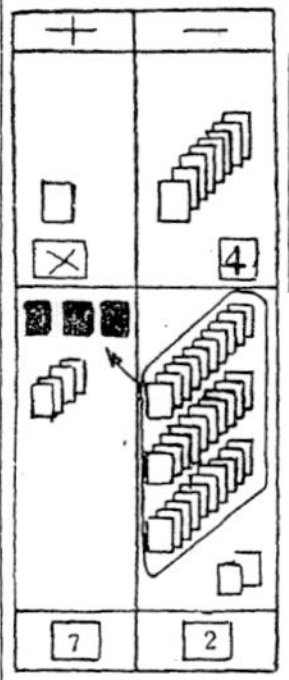 D，E は，色カードで4回並べる 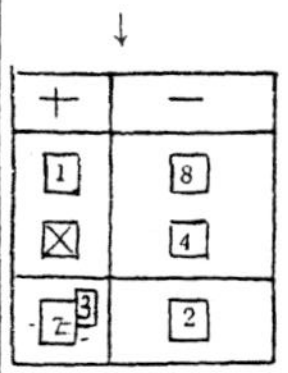 1 8 × 4 7³ 2	• 計算の順序 部分積の置く場所を考えて，赤カード10枚は黄カード1枚ととりかえなくてはならない。 • 計算の順序 部分積のおく位置をはっきりさせる繰り上った数を，忘れないように小さく書く。	
35分 グループ別指導	• 今の事をしっかり考えて，繰り上る場合の練習問題をやろう。たしかめは忘れずにすることに気をつけよう。	• D，E は色カードや，数字カードを並べてやってからわかったら数字でノートにやる。	• 計算の順序をグループごとにしっかりできるようにする。	
5分	まとめ • 繰上る場合の計算はどうするか。	• 赤カード10枚は黄カード1枚ととり	• 部分積が10より大きい場合は，次の	

		かえ，黄カードの答と繰上った数とを加えて黄カードの下に答を書く。	位にくり上げる。それは1円札10枚と，10円札1枚をとりかえるのと同じ事である。	
5分	テスト			

れんしゅうもんだい〔10〕の1

(1) つぎのけいさんをしなさい。

15 × 3	18 × 2	18 × 5	15 × 6	25 × 3
13 × 6	24 × 3	19 × 5	17 × 4	27 × 3
18 × 4	24 × 3	28 × 3	48 × 2	23 × 4
19 × 3	16 × 5	16 × 4	14 × 4	29 × 2
36 × 2	17 × 5	37 × 2	12 × 7	38 × 2
14 × 7	17 × 2	14 × 5	28 × 3	46 × 2

れんしゅうもんだい〔10〕の2

(1) カードをとりかえて，すうじで書きなさい。

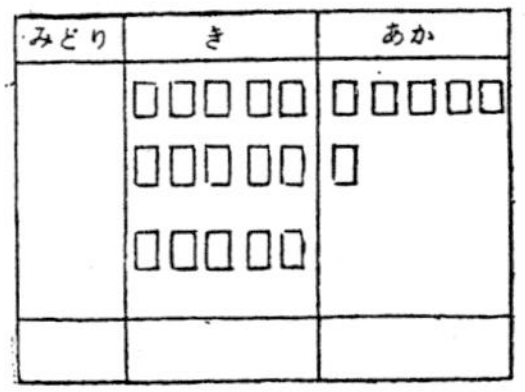

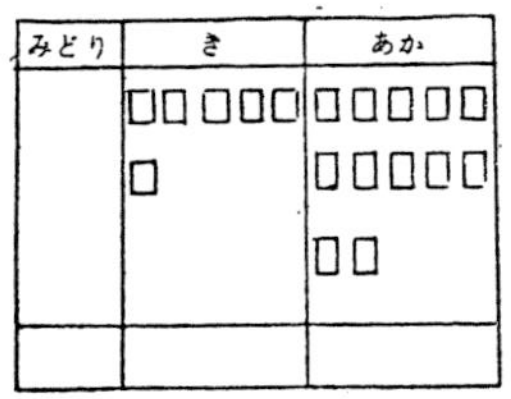

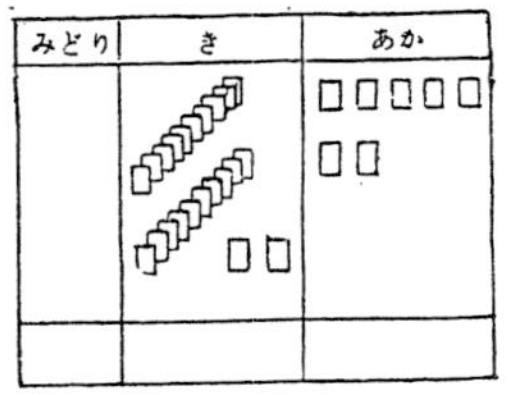

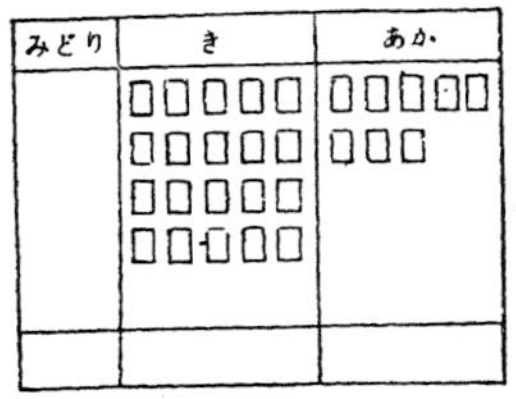

みどり	き	あか

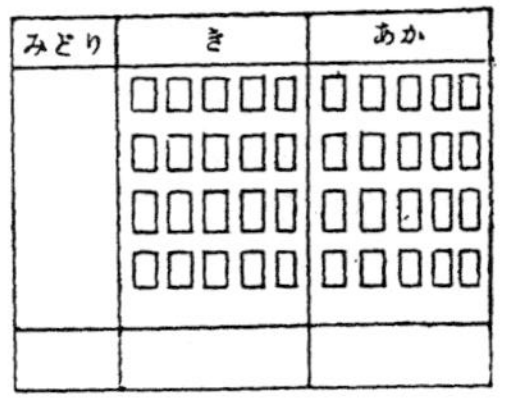

みどり	き	あか

(2)

62 × 4	42 × 4	82 × 3	91 × 3	73 × 4
84 × 6	31 × 3	18 × 3	12 × 3	43 × 2

(3)

35 × 4	70 × 7	35 × 4	23 × 4	73 × 6
19 × 6	76 × 4	56 × 3	86 × 2	91 × 8

算数テスト

(1) おこたえを，カードで下のえのようにならべました。これをすうじになおして答を書きなさい。

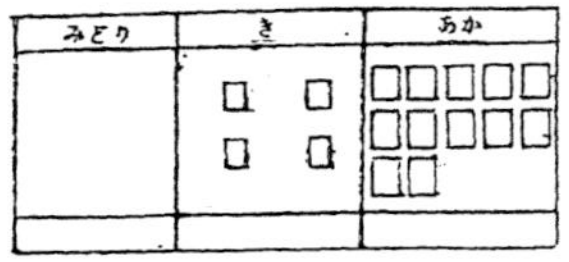

みどり	き	あか

こたえ　あか□まい
き　□まい

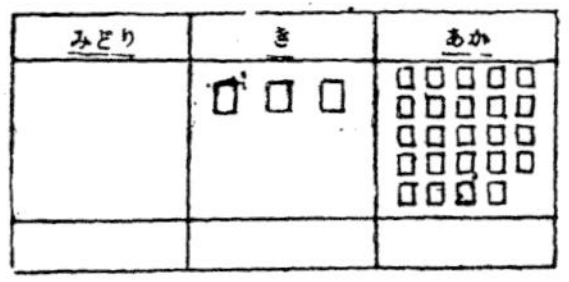

みどり	き	あか

こたえ　あか□まい
き　□まい

(2) つぎのけいさんをしなさい。

16 × 3	15 × 6	18 × 4

27. 5. 21　第十一時学習の問題……集った金高をたしかめるのに，どんな計算をしたらよいか。

数学的なねらい……繰上りのかけ算の計算ができるようにする（2位数が繰上る場合）

a　部分積が100より大きくなった場合は，繰上った100位の数は100位の位置にまちがいなくおく。

b　繰上げるのは，10円札を100円札ととりかえるのと同じである。

時間様式	学習問題	学習活動	指導のねらい	個人の指導点
一斉 5分	1, 昨日お勉強した事はどんな事でしたか。	a, お札をとりかえる 1円札10枚→10円札1枚 10円札10枚→100円札1枚 b, 数字の場合の繰上りは，上位の右肩に小さく書く。	・DE 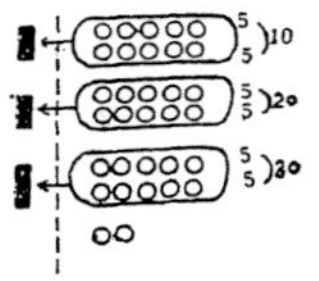	
	2, 今日は，昨日と同じ事をもう一度お勉強しましょう。34円ずつ4人がお金を持ってきたらいくらあればよいでしょう。 a, カードで並べて考えてごらんなさい。 ・色カードの下に，	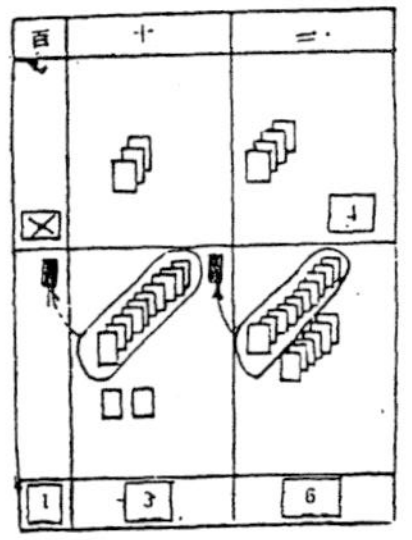	・赤カード10枚になったら，黄カード1枚とかえる。 ・黄カード10枚になったら緑カード1枚ととりかえる事をはっきりする。	

時間	学習活動	板書	留意点	備考
	数字カードを置いてごらんなさい。 3, 今の事を，ノートに計算でしてごらんなさい。	$\begin{array}{r}34\\ \times\ 4\\ \hline 1\,3'6\end{array}$ ・DEには 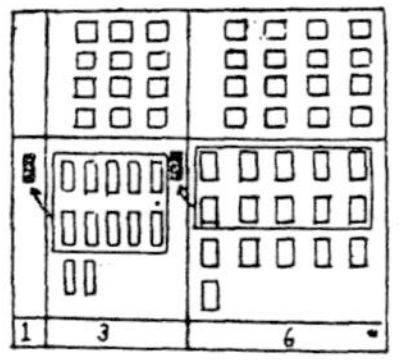	・とりかえたカードの置く位置 ・計算の順序 ・部分積の置く位置をカードと比較してはっきりさせる ・とんで数えて答を出す事をはっさりさせる。	
	a, 繰上りがあった時はどうしますか。		・黄カードの場合も赤カードの時と同じように，10枚になったら緑カード1枚ととりかえる事をはっきりする	
	4, 今の事を考えて，52円ずつ3人の場合をノートに計算して下さい。	$\begin{array}{r}52\\ \times\ 3\\ \hline 156\end{array}$	・数字の場合も同じようにすればよい	
25分 グループ別指導	5, プリントの問題で練習してみましょう。九々がはっきりしない人は，数字カード，色カードでやってもよい ・DEには36円ずつ4人ではいくらになりますか。やってみましょう。 ・カードを並べて下さい。 ・1人分は ・4人分は ・とんで数えてみよう。 ・赤カード何枚	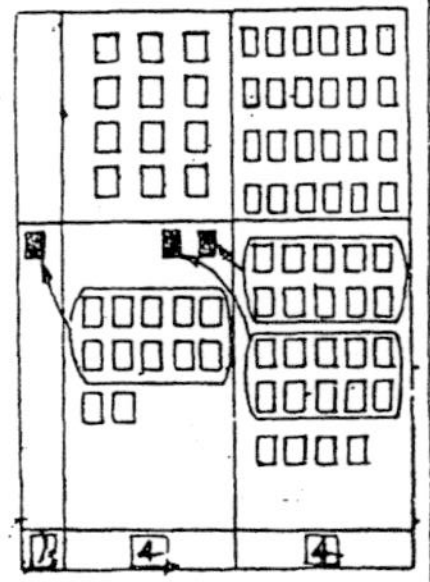	・DEはカードで ・とんで数える ・10枚はとりかえる ・カードをみて答を書く。	

時間	学習活動			
	・黄カード何枚 ・10枚になったら，上のカードととりかえて下さい。 ・いくらになりました。数字カードを置いて下さい。 ・お答を，ノートに書いて下さい。 ・次の問題をやりましょう。			
5分	6, まとめ 繰上りの計算の時はどうすればよいでしょう。	a, 赤カードの繰上った数は，黄カードの所にしるしをつけて置く。 b, 黄カードの答と繰上った数を加えて黄カードの所に書く。 c, 黄カードの繰上った数は，緑カードの所に書けばよい	a, 部分積が10より大きい場合は，10位の数は10位に，100位の数は100位に繰上げる。 b, 繰上るのは，1円札を10円札に，10円札を100円札に取りかえるのと同じである。	
5分	テスト			

れんしゅうもんだい〔11〕の1

(1)　つぎのけいさんをしなさい。

$\begin{array}{r}84\\ \times\ 2\\ \hline\end{array}$　$\begin{array}{r}62\\ \times\ 3\\ \hline\end{array}$　$\begin{array}{r}94\\ \times\ 2\\ \hline\end{array}$　$\begin{array}{r}52\\ \times\ 4\\ \hline\end{array}$　$\begin{array}{r}41\\ \times\ 7\\ \hline\end{array}$

$\begin{array}{r}51\\ \times\ 6\\ \hline\end{array}$　$\begin{array}{r}92\\ \times\ 4\\ \hline\end{array}$　$\begin{array}{r}83\\ \times\ 3\\ \hline\end{array}$　$\begin{array}{r}40\\ \times\ 5\\ \hline\end{array}$　$\begin{array}{r}85\\ \times\ 1\\ \hline\end{array}$

(2)　$\begin{array}{r}53\\ \times\ 3\\ \hline\end{array}$　$\begin{array}{r}41\\ \times\ 6\\ \hline\end{array}$　$\begin{array}{r}72\\ \times\ 3\\ \hline\end{array}$　$\begin{array}{r}52\\ \times\ 3\\ \hline\end{array}$　$\begin{array}{r}60\\ \times\ 3\\ \hline\end{array}$

92 × 4　　71 × 7　　43 × 3　　82 × 4　　93 × 3

(3) 74 × 2　　52 × 7　　31 × 5　　63 × 3　　42 × 4

93 × 3　　41 × 6　　81 × 7　　64 × 2　　50 × 4

(4) えんそくのお金あつめをしました。1人分85円です。

④ 1ぱんは6人です。いくらあつまったでしょう。

しき　　　けいさん　　　こたえ

⑪ 2はんは5人です。いくらあつまったでしょう。

しき　　　けいさん　　　こたえ

れんしゅうもんだい〔11〕の2

つぎのけいさんをしなさい。

(1) 22 × 6　　32 × 5　　42 × 7　　53 × 5　　66 × 4

82 × 6　　92 × 5　　84 × 3　　93 × 4　　73 × 4

(2) 62 × 7　　65 × 4　　74 × 3　　37 × 4　　39 × 5

24 × 5　　29 × 6　　33 × 9　　38 × 7　　47 × 6

(3) 43 × 5　　52 × 9　　64 × 5　　72 × 9　　83 × 6

75 × 6　　89 × 5　　68 × 4　　69 × 5　　63 × 9

(4) 78 × 4　　85 × 6　　37 × 6　　58 × 9　　66 × 8

49 × 7　　68 × 9　　76 × 7　　88 × 7　　38 × 6

28 × 6　　67 × 6　　58 × 7　　44 × 7　　88 × 8

算数テスト

(1) 下のカードをなおして，すうじでこたえを書きなさい。

100	10のくらい	1のくらい
	□□□□□ □□□□□ □□□□□ □□□□□ □	

（こたえ）あか □ まい
き □ まい
みどり □ まい

みどり	き	あか
	□□□□□ □□□□□ □□□□□ □	□□□□□ □□□□□ □□□□□ □□□□□ □□□□

（こたえ）あか □ まい
き □ まい
みどり □ まい

(2) つぎのけいさんをしなさい。

82 × 4　　93 × 3　　36 × 4

(3) これができたらえらい。

78 × 8　　69 × 3　　25 × 8

27. 5. 22　第十二時の問題……次々と，上のお札ととりかえる時の計算は，どのようにしたらよいか。

（1，2位とも繰上って3位に響く場合）

<table>
<tr><th>時間様式</th><th>学習問題</th><th>学習活動</th><th>指導のねらい</th><th>個人の指導点</th></tr>
<tr><td>一斉
10分</td><td>∘ 昨日お勉強した事はどんな事でしたか。</td><td>• お札をとりかえる
(1円札10枚→10円札1枚
10円札10枚→100円札1枚)
• 数字の場合の繰上りは右肩に</td><td></td><td></td></tr>
<tr><td></td><td>∘ 今日は，昨日と同じ事について，もう一度お勉強しましょう。
• カードで並べて，考えてごらんなさい。
• 色カードで答を出してごらんなさい</td><td>百 ＋ ー
☒ 4
2 5 6</td><td>• 赤カード10枚は黄カード1枚と，黄カード10枚は緑カード1枚とかえる事をはっきりとするとりかえたカードの置く位置に注意する。</td><td></td></tr>
<tr><td></td><td>• 色カードの下に，数字カードで答を出してごらんなさい。
• 今の事を，ノートに計算でやってごらんなさい。</td><td>$\begin{array}{r} 64 \\ \times\ \ 4 \\ \hline 256 \end{array}$
• D，Eは次のようによせざんでやる</td><td>• 計算の順序
• 部分積の置く位置
• 繰上りを加算する時は，間違えないように注意する。
(念頭で反射的に ↑
頭の中で ↑
指で数えたす ↑
書いてよせ算で ↑
カードで ↑)
(教師は，なるべく上に引きあげるようにする。)</td><td></td></tr>
</table>

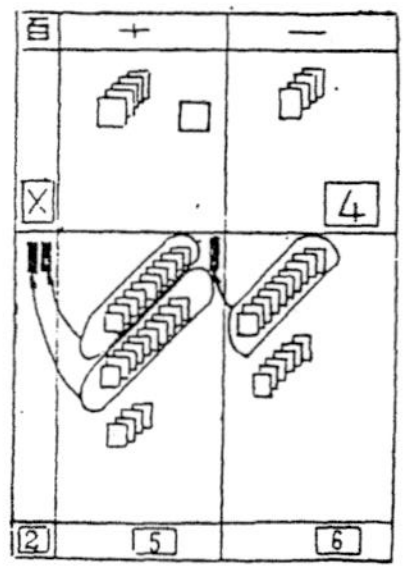

<table>
<tr><td></td><td></td><td>＋ ー
2 5 6
$\begin{array}{r} 64 \\ 64 \\ 64 \\ +64 \end{array}$</td><td>• とんで数える事をはっきりさせる。</td><td></td></tr>
<tr><td></td><td>• 繰上りがあった時はどうしますか。</td><td>• 赤カード10枚→黄カード1枚と
黄カード10枚→緑カード1枚と</td><td>• カードの場合も，数字の場合も同じである事をはっきりする。</td><td></td></tr>
<tr><td></td><td>• 今の事に注意して58円ずつ3人分ではいくらになるでしょう。ノートに計算ししごらんなさい。</td><td>$\begin{array}{r} 58 \\ \times\ \ 3 \\ \hline 1\,7^{2}4 \end{array}$</td><td></td><td></td></tr>
<tr><td>35分
グループ別指導
A
B
C
D
E</td><td>• プリント配布
今の事を考えて，色々な場合について練習しましょうできたら必ずたしかめをしましょう</td><td>• プリントをやるできたらたしかめる。
• 色カード，数字カードでやって分ったら計算する。</td><td>• D，Eはカードでとび数え，繰上りをはっきりわからせる。</td><td></td></tr>
</table>

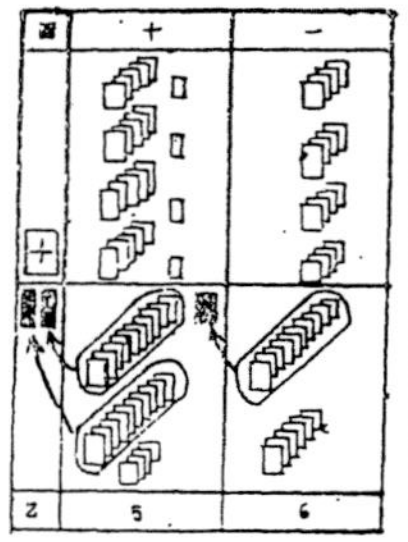

		(とんで数える 10枚はとりかえる カードをみて答を書く。		
一斉 5分	まとめ ・繰上りの計算の時はどうすればよいでしょう。	・本時の事をはっきりまとめる。	・(1円札10枚→10円札1枚 10円札 10 枚→100円札1枚 数字の場合も同じように繰上る場合忘れないように右肩に小さく書く。	

れんしゅうもんだい〔12〕の1

85 × 6	24 × 9	25 × 4	87 × 7	59 × 9
63 × 8	75 × 4	36 × 9	78 × 7	23 × 9
77 × 8	34 × 9	69 × 6	67 × 8	46 × 9
67 × 6	89 × 9	68 × 8	44 × 7	76 × 8
27 × 9	74 × 7	75 × 8	29 × 7	39 × 8
68 × 9	76 × 7	88 × 8	68 × 6	25 × 8
78 × 6	69 × 3	82 × 6	36 × 4	78 × 8

44 × 5	75 × 2	99 × 4	35 × 4	50 × 6

れんしゅうもんだい〔12〕の2

25 × 9	76 × 7	37 × 9	65 × 8	57 × 9
73 × 7	84 × 6	69 × 8	47 × 9	88 × 7
38 × 8	79 × 7	69 × 9	78 × 8	45 × 5
26 × 8	86 × 7	48 × 9	75 × 7	49 × 9
43 × 7	56 × 9	28 × 8	89 × 6	72 × 7
58 × 9	27 × 8	79 × 9	29 × 8	87 × 6
67 × 9	77 × 7	58 × 9	72 × 6	65 × 5
84 × 7	87 × 4	77 × 4	96 × 7	78 × 9

27. 5. 22　第十三時の問題……お札が全部上のものになる場合の計算は，どのようにしたらよいでしょう。

(1位，2位が繰上って3位にひびく。
2位が0になる。
1位，2位とも0になる。)

場合の計算

時間様式	学習問題	学習活動	指導のねらい	個人の指導点
一斉 7分	• 今日は，答が繰上る場合で答に０がつく場合の計算についてお勉強しましょう。 • 26円の品を４つ買いました。お金をいくらはらったらよいでしょう。 • 色カードで26円おいて数字カードで計算してごらん，答は色カードで置きましょう。 • できたらノートに計算でやってごらんなさい。	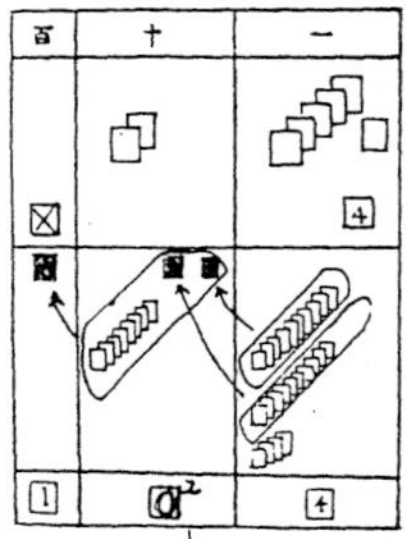 $\begin{array}{r} 2\ 6 \\ \times\ \ 4 \\ \hline 1\ 0^{2}\ 4 \end{array}$ • D，Eは，色カードで26円を４回おいて計算する。 ↓ 26 26 26 +26 （２とびに数えて ６とびに数えて） 答を出す	• 部分積のおく場所をよく考えて，答に０がつく場合についてはっきりする。	
	• では75円ずつ４人分ではいくらになるでしょう。ノートに計算してごらん。	$\begin{array}{r} 7\ 5 \\ \times\ \ 4 \\ \hline 3\ 0^{2}\ 0 \end{array}$	• １位，２位とも０になる場合の計算についてはっきりする。	
40分 グループ別指導	• プリント問題配布 • 今の事をよく考えて間違えないよう色々な場合についてしっかり練習しましょう。	ＡＢＣ • プリントをやる。 ＤＥ • 色カードで，66円↓×５を並べる 66 66 66 → $\begin{array}{r} 6\ 6 \\ \times\ \ 5 \\ \hline 3\ 3\ 0 \end{array}$ 66 +66 330 • プリントの練習問題を今のようにやってみましょう。		
3分	まとめ • 55円×８を計算してごらん。	$\begin{array}{r} 5\ 5 \\ \times\ \ 8 \\ \hline 4\ 4^{4}\ 0 \end{array}$ • 本時の事をはっきりとまとめる。	• ０になる場合についてはっきりする	

れんしゅうもんだい〔13〕の１

32 × 2	24 × 4	13 × 7	25 × 4	14 × 6
30 × 4	62 × 2	20 × 5	73 × 3	85 × 2
27 × 8	46 × 5	79 × 2	35 × 6	37 × 9

26×7　46×3　27×6　59×8　79×4

68×6　89×3　47×7　68×4　59×9

58×5　48×8　55×4　68×9　89×7

れんしゅうもんだい〔13〕の2

50×7　79×5　36×8　70×5　66×5

24×9　44×5　90×6　55×8　80×5

42×5　74×3　96×9　74×7　86×4

97×6　85×8　78×2　84×6　97×4

94×8　86×3　88×5　96×7　84×9

95×3　66×5　85×7　83×8　38×9

84×5　69×8　25×8　57×9　55×4

（注）おわったらたしかめて，きょうかしょのれんしゅうもんだいをやりましょう。

27. 5. 24　第十四時の問題……色々な形の計算について，しっかり最後の練習をしょう。

（あらゆる形式の計算についての一般化）

時間様式	学習問題	学習活動	指導のねらい	個人の指導点
一斉5分	・今日は最後の練習をしょう。 ・特に間違い易い問題についてやってみましょう。 ・67円ずつ8人分ではいくらになるでしょう。 （しきは……… いい方は…… 計算は………	しき……67円×8 いい方…67円が8つ 計算　67×8＝5 3[5] 6 ・D，Eは 67+67+67+67+67+67+67+67＝5 3[5]6　7とびに 6とびに	・繰上った場合，間違えぬように ・D，Eは，九九のできぬ時は，よせ算に書きかえてとんで計算する。	
40分 グループ別指導 A B C	・プリント配布 ・色々な場合の計算について間違えないよう計算しょう ・自分の間違え易い九九は，よせ算でとび数えて計算しよう。 ・終ったらたしかめて，間違いなかったら教科書の練習問題をやってごらんなさい。			
D E		・特に間違い易い九九が出たら，カー	・D，Eは，九九のむづかしいのは，	

		ドや数字カードを使ってやってみて答を出す。	とび数えでやる。	
一斉 5分	まとめ ・65円ずつ8人分では，みんなでいくらになるでしょう	・しき 計算　65円×8 65 × 8 5 2⁴0	・はっきりとまとめる。	

れんしゅうもんだい

24 × 3	15 × 8	28 × 4	88 × 5	52 × 6
55 × 4	75 × 2	28 × 7	48 × 5	28 × 9
74 × 2	62 × 9	49 × 3	73 × 6	65 × 5
65 × 8	59 × 9	67 × 8	78 × 9	75 × 4
70 × 7	18 × 6	51 × 9	65 × 7	22 × 8
54 × 5	38 × 5	76 × 5	55 × 8	48 × 5
75 × 8	84 × 9	66 × 5	26 × 4	62 × 5

5　学習の展開例

前項で，修正した指導計画を書いてきた。次にあるのは，そのうちの三時間分の学習の展開のようすを，速記録からぬきだして参考にしてもらうこと

にする。

(1)　第一時の演算の意味の理解についての学習展開例

(2)　第四時のお札の数え方についての学習展開例

(3)　第十時の繰上がりのある計算についての学習展開例

この3時間の例を引だしたのは，かけ算の学習において，演算の意味と，お札の数え方，更に，繰上りのある計算は，特に，重要であり，しかも，誤算をまねくおそれが多いと思われるからである。

まず，第一時の速記録をたどってみよう。

〔記載例〕

○印は，教師の発問
△印は，こどもの反応
—印は，板書事項

第1時　演算の意味の理解（5月9日(金)）

○　今日は，皆さんに八百屋さんになってもらい，番頭さんになったとき，どうしたらじょうずに，できるかの勉強しましょう。

○　きょうは，どんなことに注意してお勉強するか，書きますからよく見てください。

——　一つのねだんや　うれたかずが　よくわかるような　おさつの
ならべかた，　いいかた，　かきかた　——

○　よめますね，読んでごらんなさい。　　△　よむ，

○　ならべかた，いいかた，かきかたとあるでしょう。どんなやりかたが，一番よいやり方か考えて下さい。

○　さあ，皆さん八百屋さんの番頭さんでしたね，一つ8円のりんごが6つ売れました。おうちの人にお札を出すのにどんな並べ方がいいか考えてごらんなさい。

—— 一つ8円のりんご　　3つ ——

（こどもは考えながら作業をする，教師は，机間巡視）

○ やめてごらんなさい，考えている人は途中でもいいです。

○ 皆さんは，お約束を忘れてしまいましたね。黒板をもう一度見て下さい。一つのねだんや，うれた数がよくわかるような並べ方ですよ。

○ 先生が，見てまわりますから，自分でやってごらん。

△ 子どもは，それぞれカードを並べる。

○ よし，みなさんできたようですね，こんどは，できたから，3円のえんぴつ8本かいました。どう並べたらよくわかるでしょう。

—— 3円　　8　（教師は，DEグループに来る）

○ りんごいくつ売ったの，これじゃ三つじゃないの，これが一つ分でしょう，みんなで六つでしょう。

○ （AB班に対して）　ここの班は早いから，もう一つ問題をだしますよ。6円の小さな帳面を7冊かいました。

○ 一班二班の人はよくできましたね。早くできたから，こんどは少しむずかしい問題をだしますよ。8円のりんご六つ買ったでしょう。一つだけ，いたんでいたから，7円にまけます，一つだけ7円ですよ。

—— 8円　　5 ——

—— 7円　　1 ——

○ はい，やめましょう。Aさんがとてもじょうずに並べられましたから，黒板に並べて書いてもらいましょう。

（本校では，数をあらわすために，色わけのカードを使用した。即ち，1位は赤，10位は黄，100位は緑である，この色カードの大きさは，3cm×4Cm であり，1年から，6年まで全部共通の色わけであり，棒や数字をあらわす場合にも，この色わけの約束は同じである）

△ A児でも，黒板の貼布板に，次の図のように置く。

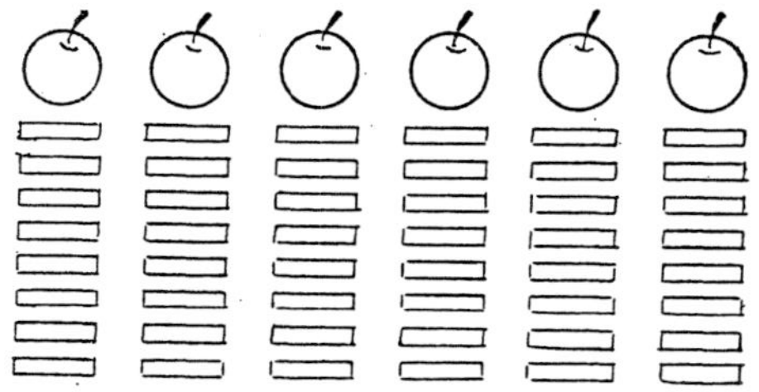

○ どうでしょうか，Aさんとてもじょうずに並べてくれましたね。

△ いいです，（こども賛成）（しかし，おくれている子どもはよくわからないらしいので，教師が補説する。）

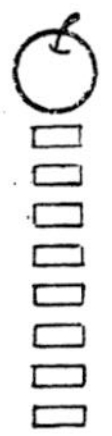

○ （A児の作業を指さして）

これは何ですか。

△ りんご一つのねだんです。

○ 下の赤カードは何ですか。

△ 一つ8円ですから，赤カード8枚並べました。

○ よくできました，りんごが一つ8円ですから，りんごの下に，8枚赤カードを並べたんですね。

○ ちょっと，注意しますよ。Aさんは，とてもじょうずに並べましたが，このように，カードを並べるときは，見ただけで，すぐわかるように並べるんです。並べ方のおかしい人は，並べなおしてごらんなさい。

○ 今考えたのは，一つのりんごのねだんでした。これが六つあるんでしたね。一つずつおさえてごらんなさい。

△ こどもは，並べられたカードを，一つずつ「これは一つのりんごのねだん，これは二つめのりんごのねだん」というように，一つのねだんと個数がわかるようにおさえていく。

（ここまでは，並べ方を指導したわけで，具体物を通して，確実に一つ一つをおさえさせることが必要である。時には，並べられたりんごとカードを右か左かに，一つ二つ……というように動かすようにすると，おくれている子どもでも，1このねだんや，その個数がはっきりわかると思う。

ここまでが，学習における一つの節である）

○　こんどは，みなさん番頭さんですから，奥にいる主人に，今りんごを六つ売つたでしょう。それを口で，主人にわかるようにいつてください。

○　おじさんが，ああそうとわかるようにいうには，どういったらいいんでしょうね，考えてください。Bさんどういう。

△　8円のりんごが六つ売れました。

○　Bさんは，8円のりんごが六つ売れましたというんだそうです。そのほかにないかな。こんないい方でもいいでしょう。8円，8円，8円，8円，8円，8円，これじゃどうですか。

△　よくわからない。

○　先生がいってみますよ。8円，8円，8円，8円，8円，8円だけ，りんごが売れました。もう一つは，8円のりんごが六つ売れました。どちらがよくわかるいい方かわかりますね。

○　黒板へかいて見ます。

——　わかりやすい，いいかた，8円が六つ　——

○　もう一つはよくわかりませんが，かいておきます。

——　8円，8円，8円，8円，8円，8円　——

（ここまでが，学習の第二の節である。ここでの指導で，特に，強調したいことは，常に学習は，比較研究の方法をとるようにするのがよいということである。どんないい方が，一ばんよくわかるかについて，確実におさえることが必要である。このように，学習は，一段一段おさえながら進ま

ないと，おくれている子どもは，とり残されることがある）

○　今は，よくわかるように，いってもらったんですが，これをこんどは，書いておいてもらいます。書きかたはどうしたらいいかのお勉強です。

○　どう書いたらよいか，ノートに書いてみましょう。

△　こどもは，それぞれノートをひろげて書く。

（教師は，机間巡視して，次の二つのやり方の子どもを見つけて，板書させる）

○　C子ちゃんとDさん，黒板へでてやってごらん。

C子　8円＋8円＋8円＋8円＋8円＋8円
D　8円×6

○　ふたりともよくできましたね，どちらもいいんですよ。だけど，どっちが早く書けますか，C子ちゃんの方ですか，Dさんの方ですか。

△　Dさんの方です。

○　そうですね。C子ちゃんのも間違いじゃないんですよ。こんなこと考えてください。3円のえんぴつ9本買ったとき，C子ちゃんのようにすると，

——　3円＋3円＋3円＋3円＋3円＋3円＋3円＋3円＋3円　——

○　たいへんでしょう。だから，こんなとき，もっと早く書ける方法は，

——　3円×9　——

○　ほら，こんなに早くかけるでしょう。どちらもまちがいではありませんが，同じお金をいくつもかぞえるときは，3円×9と書いた方が，早くてわかりやすいのです。ノートに書いてみましょう。

○　もう一つ（といって「×」を□でかこむ）これは何かわかりますか。かけ算のときは，これを使います。

○　では，あとは，このプリントにいろいろな問題が書いてありすから，

うんと練習してください。

（これからグループ別の学習に入る）

尚，上の学習は，約15分位で行った。実験指導の結果，この一斉の時間，即ち，学習のめあてをつかませる時間は，できるだけ短時間にして，次のグループ学習の時間を，できるだけ多くして，個人の障碍除去に心がけた方が，学習効果はあがることがわかった。指導は，あくまで個人ごとに，能力差に応じて行われなければならないのであるから，一斉扱いの時間が多ければ，多いほど，学習効果は低下するともいえるのである。一斉扱いの時間では，個人の障碍を除去することはできないからである。

次に，上に述べた速記録は，第一時の演算の意味をわからせるために行ったのであるが，ここで学習のめあてとされたのは，並べ方，いい方，かき方の三つであるが，実際に取扱ってみて，15分間にこれだけは無理であるという感じもした。それで，この三つを指導すると，どうしても，15分より長びくということになる，そこで，並べ方だけで1時間やって，いい方，かき方を次の時間にするといった方法をとった方がよいという反省をもっている。

いずれにしても，第一時第二時において，演算の意味については，具体的な行動を通して，思考のすじ道がわかるようにじゅうぶん指導することは，たいせつなことであると考える。

第4時　お札の数え方（5月13日(火)）

○　きのうは，ひとり分のお金がどれだけか，何人分かということがわかるようなお勉強をしました。復習してみましょう。

○　32円が3人分では，どういうふうにならべたらよいか，並べてごらんなさい。

――　３２円　　３人分　――

（その間に，教師は，黒板にカードを並べる）

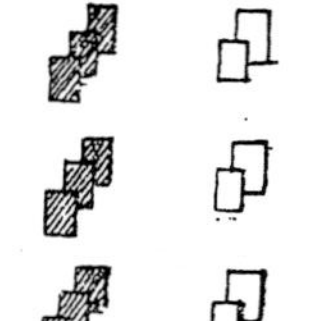

○　Ｉ君はどうして並べたか，みんなにわかるように，お話してごらん。

○　黄色何枚，　△　３まい，　○　赤は，　△　２まい，

○　赤と黄色を一しょにすると，おかんじょうできる。

△　できません。

○　黄色何枚と赤何枚で何人分ですか，　△　ひとり分です。

○　あと机に残っているのは，　△　ふたり分です。

○　お金を集めたり，かぞえたりするときは，10円は10円，1円は1円と別々にするんでしたね。

○　今の問題，先生が見てあるきますから，もう一度よく考えて，一番いい方法で置いてごらんなさい。

（子どもの並べ方を見てまわり，代表的な次の三つのならべ方を板書する）

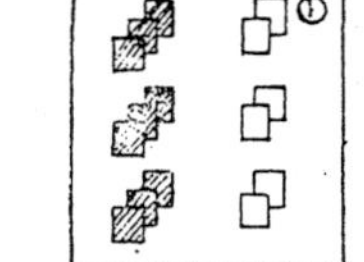

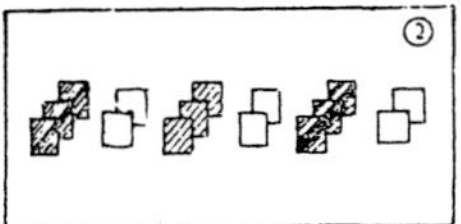

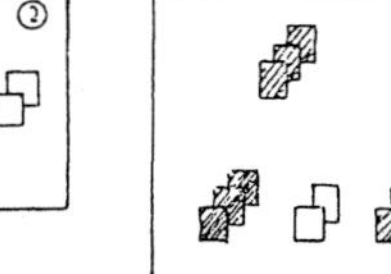

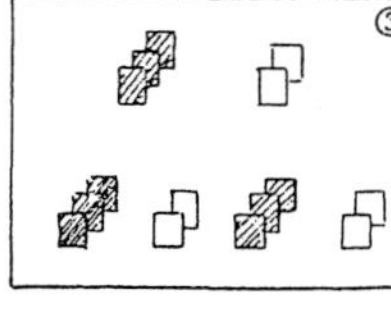

○　一人分がどれだけか丸をつけてごらん。

○　おもしろいですね，いろいろな並べ方がでてきました。①はたてに並べてある。②はよこ，③はばらばらですね。

○（前の図を指しながら）こんなふうにいろんな並べ方があるでしょう，

どれが，一番よいかを考えるんですよ。

△ たてです。　○ たてですか，　△ そうです。

○ 先生も，たての並べ方がよいと思う。この並べ方だと，まっすぐにすっと見ればよい。赤と黄をわけて，しかもひとりずつがよくわかる並べ方は，①です，

○ 今日は，並べ方がよくわかったから，この並んだお札を早くかぞえる，数え方についてお勉強してみましょう。

○ 書きますよ。

—— ならべ方に気をつけて，はやい数え方 ——

○ これいくらですか，　△ 3枚，

○ 黄3枚はお金だといくら，　△ 30円，

○ この赤2枚は，　△ 2円，

○ いっしょでひとり分いくら，　△ 32円，

㋖	あか
3	2
3	2
+3	2

(数字で書くときに，すぐ黒や白でかくと，混乱する子どもがあるので，色カードから，次の段階は，色付の数字にした，即ち，32の3は黄色で書き，2は赤チョークで書いた)

○ 数字で書くと，こうなりますね。

○ さあ，早い数え方をお勉強するのですよ。さっきのように，じょうずにカードを並べてごらんなさい。

○ いくらになるか，お答を下にカードで並べてください。

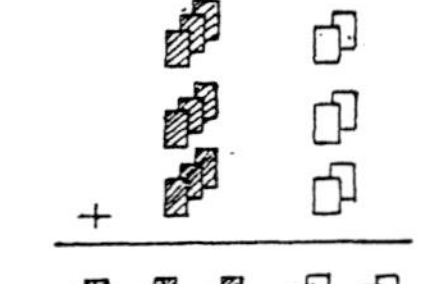

(教師は，机間巡視して，適切な指導をしていく)

○ みんなでいくらかといったら，どう数えますか。

○ 赤から，数えていきますね，みんなでいくつになりましたか，

△ 96です。　○ 赤カードは　△ 6枚あります，

○ どうして数えた。　△ 6あるから赤カードを6枚置いた。

○ 置いたのは，　△ 赤の下，

○ そのほかの数え方をした人はない。

△ 僕は，2，4，6とかぞえて，6と出しました。

○ いま，二つの方法がでましたので，書いておきましょうね。

—— 1，2，3，4，5，6 ——

○ もう，そのほかにないかな，

△ 2が三つあるから，2×3が6とかけ算九九を使いました。

○ もう一つでましたね，書いておきますよ。

—— 2×3＝6 ——

○ おもしろいでしょう，これを数えるにも，こんなにいろいろな数え方があるんですよ，どれもいい方法ですよ。

○ みんなで，この三つの方法をやってみましょう。

(指導の条件として，思いやりということが考えられる，今のように，一つずつ数えている子どもは，おくれていて，2とびのかぞえ方や，かけ算九九での数え方ができない子どもである，このような子どもが，やっと答えた一

つずつの方法を否定してしまったのでは，その子どもはいよいよ劣等感をもつであろうし，事実，この方法がわるいということは，いえないのに，我々はややもすると，素朴な方法は見すててしまい，童心をきずつけている場合が多いのである。とにかく教師の温い思いやりによって，おくれている子どもでも喜んで学習するようにしたいものである。

更に，考えねばならないことは，常に比較研究することを，学習の方法として忘れてはならないということである。一つずつの方法，とびかぞえの方法，かけ算九九の方法と，このどれも認めながら，一層能率のあがる早い方法はないものかということに気をつけながら学習を進めることは必要なことである。この意味において，比較研究は特にたいせつな学習の要素である)

○ 一番始めは，T君（おくれているこども）のやった方法，

○ 次は，Kさんの方法ですね，

○ さあ，今と同じように，黄カードを数えてみましょう，

○ 今までのお勉強をまとめてみますよ。お札を数えるには，赤カードから数えていく，その次は，数え方には，いろんな方法がありますが，一番早い方法は，かけ算九九を使う方法だということですね。

○ お帳面をだして，――12円×4――をかぞえやすいかき方でかいて下さい。それができた人は，カードで並べて，かぞえて答をだしてごらん。

（ここまでが，一斉学習の時間である，この時の記録によると，22分かかっているので，一斉扱いとしては，少し時間が長すぎた感じがする）

○ ここにプリントの問題をたくさんもってきましたから，練習しましょう。

次に，DEグループのこどもの指導を記録してみよう。

○ この近くの人は集まりなさい。

○ 21円が三つのときは，どう書くんでしたね。お帳面に書いてごらん。

△ ２１円×３と書く。

○ 数えるんですから，わかるように並べてごらんなさい。

△ ２１
２１
＋２１

○ よくできたから，数え方をやってみましょう。

△ １，２，３だから３です。

○ そう，それもいいけどもっと早い方法ない

△ １，３が３

○ そう，その方法がいいですね。１，３が３はかけ算九九でもできるでしょう。 ２×３，これはできるかな，

△ ２×３が６

○ 一つずつ数える方法じゃなくて，二つずつとんで数える方法だって，できるでしょう。一しょにやってみましょう。

△ ２，４，６，８，10，

○ よくできたから，20の方を２とびでかぞえてみなさい。だけど，この位なやさしい九九は使えたら，使った方がいいですよ。

（このようなグループごとの指導は，特に念を入れてする，考えておきたいことは，DEグループというように，一応グループ編成をしてはあるが，それは，あくまでも，指導のめやすのためで，個別指導を忘れてはならない。更に，個人差に応じていく指導に当って考えたいことは，教師の言葉をじゅうぶん注意して，決して，子どもが教師のことばによって劣等感をもたないようにしなくてはならない。次に，どの子どもも自分の能力に応じて，最大限の力をつくして考え，進んでいる子どもはあきて，他をさげすんだり，おくれている子どもは，わからないのであきてくるといったことのないよう細心の注意を払うべきである。要するに，学習効果があがったかどうかは，能力別グループ学習の指導が充実したかどうかにかかっていると考えて差支えないと思う）

最後に，本時のまとめのとり扱いをあげておこう。 ――（この時間約３分。）

―― ３２円 ――

○ このお約束わかりますね，カードでおくとどうなりますか。

△ 赤カード２枚と黄カード３枚です。

○ きちんとカードを並べると数えいいね。赤のところは赤ばかり，黄は黄ばかり並べるんでしたね。

―― ２１円が三つ ――

○ これを数えるには，三つの数え方があったね。みんなで，きょうならった三つの数え方をやってみましょう。

第10時 繰上りのある計算（５月20日(火)）

○ きのうと同じお勉強をもう一度しましょう。

○ お勉強をはじめる前に，少し，きのうの復習をしてみます。

○ お札には，どんなものがあるか，小さい方から順にいってもらいます。

△ １円，５円，10円，50円，100円，500円，1000円です。

○ 書いてみますよ。

―― １円， 10円， 100円， 1000円 ――

５円， 50円， 500円，

△ 50銭もあるよ。

○ そう，そう，だけど小さいから，きょうは考えないことにしましょうね。なぜ，こんなにお札があるんでしょうね。

△ めんどうだから，

―― めんどうだから ――

○ その外に，

△ おつりに困るから，

○ そうですね。たくさんお金を払うのに，１円札ばかりでは，とてもめんどうですね。また，大きいのばかりだと，今度は，おつりに困るね。

○ ５円や50円， 500円も，お金を数えるのに，便利だからできたんですよ。だけど，きょうは考えないことにしましょう。

○ １円が10枚で， △ 10円，

○ 100円が1枚は，10円札になおすとなん枚ですか， △ 10枚，

○ 100円は，１円札では何枚ですか， △ 100枚，

○ 1000円札は，100円札が， △ 10枚，

○ 1000円は，10円札だと， △ 100枚，

○ 1000円は，１円札が， △1000枚，

○ カードをだしてみましょう。カードはどうなっていますか，カードもお札と同じですね。１円は赤，10円は黄，100円は緑でしたね。

○ お札の約束とカードの約束は，同じなんですよ。ここのところをよくおぼえておきましょうね。

○ きょうのお勉強は，大きい数をだすのに，小さい数でだすと，たくさんになるから大変です。めんどうでないようにするには，どうしたらよいかということについてやってみましょう。

○ きのうのテストで一番ちがったのは，(3)番でした。「18×４」という問題です。これを色カードを使って，答をだしてください。

○ カードは，見てすぐわかるように，きちんと並べましょう。

（教師巡視）

○ できたようですから，やめにしてください。みんなで考えてみましょう。

―― １８×４ ――

○ １８×４というのは，どんなことですか。 △ １８が四つというこ

と。

○　この答をだすのには，どうしたらいいでしょう。やり方はいろいろありましたね。

○　一つずつかぞえる方法を，みんなでやってみましょう。

△　1，2，3，…………8

○　8までいきました，1回終り，左指を1本折りましたが，その次，

△　9，10，11，…………16，　○　はい，2回終り，

（こうして，32までかぞえる）

○　今は，一つずつの数え方でしたね。そのほかに，どんな数え方があったかな。　△　とびかぞえ

○　そう，いくつずつですか。　△　8つずつ，

○　それでやってみましょう。　△　8，16，24，32，

○　そう，いいですね。8が二つはいくつ。

△　16，　○　8が3つは，　△　24，

○　8が四つでは，　△　32

○　今のは，もっと早く，すらすらできるようになれば，九九ができたことなんですね，今の九九をみんなでやってみましょう。

○　8×1　△　8，　○　8×2　△　16，　○　8×3

△　24，　○　8×4，　△　32，

○　かぞえ方は，とてもじょうずにできたようです。赤カードは何枚になったんですか。　△　32まい。

○　どんなにおいたらいいか，考えてみましょう。先生がおいてみますよ。赤カードが32枚だから，赤カードの下に32枚おきました。これでいいのかな考えてみてください。B君（Eグループ）これでいい。

△　32の30枚をとりかえます。　○　何に，　△　黄色カード。

○　B君は，黄色カードにとりかえるといいましたが，いいですか。いいですね。では，B君に，黄カードととりかえてもらいましょう。

△　B児，赤カード30枚を，黄カード3枚ととりかえる。

○　よし，よし，うまくできた，B君ほめてあげましょう。

（例え，それは，ごくかんたんなことでも，おくれているB児にとっては，かんたんなことではない，学習における賞讃は，叱ることより，何十倍の効果があるかは，今更，論外のことである。どうしても算数学習において，叱ることが多いのに，賞めることが，少いのであろうか。それは，子どもの発達の程度を知らないからであり，ごくかんたんなことに，つまずきを感じている子どものことに思い到らないからではあるまいか）

○　さあ赤カードはできましたよ，今度は，黄カードですね，1が四つです。

△　4です，赤カードのとりかえた3とたして7です。

○　できたね，この問題でもう一度考えてみよう，

1	8
×	4
7³	2

○　8×4は，

△　32，

○　カードでないから，よく考えてください。

○　ちょっとまってくれ，32をカードと同じ色で書いてみようね，（といって，3を黄，2を赤チョークで書く）

○　32の3は，黄色がすから，1の下へ小さく書いてください，8の下には，赤い2だけ残るんでしたね，ここのところをよくおぼえて。

○　そうそう，人のじゃまするといけないから，線をひいておこうね，みんなもノートへ線を引いて（といって図のようにひく）

○　今までのお勉強をまとめてみますよ。きょうは，くり上がりのあるときは，10よりよけいになったときですね。このときは，どうしたらいい

かということですが，赤カードが10枚以上になったら，黄カード1枚ととりかえるということ，数字でやるときは，10より多くなったということを忘れてしまう人がいるから，よく気をつける。そして，上ととりかえた数は，10の位の右上に小さくかいてあとでたすと，わすれないでいいということですね，（このときに，口でいうのでなく，板書された例題を指しながら，まとめるようにする。）

グループ学習

○　1枚終った人は，ここに2枚めがあるから，もっていってやりましょう。だけど，1枚終ったというのは，ただやりっぱなしではだめですよ。必ず，自分でたしかめをするんですよ。たしかめの方法は，わかっていすまね。よくたしかめて，間違っていないと思ったら，自分で○をつけなさい。たしかめて，自分で○をつけない人には，あとで，先生は，○をやりません。そうして終ってから，2枚めに入るんですよ。さあ，頑張ってやりましょう。

○（D，Eグループ）この近くの人，先生のところへいらっしゃい。15×3をやってみよう。どんなやり方でもいいからやってごらん。（こども反応なし）よし，じゃ，カードを並べてごらん。

○　5が三つだね，教えてみよう，5，10，15と数えたね。

○　今度は1×3だね，　　（赤でおく子どももあり）

○　それでいいかな，赤かな，△　黄色です，○　そうそう黄色カードです。

○　黄色で　　△　3まい，

○　みんなで考えましょう，赤が15枚，黄が3まい並んだね，これでいいのかな，（6人の中2人わからない）

△　先生，15枚とりかえます。　○　どれと，　△　黄色，

○　よし，カードでとりかえて，答をだすことはできたね。いくつになったかその下に答を書いてごらん。　△　全部　45とかく。

○　いまわ，カードを全部おいていったけど，ちがう方法でできないかな，他の人のように，15が3回だから，「×3」としてできないかな。

このお勉強をあしたしましようね。だからきょうは，今までのことをカードを使って，よくお勉強するんですよ。

（D，Eの説明を多くしたが，他のグループに対しては，D，Eの子どもが考えたり，作業をしたりしている暇をみて，適切な助言をあたえたり，巡視しながら，共通的な問題があったら，近くに集めて援助するようにする，A，Bの進んでいる子どもに対しては，できるだけ苦しんで考えさせ，自力で解決したことの方法を考えさせるようにしむけたい。）

以上が，14時間の指導に当って，速記録をとってきた中から，特に，強調したい点（重要なところ）をぬきだして，記録してみたわけである。

この記録を見て，必ずしも，よい方法だとは思っていない。それに，速記録も，教師の発問とこどもの答を中心にしたために，こどもがどのように作業をしたかというような，こどもの思考過程がわかるようになっていない。その上，記録であるから，考えている時間などをのせることもできなかった。この記録を読んで，一番反省されることは，学習するときに，案外子どもの思考とか，具体的行動にうったえさせるといった，いわゆる学習の主体は，こどもであることを忘れて，教師がどんどんしゃべりまくるといった傾向が起ったり，もっと考えさせればよいのに，早く教えすぎてしまうといった欠点がでてしまうのである。

しかし，指導法の研究のためには，このような速記録は大変よいことであり，できうれば，テープコーダーにふきこんで，それを中心に，教師の発問についての研究をすれば，指導技術も進むのではないかと思う。いずれにしても，速記をとることはよいことである。本校でも，一時間より，二時間，

三時間と，だんだん無駄な発問が少くなり，要領よく，適切な発問をしようとし，また，できてきた。

6 指導後の結果は，どうなったか

1 結果の考察（その1）

14時間の実験指導は，５月24日で終り，翌日から，指導後の学習効果を見るために，１日10題ずつ９日間テストを行った。このテスト問題は，昭和25年度に行ったのと同じ問題である。

(1) テストについて

テストをするときは，５学級とも条件が同じになるように努めた。例えば，

（ａ） 時間はすべて15分間とした。進んでいる子どもは，それだけの時間は必要なく５～６分でできてしまう。しかし，おくれている子どもでも15分あったらできた。

（ｂ） テストをする前には，子どもの精神的な動揺をなくして，できるだけ平静な気持でテストを受けられるよう，教師の言葉とか，説明には，特に気を使った。いはば，テストをされている気持をなくすことがたいせつである。

（ｃ） 採点はその日の中に行った。その結果については，子どもひとりびとりに発表しないことにした。同時に，例え誤算が多く，ちょっと注意すれば誤算がなおるという見当がついても，テストの条件を同じにするために，いっさい指導は加えないことにした。

（ｄ） 更に，かけ算の計算であるから，かけ算九九を使って計算することを原則とするのであるが，まだ確実にかけ算九九を使えない子どもとか，まちがい易い九九の問題がでたようなときには，累加の方法で答をだす子ど

もがでてくる。このようにして答を出したものも正答と見なした。しかし，後の表にでてくるように，全部の子どもが，かんたんなかけ算九九は正しく使った。

(2) テストの結果

年度別		26年度(第１次)	26年度(第２次)	27 年 度
在籍人員		249	250	233
誤算人員		105	14	14
誤算児童内訳	A	73	4	—
	B	35	1	1
	C	7	—	—
	D	16	—	—
	E	47	1	2
	F	6	—	—
	G	22	—	2
	H	8	1	—
	I	12	2	2
	J	64	5	2
	K	95	9	13
	L	69	5	3

註 ・Ｊ型…加法の誤り ・Ｋ型…かけ算九九の誤り ・Ｌ型…でたらめ

この表は，５月指導後の結果を，昨年度行った２回のテストの結果と比較するために表にまとめたものである。

誤算人員は，26年第一次が105名であったが，26年第二次及び，本年５月は同じく14名である，（しかし，昨年12月の指導では，再テストの結果は，７名であると発表してある。これは，テストの結果だけについてである。）

尙，この14名の中には，第二次指導，本年5月指導ともに，4名のどうしても今までに述べてきたことだけの指導ではできない子どもを含んでいる。本年度の4名は，90題のテストの中，10題とは正答していなく，他は全然でたらめな子どもである。

次に，誤算児童がどんな誤算の型を示しているかを調べよう。前2回の結果は，A，J，K，Lの4つの型が多かった。本年度では，A型（繰上がった数字を数とまちがえる誤算型）はなくなっている。A型の誤りは，かけ算の学習においてあらわれる誤りであり，部分積の大きさとか，繰上った数の処理とか，計算するとき単位をそろえるといったことがわかれば，誤算はしなくなるわけである。このA型の誤りがなくなったことは，かけ算の指導の成功を物語っているものと思う。他のJ，K，L型の誤算は，低学年における指導の不足を証明していることになり，低学年において，くり上がり加法やかけ算九九をじゅうぶんに学習すれば，J，Kの誤りはなくなり，誤算の意味を理解し，計算の手続きを学習すればL型はなくなるはずである。

この三年間の指導を顧みるとJ，K，Lの誤算型を見るたびに，算数が累積的連続的に学習を進めねばならぬことを感じ，低学年から，その学年の基礎になることについては，どの子どもにも，徹底させねばならぬと思う。

A型の誤りをおかす子どもは，学習中には，相当見られたのであるが，個人ごとによくみて，その障碍を具体的な行動にうったえさせることによって，救っていったので，テストの結果は一人もでてきなかったのである。老婆心までにいうと，このA型の誤りは，普通の指導であると必ずといってもよい位でる誤りであるから，繰上りのある計算に進んだら必ず注意して子どもの個々を見ることを，第2～3時において，お札をかぞえるときに，10円と1円を別々に数えることを徹底させ，それを抽象数と結びつくようにじゅうぶんに指導しなければならないと思う。

また，かけ算九九の誤り（K型）にしても，すべての九九が誤るわけではない。予備調査のかけ算九九についての調査表を見てもわかる通り，6，7，8，9の段の九九の，その中のまた限られた九九について誤るわけである。

その原因は，大別すると二つあると思う。即ち，かけ算九九をまちがえて記憶しているものと，かけ算九九ができないで数えたしている中に，数が多いために誤った答をだすものとである。後者については，正しく順序を追って指導していけば，だんだんできてくるのである。前者のように，誤って記憶したもの，しかも，意味がわからなくて棒暗記したものについての矯正は，一苦労するわけである。

このことからも，正確な技術を得させるためには，まず，正しい理解が先決条件であり，正しくできたものについて，技術があり，速度を要求して，計算するようにするといったことが考えられるわけである。

(3) 14人の誤算者を個人別に見ると，次の表のようになる。

児童番号	誤答内訳 A	B	C	D	E	F	G	H	I	J	K	L	誤答数	IQ	グループ	備考
○172							1				3		4	73	D	・○印は5月，7月，9月の3回を通して誤算した児童
163											4	1	5	61	D	
121					3		1			2	2		8	79	D	
219											15		15	68	E	
221											4	1	5	71	E	
227										1	9		10	58	E	
305										1	1	1	3	54	D	
316										2			2	78	E	
○411										4	9		13	61	E	
466									1		1		2	46	E	
409					1					3	1		5	53	E	
511											9		9	65	E	
518		2							2		2		7	65	E	
552										1	2		3	69	E	
人数	0	1	0	0	2	0	2	0	2	7	13	3				

本校においては，児童名はださないことにした。これは受持ちが，指導上

に必要なことであって，他には必要のないことであるからである。そこで，児童番号は，次のようにつけることにした。4年が5学級あるので，1組は100番台とし，2組は，200台，3組は300台というようにした。即ち，最初の数字は，学級をあらわした。次に，男女は，1～50までは男，51から女とした。即ち，101番の子どもは，4年1組の出席簿の1番の男の子どもというわけである。同じく367番は，3組の女子で，17番の出席簿の子どもである。

誤答数で見ると，かけ算九九の誤り(K型)をしたものが，13名で一番多く，誤答数は，61題もの多きを数えた。次に多いのは，繰上りのある加法（J型）の誤りで，誤答数は14題である。

更に，これを個人別に見ると，90題中15題誤答した子どもが誤答数が最も多く，（この子どもは，かけ算九九はほとんどできない，とび数えでやっている子どもである），次は13題，10題と続いている。

この子どもを見ると，演算の意味についてはわかっているのであるが，計算の意味，即ち，素朴な答をだす手続を用いるためにとび数えをする途中でまちがいを起すことがある。それで，他の時間にもっと練習をしたら，誤算をなくすることができるかもしれないとの見通しをもつことができる。この子どもにとっては，現在のその力が最高であると思うので，多いに賞讃せねばならぬし，テスト終了後に，その努力を賞讃したわけである。

尚，ここでもう一つ考えたいことは，グループがいずれもDかEかに属する子どもであるということである。もし，A，B，Cのいずれかのグループの能力の子どもが誤算者であったら，大変困ったことであった。これを見ても予備調査の方法及び，その結果の観察並びに，グループ編成の方法が適切であったといえる。

2　結果の考察（その2）

かけ算を学習した子どもが，実際の場において，どこまでかけ算を使うことができるかを知ることはたいせつである。算数科の指導がただ，計算技能を身につければよいのでなく，それを生活改善に役立つ力にまで高めなければならぬことを考えると，これについての調査や観察の結果で，学習効果を評価しなければならぬことになる。もしも，計算はできても，生活にうまく使えないようであると，学習効果があがったと言えないからである。

そこで，どのようにかけ算を使えるようになったかについて，旅行の集金をする実際の生活で子どもが，どの程度，かけ算を使うかについて学習効果を観察してみた。

以下，その実際について記してみよう。

(1)　観察のための計画

旅行の集金をするときに，子どもの実践記録整理するのに，次の要領について具体的に観察することにした。

① 各班の会計係は，どうきめたか，（選出方法と能力別）

② 会計係の乗法指導における成績

a　お札の扱い方や，乗法の意味，乗法計算を身につけている度合

b　テストの結果

③ 集金に当って，どんな場をあたえたか

④ 各人の集金に当っての行動記録

⑤ これについての教師の観察と批判

a　望ましい行動ができたのは，どんな指導の効果があったと考えてよいか。

b　望ましい行動ができなかった子どもは，どんな点についての指導がぬけているか。

(2)　どのような反応を示したか。

上記の各項目について，項目ごとに述べてみる。

① 会計係のえらび方――グループごとにきめさせる。

② 選出された会計係の成績

グループ名	氏　名	成　績	乗法の意味	計算のいみ	テストの結果
1	(イ) 女	A	A	A	A
2	(ロ) 男	A	A	A	A
3	(ハ) 女	A	A	A	A
4	(ニ) 男	C	C	B	A
5	(ホ) 女	C	C	C	A
6	(ヘ) 女	C	D	C	A
7	(ト) 女	D	D	D	1題誤算
8	(チ) 男	D	E	D	1題誤算

③ 集金にあたって，どんな場をあたえたか。

(一の場)

「今日は，えんそくのお金をもってきましたね，そのお金を班ごとにあつめてもらいます。集まったら，先生のところへもってきてください」

(二の場)

「これでは，はっきりわかりません，まちがっているかも知れませんね，紙をわたしますから，これにはっきりかいてください」

④ 反応 (一の場)

(イ)児――5人分，それぞれひとりずつまとめてある。計が出してない。

(ロ)児――1人分，2人分とわけて，参加者の紙にのせて提出した。計が出してない。

(ハ)児――600円集まりました。お札ごとにまとめてない。

(ニ)児――100円ずつまとめて提出した。計が出してない。

(ホ)児――5人分で600円ですと提出した。

(ヘ)児――お札をばらばらにもってきた。

(ト)児――100円と10円が別々にそろえてだした。

(チ)児――100円たば七つ，10円札8枚ときちんとそろえてだした。

以上が，第一の場における反応である。しかし，どれも不合格といってよい。その理由は，ひとりの費用が，120円で，一班が5～6人のため，計算をする必要をみとめないと考えたためと思う。しかし，人に提出する場合に，参加者の名前とか，合計金額，及びそれの算出などについて記録することに気づかせなくてはならないからである。それで第二の場を与えた。

(二の場での反応)

(イ)児――紙に参加者の名前，個人の金額，合計が記録されている。
計算は，加法と乗法両方で，たしかめてあった。

(ロ)児――一回めは加法，二回めは乗法で計算して，720円とだした。

(ハ)児――参加者5人，不参加者一人とわけてあった。
表に名前をかいて，乗法で計算し，合計を記入してあった。

(ニ)児――参加6人，ひとりの金額120円と記入，乗法で計算，お札は，10円札12枚と，100円札6枚を提出したが，10円札を100円の束にすることを忘れた。

(ホ)児――参加，不参加，忘れた人とわけて記入，合計は乗法でだして計算した。

(ヘ)児――参加者の氏名，人数を記入，合計600円，式は乗法，計算は加法でした。

(ト)児――ひとり分120円，3人だから360円と加法で計算した。

(チ)児――100円ずつ束にし，100円7枚，10円が8枚，計780円とだした。

加法で計算した。

⑤ 反省

この場でやっとできたという形である。しかし，これは，学習の場の設定がまずかったと思う。120円というのでは，かんたんにできるので，48円とか56円というように，つり銭のでることを考えて，これにどのように対応するかを見た方がよかった。まちがったときに，自分の行為に気がつくような子どもにしたいと思う。それに気がつくようにすれば，そのたどもは計算の意味を知っていることになるわけだからである。であるから，ごくかんたんな数でないと，間ちがいを起すような数をどう処理するか，そして，それにどこまで気がつく子どもであるかといった学習の場を考えたらよかったと思う。

これでわかるように，場を与えない自然の姿に於ては，算数を使わないのである。算数を意識しない生活で，常に算数を適切に使うような態度にまで高めることは誠に至難であることを痛感する。しかしながら，子どもの日常の行動を支える心情を，傾向化するような学習の場で，常に算数が必要に応じて生活を律するような，学習を展開するように努めれば，この点の解決ができるのではあるまいか。これが，本校に残された今後の研究課題である。

V 指導後における学習成果の浮動状況の調査

理解が成立したという状態は，正誤が説明できるとともに，他の同じような学習の場において，創造する力が生れたときであると言われている。そのような意味において，かけ算の「2位数×基数」について指導の終了した子どもについて，次に述べる二つのことについて，調査し，実験してみたので，これについて，述べてみたいと思う。即ち，

① かけ算を学習した子どもが，その後指導しないですてておいたとき，計算能力がどのような浮動状況を示すかについての調査
（逆にいえば，理解をさせるということが，いかに大切なことであるかについての論証）

② 2位数×基数のかけ算を，じゅうぶんに指導すると，3位数×基数の学習にどのようにひびくか
（3位数×基数の学習指導について）

である。

1 浮動状況は，どのようになったか。

かけ算を5月に指導したのであるが，そのまま指導しないでおくと，どのような変化を生ずるかについての調査を，夏期休暇直前の7月と休暇後の9月と，2回にわたって実施した。この2回の調査は，いずれも，5月指導後のテスト問題について，同じ条件で実施し，更に，11月に，かけ算九九について調査してみた。このことについて，その浮動状況の結果を述べてみることにする。

(1) 7月と9月のテスト結果について

誤算者の数からみると，7月は5月の14人に対して，17人となり3人増え，

9月は，5月の14人，7月の17に対して，何れも8人乃至5人ふえて，22人を数えるようになった。

7月は，第1学期の終りに9日間，9月は，夏休み終了の9月4日から，9日間行ったのである。

これらの結果について，5月，7月，9月の成績を比較しやすいように表を作ると，次の表のようになる。

別		27年5月	27年7月	27年9月
在籍人員		233名		
誤算人員		④ 14名	④ 17名	④ 22名
誤算型	A	—	3	2
	B	1	1	2
	C	—	—	1
	D	—	—	—
	E	2	2	—
	F	—	—	—
	G	2	—	—
	H	—	—	1
	I	2	1	—
	J	7	14	15
	K	13	14	10
	L	3	8	5

この表を見て気づくことは，5月の誤算型になかったA型のあやまりが，7月に3人，9月に2人でたことである。更に，依然として多い誤答型は，J，K，Lである。3回を通じての誤算者は，全部で39人である。

この中で3回とも誤算者となっている子どもは，男女各1名であり，他は，3回の中のどれか2回あるいは1回の誤算者である。その内訳を見ると，2回の誤算者は10名であり，1回の誤算者は26名である。それを表にしてみる。

〔誤　算　者　内　訳〕

期別	1期（5月）	2期（7月）	3期（9月）
期別誤算者数	14人	17人	22人
	（1期．2期とも誤算した人数）—→	（5人）	
	（2期のみ誤算した人数）—→	（12人）	
		（1期と，3期に誤算した人数）—→（6人） （2，3期に　〃　）—→（1人） （1，2，3期とも誤算した人数）—→（2人） （3期のみ）—→（13人）	

これらの誤算者について，個人別に見ると，次表の通りになる。5月の指導の結果は，誤算者は，D，Eグループの子どもだけに限られていたが，7月の結果を見ると，Cグループの子どもが8人でてきた。更に，9月の結果をみるとAが2名，Cはなしという結果になった，しかし，これらの誤答数を見ると，いずれも，2～3題であり，不注意とか，気弱なためのまちがいということができる。その他は全部DEグループである。

誤算児童個人内訳表（昭和27年5，7，9月テスト結果）

番号	IQ	グループ	誤答数 5月	誤答数 7月	誤答数 9月	誤答内訳（型） A	B	C	D	E	F	G	H	I	J	K	L	乗法九九 予備	乗法九九 指導後	理由
121	79	D	8	0	2					3		1			2 1	2 1		4	1	九九不確実
163	61	D	5	2	0										①	4 ①	1	15	2	九九不確実
172	73	E	4	6	6					①		1			①	3④6		6	1	九九不確実
219	68	E	15	0	15											15 15		100	70	とびかぞえをするために時間不足
221	71	E	5	0	0											4	1	5	1	九九不確実あわてもの
227	58	E	10	0	3										1 1	9		うけず	1	九九不確実途中転入学

305	54	D	3	0	3	1									1 1	1	1 1	4	0	指導中欠席2日九九不確実
316	78	E	2	0	0										2			5	0	九九不確実
411	61	E	13	6	4									①	4②2	9③2		27	4	九九不確実
409	53	E	5	4	0					1					3 ①	1 ③		2	3	九九不確実
511	65	E	9	0	2											9 2		53	1	九九不確実
518	65	E	6	0	3									2	1	2 2		41	9	九九不確実
552	69	E	3	0	0		2								1	2		43	7	九九不確実
466	46	E	2	2	0									1	①	1 ①		3	1	不注意
116	78	C	0	2	0										①	①		1	0	不注意
114	106	C	0	2	0										①	①		1	欠	不注意
416	101	D	0	4	0											④		23	1	九九不確実 気分がちりやすい
155	79	C	0	2	0										②			1	0	不注意
159	101	C	0	2	0										②			0	0	不注意
203	100	C	0	2	0										①		①	0	0	不注意
304	82	E	0	8	3	①	① 3			①					①	①	④	4	0	理解不充分
306	95	C	0	3	0										①	②		1	0	不注意
324	51	E	0	3	0											①	①	4	1	九九不確実 数えたしのちがい
321	119	C	0	0	0										①	②		1	0	不注意
456	91	D	0	0	0										③	②		2	1	不注意
407	100	C	0	0	0	①									①	①		0	0	不注意
123	127	A	0	0	2										1	1		1	4	不注意 気が弱い
106	106	A	0	0	2										1	1		1	2	不注意
201	52	E	0	0	6										2	4		0	0	気が弱い
219	77	E	0	0	3		2									1		3	0	あわてもの
218	104	D	0	0	3	1									2			0	1	たしかめをしない
222	83	E	0	0	2										2			2	8	たしかめをしない
223	114	E	0	0	2										1	1		5	2	あわてもの
224	80	E	0	0	4										3	1		3	1	気が弱い
225	116	D	0	0	2										2			7	0	不注意
358	不明	E	0	0	2			1								1		28	17	九九不確実
360	69	E	0	0	2										2			0	0	理解不確実
466	46	E	0	0	2										2			3	1	九九不確実
525	83	D	0	0	3								1				2	6	5	九九不確実

備考　3回のテスト結果の集計である。途中線で切つてあるが，上から順にその区切りは第1回，第2回，第3回を示していて，その区切りに書いてあるこどもは，第1回，第2回，第3回ではじめて誤算したものである。

誤答内訳欄中の数字中 { ○でかこんであるのが第2次テスト（7月）／ゴジック数字は第3次テスト（9月）／かこんでないのが第1次テスト（5月）}

この浮動状況の調査をみて感じられることは，どんなことであろうか。

3回にわたるテストの結果誤算した人数は，延人数で，39人である，誤算した子どもの内，DEグループの子どもについては，演算の意味はわかったが，答をだす手続きが素朴なために誤算する子どもが圧倒的に多かった。これは，第1段階としては致し方のないことと思っている。であるから，この子どもに対しては，意味がわかったのであるから，答を出す手続きがもっと能率的に早くできるように今後学習を進めなければならないわけである。

更に，ここで大変嬉しく思ったことは，3回続いて誤算した子どもが僅かに2名であるということである。不安定な状態にあるということはいえるけれども，5月から，全く指導なしで，9月まで永続しているのであるから一応理解が成立したと見るべきである。本当に理解が成立しなかったら，このような結果は生れなかったと思う。理解するということが，技能に先行するということは，このようなことからもいえるのである。DEグループ以外の子どもについて考察してみよう。DE以外の子どもは，1回だけしか誤算をしていないのである。それも90題中僅か2〜3題である。このように考えると，DE以外には，誤算者はなかったといってもよろしいと思う。

浮動調査の結果を要約してみると，例え時間をかけても，理解の成立に，努力することが必要であること，更に，1回理解すれば，かんたんに忘れないものであること，誤算者の中には，理解をしてはいるのであるが，不注意が案外に多いことなどがあげられる。

2 3位数×基数の学習をどのようにしたか

理解が成立していれば，新しいものの指導に，どのように影響するかについて3位数×基数のかけ算についての実験指導を述べてみよう。

2位数×基数について，じゅうぶん理解ができておれば，3位数×基数だとか，基数×2位数には，それらの計算に特殊な点だけを指導すれば，演算の意味は同じであるから，短い時間で学習が終るであろうという見通しをつけたわけである。ここに，3位数×基数の学習についての概略を述べてみたい。

(1) 予備調査について

まず，5月に指導した，演算の意味についてどこまで理解しているかについての調査を次のように行った。

(a) 演算の意味についての診断テスト

演算の意味　11月11日　4年　組　氏　名

1 クレオン1こ45円です，7こかいました。どんな式でかいたら一番わかりやすいですか。　式 ＿＿＿＿＿＿

2 お金が下のようにならんでいます，これをわかりやすい式にかいてごらんなさい。

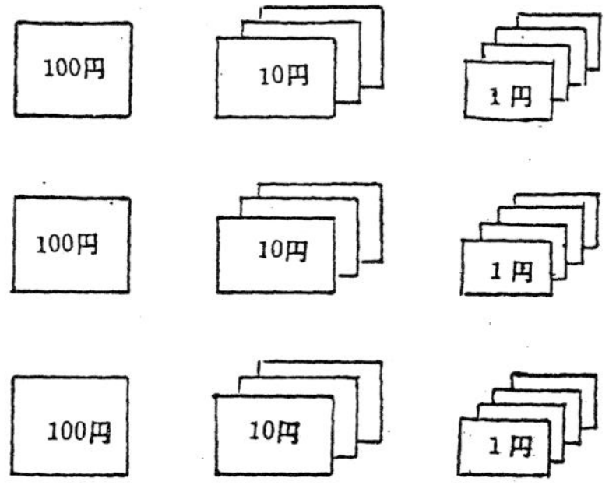

100円　10円　1円

100円　10円　1円　式 ＿＿＿＿＿＿

100円　10円　1円

3 236人＋236人＋236人 を，もっとわかりやすい式でかいてごらんなさい。　式 ＿＿＿＿＿＿

4 □ の中に，ちょうどよいかずをいれなさい。

① 192＋192＋192＋192＋192＝□×□

② 650＋650＋650＋650＋650＋650＋650＝□×□

5 りんごを5はこかいました。1はこに215はいっていました。これを「×」を使って式にかいてごらんなさい。

式 ＿＿＿＿＿＿

6 つぎのかけざんを，たしざんの式になおしなさい。

3 8 3 × 4

2 0 4 × 3

(b) 数え方と数の大きさについての診断テスト

11月12日　4年　組　氏　名

(1)

659＝{みどりカード　まい／き　カード　まい／あかカード　まい}

(2)

306＝{黄カード　まい／赤カード　まい／緑カード　まい}

(3)

{赤カード　3まい／黄カード　2まい／緑カード　8まい}＝□

(4)

{みどりカード　7まい／き　カード　1まい／あかカード　なし}＝□

(5) 次のお札をかぞえてください。

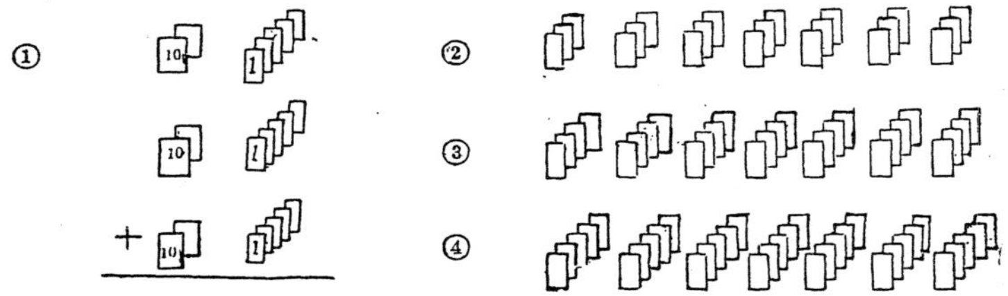

①　10　1
　　10　1
＋　10　1

②

③

④

(6)

① 137 + 137 + 137 + 137

② 203 + 203 + 203 + 203 + 203

③ 364 + 364 + 364

（c） 計算についての診断テスト

11月13日　　4年　組　　氏　　名

テスト　3

① 121 × 4	② 313 × 3	③ 112 × 3	④ 234 × 2
⑤ 342 × 2	⑥ 832 × 5	⑦ 907 × 8	⑧ 725 × 2
⑨ 508 × 6	⑩ 600 × 5		

テスト　4　　11月13日

① 159 × 3	② 246 × 4	③ 178 × 5	④ 850 × 6
⑤ 145 × 4	⑥ 234 × 3	⑦ 214 × 4	⑧ 153 × 4
⑨ 865 × 7	⑩ 804 × 5		

(2) 予備テストの結果について

（a） 集計の方法

① 演算の意味については

六問中 全問できれば　A

1 問ちがい　B
2～3問ちがい　C
4～5問ちがい　D
全問ちがい　E

（しかし，1問中2題あるのは，1題できればよい）

② 数え方と数の大きさについては，

a カードと数字の結びつき

四問中 全問できれば　A
1問ちがい　B
2問ちがい　C
3問ちがい　D
4問ちがい　E

b 数え方の手ぎわの観察

九九――何人
とびかぞえ――何人
1つずつ――何人

③ テスト3，4については，誤答者数何人とだす。

（b） 予備テストの結果の集計表

演算の意味					数の大きさ					数え方		
A	B	C	D	E	A	B	C	D	E	九九	とびかぞえ	一ずつ
92	44	41	35	16	139	29	45	11	6	176	38	15

〔テスト3，4の結果〕3位数×基数の問題20題についての誤答内訳

〔正答者 230 名中 160 名〕

誤数答	−1	−2	−3	−4	−5	−6	−7	−8	−9	−10	−11	−12	−13	−14	−15)−19)	−20	誤答者計
誤者答数	36	8	9	5	3	1	3	1	1	1	1	0	2	1	0	2	70

20題中６題以上誤算したもの僅か11名で，指導以前に，ほとんどできるとみてよい。

(3) 学習指導の実際

（a） 学習指導略案

1 単元　　かいもの

2 目標　　３位数に基数をかける計算の形式，特に，100 の位の部分積を書く位置をはっきりする。

3 学習の展開

学習問題	様式時間	学習活動	指導のねらい	個人指導の留意点
• 100 円以上のものを買ったときは，どのように計算したらよいでしょう • 134 円のシャツを２枚買いました，お金はいくら払えばよいでしょう。 • 計算の仕方を式にかくと，134円×2 • カードで並べて計算してください。台紙に並べきせる九九を使って，カードを下に並べなさい。 • 数字でやってごらんなさい。 • かける順序は，ど		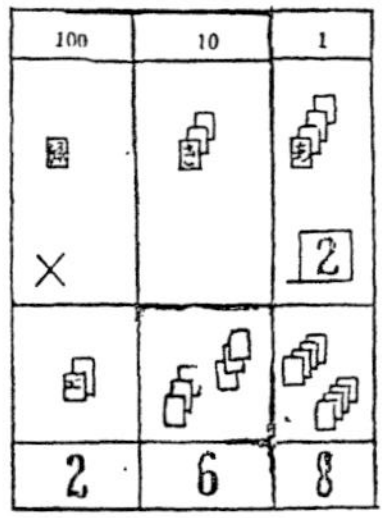 100　10　1 ×　2 2　6　8 ↓　かける順序 134 ①4×2 × 2 ②3×2 268 ③1×2		

うしますか。 271 × 3 • 813の 8は 1は 3は • カードでじょうずに計算できたから今度は数字で計算してみましょう。	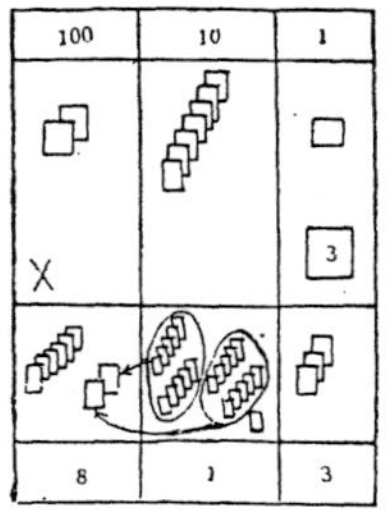 100　10　1 3 × 8　1　3 百の位で　800 十の位で　10 一の位で　3 271 × 3 813	繰上がりの処理 ①1×3＝1 ②7×3＝21 ③2×3＝6 • 赤カードの積は赤カードの下 • 黄カードの積は黄カードの下 • 緑カードの積は緑カードの下 千　百　十　一 1枚↖⑩ 1枚↖⑩ 1枚↖⑩ • 同じ1でも数の大きさがちがう。	
◦ プリントの問題で練習してみよう。 まとめ • りんご大箱１箱246円です，４箱しいれました。お金はいくらはらえばよいでしょう。	• プリントの問題解決 • 具体物で計算し，抽象数でも書いてみる。 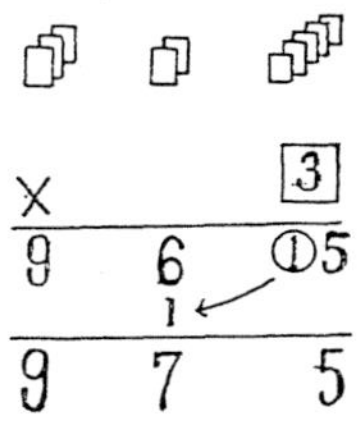 ×　3 9　6　①5 1 9　7　5 式　246円×4 計算　246 × 4 984	• 位を考えてきちんとそろえる。 • くり上がりの処理 被乗数}大きさをは 部分積}っきり 十の位で繰上ったら百の位へ 百の位は千の位へ	

（b） 練習問題

1 次のかけ算は，どんな九九を使いますか。

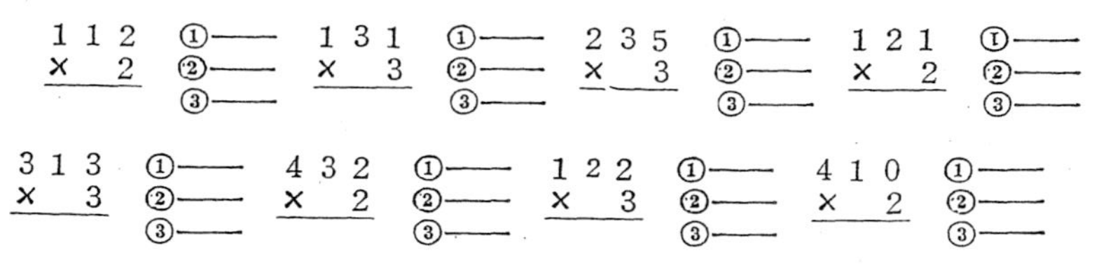

112 × 2 ①── ②── ③──　131 × 3 ①── ②── ③──　235 × 3 ①── ②── ③──　121 × 2 ①── ②── ③──

313 × 3 ①── ②── ③──　432 × 2 ①── ②── ③──　122 × 3 ①── ②── ③──　410 × 2 ①── ②── ③──

2 けいさんのれんしゅうをしましょう，できた人はたしかめなさい。

342 × 2　151 × 3　121 × 4　263 × 4　313 × 4　351 × 8　266 × 2

832 × 5　907 × 8　654 × 5　725 × 2　508 × 6　800 × 5（以下略）

（c） 第2時は適用練習のみ

1 りんご1箱850円です，3箱買いました。お金はいくら払えばよいでしょう。

2 120円の色えんぴつが5箱うれました。金高をだすには，どんな式にかきますか。たしざんで先にかきなさい，次にかけざんでかきなさい。

3 えのぐが8箱うれました。1箱130円です，いくらお金があればよいでしょう。けいさんのしかたを式にかきなさい。

4 165人ずつの組が8組あります，みんなで何人でしょう。

5 [250こ] [250こ] [250こ] [250こ] [250こ]

上のえのように，おはじきが250こずつはいった箱があります，おはじきはみんなでいくつでしょう。

6 次のえも，おはじきの箱です。みんなでいくつでしょう，かけざんでやれますか，けいさんのしかたを式にかきなさい。

[250こ] [249こ] [250こ] [250こ]

7 次のよせざんをかけざんになおしなさい。

① 124＋124＋124＋124＋124

② 326＋326＋326

③ 208＋209＋208

④ 745＋745＋745＋747

⑤ 300＋301＋300＋300＋301

⑥ 150＋149＋150＋151

〔適用練習 ②〕

次の中で，かけ算でやれるものに○をつけなさい，そしてやり方を式にかきなさい。

1 1教室にガラスが130枚ずつはまっています。6教室では，みんなで何枚ですか。

2 4年生は230人です，鉛筆をひとりに3本ずつやるには，みんなで何本いるでしょう。

3 シャツを買いました，おとうさんのは550円，おかあさんのは450円，太郎のは300円，弟のは250円です。みんなでいくらになるでしょう。

4 三郎は，ひと月に200円ずつ貯金しています，半年後にはいくらになるでしょう。（以下略）

────○────○────

このように，3位数に基数をかけるかけ算の学習は，わずか3時間の指導でじゅうぶん効果をおさめることができた。それは，5月の指導のときに，演算の意味についてじゅうぶんに指導しておいたので，今回は，演算の意味については，1時間で，それも思いだす程度でじゅうぶんであった。あとは，3位数であるから，繰上がった数が，100位と1000位になる場合を中心として，それの処理を具体物を通して指導することにした。しかし，100になっても 1000 になっても，計算の原理はすべて同じであり，操作が多少めんどうになるだけの差である。このように学習に筋を通すことと，学習を連続的発展的にすることは特にたいせつなことである。

Ⅵ 本年度の研究の結論と今後の問題

実験学校をうけもって3年，どうやら結論が出てもよい頃だと思うのに，一つが解決すると，次の新しい問題が生れて，その見通しがいつつくのか，皆目見当がつかない。いや，それどころか，次から次に，仕事は山積，何によらず研究とは，2年や3年でできあがるものでないことをしみじみと感ずる。また，考えようによっては，昨年の今頃よりも，もっと前途がけわしいように感ずる。

幸い，全国の各学校の先生方と，たくさんの仲間ができ，私どもの研究の盲点を指導していただきながら，有形無形の御支援によって，遅々たる歩みにむちうっていきたいと思います。

これは，研究途上の，しかも，検見川小学校という一校が，特別に研究している特殊な問題でなく，きわめて平凡な教師が，毎日，毎日，悩み続けつつ歩んできた共通の問題である。しかも，本校において得られた結論は，わが国における結論というよりも，本校における一現象であるといった方が適切であるかも知れない。

しかし，この研究は，子どもの地についている（それはやっていることは，例え，幼稚であろうとも）研究であるということは，声を大にしていうことができる。子どもに教えられながら，こどもの血みどろな無言の声に負けまいとして，毎日を過してきたにすぎない。それで，研究というよりも，毎日どうしたら，こどもは，楽しく学校で学ぶようにすることができるかというどこの学校のどの先生もが考えている道を，ただ，かけ算の誤算の研究という形で行っているにすぎない。

このような，私たちのいつわらない気持を，根抵において，この結論を読んでいただきたい。

1 結論は，どんな点について述べようとするか

研究が継続され，連続されてきているのであるから，最初から引継がれている研究主題について，本年度の研究で，どんなことが考えられるかということを，最初に述べることにする。更に，その研究を前進するためには，方法上の問題として，どんなことを考えていったらよいかということについても述べなくてはならないであろう。

1 昨年度までの結論に対する験証について

(1) 理解事項について

「2位数×基数の計算において，子どもはどんな点でつまずくか，また，それを救うにはどのようにしたらよいか」ということが，本校のとりあげた研究主題である。これを，理解事項の面からみると，

①数の大きさの理解

②かけ算の意味の理解

が，たいせつであることがわかり，（これは，かけ算九九や加減九九のような低学年での指導を確実に身につけていることどもは，この二つがわかれば誤算しないということをさしている）更に，４年全員を対象として考えると，前学年までの指導の手落のため，取残された子どもがでてくる。即ち，かけ算を学習するために必要な基礎的な条件に欠ける子どもがいるからである。そのような子どもに対しては，

①繰上がりのある加法ができること，

②かけ算九九ができること，

③部分積の大きさがわかっていること，

④加法のときに，単位をそろえること，

を指導することが必要である。しかも，これらの理解事項についても，子どもの中には，抽象数では，理解の困難な子どもが多くいるわけである。それで，指導計画は，できるだけ，具体的な行動を通して，子どもに理解できるように立案しなければならない。

このようにして，昭和25年度に仮説として考えられた理解事項の正しいことが験証されたのである。しかし，上に述べた六つの条件をじゅうぶんに加味した指導計画を立案しなければいけないということがいえる。この理解事項をこどものひとりびとりに理解できるようにするには，指導計画を，どのように立案したらよいかが大きな問題となるわけである。この意味では，先に述べた「修正した14時限の指導計画」は多少とも参考になるものであると思う。

(2) 学習指導の方法として，能力別グループ学習の方法をとりあげた。

昨年第一次指導の失敗の最大の原因は，かけ算の学習を，かけ算九九を使ってする方法だけに限定したためである。そのためにおくれている子どもの能力には応じられなかったのである。こうした反省に基いて，明年度には，能力差に応ずる指導計画を立てて実施したのである。本年度はそれについて更に検討を加えて，実施したのである。つまり，昨年12月も今年５月の指導も，ひとりびとりの子どもの能力に応じ，また，障碍を感じている点を出発点として学習指導を進めたために，予想通りの好結果をおさめた。能力別グループ学習が学習指導にあげる効果を立証することができたということにもなる。

さて，この能力別のグループ学習の指導にあたって，どんな点について，特に留意して計画したらよいかについて考察してみたい。

（a） 子どもの能力を子どもの具体的な行為からはっきり把握して指導にあたる。

このことは，まず，子どもの困惑を感じている点をはっきりとつかむことである。前学年までの指導では，じゅうぶんに考えて指導をしてきても，まだ取残される子どものでることは仕方のないことであろう。それでその子どもの発達段階は，どこであるかをつかまなくては，個人差に応じた指導は展開できないわけである。このようなことから，本校においては，まず，子どもの障碍点をはっきりつかむために，じゅうぶんに意を注いだ。そして，同じような障碍をもつ子どもを，ステップごとに，一つのグループに編成し，指導の能率をあげるようにくふうした。

（b） 一時限の学習課程を，めいめいの子どもが，精一杯努力して学習し，理解できるように考えた。（後述）

（c） 目に見えない原理や概念をはっきり理解し，筋道をたてさせるために，教具の活用を考えた。

これまでに，何度も述べてきたように，4年になっても，おくれている子どもは抽象数では処理できないのである。このような子どもに対しては，いつも具体的な行動を通して理解できるように心がけた。

（d） 学習の展開中にあっては，いつも，個人を対象として考えて学習を進めていった。できるだけ多くグループ学習をとりいれ，ひとりびとりの困惑に応じられるように努力した。このようにして，子どもの手ぎわを見ては，指導の手がかりをつかむようにした。

（e） いろいろな発達段階をもつ子どもに，適切な援助をすることができるように，一斉に指導する一時限の学習内容を単純化することが必要になってくる。そこで，学習問題を子どもの問題にするとともに，一時限の学習のめあては，いつも一つにして学習が進められるようにした。これは個人指導が可能になるとともに，一つずつ確実に学習して，次に進むようにすることに役立ったのである。

（f） 常に，評価を考えた。

学習指導を進める上に，評価がどんなにたいせつなことがらであるかは，今更論ずるまでもないことである。本校においては，学習の展開中に，ひとりびとりの子どもの手ぎわを観察し，それに適切な指導の手を加えるとともに，各時間の終りには，必ず，テストを行って，その時間の学習効果を判定する資料とした。このようにしていくと，ある時間のめあてとする学習内容がふじゅうぶんであったときには，すぐに指導計画を修正することができる。このようにしてめあてをひとりびとりの子どもが完全に理解してから先に進むようにした。即ち，評価と指導計画の修正は表裏一体のものであって，このように学習指導を進めなくては，学習効果は上らないと考えている。

以上述べてきたことは，能力別グループ学習を展開する上に，特に，気をつけて実施しなければならぬ点であり，また一般の学習においても必要なことがらである。これらのことは，同時に，昨年度の結論としてあげたことである。

要するに，研究主題である「二位数×基数の計算における誤算をなくする」ためには，昨年度までに考えた理解事項と，能力別グループ学習の方法はどれもが重要なものであることが験証されたわけである。

2 本年度考えられた結論

(1) 指導計画を立案するとき，どんな点から改善したらよいかについて。

ややもすると，指導計画は，教師が指導するための計画であるからといって教師の立案した計画を，子どもに押しつけていたという感じがあった。これは学習の主体が子どもであることを考えると，おかしなことである。指導計画は，子どもの側にたって，子どもの発達段階に応じて，子どもの問題になるように綿密に立案していかねばならないはずである。

このようなことがらを考えていくと，指導計画を立案するときに，どんなことに注意したらよいかが明らかにされてくる。本校では，次に述べる点を強調して立案した。

（a） 子どもの側にたって，生活が累積的発展的であって，こどもの進歩に飛躍をなくしたい。

即ち，数学的な要素をはっきりおさえ，発達段階をじゅうぶんに知ることが，指導計画を立案するときの第一の要件となる。そして，

① 一段一段とふみかためて，学習が累積されるようにし，子どもがその段階にまで立到っていないのに，強いることがないようにする。

例えば，かけ算九九を使って計算することのできない子どもに対しては，かけ算九九に到るまでの発達段階，一つずつ数えることから，二つずつ，三つずつというように，とび数えの段階から進んで手ぎわよいかけ算九九に進むようにした。つまり，子どもが，どのように進歩するかの段階を確実におさえてひとりびとりの子どもが，どの段階にあるかをしっかり調査し，それに応じて指導計画をたてるわけである。

② 具体的な行動を通して，どの子どもも理解できるように立案する。

抽象数では，理解の困難な子どもに，抽象数でやってもわからないのは，当然である。このような子どもには，具体物で考え，次に半抽象化しながら，無理なく抽象化の世界に進めるようにしなければならないわけである。それで，指導計画をたてるときに，このこどもたちは，具体物を使わなければできないとか，少し具体物で援助すればよいとか，または抽象数ですぐ入ってもできるとかなどを考え，発達段階に応じて無理のない学習ができるよう具体的な生活の場で，行動を通して考えることのできるよう立案したのである。

（b） 算数をうまく使って，生活改善や問題解決ができるようにしたい。

算数を学習した子どもが，日常の生活の中ではほとんど，うまく算数を使えなかったり，ましてや生活改善ができるとか，能率的な生活態度ができるといったことはできなかった。このようなこどもでなくするためには，

① 子どもの身近なもので算数のよさがよくわかるようなものをとりあげる。算数が子どもの身近かな生活の場において，どのように使はれているかを考え，そのような場をとりあげて，学習の場にするようにする。このようにするためには，教師の発問が重要な役割をなすことは，明白である。

いずれにしても，今までは，数学的な内容をそのままに，子どもに与えていくといった傾向が強かった。これでは，子どもは自分の問題として，学習しようとはしないし，おくれている子どもにはとりつけないことになる。それで，学習する主体である子どもの側に立っていつも考え，子どもの学習問題になるように立案しなくてはならない。本校において，いつも苦心した点は，どんな生活事例から学習問題をどうとりあげてくるかということであった。

② 類似の生活事例に適用させて，一般化するようとする。

一つの生活事例をとりあげて，学習の問題としたのであるが，それだけでは一般化され，生活改善に役立つ力ができてくるとは言えない。そこで，算数を使う場を，いろいろと体験させ一般化することが必要になってくる。本校の指導計画においてグループ学習の時間に，用意したプリント問題によって，多くの事例について適用練習を行い，いろいろと生活の場を広めるようにし，最後に，これらから考えられる共通的なことがらをまとめて一般化するように努めたのは，そのためである。このようなことを考えて，始めて，算数の使はれている場を一般化することができ，算数をうまく使って，生活改善をすることができるものであると思う。

（c） めいめいが，自分の力を，精一杯に発揮して，成功の喜びを味

わうようにしたい。

個人差に応じた学習や指導ができるような指導計画でありたいということである。このようにするためには，

① ひとりびとりの障碍を評価して，なるべく早く障碍や進歩を発見する余裕を作る。

評価のことと関連してくるわけであるが，個人の障碍を発見することは，早ければ早いほどよいわけである。今までは，往々にして，1単元が終ってから測定して，できたできないを見て評点をつけていた。これでは，当然救うことのできる子どもの障碍も救う時期を見失ってしまうわけである。予備調査の結果を活用して，子どもひとりびとりを指導するときの留意点が，明らかになるように計画し，おくれている子どもの困惑を，少しでも早く救うようにしなくてはならぬ。また，障碍除去は同時に進歩でもあるから，障碍を救って，こどもの進歩が子どもにわかるように立案することである。

② 次に，障碍を除去するための時間を，多くとれるように計画する。

障碍を発見しても，それについて適切な援助をする時間がなければ，これを実行に移すことができない。

障碍を，できるだけ早く発見し，その障碍除去の時間が多くなるようにするためには，学習の過程においては，一斉扱いよりも，個人で学習する時間を多くした方がよい。また，教師は一刻も早く教壇からおりて，その障碍をもつ子どもの近くで，適切な手をうって，障碍克服の助力をしなければならない。

要するに，ひとりびとりの子どもが精一杯に学習して，成功の喜びを味わうようにするためには，困惑を感じて，どうしてよいか困っている子どもの無言の声に耳を傾ける教師でなければならない。また，このような場合に，

どのような手をうったらよいかを予め見ぬいて指導計画を立案しなければならない。

(2) 指導計画に，演算の意味と計算方法の意味との理解を強調したい。

今までの指導計画は，稍々もすると，両者の意味の理解についての指導を考えないことが多かった。子どもが理解段階をふまないで，すぐ技能を記憶したといっても，算数の力がついたとはいえない。今後の算数指導においては，まず，子どもに理解できるようにすることがたいせつである。その上において始めて，技能面が前面にでてくるのである。

理解することは，まず，演算の意味についてである。誤算をする子どもを見ると，二つに大別することができる。即ち，①演算の意味がわからないために，二つの数量の関係をどのような式でまとめてよいかわからない場合である，このときは，式がたたないので，答もでたらめになる。次に②演算の意味は，理解して，式をたてることはできたが，答をだすための計算の手続きがわからないことから誤算をするという場合である。

演算の意味の理解にはじゅうぶん力を注がねばならないが，このためには，学習の場のとりあげ方，教師の発問をじゅうぶんに考えて計画することがたいせつである。

演算の意味がわかると，子どもが当面した事実の内に潜む二つあるいは三つの数量の関係を，－，＋，×，÷のどれかを使えば解決できるか判断することができる。その判断に基いてこの演算を決定したものが式であるが，ここまでをじゅうぶんに指導しなければならない。

演算の意味を，じゅうぶんに理解しないと，次の計算ができても使えないのである。

計算の意味というのは，演算の決定からたてられた式の答をだす手続きである，今まで述べてきたことから，答をだす手続きは，決して一つではない

ことは明らかである。

いずれにしても，計算の意味の指導でたいせつなことは，1年から6年までを通しての計算の原理によって，筋を通すことである。計算の原理は，①単位をそろえることと，②上の単位の大きさになったら，上の単位になおすということである。この二つは，計算の原理であり，どの学年でも，整数にも分数にも，小数にも，諸等数の計算にも通ずる原理である。それで，既住の経験を思いだしながら，それと関係づけて計算にすじを通すようにつとめなくてはならない。

(3) 学習を進めるに当って，どんな点を，特に強調したか。

一貫して言えることは学習と指導を区別して考えてみることがたいせつであるということである。今までの学習においては，往々にして，学習と指導とを混同して考えていた。学習は，子どもがするものであり，教師はその学習がうまくいくように援助するものであると考えたい。このような考え方から，（指導法の改善ということにもなるのであるが）本校において，よい学習ができるように，教師はどんな点を考えていったかについて，次に述べてみたい。

（a） 教師は，次のような発問にするよう努力する。

① 子どもの学習に，示唆を与えるような発問でありたい。

今までの反省から，我々は余りにも早く，望ましい行動のやり方を教えすぎた嫌いがないでもなかった。要するに，子どもが自分の学習問題をはっきりつかんで，自分で考えてそのめあてに達するようにするためには，教師の使うことばは子どもの生活程度に適切で，わかりやすくなくてはいけない。また，言葉の量は，最少限度の示唆であるようにして，あとは子どもに考える余地をもたせ，そのことばは子どもの困難を救うのに，最も適切な示唆であるように考えられなくてはならない。

前にかかげた指導計画の学習の問題の欄にあげてあることは，教師の発問である。できるだけ，これ以上は言わないことにしたわけであるので，参照されたい。

② 子どもの問題を分析し，焦点がぴたりとあっているような発問でなければならない。

それには，子どもの生活につながるわかり易い問題で，しかも，なるべく広く，また，根本的なものから出発して，子どもと協力して，問題をしぼりながら，学習のねらいをあきらかにするようにしなくてはならない。

③ 子どもが生活改善や問題解決をしようとする態度を養成するものでありたい。

子どもが，現実の生活に目をつけ，これを改善していこうとする心情をもち，また，これを実践していくように導いていく。

④ いまの仕事は，始めの問題とどんな関係にあるかを考えさせるものでありたい。

教師も，子どもも，その時間の学習のねらいが何であったかを忘れてしまって，学習を展開している場合が多い。教師は，まず学習のねらいをぴしりとおさえて，どの子どもも，学習過程において現在どの段階にあって，どのようなことについて努力したらよいかがわかるように指導することがたいせつである。いわば，ひとりびとりの子どもに目的的活動をするように，教師が援助するのである。

以上あげたいくつかのことが，学習指導の展開中に，教師が発問するときに苦労した点である。実際については，指導計画を参照していただきたい。

（b） ひとり残らずの子どもを生かすように考えた。

① ひとりびとりの子どもを生かすには，まず，教師に深い思いやりがなくてはならない。教師は，ひとり残らずの子どもに，深い思いやりの

心をもち，しかも，しつけを忘れないで指導する。即ち，教師は，ひとりびとりの子どもを平等に見，それぞれに成功感を味えるように配慮し，学習の中途において，他人の思考や行為を妨げないようにしむけることが必要である。それは同時に，子どもに望ましい行為や態度を養成することにもなる，このような教師の人間愛が，教育の効果を左右すると考えても差支えないと思う。

② 指導上，大切なものに比較研究がある。子どもが学習しているとき，いろいろの考えが出てくることがある。そのときには，それらをとりあげて，これを比べやすくして，子どもの考えを比べやすくしたり，ねらいにあっているかどうかを自己評価するのに役だてるようにしたい。おくれている子どもは，おくれているなりに何かしら考えはあるものである。それで，おくれている子どもの考えや方法は，例え，幼稚であろうともそれをとりあげて，他の種々な進んだ能率的な方法と比較研究させながら，もっとよい方法にもっていこうと考えることがたいせつである。この場合に，進んでいる子どもに対しては，もっとよい方法を考えさせるようにして，おくれている子どもの考えに対しては，賞讃をもって受け入れてやるといった教師のあたたかい心づかいもたいせつである。

（c） 学習を進めるためには，評価はたいせつなことがらである。

① 子どもの思考過程や，理解程度，あるいは，どの程度に，計算や測定ができるようになっているかを明らかにし，学習の進める時機を判定したり，これから後の学習の素地がじゅうぶんにできているかどうかを診断しなければ，学習効果はあがらない。このように，評価が，学習効果をあげるのに，どのくらいたいせつなものであるかは，今まで何度か述べてきたところである。

② 評価に関連してたいせつなことは，学習の展開中に，子どもの反応をみて，それから子どもを評価し適切に臨機応変の処置を講ずることで

ある。そのためには，教材の系統をよく知っていないと臨機応変の処置をとることができないことはいうまでもない。それには，教材研究の必要も痛感するわけである。

以上が学習を進めるに当って，よい援助を与えるために教師として考えたことがらである。

(4) 理解が成立したというのは，どんなことか。

理解とか，理解の成立といった言葉が大分考えられるようになった。またわかったということと，理解したということはちがうのである。

これから，理解したとか，子どもに理解が成立したというのは，どんなことかについて述べてみたいと思う。

（a） 理解が成立するには，どんな過程を通るか。

先に述べたように，わかったということではない。わかったということは一つの事例についてわかったということである。わかったことと，理解したことのちがいを例をあげて説明してみよう。「道草をくう」という言葉がある。この言葉に対して道に生えているつばなをくうことであると，解したとしよう。この子どもは，つばなをとって遊んでいた経験から考えて，道草をくうの意味をつかんだのであろう。つまり，一つの生活事例についてだけから考えたのである。ところが，それと同じような事例について考えさせると，数多くあるわけである。「野球をやっていて，学校におくれた」とか，「紙芝居を見ていて，お使いがおそくなった」とか，「釣を見ていて，電車にのりおくれた」とかというように考えると，これと同じ例は，その数が多い。そのように多くの事例についても，考えさせ，その上に共通なことがらをぬきだすと，どれも「時間をむだにした」ということがいえるわけである。このときに始めて，道草をくうというのは,「つばなをくう」ことでなく「むだな時間を使ってしまった」という一般的な概念に抽象化されるわけである,

このような状態に達したときに，子どもは「道草をくう」ということばを理解したことになる。

子どもに理解が成立するには，こうした過程が必要になる。

（b） 理解を成立させる方法

今の例でわかるように，一つの例で考え，更に，多くの例について考え，それらのすべてにある共通なことがらを抽出して，一般化するように学習を進めなければならない。

そのために，時間過程の中に，そのような段階で計画をたてることが必要になってくる。

始め	中間	終り
一事例についての考察	他の生活事例にあてはめて考える	共通要素をぬきだして一般化する
（研　究）──→	（適　用）──→	（整　理）
（一　斉）──→	（個　別）（教師は此の時間を利用して能力別グループ指導をする）──→	（一　斉）

この過程はまた一単元の展開においても考えられる。指導計画を見ればわかるように，第5，6時には練習という時間をおいてある。それは，昨年度も行ったものである。四時限の学習では，理解のふじゅうぶんな子どもがでてくる。このようにおくれた子どもは，今までの学習では，時間が少くて十分理解する時間をもてなかったのである。それで，ひとりびとりの子どもにじゅうぶん練習する時間を与える教師は，ひとりびとりの子どもの障碍点を除去する時間をとるようにくふうして実施したのである。即ち，この時間は，いままで，お札の数え方と結びつけて，数字の上での繰り上がりのない計算までについて学習してきたのであるが，そこまでに学習してきたことを，ひとりびとりの力に応じて，一般化しようとしたのである。

本年度の研究によって，昨年度の実験をみてこのようにしたらと，おぼろ

げながら考えていたことを，このようにすれば，大丈夫であるという確信をもつことができた。

さて，これまでは，過程であるが理解したという状態は，次の二つの条件を満足しなければならないと思う。即ち，

① 正しいか誤ってるかの判断がつくだけでなく，それについて，他人にわかるように説明ができることである。このような力がついていなければ理解したとはいえない。

② 理解をすれば，それは創造する力がでてくることになる。
学習しないことでも，それに関係したことについては，例え，おそくてもできるのである。例えば，先に述べたように，二位数×基数について理解が成立すれば，三位数×基数もできるようにならなければならないということである。三位数の場合には，二位数の計算とちがった点だけを学習すればよいわけで，演算や計算の意味については同じである。このような創造する力は，それらをつらぬく原理を見出し，これまでに学習したことにすぢを通しておくことがたいせつであることは当然である。

更に，理解は，あくまでも教師のおしつけであってはならない。それは，子どもひとりびとりが自分の力で作りだすものであり，ああそうかと悟ることである。

(5) 学習の場の構成は，算数学習の重要な要件である。

学習の場を作ることに，努力しなくてはならないことは，今までも述べてきたのであるが，ここに更に，強調してみたい。

算数科指導も，よりよいものを創造してやまない人間としての子どもの行為を傾向化することに役立たなければならないのであるから，教師は常に，望ましい学習の場を考えながら，子どもが自発的に問題をもって学習するよ

うに援助しなければならない。このように，子どもの物の考え方を，行為の傾向にまでもっていこうとして学習の場をつくれば，子どもはいわゆる「算数を意識しない生活の場」でも算数がうまく使えるようになるのではないかとの見通しをたてることができた。

このように，学習の場の構成，即ち，学習問題をどのようにして，子どもの問題として把握させるかについては，本年度は一応の見通しだけであり，来年度以降の重要な研究課題となるわけである。

(6) 教具の活用もたいせつなことである。

教具を使うことによって，今までの学習に困難を感じていた子どもが，たやすく学習問題にくいつくことができたり，自分で問題を解決することができるようになるわけである。このような意味から，能力差のある子どもに，ひとり残らず理解できるようにするには，能力差のある子どもに合わせて，どんな教具をどの時機に，活用したらよいかを考えることは，たいせつなことになってくるはずである。

（a） 教具は，どんなときに使うかについて考えてみよう。

① 学習の場を作るためのもの——コリント，輪なげなど，

② 教具そのものが学習の対象となるもの——時計，秤など，

③ 目に見えない原理や概念を，見えるようにして，理解の成立を助けるためのもの——お札カード，色カードなど，

④ 練習の能率をあげるためのもの——問題カード，暗算ばんなど

⑤ 換算などのように，一々めんどうな計算の手続をはぶくためのもの——換算表など。

以上五つの使用の場を考えることができるが，おくれている子どもに救いの手をさしのべ，その子どもが理解できるようにするために③の問題について，特に，考えてみたいと思う。

（b） 目に見えない概念や原理を見えるようにして，理解ができるように，子どもを助けるようにするには，教具はどのように活用したらよいか。

算数の困難は，とかく抽象的な数字の上で，ものを処理するようになっていることであろうと思う。おくれている子どもに，何度抽象的なことばや数字で説明してもその子どもを救うことはできない。このような子どもには，どうしても，具体物をもって来て，具体的な行動にうったえさせながら，思考のすぢ道をたてさせるようにしなくてはならない。

そこで，このように教具を使うのには，どんな注意が必要であろうか。

① 抽象化されたものの内にひそむすぢみち（原理，概念，法則）を目に見えるようにくふうしてあたえる。

② 個々人の障碍が，具体から抽象までのどの段階かを見きわめて，それにあうようにしてあたえる。

③ 操作処理が簡単で，すぢみちがはっきり表現できるようにしてあたえる。

④ 一段ずつ高次なものへと発展するよう，そして子どもの思考を伸ばすようにくふうしてあたえる。

⑤ 教師の負担を軽くして，たいして苦労なしでできるように教具をくふうする。

要するに，具体的な行動を通して学習を進めることは，できない子どもをなくする上に，絶対必要な条件であろうと思う。であるから，進んでいる子どもには，数字だけでじゅうぶんであるかもしれない。おくれている子どもほど，教具の力によって，思考を具体的にしなければならないわけである。教具を使えば，誰にもわかり易いのである。しかし，努力しないで学習したことがらは，同時にわすれやすいものである。それで，場合によっては，進

んでいる子どもには教具を与えないで，考えさせるようにしたらよいと思う。

いずれにしても，すべての子どもが，(あらゆる能力段階にいる子どもが)精一杯学習するようにするためには，どの子どもに，どのように教具を使ったらよいかについては，じゅうぶん考える必要のあることと思う。

要は，すべての子どもに精一杯考えさせるためのものであるから，ひとりでも障碍を感じて，とりつくしまのない子どもがいてはならないのである。

（c） どんな教具を使ったか，また，どんな使用の注意をしたか。

本校で使用した教具は，わり箸とお札カードと色カード，色付の数字カード，台紙である。カードは 3×4Cmの大きさで，各位を 1 位は赤，10位は黄，100 位は緑であらわすことにした，(これは，1 年から 6 年まで共通).それと，これを操作するための台紙を用意した。

例えば，35 という数のむずかしさは，3 と 5 のもっている単位関係がわからないからである，であるから，35円というように，お札カードで10円札 3 枚と，1 円札 5 枚であったら，どんなにおくれている子どもでもわかるはずである，これを，3 枚の黄カードと 5 枚の赤カードで現わすと，お札カードよりは少し抽象的になってくる，これが更に，3 を黄色で，5 を赤でかいた色付の数字カードにすると，なお抽象化されてくる，だが単位関係をはっきりさせながら，ここまで段階を追って指導を進めてくると，35という普通に数字でかいたのを見ても，3 が10の単位がかくされていること，5 は 1 の単位が 5 つあることがわかってくるであろうと思う。

このように，数字の上にかくされている単位関係をはっきりするために，このようなカードは非常に効果的であるといえると思う。

要するに，カードを使ったり，お札カードを使ったりするということは，我々指導者の頭を，子どもの側に立って考えるように切換えさえできれば，たやすくできるはずである。ということは，数字の上で処理することだけを

要求したり，これを最上の方法であると考えたり，答をだす手続きは，ただかけ算九九による方法だけであると考えてはならないということである。事実，我々の実際生活を見ても，そろばんという半具体物があるし，お金を支払うとき，計算しなくても，単価だけ，お札を並べていってもできるはずである。このように，高次な，しかも一つの方法というように方法を限定しさえしなければ，できない子どもはいないといえるわけである。

そこで，方法としては，カードでやっても，たし算でやっても，かけ算九九を使ってもよいということがいえるのである。これらがカードの時と計算の時とが，別個ばらばらであってはならないわけである。即ち，カードで操作する時は，抽象数に結びつけようとする意図をもっていなくてはならないわけである。では，どんな点で結びつけていったらよいか。それは，後にまで一貫する計算の原理によって結びつくように，方向づけをすることである。

計算の原理は，

① 同じ単位でなければ数えたり，計算することはできないのだから，計算にあたっては単位をそろえることが必要である。

② 同じ単位が上の大きな単位になったら，上の単位にくりあげる。

この二つを，カードの場合には，赤カードと赤カードをそろえ，黄カードは黄カードでそろえて数える。抽象的な数字の上でも 1 位は 1 位，10位は10位で単位をそろえるということである。このようにすじ道を通せば，子どもの思考をたやすくすることができるのである。また，この考えですれば，カードは赤，黄，緑それぞれ10枚ですむし(実際は 9 枚でよい),数字は 0～9 までの10個の数字ですべての数をあらわすことができることも，はっきりわかるわけである。

以上が，本年度の一応の結論である。

2 今後の問題

できない子どもをなくすることについては，一応の結論を得たのである。今後の問題について述べてみたい。

1　研究が一般性をもつために，どんな研究が必要か。

できないこどもをなくするための教材研究（理解事項）と指導計画については，過去3年間の研究で一応見通しをもつことができた。少くとも，今まで述べてきたような理解事項と，それを，おのおのの子どもの能力に応じられるような指導計画を立案して実施することによって，おくれている子どもでも成功感をもつことができたのである。

だが，この研究と，この見通しは，検見川小学校の職員（勿論，2年同じ教師がやった訳ではないが）と子どもとの3年間にわたる研究の成果であり，いわば特殊な研究の域をでないと思う。そこで，この研究が一般性をもつためには，前述したような指導計画を，他校の職員によって，他校のこどもに実施して，同じような結果を生むかどうかという課題が残るわけである。換言すれば，他校の職員と子どもが，この指導計画という条件で実施して，本校と同じ程度の効果をおさめることができたとすれば，いままで述べた指導計画や，実際が一般性をもつことになるわけである。

このような意味において，来年度は多数の協力学校をお願いして，この研究についての験証をしていただきたいわけである。

勿論，よい結果が出れば有難いことではあるが，悪い結果がでてもそれは，本校の研究の未完成を物語るだけのもので，本校の研究の手ぬかりを反省してさらに研究を続けなければならぬことになる。

誤算をなくするという意味における研究は，明年か明後年，多くの協力学校の実験の結果，特殊なものから一般性をもつものにしたいと考えている。

2　できない子どもがなくなっても，かけ算についての学習は，まだ終りではない。

昭和25年からの研究は，いはば，おくれている子どもの指導を中心にして実験されてきたのである。これは，病人に例えることのできる子どもで，その他に，たくさんの健康な子どもがいるわけである。例えば，一々，教具の力をかりなくても，抽象数でじゅうぶん理解できる子どもは多いのである。

このような子どもにも応じられるような研究でなかったならば，研究としては片手おちなものになるわけである。このような意味において，次のいくつかの事項は，健康な子どもをより健康に生活できるように（言葉をかえると，算数の本当のねらいに向っての研究とでもいおうか）するために残された研究題目であると思う。

(1)　進んでいる子どもに応じられる指導計画

このことについては，昨年と今年少しは考えて実施して来たが，まだ，本格的な研究の段階には入っていない。例えば，演算の意味も，同数累加だけではだめで倍の関係にも拡げなければならない。また異数がまじっている加法の場合の計算もかけ算を使うことが能率的である。そのほか練習問題の質と量についても，もっと考える余地があるわけである。

要するに，能力別指導についての研究が終りになるのは，おくれている子どもにも，進んでいる子どもにも応じられて，ひとりびとりの子どもが，自分の能力に応じて精一杯学習できるように学習指導の計画がたてられて実施されたときであると思う。

(2)　生活にうまく使えるような算数の学習指導

能率的にすることだとか，科学的に生活を処理することだとかいうように，算数学習の教室をでても，その算数のよさが，自然と身についた力として態度となり，行為の傾向となって，日常生活に反映しなければならない。

そのような子どもに育成するには，どのような教材研究と指導計画が大切であるか，更には，指導法はどうしたらよいかについての研究が必要になってくる。ここまでいかなくては，かけ算を学習して，それを生活に使うことはできても，更に，その力が生活改善の力とはならないのである。

このような状態にまで高まるとともに，誤算をする子どもがなくなるときが，「誤算の研究」に終止符がうてるときであると思う。

要するに，今後の問題は，おくれている子どもを対象としての研究から，一歩進んで，数量的な処理をしないでは気のすまない傾向にまで，心情を高める学習指導も研究が中心になるといえるわけである。

初等教育研究資料第Ⅳ集
算数実験学校の研究報告
（３）

MEJ 2319

昭和28年3月1日印刷
昭和28年3月5日発行

著作権所有　文部省
東京都中央区入船■3の3
発行者　藤原政雄
東京都板橋区板橋町8の1952
印刷者　中村榊
（新興印刷製本株式会社）

東京都中央区入船町3丁目3番地
発行所　明治図書出版株式会社
電話築地(55)867番　振替東京151318番

定価 128円

明治図書出版株式会社刊

定価128円

初等教育研究資料第V集

音楽科
実験学校の研究報告

（1）

文　部　省

音楽科
実験学校の研究報告

（1）

文　部　省

音楽科実験学校の研究報告　刊行にあたって

文部省においては，昭和24年度以来実験学校を設け，各教科の基礎的な事がらについて，実験的研究をしようとして努力してきました。

音楽科に関しては，昭和25年度から3年間，実験学校として横浜国立大学学芸学部付属鎌倉小学校に研究をお願いしました。さらに，昭和26年度には鎌倉市立玉縄小学校と東京都中野区立江古田小学校，昭和27年度には仙台市立南材木町小学校に同じく実験的研究をお願いしました。幸に，これらの実験学校においては，文部省の意図しているところに沿って，熱心に実験的な研究を進めてくださいました。この点につきましては，上記実験学校に対し厚く御礼申しあげます。

このたび音楽科の実験学校において，一応の成果を得ましたので，これを，初等教育研究資料第Ⅴ集として刊行する運びになりました。音楽指導について研究しようとする人たちにとって，よい手がかりになるものと信じます。すでに，算数科実験学校の研究報告は刊行になっておりますが，今後引続いて，他の教科についての研究成果も，初等教育研究資料として刊行するつもりであります。

文部省　初等中等教育局
初　等　教　育　課　長　大　島　文　義

ま　え　が　き

この実験学校報告は，文部省音楽科実験学校の研究成果のうち，「児童の読譜能力の発達」についての実験的研究を担当した，横浜国立大学学芸学部付属鎌倉小学校の，昭和25年度および26年度における報告を編集したものである。

音楽科教育における読譜指導の地位と役割は，いまさら説明するまでもなく非常に重要なものである。ところが，その指導の基礎となる児童の読譜能力の発達については，いままでに，何らの科学的な研究がなされていなかったといっても過言ではない。したがって，読譜指導の計画を立てる場合においても，指導の実際にあたっても，常にたしかなよりどころを求めることができず，結果においては，児童の読譜能力をじゅうぶんに伸ばすことができないような状態であった。

そこで，少しでも児童の読譜能力の発達段階をつきとめ，望ましい読譜指導のあり方を指向しようとして提出したのが，上記「児童の読譜能力の発達」という実験課題だったのである。

本書に盛られた報告は，最初の2年間の研究成果であるから，これだけで所期の目的が達成されたとは考えない。現にこれに続く研究も行っているし，今後いろいろな観点からいっそうこれを深めていきたいと考えている。さしあたってこの報告が，音楽指導についての実験的研究をしていく上に，多少なりとも役立てていただくならば幸である。

おわりに，多くの時間と目に見えない労力とを要する地味な研究であるにもかかわらず，日夜精進された付属鎌倉小学校に対して，深甚の謝意を表する次第である。

初等教育課　文部事務官　真　篠　　将

目　次

第　Ⅰ　部

昭和25年度文部省実験学校研究報告

「読譜能力の発達について」

——リズムおよび階名素読に関する研究——

目　次

昭和25年度文部省実験学校研究報告

「読譜能力の発達について」

――リズムおよび階名素読に関する研究――

第1章　本校における読譜指導の概要

音楽的能力は感覚的，技術的な面を多分にもっている。そして音楽への興味や関心を高めたり，能力の向上をはかるには，児童の環境や音楽的訓練などが大きな役割を果すと考えられる。このことはさらに読譜能力の調査研究においても問題の作製・結果の考察の上に関係が深いので，まず初めに本校児童の音楽的環境・本校の読譜指導計画についてその大要を述べておきたい。

1.　本校児童の音楽的環境

一言にしていうと，比較的恵まれているということができよう。「鎌倉」という地域性を考えてみても，「鎌倉交響楽団」を始めとして，いくつかの合唱団（成人を主とした）などの音楽団体が組織されており，有名な音楽家や，音楽愛好家も相当数居住している。また文士・芸術家・学者・政治家・実業家・等々いわゆる文化人の集り場所としての鎌倉は，その中に育つ児童に語らずして音楽的何ものかを与えているであろう。

家庭においてもだいぶん音楽教育に対して大きい関心が示されている。一例をあげると，最近の調査によれば全校 427 世帯中ピアノをもっている家庭数64（全世帯数の約 15%）蓄音器を備えている家庭数 60% 余り，家に音楽について教えてくれる人のいる家庭約 43%，課外にピアノのけいこに通って

いるもの 71 名というような状態である……別表参照

学校においても，毎週行われている「朝の音楽」の時間（始業前 10～15 分一週２回）に全校児童が低学年，高学年に分れて，歌ったり，器楽の演奏・作曲の発表・自由研究班の者の発表などを聞いたりしていること。音楽的設備の面ではまだまだだいぶん難点はあるが、しだいに充実しつつあること。また各学級の担任が音楽に対して大きな関心を示し，積極的に生活化に協力していてくれることなどをあげることができる。学芸会におけるＰ・Ｔ・Ａの母親達の合唱，総会の際の音楽鑑賞の時間の設置なども児童に大きな影響を及ぼしている。

音楽的環境調査表

よくきいているラジオ番組

第１の１表

（主として音楽的なもの　在籍児童 504）

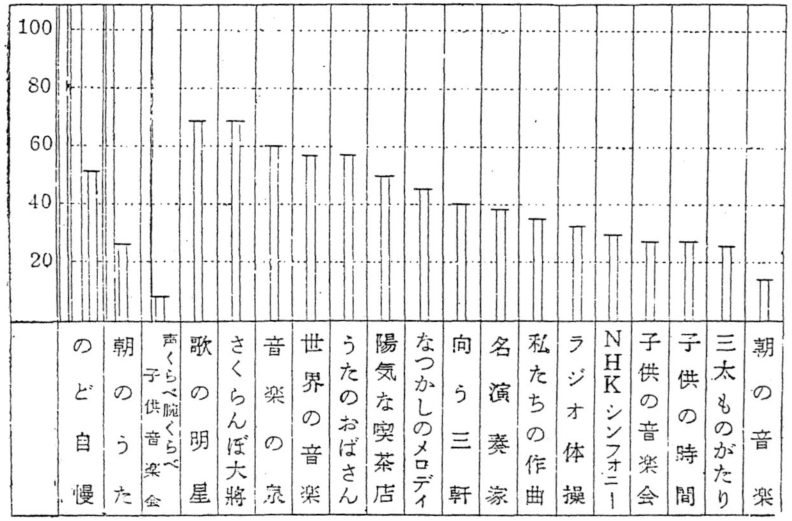

のど自慢
朝のうた
声くらべ腕くらべ子供音楽会
歌の明星
さくらんぼ大将
音楽の泉
世界の音楽
うたのおばさん
陽気な喫茶店
なつかしのメロディ
向う三軒
名演奏家
私たちの作曲
ラジオ体操
NHKシンフォニー
子供の音楽会
子供の時間
三太ものがたり
朝の音楽

音楽的環境調査表（家庭で指導してくれる人数）

第１の２表

学級	1の1	1の2	2の1	2の2	3の1	3の2	4の1	4の2	5の1	5の2	6の1	6の2	計
在籍数	44	45	40	42	46	46	44	42	41	41	36	37	504
教えてくれる人のいる児童	22	25	21	27	25	30	40	31	35	24	26	27	333
父	3	8	8	11	9	10	13	21	6	5	8	1	103
母	16	14	10	21	18	24	33	18	24	14	18	15	225
姉	1	11	13	3	11	7	15	16	14	11	5	12	119
兄	2	4	6	7	10	7	7	9	6	5	3	5	71
その他	0	0	0	1	0	0	0	0	0	0	3	0	4

第１の３表

家庭の楽器の数と比率

（427 世帯）

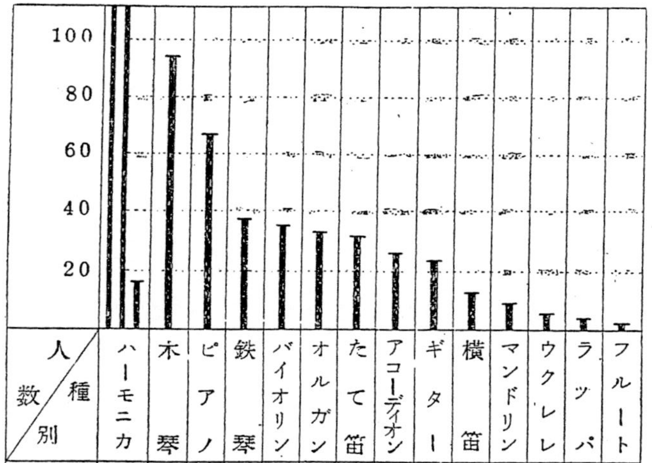

種別／人数	ハーモニカ	木琴	ピアノ	鉄琴	バイオリン	オルガン	たて笛	アコーディオン	ギター	横笛	マンドリン	ウクレレ	ラッパ	フルート
	218	93	64	38	36	33	27	22	21	14	11	9	7	2
全家庭に対する百分率	51%	22%	15%	9%	9%	8%	7%	5%	5%	3%	3%	2%	2%	1%

第1の4表

家庭においてけいこごとをしている児童数

学級	1の1		1の2		2の1		2の2		3の1		3の2		4の1		4の2		5の1		5の2		6の1		6の2		計		
	男	女	男	女	男	女	男	女	男	女	男	女	男	女	男	女	男	女	男	女	男	女	男	女	男	女	総計
ピアノ	2	0	0	3	1	3	1	2	2	6	1	8	2	7	0	6	3	9	1	8	0	3	0	3	13	58	71
バイオリン	0	0	0	2	0	0	1	0	1	0	1	0	2	0	0	2	1	0	2	0	0	1	0	0	8	5	13
歌	0	0	0	1	0	0	0	1	0	0	0	0	0	1	0	1	0	0	0	3	0	0	0	0	0	7	7
琴	0	0	0	0	0	0	0	0	0	1	0	0	0	0	0	1	0	0	0	1	0	1	0	2	0	6	6
長唄	0	0	0	0	0	1	0	0	0	1	0	1	0	0	0	1	0	0	1	0	0	0	0	0	1	4	5
バレー	0	2	0	2	0	3	0	0	0	1	0	6	0	4	0	4	0	0	0	4	0	2	0	1	0	29	29
日本舞踊	0	1	0	1	0	3	0	3	0	1	0	4	0	0	0	1	0	4	0	2	0	0	0	0	0	20	20
英語	1	0	0	1	2	2	1	0	5	3	1	3	6	2	15	9	14	9	7	3	5	4	9	1	66	37	103
図画	1	3	0	1	1	2	4	0	4	5	2	2	0	4	0	4	2	3	1	1	0	4	0	0	15	29	44
習字	0	1	0	0	0	0	1	0	0	0	0	3	2	1	5	2	2	1	1	1	0	0	0	0	11	9	20
茶	0	0	0	0	0	0	0	0	0	0	0	0	0	0	0	5	0	0	0	1	0	0	0	0	0	6	6
生花	0	0	0	0	0	0	0	0	0	0	0	0	0	0	0	1	0	0	0	0	0	1	0	0	0	2	2

2　本校における読譜指導計画

本校では移動式階名唱法を採用している。「読譜にはどのような唱法を用いたらよいか」「固定ドか移動ドか」といったことが大いに問題にされているむきもあるが，歌唱のための読譜は移動ドが適当であろうと考えて，それを取り上げている。「楽譜は音楽の文字」といわれ，各音楽活動の基礎であるから相当徹底して取り扱いたいと考えているが，なかなか思うような効果をあげることができない。

さて読譜指導においてたいせつな点としては指導系統を追いながら，反復練習したり，継続的に行ったりすることなどがあげられるが，本校では学年的な段階として一応次のような順序にしたがった指導を進めている。

1年2年は読譜指導の準備期である。3年以後の本格的な読譜活動の土台をつちかうたいせつな時期である。そこでこの時期にはいろいろな音楽活動を通して，各種のリズム型・旋律型を身につける指導が必要である。それと

ともに，「朝の音楽」の時間に上級生の階名唱を聞いたり，それを耳から覚えて，いっしょに階名唱するといったことからしだいに楽譜や階名に対して興味や関心をもたせるようにする。そして少しずつ継続的に次のような指導をする。

i　リズム打，リズム唱……リムズ符との結びつけ

ii　音楽に対して身体的リズム反応をする

iii　階名模唱，既習曲の階名唱……音楽語いの習得

iv　音階練習

v　五線四間の指導

vi　絵譜とかな譜

vii　譜ならべ(おはじきならべ)，旋律カードによる指導

音楽に対して身体的リズム反応する。これはこのころの児童の「身体で学習する」という特性をとらえて，音楽に合わせて，歩く・走る・とぶ・おどる・タクトをとる等の動作を行うことから，自然に，拍子・リズムをつかませるのである。階名模唱は，階名と音高を結びつけるところにそのねらいがあり既習曲の階名唱とともに音楽語いの習得にあずかって力がある。音階練習も同様な効果をねらうのであるが1,2年では多くを望まず，たとえばドレミファソラシド等の上行，下行，時には主和音の分散和音唱を加味して，音階系列を自然に会得するようにしむける。

絵やかな譜を用いて音の高低を視覚化し，順次五線四間へと結びつけるようにする。譜ならべではおはじきを用いて五線四間の関係をつかませたり旋律カードによって，音楽語いを直観的に読みとる練習をつむ。なお時々「和音あそび」を行って和音に対する感覚を養う。

このようにして各種の音楽活動をおりまぜて，直観的行動的に音楽的感覚を養い，読譜の基礎をつちかうのである。

２年，２年の終りごろから本格的な読譜練習を行う。１年２年の間に養われた感覚を楽譜という知的分野にしっかりと結びつけていく時期である。もちろん読譜を始めるといっても，どれもこれも教材すべて視唱させるということではない。聴唱的に歌曲を扱う場合が多いのであるが，できるだけいわゆる聴唱的視唱法を取り上げ，一方，簡単な練習曲を用いて視唱練習を行うのである。

また基礎的な面を伸ばすためには前学年に引続き，さらに次のような諸練習をすることがたいせつである。

i　リズム打・リズム唱・身体的リズム反応

ii　音階図指唱

iii　単独音高唱

iv　旋律・リズム聴音唱和・身体的リズム反応

v　音階リズム唱

vi　練習曲・新曲練習

vii　写　　譜

これらの作業はそれぞれの能力に応じて３年から６年までの間に常時練習していくのである。

音階図指唱は，音階図を指しながら音程練習をするのであって，３年では特に順次進行，３度の跳躍進行などを重視して取り扱っている。また音階図指唱はその時間に取り扱う教材や，既習の音楽語いなどを適当に取り上げて興味的に階名と音高を結びつけることができる。

単独音高唱も方々の先生方が取り扱っておられることと思われるが，指導者の指示する任意の一考を願うことで，授業の始まる前の礼に用いるハ長調の和音の中から，児童に「ド」「ミ」「ソ」「ラ」「レ」などをとることで，一つずつ覚えさせるようにする。

旋律聴音唱和は，教師の奏するピアノを聞いて階名で歌う練習で，階名模唱を発展させたものであり，リズム聴音唱和は，聞いた旋律のリズム唱をすることである。音程感覚，リズム感覚を楽譜の諸記号と結びつけるためには聴音書取が大きな効果をあげている。

〔注〕「ハイ」とあるのは，そこまで教師がひいて一拍休みの間にかける合図。次の小節から児童が歌う，あるいは楽器でひく。

聴音は時には挙手して的中させたり，書き取る方法も行うが，このように拍子に乗せて歌つていく方法が，たいへん音楽的で楽しい。

音階リズム練習は，音階にのっていろいろなリズムを練習することである。方法としては，ピアノを奏しながら音階を歌い，合図によっていろいろなリズムを歌う。

〔注〕合図のあとをどういうリズムで歌うかということは，そのつど，教師が示す。

この他リズム譜を見せこれを棒でさしながら，音階の上行，下行を歌っていく方法もある。こうして，新しいリズムを指導する場合には常に音階を用いるようにする。

音階リズム練習の一例

ド　レ　ミ　ファ　ソ　ラ　シ　ド　シ　ラ　ソ　ファ　ミ　レ　ド

(イ)

(ロ)

練習曲や新曲を与えて，できるだけ系統的な指導に努めている。これについては，あとでまとめて述べてみたい。

以上のような作業を適宜取扱うとともに，簡単な楽典事項，などの名称・役目も理解し，聴音・写譜・器楽指導と関連づけながら，特にハ長調の視唱練習に重点をおいて取り扱う。この学年あたりが素読の能力などもぐっと伸びるように思われる。

4年では3年の程度を高め，しだいに楽譜に対する知的な分野を広げ，調子もへ，ト長調の視唱に重点をおき，$^6/_8$拍子の拍子の視唱練習を加える。総譜の活用，やさしい器楽曲の編曲のくふうなど応用面を伸ばすことも考えている。

5，6年ではさらに知的な面を重視し，楽曲の構成・形式についても注意して取り扱い，合唱曲の視唱，♭♯ 1～3 個の曲の視唱練習へと進む。また短調の曲の視唱練習も行う。個人差に留意して取り扱い，能力のあるものは創作面――作曲，器楽曲の編曲――と関連して身についた読譜指導へと進む。

ただあまり大きな要求をすることはできるだけ避けて，どこまでも実状に即して指導を進めていくことを心掛けている。

練習曲・新曲による指導（リズムの系統について）

楽譜を階名で読むこと，これに音程をつけること，リズムをつけて読むこと，こうした総合的な取扱をするため，しかも児童の能力に応じた指導をしていくためには，適当な練習曲が必要であるし，学習の評価のためには新曲を歌うことがよい。

特にリズムをつけて読むことは，他の階名素読・音程をつけることに比べてだいぶん困難度が高い。リズムは音楽の要素として基礎的なものであるが，またなかなか厄介なものである。なぜならば，音程のほうは楽器を用いてこれを作り出すことができるが，（たとえばピアノ・オルガン・木琴などがあって，鍵板をおさえれば求める高さが得られる。）リズムを作り出す楽器はない，どうしても自分でとらえるより方法がない。これは教師にとっても同様で，リズムの悪い教師はなかなかなおらない。そして，このような教師の指導のもとでは，児童もやはりリズム感に欠けたものになるおそれがあるわけである。

こうした状況であるから，読譜指導にあたっては，リズム指導に重点がおかれるわけである。そして，リズム指導においてはリズムの系統をじゅうぶんに検討し，その系統によつて指導を進めていくわけである。

いま練習曲の中からいくつかの例を抜き出してみると，

〔注〕 1は四分音符のみの例

2は二分音符，付点二分音符に導く例。ここには(イ)(ロ)としたが，実際には(イ)のタイをつける前の形からはいる（以下の例題もみな同じ……ここまでが3年

3は八分音符への導入，またタイにより ♩ ♫ ♩ ♩ のリズムとの関係をつかませる。

4は付点四分音符への導き方（このころハ長調から他の調へ移る。）

5はシンコペーション……ここまで4年あるいは5年の初期

なお，上拍のリズム ♪ ♪♪ ♪ などのリズム…4年後期かだいたいは5年初期，

三連音 |6/8 ♩ ♫ から 2/4|♩ ♫| を導く方法を用いる）は6年

練習曲や新曲で用いられる旋律はできるだけ美しいものをねらい，音程については一度の次に二度といつた機械的な進み方をせず，既習曲・既習の音楽語いを生かしたものを用いるようにしている。

以上大まかに本校児童の音楽的環境・読譜指導計画（実施面も含めて）について述べてみた。ところで，実験学校として文部省からの課題「読譜能力はいかに発達するか」という大問題についてどの分野から取り組んで

いくか，研究方法いかんということに関して，いろいろと考えた結果，次の二つの項目について研究していくことになった。

（一） リズムの問題

（二） 階名素読の問題

そこで次にいかなる理由によって，これらの問題をとり上げたかについて述べてみたい。

3　リズムおよび階名素読の問題をとり上げた理由

A　いずれも読譜活動の基礎的要素であること。

読譜能力を分析してみると，およそ次のように分けることができる。

- 楽譜を見てリズムを表現する能力
- 楽譜を見て高さを表現する能力
- 楽譜を見て和音を表現する能力
- 楽譜を見て諸記号を表現する能力

上のように読譜の能力は，感覚および楽典についての知識のさまざまな力の総合されたものと考えることができる。そして，これらの能力の中で，最も初歩的であり，しかも一番の基準となるものは

○「五線四間と階名（高さをともなう）が結びつけられること。」

○「音符と実際のリズムの表現が結びつけられること。」

であると考えたわけである。

B　リズムの問題

前のリズム指導の系統の所でも述べたように，リズムは音楽の土台となるたいせつな要素であるにもかかわらず，児童の音楽活動，ことに読譜学習を見るとリズムの表現（ことにリズム符と実際のリズムの表現の結びつけにお

いて）にだいぶん困難を感じている。そこでことにリズムの研究をとりあげなければならないということになった。

○聞き分けることと表現することは相関度が大きいこと。

別表の音楽調査一覧表（5年1組級全員）の「リズムに関するもの」の中で「リズムの聞き分け」と「リズム打」,「リズム楽器の表現能力」の相関を調べてみても「聞き分けることと表現することは相関度が大きい」。

そこで，今回は調査の能率化を考えて「音符とリズムの結びつけ」のうち「聞き分ける能力」の調査に主眼をおくことにした。

C 階名素読の問題

第1の5表　階名素読と音程表現の相関についての調査表

		6年			5年			4年			3年			2年		
		男	女	計	男	女	計	男	女	計	男	女	計	男	女	計
調査人員		人 20	人 17	人 37	人 20	人 21	人 41	人 19	人 21	人 40	人 22	人 19	人 41	人 18	人 18	人 36
ともによし		6	7	13	3	11	14	4	11	15	4	7	11	6	7	13
素読良，音程不良		3	2	5	8	2	10	3	4	7	1	3	4	3	3	6
素読不良，音程よし		1	2	3	0	2	2	3	2	5	4	3	7	4	3	7
ともに普通		5	2	7	3	3	6	5	3	8	7	4	11	2	3	5
ともに不良		5	4	9	6	3	9	4	1	5	6	2	8	3	2	5
A　素読と音程の相関大		16	13	29	12	17	29	13	15	28	17	13	30	11	12	23
B　相関小		4	4	8	8	4	12	6	6	12	5	6	11	7	6	3
A：B	実人員	29	〃	8	29	〃	12	28	〃	12	30	〃	11	23	〃	13
	%	78	〃	22	73	〃	27	70	〃	30	73	〃	27	64	〃	36

第1の5表，第1の6表によって示されているように，階名素読の能力と

音程をつけて歌う能力とは約 70% の相関係数をもっている。そこで「読る児童はだいたいうたえる」という前提のもとに，調査の能率化の面からも考えて，階名素読の問題をとり上げた。

「よめる児童は歌える」という前提は誤解を招きやすいので，説明をつけ加えておこう。前に述べたように本校における児童の音楽的環境や読譜指導の方法（全学年通じて行っているが，ことに低学年において感覚面を重視し，階名読みは必ず音程を伴わせていること。――ドレミと読む場合にはドレミに必らず高さをつけて練習しているというようなこと。）さらに調査の問題はむずかしいものはほとんどないこと等によって，大部分の児童についてこのことがいえると思っている。

なお一方からいえば，階名が素読できるということそれ自体の調査研究もたいせつであり，その素読の能力がぐんと一段伸びる時機を知ること自体もたいせつなことがらであると考える。

以上の理由から，これら二つの項目を選んでみたが，これらをとり上げることによって

1，本校の読譜指導計画の反省。

2，本校における読譜活動の実状。

3，本格的な読譜にはいる時期はいつか。

こうした事項について，ある程度の科学的なうらづけをしてみたいと考えたわけである。

以下章を改めて調査の具体的な事項を述べてみよう。

第２章　児童はどのように リズムを聞き分けるか

１　調　査　の　目　標

(一) 各学年の「リズム符とリズム感覚の結びつけ」の実状はどうか。

(二) どのようなリズム型が聞き取りやすいか。
どのようなリズム型が聞き取りにくいか。

２　調　査　の　方　法

A　問　題　の　作　成

リ　ズ　ム　表

問題

２拍子

①
②
③
④
⑤
⑥
⑦
⑧
⑨
⑩

３拍子

①
②
③
④
⑤
⑥

６拍子

⑦
⑧
⑨
⑩

昭和 25 年度使用の検定教科書７種を用い，1. 2年の歌唱教材から使用されているリズム型を拾い出しその頻度を調査した。それによって二拍子を10種，三拍子から6，さらに６拍子のリズムを４年，５年使用の教科書から４種をそれぞれ撰定し，計 20 題を作製した。

B　実　施　の　方　法

(第一回)

この 20 題を二拍子の群と三拍子六拍子の群とに，それぞれ 10 題ずつにわけ，学級全体の児童に見えるような大きな紙に書いて掲示し，教師は歌いながらハンドカスタを用いて演奏し， 10 題中の何番を演奏したかを当てさせた。旋律は，まだ指導されていないものを用いた。旋律を加えたことについては，次のようなことがらを理由とする。

(1)　児童はリズムを，リズム打ちのままで経験するのでなく，かれらのリズム経験は常に高さを伴って行われている。

(2)　カスタネットのみで演奏した場合に，｜𝅗𝅥｜ と ｜♩ 𝄽｜ の区別はきわめて困難であり，さらに，3/4｜♩. ♩ 𝄾｜ と 2/4｜♩ 𝄽 𝄽｜♩ 𝄽 𝄽｜中には 2/4｜𝅗𝅥 ♩ 𝄽｜ と混同することもあるので，音符の示す長さを正しい長さに伸ばして聞かせなければならない。

このようにして第１回の調査は 10 題の中から撰ぶという方法を用いたが2，３年生は撰択という作業に不慣れであるし，また知的にもだいぶん無理があって，こちらで望むような結果は出てこなかったので，その結果についての考察は第２回の結果とともにまとめて行いたい。

(第２回)

第１回の方法は低学年にとって特にむりなやり方であったし，思うような結果をうることができなかったので，方法について考えてみた。

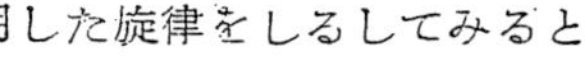

使用した旋律をしるしてみると

i　演奏されたリズム型を当てる方法――第4回と同じ

ii　リズム型を紙に印刷しておいてその中から正しいものをとり出すようになること。

iii　1問題についていくつのリズム型を用意するか，どのようなリズム型を並べるか。（1問題につき5種類のリズム型）

iv　全体の問題数をいくつにするか。

2拍子　5題　　3拍子　3題　　6拍子　1題

v　1問題を2回に活用すること。

次に児童にプリントされた問題用紙を示すと，

リズムを聞き取る力の調べ

2拍子　　　　年　組（　　　　）

1)
い
ろ
は
に
ほ

2)
い
ろ
は
に
ほ

3)
い
ろ
は
に
ほ

4)
い
ろ
は
に
ほ

5)
い
ろ
は
に
ほ

3 拍子

6)

い

ろ

は

に

ほ

7)

い

ろ

は

に

ほ

8)

い

ろ

は

に

ほ

6 拍子

9)

い

ろ

は

に

ほ

☆ 先生がカスタネットで打つリズムをあてましょう。

一かい目は正しいものを○でかこみましょう。

二かい目は正しいものを△でかこみましょう。

○一年生のリズム感覚と音符の結びつけの調べについて

期間　26 年5月中旬より6月中旬まで

4年担任と連絡をとり新入生のリズム感覚とリズム符の結びつけについて調査を行ってみた。なお4年生に5月中旬から簡単なリズム符♩と♪を指導して実験を行ってみた。その状況を一応まとめてみると，

a　教師の示範に合わせて簡単なリズム打ちをすることはおおむね可能，とり上げたリズムは

1)　7)

2)　8)

3)　9)

4)　10)

5)　11)

6)　12)

（1）から（8）までは別にむりなく打つことができるが（9）（10）（11）（12）を打つことはだいぶん困難である。

のリズム打，約 30% 可能（5月中旬）

のリズム打，約 30% 可能（5月中旬）

次にリズム符とリズム感覚の結びつけの調べについて結果をみると，

b　リズム符とリズム打ちの結びつけの調べ。（6月第4週）

方法としては黒板に書いてあるリズム符をみて，手でリズムを打つというやり方を用いた。

1)　全員可能（2拍子の強弱を入れて）

2)　教師の示範がないと困難，あれば 90% 可能。

3)　90% 可能（示範なし）

4)　92% 可能（示範なし）

5)　80% 可能（示範なし）

6)　75% 可能（示範なし）

7)　65% 可能（ただし示範がないとだいぶんむり）

8)　65% 可能（ただし示範がないとだいぶんむり）

C　リズムを聞いて音符を結びつけること（6月第4週調べ）

下の題中より教師の打つリズムをあてる。

1)

2)

3)

4)

5)

番号	人員	%
1番	35	79.5
2	17	38.5
3	28	64
4	35	79 5
検査人員 44		

なお4問題全解の者 12 名，1問題もできなかったもの8名

第2の1表　リズム調査表　第1回（6月第1週）問題別正解%

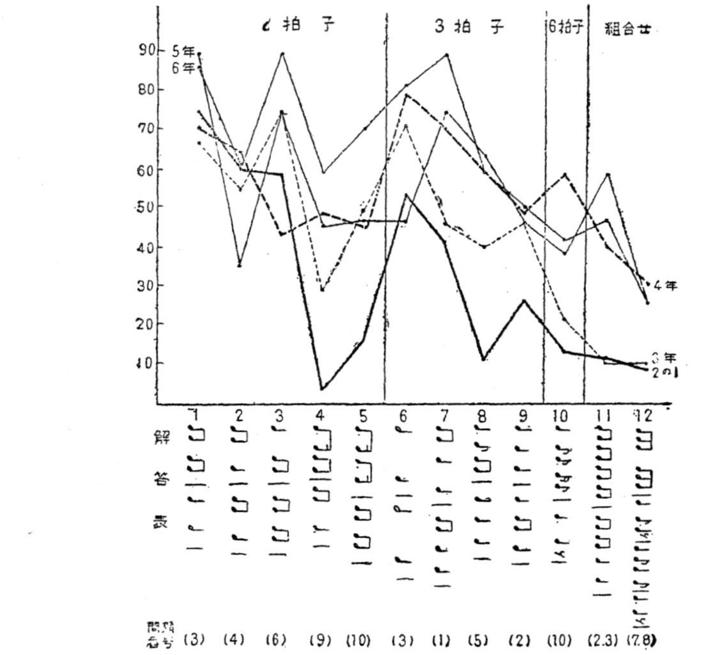

第2の2表　誤答分類表（何番とまちがいやすいか？）
4年1組（調査人員39名）

No.	1	2	3	4	5	6	7	8	9	10	11	12
正解	4	3	6	9	10	3	1	5	2	4	2.3	1.2
誤答番号	⑤—10人 ①—1人 ②—2人	⑨—4人 ⑧—2人 その他6人	⑤—10人 ⑩—4人 ⑧—5人 その他4人	⑧—6人 ⑤—4人 ⑥—8人 その他3人	⑨—4人 ⑦—3人 ⑥—7人 その他8人	⑧—4人 ⑥—2人 その他3人	⑤—3人 ⑤—3人 その他6人	⑩—4人 ⑥—5人 その他8人	④—9人 ⑨—4人 その他4人	⑧—4人 ⑨—6人 ②—3人 その他8人	(1.3) (7.10) (4. 5) (1.2) (3. 4) (3. 5) 等	(7.9) (7.10) (8.10) (8.9) (4. 5) (2. 8) 等
人数	15	12	23	21	22	9	12	17	17	21	21	28

第2の3表　リズム調査表　第2回（6月第3週）問題別誤答数%

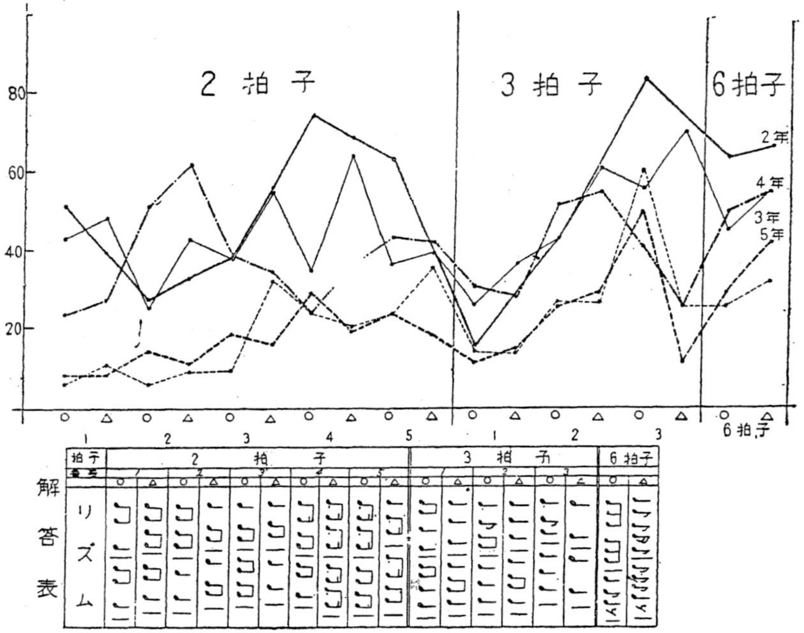

3　結果についての考察

A　二拍子，三拍子における四分音符と八分音符の組合せからなるリズム型について

例をあげてみるとグラフ第2の2表1番の○　|♫♩|♫♩|　および△　♫♫|♫♩|　2番の○|♫♫|♩♩|　三拍子の1番の○　|♫♩♩|♫♩♩|　△♩♩♩|♩♫♩|　などがある。これらの四分音符と八分音符の組合せからできているリズム型の聞き取りは，だいたい良好であるように思われる。この容易であるリズム型のつかみ方について，さらに分析を試みるならば，四分音符と八分音符はその長さにおいて♩（2）♪（1）の関係で，児童がリズム譜を見てリズム打ちをする演奏態度を観察すると，八分音符を八分音符としてとらえるのではなく，換言すれば♪は半打ちであるという概念ではなくて，♫は一拍という♩を基準としている。

したがって♩♩|♩♩|のリズムが土台となって，|♩♫|♩♩|という型や|♩♫|♩♫あるいは|♫♩|♫♩|などの型に変化しているという考え方で，きわめてらくに変化したリズム型をつかんでいる。

この2分の1の関係が逆に，2倍の関係であるところの𝅗𝅥と♩の場合も同じように考えられる。

この2倍または2分の1の関係で組み立てられたリズム型は，こうして，いつも|𝅗𝅥♩|𝅗𝅥♩|を基準にしてとらえているので，概して容易なものとして受入れられているのである（第2の1表では 1，2，3，6，7番等がこの例である）が，指導が徹底を欠いている際は，このようなリズムのとらえ方が誤まったとらえ方を引き起すように思われる。

たとえば第1回の2番第2回の1番の○，2番の△など誤答者についてその誤り方を調べると，2番の問題などは|♫♩|♫♩|を♩♫|♩♫|

と記入したものが 23% いたことが認められた。これらは♫を一拍という考えからきた誤りではなかろうかと思われる。

また同じ2対1の関係で組み立てられているものでも|♪♩♪|というような，シンコペーションのリズムもあるが，これについては調査をもらしているので，今後の課題としてその結果を期待していることを付け加えておきたい。B　問題別統計グラフによる考察について

第2の4表　　リズム調査表問題別統計　　（誤答数）

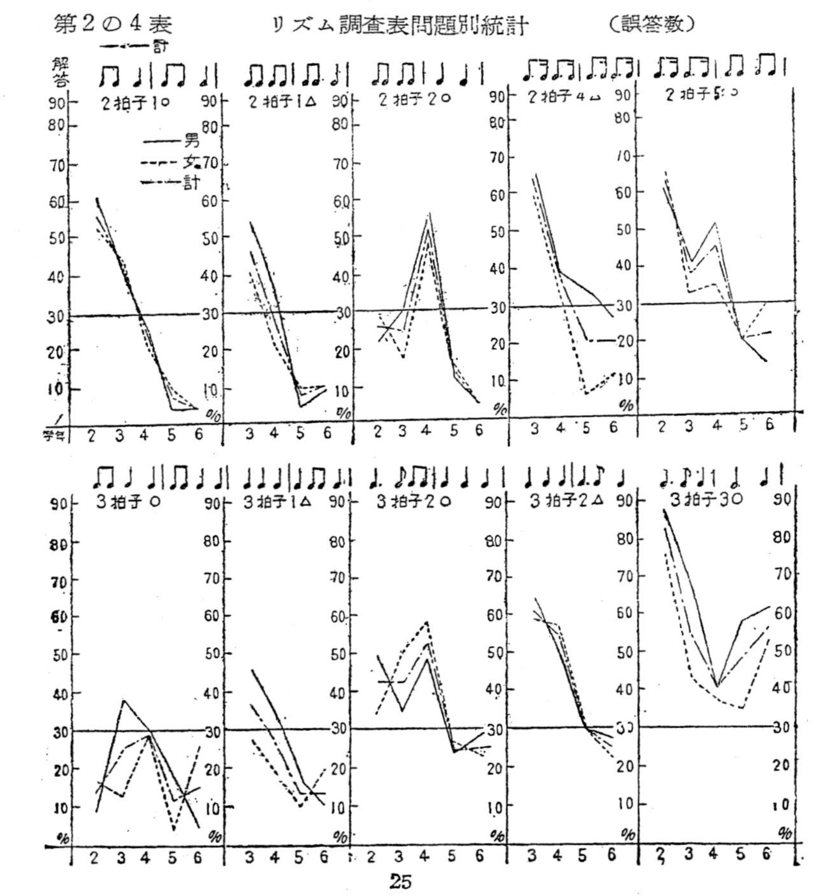

2回目の調査の誤答数を，問題別にみると，上のグラフ（誤答数）のような曲線がみられる。（スペースの関係で一部必要なもののみを載せる）

この場合，指導が簡易なものから複雑なものへと順序をふんで（たとえば考察Aであげた2対1の関係のものから，しだいに付点を用いたリズムへと進む）等それぞれ徹底して行われているならば，第2―3表の2拍子の1番の○や，3拍子1番△，3拍子2番の△のような曲線が得られるわけである。

しかし，2拍子2番の○のように，2年3年と上昇し，4年で頂点に達し5，6年と下降している曲線もみられる。3拍子2番の○，3拍子1番の○等もこうした傾向である。このことがらを考えると

|♫♫♩ ♩|♩. ♪ ♫|♩ ♫‖♫♩ ♩|♫♩ ♩ ♩‖ のような単純なものは，低学年でほとんど徹底することができるわけであるから，この時代にリズム指導の基礎を固めなければならないと思う。

一方このようなことから，指導計画としてやさしいリズムから，しだいにむずかしいものへと進む段階を編成する資料を得ることができるのではないか，と解釈される。

C　聞き取りにくいリズム型について

全学年を通じて調査問題を通して考えてみるならば（考察Aの考え方から），困難なリズムは4分の2拍子，4分の3拍子における付点の四分音符のはいったもの，および8分の6八拍子における付点8音符などである。また3種以上の音符を用いて構成されるものは，困難度が高いということができよう。

しかし高学年では，児童のリズム感覚さえ訓練されていれば，リズム譜を見て演奏することは，時間を多少かけることによってほとんど可能である。

この両者の関係から，低学年では，リズム感を養うことを主眼として，リズム譜とは離れて数多くの歌を覚え，教師の範奏をまねしてやってみる活動を多くし，こうした間に，少しずつやさしいものからリズム譜に結びつけ，簡単なリズムが徹底して後，また知的理解力の発達に伴って付点音符，その他の複雑なリズムに進むべきではないかと考えられる。

このことは，次の考察のDとも結びつけて考えられることがらである。

D　経験されたリズム型について

全体を通して立場を変えてみると，特にリズムの指導をしたわけではないが，歌唱・合奏・リズム表現などにおいて経験されたリズムは，ある程度，そのはあくを容易にしている。たとえば，3拍子○の|♫♩ ♩|♩♩♩ ♩|というリズム型はやさしいものである上に，これは，朝の音楽（全校音楽）で“せいくらべ”（私たちの音楽4年）で経験されているリズムである。また2拍子の2番○，すなわち ♩ ♫|♫♫| は“どんぐりころころ”の出だしのリズムであるし，2拍子2番○の |♫♫|♩ ♩| は“小ぎつね”（三年生の音楽，文部省編）の最初のリズムである。8分の6拍子が，予想された以上によい成績であった（ことに低学年において）のも，こうした理由があるのではないかと思われる。

一方新1年生を対象として試験的に行ってもらった調査（　　頁参照）によっても，このことがある程度うなずかれる。

たとえば，|♫♩|♫♩|（ちょうちょう）|♫♫|♫♫|（あめあめふれふれ……）などのリズムに対しては約25％正解という数を示している。そして中には，「ちょうちょうの歌とおんなじだ！」と言いだ

す児童もみられた。|♫♫|♫♫|は考察Aで述べたことがらと全く同じ考え方で解釈され得よう。

以上のことがらを要約すると，経験したリズムは容易にはあくされるということ。また，理論（知的理解）より，まず多くの経験を与えること，換言すれば感覚的にとらえさせることが第一であること，ことにこのことは低学年において大いに必要であると，一応結論づけられる。

今回の調査は予備調査や，特別の調査を除いては，たった2回の調査であり，これだけではっきりと結論を下すのは危険性があるので，あえてこのことを付言しておきたい。

なお今後の問題としては，さらに計画的に調査を進め，もっと細かくシンコペーション・三連符などにも触れて数多く行い，またリズム表現，リズム反応についても研究していきたいと考えている。

第3章　児童はどのように階名素読をするか

1　前提として考えておくこと

すでに第1章の3「これらの問題をとり上げた理由」の項において述べたことであるが，「階名で歌えるものは楽譜が読める」逆に「譜が読めるものは，音やリズムをつけて歌える」。ここにはだいぶん異論もあることと思われるが一応これを前提として，階名素読についての調査を行った。

2　調査の目標

（一）　各学年の階名素読の能力の発達段階はどうであるかを知る。

（二）　本格的に読譜指導にはいるには何年ごろが適切であるかを知る。

（三）　読譜（階名素読）における困難点はどこか。

この調査を行うことによって，階名素読の能力は学年的にどのような発達段階をたどっていくのであるかを知り。また一方楽譜を見てリズムを表現する能力，楽譜を見て高さを表現する能力，等の総合と考えられる本格的な読譜指導にはいるにはいつごろが適切であるかを知りたいと考えた。

すなわち，読譜能力の中の高低感覚の視覚化である階名をよみとる能力が発達するのはいつであるかを知りたいと考えたわけである。

そして，各種の問題を提出することにより，児童はどのような問題に困難を感じているか，各学年によってその状態はどうであるかを知りたいと考えたわけである。

3 調 査 の 方 法

A 問題の作製について

前述の目標に照して，日常の児童の学習活動や，テストの状態などから考えて，予備調査の問題を作り，主として 2，3年生を対象としてこれを実施してみた。

その結果から目安を立てて本調査に必要な「素読カード」を作った。（右図の第3—1表参照）

第3の1表

34 cm

30 cm

NoⅠ

問題は 20 題で次の諸点に留意して，比較的容易なものから，しだいに困難と思われるものへと配列した。

（第3— 表下段の楽譜がその問題である）

i 上行と下行

ii 低い音と高い音

iii 順次進行と跳躍進行（跳躍のしかたを考える。）

iv 音の数

v 耳なれている進行とそうでないもの。

第1回の調査では第3—1表のようなハ長調三箇の素読カード 20 題を用いた。（その結果については第3—2表，第3—3表参照）

第2回にはハ長調5～7箇の音を用い，これは 10 題とした。（第3—4表参照）

第三回はヘ長調，ト長調の階名素読の能力調査で，ハ長調の際用いた素読カード 20 題をそのまま移調して読ませた 。（第3—5表，第3—6表

参照）

B 実 施 の 方 法

○調査者は各学級の教室において，級の全員に対して作製された「素読カード」を見せる。児童はただちに黙読・用紙に階名を書き取る。書き終れば挙手する。教師は最も早いものと級全員終了の速度をはかる。次の問題も同様に調査していく。このような方法によって第1回，第2回，第3回とも調査を行った。ただし2年，3年あたりの児童になると， 20 題の出題では，やや疲労が見えてくるから，10 題ずつに分けて行うとよいと思われた。

○速度調べにはストップ・ウオッチを使用した。なお，特に注意したことは，素読カードが全員にはっきりと見えるよう机の配置に気をつけた。

第3の2表　階名素読調査誤読表（%）（ハ長調～3個）

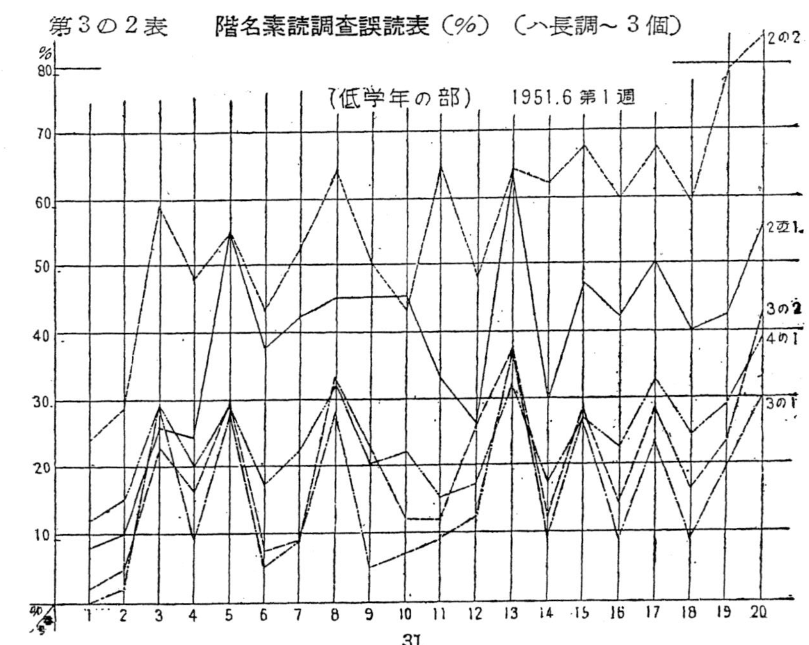

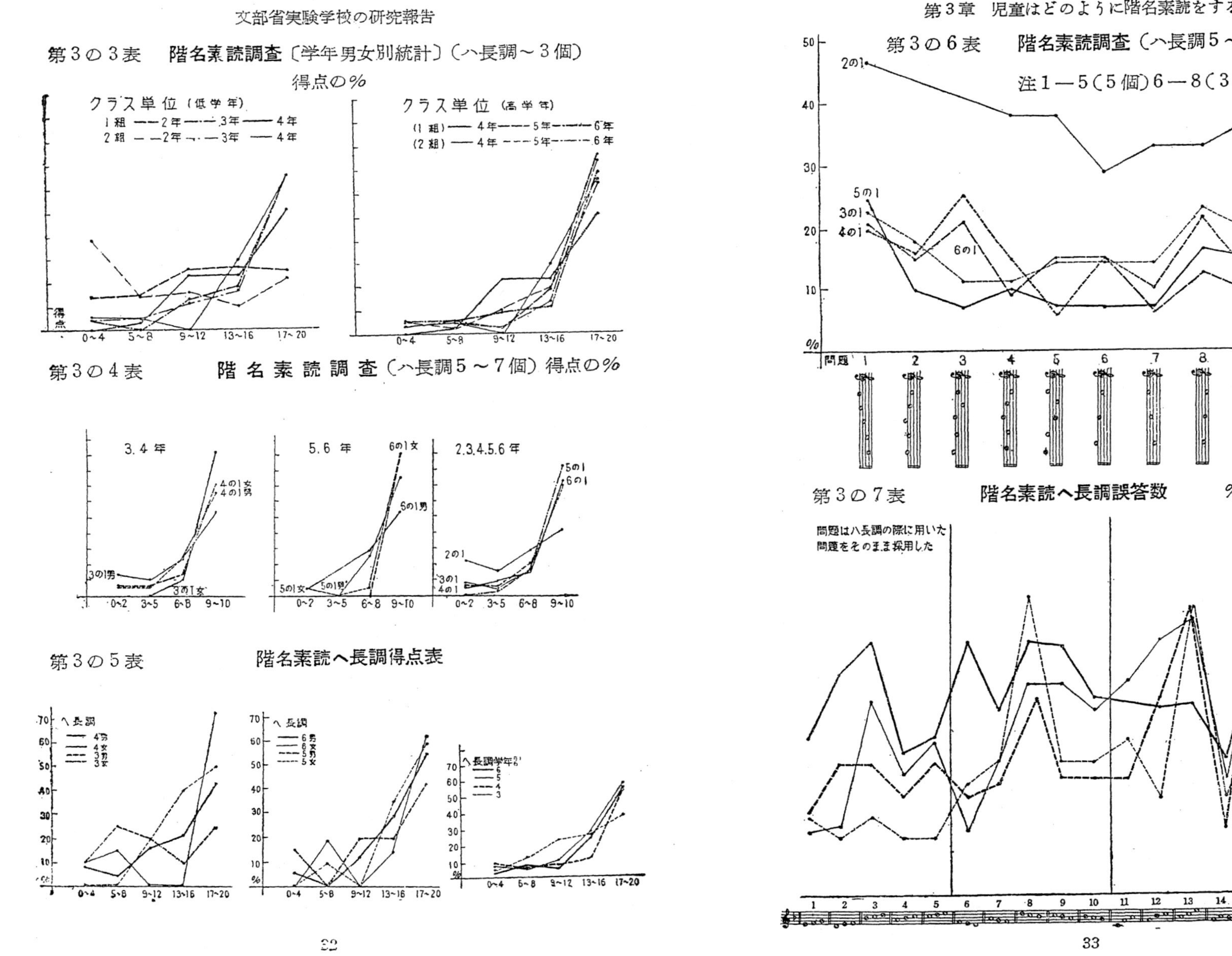

第3の3表　階名素読調査〔学年男女別統計〕（ハ長調～3個）得点の%

第3の4表　階名素読調査（ハ長調5～7個）得点の%

第3の5表　階名素読ヘ長調得点表

第3の6表　階名素読調査（ハ長調5～7個）

注1—5（5個）6—8（3個）9—10（7個）

第3の7表　階名素読ヘ長調誤答数　%表

注　3年生　ヘ長調の読譜学習はしていない。

4年生　ヘ長調について特別な学習を行つていない。（歌唱教材中のヘ長調の際に読譜的な取扱は2，3回あつた）

5年生　4年の時，2～3学期に取り扱つている。

5年にはいつてから，主としてト長調の読譜教材を扱う。

6年生　ヘ長調は4年後期，5年の時には主に，ト，ニ，変ロの調を扱う。

第3の8表　　**階名素読ト長調得点表**

第3の9表　　**階名素読ト長調誤答数　%表**

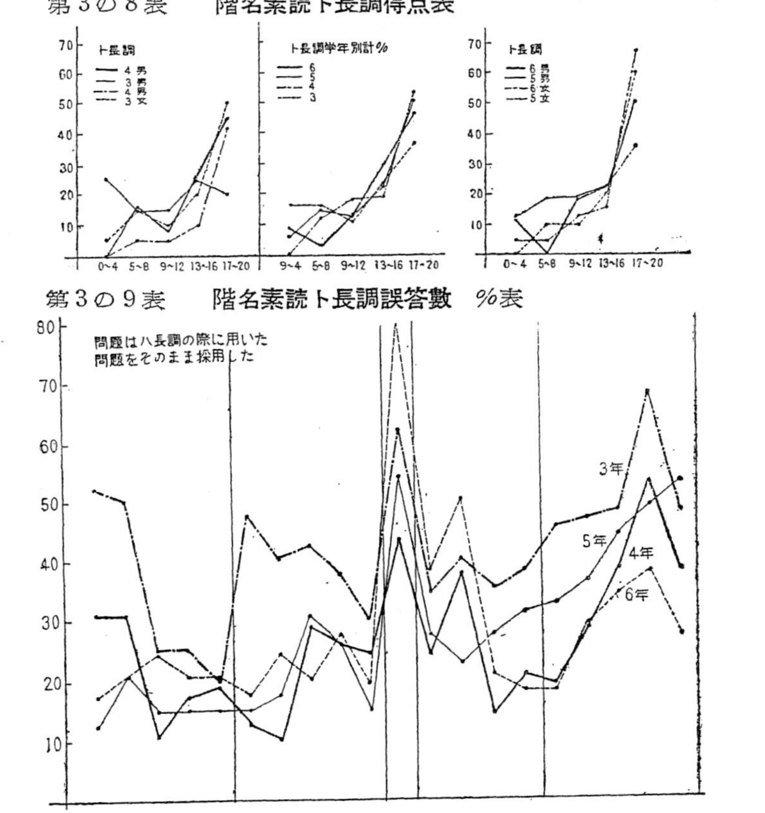

注　3，4年生　ト長調の読譜指導はまだ行つていない。

5年生　4年第3学期，5年にはいつて主として，ハ，トの調を取り扱う。

6年生　5年第1学期におもに取り扱う。

4　結果についての考察

○2年の1組，2組の差が大きい。

誤答表（第3―3表）および得点表（第3―2表）を見ると，2年の1組2組の差が大きい。これは，4組は今年4月以降担任にお願いして，毎日数分ずつ特別に階名模唱，階名素読などの読譜訓練を行った級（約2月間），2組は特別に訓練的な作業を行っていない級で，訓練による差がよく出ている。しかしながら，どのような問題につまずいているかという点では，両級とも同じような問題に困難点が見られる。ことに5（ドレミ）。6（ソファミ）。10（シラソ）。13（ラドミ）などにおいてはほとんど訓練の効果が現われていない。

○2年と3年の階名素読の能力の差が大きい。

2年と3年の結果を比較してみると，訓練された2年の1組と比べても，3年は一段とよい成績をおさめている。それにひきかえて，3，4年の差はほとんどなく，問題によってはかえって3年のほうが成績良好の面もみうけられる。

ところで3年は両級とも，2年の終りまでは階名模唱・既習曲の階名唱・音階唱・リズム練習など読譜の基礎となる感覚的な作業は行われているが，本格的な読譜練習にはいったのは，3年に進級したこの4月以降である。ただし，定められた時間以外の特別訓練は行っていない。ただ音楽学習への興味については，2，3年は大，それに比べて4年はやや劣るという現状である。

第一の6

音楽調査一覧表（一学級）

No.	氏名	性	I. Q.	音程に関するもの																						リズムに関するもの				総合およびその他の部			
				音譜の素読誤答表 ◯ ハ調 × ト調 ○ ヘ調																													
				1	2	3	4	5	6	7	8	9	10	11	12	13	14	15	16	17	18	19	20	音程	器楽旋律	リズムききわけ	リズム打ち	リズム楽器	表現	歌唱	作曲	特技	家庭環境
1	イ		112																				○	5	5	5	5	5	4	5	5	ハーモニカ ピアノ	A
2	ロ		127													○								5	5	4	5	5	4	5	4	ハーモニカ	A
3	ハ		106			○	○		×		○							○	○	⊠	○	○	⊠	2	4	3	3	4	3	3	3	〃	B
4	ニ		120																					3	4	4	4	4	3	3	3		B
5	ホ		126			○						×			×			○	×			×	×	3	4	4	4	3	3	3	3	ハーモニカ	B
6	ヘ		118				○				×							×		×		×	○	2	2	5	3	3	2	2	3		C
7	ト		126		×																			4	3	4	4	4	3	4	4		A
8	チ		123						×												×	×	×	2	4	4	3	3	3	3	3		B
9	リ		115																				○	2	2	4	3	2	3	2	3		B
10	ヌ	○	108																					5	4	5	5	5	5	5	3		B
11	ル	○	107	×							○			×	×			×				○	⊠	2	4	5	4	4	4	3	3	ピアノ	B
12	ヲ	○	131																					5	5	5	5	5	5	5	5	〃	A
13	ワ	○	121													○							○	3	3	2	3	3	2	3	3		B
14	カ	○	102											×									×	5	5	4	5	5	3	5	5	ピアノ	A
15	ヨ	○	122	×	×																		○	5	5	5	5	5	5	5	4	表現	A
16	タ	○	130																	×				5	5	5	5	5	4	5	5	ピアノ	A
17	レ	○																					○	4	4	4	4	4	4	3	3	〃	A
18	ソ	○	115	×										⊠					×			×		5	5	5	5	5	5	5	5	〃	A
19	ツ	○	120								○									×			×	4	3	4	4	4	5	4	3		B
20	ネ	○	123																					4	4	4	3	3	4	3	3		B
21	ナ	○	132				○																	3	3	5	3	3	3	3	2		B
22	ラ	○	127																				×	4	4	4	5	4	5	4	4	ピアノ	A
23	ム		118	⊠	⊠		○	○	⊠	○	○	⊠	○	×		○		×			×	⊗	⊠	1	3	2	2	2	2	2	2		B
24	ウ																	◯			×			2	2	5	4	3	4	2	2		B
25	イ		117		×		◯					×												2	5	5	4	5	5	4	3	バイオリン	A
26	ノ	○	112		○							○				◯								1	2	4	2	3	2	1	2		C
27	オ		116		⊠				×	◯			◯	○	⊠	○	○	○	○	⊠	○	○	⊠	2	3	3	2	3	2	2	2		C
28	ク		100				○								◯	×	○			×			◯	2	2	4	2	2	2	2	2		C
29	ヤ	○	120		×	×								×	◯	◎				×		×	⊠	5	4	5	4	4	5	4	3		B
30	マ	○	116							◯							○	◯			○	○		3	3	5	3	3	4	3	3		B
31	ケ		117	○	○	◯		○	○	○	◎	○	○	⊠									⊗	3	4	4	4	4	4	3	3		A
32	フ					◯					◯	◯												3	3	4	3	3	3	3	2		C
33	コ	○	126				◯				◯									○		×	◯	2	2	3	2	2	3	2	2		C
34	エ	○	115			◯					◯				×	◯				⊗		×	×	1	1	3	1	2	2	1	1		C
35	テ		127			◯	◯	◯			◯			○		◯							○	3	2	3	1	2	2	2	1		C
36	ア	○	117		◯						◯	◯			◯			◯				×		5	3	4	3	4	4	4	3		B
37	サ		108		×		◯	◯	⊠		◎	○	◎	⊠	○	◯			○	◯	⊗	×	⊗	1	1	3	1	1	2	1	1		C
38	キ		122	○	×	○		⊗	◎		◯	◎	◯	⊗	◎	◎	◯	◯		◯	◯		×	3	3	3	1	2	2	2	1		A
39	ユ		107	○	○	◯	◯	◯	○	○	⊗	⊗	◎	◎	⊗	⊗	◎	◎	○	◎	◎	⊗	⊗	1	1	3	1	1	1	1	1		B
40	メ		115	○			◯	◯	×	◯	⊗	◯	◯	⊗	◯	◯	◯	◯	◯	◯	◯	⊗	◯	2	1	3	1	1	2	2	1		B
41	ミ		103																					4	4	3	3	4	4	4	3		B

さて，2年と3年の結果をグラフによって比べてみると，2年の困難点は3年においてもやや困難を認められる箇所であるが，（そしてそれらは，4年以上にも認められるが）誤答数 30% 以内という一線を劃する時，それからはみ出るのは8（レドシ）と 13（ラドミ）の二問題のみである。

さらに第2回のハ長調5～7個の調査の結果（第3～3表）をみても，2年にはかなりむずかしい問題に対して，3年は4～6年とほとんど大差ない成績をおさめている。こうして音符の数が増加しても3年にとってはあまり障害となっていない。

第3の 10 表　　階名素読の速度表（ハ長調―3個）

Aは級の最高タイム　Bは級の最も遅いもののタイム　単位秒

問題＼学年	2の1 最高	2の1 級	2の2 最高	2の2 級	3の1 A	3の1 B	3の2 A	3の2 B	4の1 A	4の1 B	4の2 A	4の2 B	5B1 A	5B1 B
1	(7)	20	(9)	24	(6)	13	(8)	17	(3)	12	(3)	20	(2)	16
2	(7)	35	(13)	25	(5)	15	(8)	25	(3)	13	(4)	14	(2)	15
3	(9)	35	(14)	33	(5)	14	(6)	22	(4)	16	(4)	14	(3)	14
4	(8)	32	(11)	29	(5)	21	(8)	21	(4)	16	(3)	13	(3)	18
5	(7)	30	(11)	32	(5)	18	(5)	20	(3)	17	(3)	14	(3)	21
6	(7)	25	(15)	48	(5)	21	(5)	19	(3)	16	(4)	16	(3)	14
7	(7)	25	(13)	46	(6)	21	(5)	19	(3)	15	(5)	22	(3)	16
8	(9)	35	(14)	47	(5)	24	(5)	25	(5)	18	(5)	19	(3)	17
9	(6)	23	(8)	33	(4)	18	(4)	15	(4)	16	(4)	16	(2)	13
10	(7)	23	(9)	38	(5)	21	(3)	19	(4)	16	(3)	17	(3)	17

また素読カードをよむ速度の調査の結果においても，上の速度表によって知られるように，2年と3年の差は大である。4～6年は3年に比べて，なおいっそう早くなるが，その差は2年と3年の差に比べるとだいぶん小さい。

以上のような結果からみて，3年が階名素読の能力の一段と伸びる時期と考えられるが，心理学的に考察しても，3年ごろから視覚的な記憶力が発達し，文章を正しく読む力や，読む速度が一段とすぐれてくるという点からみても，本格的な読譜指導にはいるのは3年が適切と考えられる。そこで，1，2年はその準備期として取り扱うという本校の読譜指導の系統が，この調査によってうらづけられたというふうにも考えられる。そしてハ長調の読譜は3年から4年前期にいたる間に，じゅうぶん徹底して次の段階へ進むことが望ましいわけである。

○ここでハ長調階名素読誤答表（第3―3表）によって「階名素読における困難点いかん」という事項についてまとめておきたい。

1　音の範囲が広がること。

2　高い方へいくほど，困難である。問題5（ドレミ）8（レドシ）13（ラドミなどが特に低学年の困難点となって現れている。

3　一般に上行より下行が困難であること。これは平常の音階練習や読譜的な取扱に，主として下行より上行の方が用いられているという指導上の習慣に原因しているものと思われる。

4　順次進行より跳躍進行が困難であること。

5　ことに高い方の跳躍が困難であること。

6　あまり用いられない音進行が困難であること。

さらに次の事項も困難度に影響する。

• 音の数が増加すること。

• 速度が早くなること。

これらの諸点は3年以上になるとだいぶん解消してくる。そして高学年においては，ほとんど学年による差は認められず，訓練いかんによってだいぶん違ってくる。このような困難点は，1，2年の準備期において，ことに注意して取り扱うべき事項であると思う。

○ヘ長調・ト長調の階名素読の調査結果については，全然指導されていない3年生が案外成績がよいこと，4～6年の差があまり認められないことなどがあげられる。（第3—6表，3—7，3—8，3—9）

困難点については，だいたいハ長調の際の事項が，そのままあてはまるものが多い。ことに耳なれた音進行はやさしく，なれていない音進行は困難のように見受けられる。この辺から階名模唱・音階唱・既習曲の階名唱・聴音練習などの感覚的訓練，およびハ長調の読譜指導を徹底することによって，他の調子へ活用することが考えられる。

また5年，6年においては，予想外に悪い成績を示している問題が見受けられるが〔たとえばヘ長調の8（ラソファ）・13（ミソシ）・ト長調の11（ソシレ）・13（レファラ）。これらはト長調とヘ長調を混同して読みまちがえているのである〕。調子が変る初期にはこのような現象が多いので，特に注意して取り扱っていかなければならないと思う。

速度については，3年と4年の差はだいぶん大きく（8秒～12秒ぐらい）約2分の1ちぢめられている。5年，6年ではさらに短縮されている。（第3の10表参照）以上のような点から，ヘ長調・ト長調の指導の適期は，ハ長調がある程度徹底した時期，すなわち順調に読譜指導が行われるとすれば，4年の中期ごろからというように考えられる。

しかも一方においては，音の範囲を広げないで，しかも順次進行や主和音の分散唱・耳なれた音進行などを用いれば，3年からとりあげて，移動ドに対しての関心をもたせることもよいのではなかろうかと考える。

○知能指数と階名素読の能力の相関係数について

調査の結果（次ページの表参照）によると，一般にあまり相関度は高くない。しかしながら個人的に観察してみると，学業成績の低い児童は，階名素読の

能力においても他の児童に劣つていることがほぼ認められる。

第3の 11 表

階名素読の能力と知能指数の相関係数

学年	ハ長調（3箇）	ト長調	ヘ長調
2	0.08		0.24
3	0.25	0.31	0.05
4	0.04	0.53	0.48
5	0.20	0.19	0.27
6	0.42	0.11	0.47

ただ，4年において，ト長調・ヘ調長との相関係数がそれぞれ 0,53・0,48 で，ほかに比べてかなり高い数字を示しているが，その原因は不明である。

ここで一応考えられることは，今回の階名素読の能力調査程度の作業においては，知的な要素はあまりたいせつなものでなく，かえつて音楽的なふんい気，読譜への関心の度合といつた要素が成績を決定する大きな要素となつているように思われる。

5 む　す　び

以上のささやかな調査研究についてまとめてみると，

（一）各学年の階名素読の発達段階はどうであるか。

i　3年（あるいは2年後期？）においては，正確度の面で急に伸びる。

ii　4年以上においては速度の面で漸次伸びる。

iii　ヘ長調・ト長調の階名素読の能力は4年ごろから伸びる。

iv　調子がかわることによつて混乱する時期が見受けられる。……（4，5，6年において）

（二）本格的な読譜指導にはいるのは3年がよい。（ハ長調）

（三）ヘ長調・ト長調の読譜指導は4年ごろから行うことが望ましい。

（四）階名素読における困難点が8項目ばかりあげられたが，3年以上の児童に対しては訓練によつてこれを解決することができる。

こうしてまとめてみるといずれも常識的にわかりきつたことを，反覆して

述べているにすぎないのであるが，単に経験や，直観の世界に住んでいる事項を，いくぶんなりと，科学的な見方でうらづけできたかと考えている。

ここで一言つけ加えておきたいことがある。それは豊かな音楽的環境や音楽的経験，その中でもことに低学年における感覚的な修練が，読譜能力を発達させるために，いかなる役割をになつているかを，調査の折々に感じさせられたということである。

また読譜能力の発達には，系統的継続的反復訓練が第1であるということと，それに反してわれわれの日常の学習指導がいかに大事なものであるかを反省させられた。

最後に今後の問題として

○この調査は時間の関係上，回数を重ねて厳正を期したとはいえず，ただ一応の傾向と考え，今後実際の学習指導の中で実態を調査してみたいと考えている。

○その一つとして

ある特定の児童のケースをとらえて，音楽的発達・読譜能力の調査をしたい。とり上げたい事項としては次のようなものがあげられる。

△その児童の音楽的環境

△他の学習と音楽的能力（ことに読譜能力）との関係。

△知能指数との関係

△児童個人の音楽的能力がどのように伸長していくか。

○なお今回の調査は読譜能力の要素的な面からの一研究ということになると思うので，これを発展させた総合的な調査研究として，新曲（各種の音程・リズム・拍子・調子などを用いた。）を与えて読譜能力を調査してみたいと考えている。

第 Ⅱ 部

昭和26年度文部省実験学校研究報告

「讀譜能力の発達について」

——新曲の階名唱についての研究——

目　　次

昭和26年度文部省実験学校研究報告

「読譜能力の発達について」

——新曲をどのように階名唱できるか——

第1章　第1次研究計画と準備

本校は，昨年度（昭和25年度）から引続いて，「読譜能力はいかに発達するか」の実験研究を行つた。昨年度の研究は，読譜能力の基礎であるところのリズム・階名素読の二つの要素を，別々にとり上げて調査研究を行い，一応の結論を得た。その後研究の発展として，新たに読譜能力の総合的な面について研究をし，昨年度の結論との関連をみようと考え，「新曲をどのように階名唱できるか」という問題をとり上げた。

以下順を追つて，本年度の実験研究はどのようなねらいで，その研究は実際にはどのように進められたかについて，述べてみよう。

1　本年度の実施研究のねらい

昨年度は要素別に研究調査をしたのであるが，本年度は「新曲を階名唱させる」ことによって，次の事項について実験研究を行った。

○学年および個人の読譜能力はどうであるか。

本格的な読譜指導にはいる適期は3年であるという昨年度の結論は，本年度の実験研究によつて実證されるか。また，4年のヘ長調・ト長調の読譜指導は無理がないか。「新曲を階名唱させる」ことにより，学年や個人の読譜能力について，どのようなことがらが実證されうるか。

○読譜上の困難点はどうであるか。

「新曲を階名唱させる」ことにより，「素読」「音程」「リズム」の各面から見てどのような結果がでてくるだろうか。

またそれの要素の相関はどうであろうか。

○簡単な教示によつてこの困難点を克服できるか。

どうしてこの部面が困難点となつたかを知ることによつて，その中には比較的簡単な教示によつて，一応困難点を克服できはしないだろうか。

その具体例はどんなか。

2 調査の対象

• 2年以上6年までの各学年の1組の児童男5名，女5名

• 特別研究対象の児童

この実験研究と並行して行った，事例研究の対象として扱われた児童

○調査の対象とした児童の選定について

「新曲をどのように階名唱できるか」の実験研究を行っていくについては，後の「問題の作成」において述べるように，問題が10題ないし20題という量をもつており，ひとりの児童を調査するのに30分～50分の時間をとってしまう。その上，困難点の原因の究明や，その障害を除く方法について指導をしていると，時間的にも大変である。

さらに調査に一貫性をもたせ，客観性をもたせるために，調査者をひとりかふたりという数に限定したので，どうしても大ぜいの児童を対象とすることができなかつた。

そこで，2年以上6年までの1組に対して，乱数表によって，出席簿の番号の中から男5名，女5名を選んだ。

選ばれた児童たちを，一般教科の成績の面からみると，級の上・中・下

のいずれのグループからも出てきている。また，音楽的能力から見ても，だいたい級の上・中・下の代表と考えられる児童が選ばれている。

なお，特別研究対象の児童の選定については，後述の「児童の音楽的発達を促進させるものは何か」の項で述べてみたい。

第1表　　低学年用　新曲階名唱課題曲　　ハ長調 10 題

注　3年について困難点と見られる箇所を×印として示した。
　㋑素読　㋺リズム　㋩音程　の困難点を示す。

たとえば

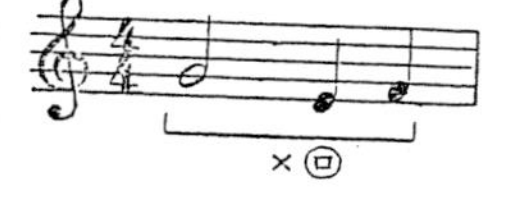

𝅗𝅥 ♩♩ のリズムがむずかしい。
（𝅗𝅥 が二拍じゅうぶんに延びきれない）

3　問題の作成

昨年度の調査研究の結果や，平常の学習能力，予備テストなどから考えて，問題を作成した。

○問題の数　低学年用（2，3年用）10題
　　　　　　高学年用（3，4，5，6年用）20題

○問題作成についての留意

・低学年用

（イ）問題の長さ　2～4小節　（ロ）調子　ハ長調

（ハ）拍子　4分の2拍子（3曲）4分の4拍子（4曲）4分の3拍子（3曲）

（ニ）リズム ♩と𝄽 の組合せを主とした。𝅗𝅥 を加えた。

（ホ）音程　低学年用の新曲の階名唱のねらいとしては，リズムの面より音階系列がどの程度身についているかを見ることにした。

順次進行の上行・下行を主とし，3度4度の跳躍音程を加えた。

△五線譜の大きさを考慮すること。

・高学年用

（イ）問題の長さ　8小節

（ロ）各種の調子　ハ・ヘ・ト・変ロ・ニ・変ホ・イの長調，イ・ニの短調

（ハ）各種の拍子　2/4・3/4・4/4・6/8

（ニ）各種のリズム　𝅗𝅥.・𝅗𝅥・♩.・♩・♪.・♪・𝅘𝅥𝅯・𝄽・𝄾　などの組合せ。

（ホ）各種の音程

（ヘ）各種の音進行　上行と下行。順次と跳躍。高音の跳躍。耳なれた音進行と耳なれていない音進行。早いリズム。変化のあるリズムなど。

・平常の音楽学習能力，予備テストを考慮し，ことに練習曲や，新曲練習の状態に留意して，問題を作成した。なお問題の作成については，東京都中野区江古田小学校編の練習曲集中から数多くの曲を活用させていただいたことを申しそえて，この機会に感謝の意を表わしておきたい。

4　調査の方法

問題が作成されると，選ばれた児童のひとりひとりに対して，1問ずつ次のような手続によつて，調査を行うことを決定した。

（イ）新曲を示してこれを1回だけ黙読させ，次に声を出して歌わせる。つかえた場合は，2回まで反復させる。

（ロ）1問ごとにむずかしいかどうかを問う。またどこがむずかしいかを問う。なぜむずかしいかの理由も問う。

（ハ）5問題ごとにむずかしい問題を問う。どこがむずかしいかを問う。なぜむずかしいかも問う。

（ニ）むずかしい部分の克服法を授ける。

たとえば，ゆっくり歌うリズム練習をさせる。音程のとり方を教える。知的理解を助けるなど。もう1度試みさせて，結果を見る。

(ホ) 最初の音のわからない者には，基音(ド)を与えて試みさせる。

(ヘ) 何調かということがわからない者には，調の基音の位置を教えて読譜させる。(テンポを注意する)

(ト) 読譜の状況を左記の3段階に分けて，素読・リズム・音程の要素別に記入する。問題点を細かく記録する。

第2表の1　**低学年用　新曲階名唱**（問題は45ページの第1表参照）

各要素別ａｂｃの関係グラフ

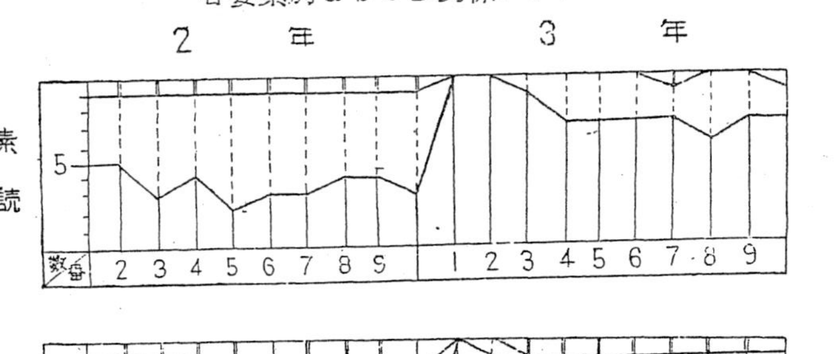

a　(上) 素読，リズム，音程，おのおのよし。

b　(中) 一部つかえる。

c　(下) ほとんど不可。

第2表の2　　素読・リズム・音程の関係グラフ

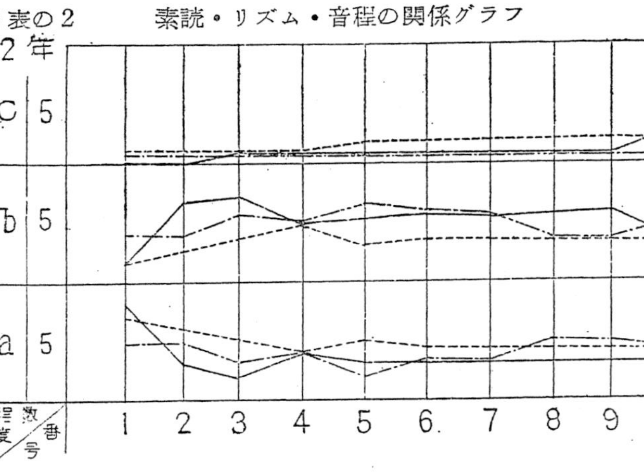

第2表の3

学年	男	女	計
2	5	5	10
3	8	5	10
	10	10	20

3要素ともaの児童数

学年＼問題	1	2	3	4	5	6	7	8	9	10
2年	4	2	2	4	2	3	2	3	3	3
3年	9	8	7	5	6	6	6	5	5	5

(チ) 調査時間は朝の始業前，放課後，休日などを用いる。調査者は事前に調査の対象となつていない児童を用いて，課題曲を階名唱させ，予想される困難点を発見し，相互に評価の基準を設定しておくようにする。

5 調査結果の処理

4に述べたような方法によって調査した結果を次の項目について，考察処理することにした。

(イ) 何番目の問題が何学年に困難であるか，それは何故か。

(ロ) 何番のどこが困難であるか。

学年，個人，障害は何か，その理由。

(要素別に見てどうか——素読・リズム・音程，その他)

(ハ) 知能と音楽能力の関係はどうであろうか。

(ニ) 困難点の克服法いかん。……事例

第2章 第1次研究調査の実施 および結果の考察

第7表に示すような評価の用紙をそなえ前に述べた調査方法によって，研究調査を実施した。

低学年の部は課題曲，10 曲をまとめて1回に調査をしたのであるが，高学年の部は，課題曲が 20 曲あるので，2～3 回に分けて調査を実施した。

その中で困難点のある問題について，その障害を除くために，その困難点と思われる原因についても調べ，適当な指導を行った。

○期間　4月上旬から5月上旬にかけて実施した。

1 結果の考察 (低学年の部)

(イ) 2年生と3年生の差が著しいこと。(第2表参照)

これは，昨年の要素別の調査の結果にもめいりょうに示されたものである。本年度の2年生は特別訓練が行われていないので，その成績がけ念されたが，階名唱については，いろいろな場面で刺激されることが多いので，思つたより成績がよい。

(ロ) 2年生においては，リズムが他の要素よりややよいこと。

素読には少々でこぼこがあるが，音程がだいたい平均しているのは，3人ばかり音程のしっかりした児童がいるからである。

(ハ) 2年生の問題，1番の成績を各要素別に見ると，aをとつた児童 10 名中，素読5・リズム7・音程8で素読がいちばん低くなつている。これは，五線上の音符を読むことよりも，階名模唱，リズム打ちなどによつて，感覚面の練習が多く行われているあらわれの一つとも考えられるであろう。

(ニ) 2年にとっては 10 題ともすらすらと階名唱することは，無理がある。ことに素読が悪いために音程や，リズムに大きく影響している。そこで素読ができると，案外正しいリズムや，音程で階名唱をするようになる。また大部分の児童が素読すべきときに，直ちに音程を加味して読んでいることも認められた。

音程の面で困難な点は，特に曲の出だしが不安定なことである。

その他については，第1表の3年の困難点を参照していただきたい。

(ホ) 3年生は，リズム・音程・素読の各要素が相関度がだいぶ高いといえる。男生の中の1名は2年の3学期に他校から転校した児童で，音程やリズムが不定でcをとっているが，素読はところどころ，bをとっていることが目だつ。その子も1番だけは，リズム・音程・素読の3要素ともよい。

(ヘ) 3年生にとつては，この 10 題はあまりむずかしい問題はないと考えられる。そこでこの程度の問題は (1) (2) (3) あたりは2年のうち，それ以下は3年前期に比較的，らくに取り扱えることと思う。

(ト) 3年の困難点としては，特に次のものがあげられる。(第1表参照)

素読　(8)

リズム　(8) (9) (10)

音程　(4) (8) (9) (10)

第3表の1　　低学年用新曲唱名階　4番

新曲の階名唱問題別一覧表				問題　4番　ハ長調			$\frac{4}{4}$拍子
氏名	素読	リズム	音程	氏名	素読	リズム	音程
2男A	a	a	a	2女A	b	b	b レド
2男B	a′	a	a′	2女B	a′	a	a′ シド
2男C	b°	b′	b′ シド	2女C	b ソラ	b°	b′ シド
2男D	b′	b	b	2女D	a′ ラシ	a	a′
2男E	c	c	c	2女E	b	b	b
3男A	a	a′	b ドレラ シラ	3女A	a	a	a″ ミー㋶× 不安
3男B	a	a	a	3女B	a′	a	a″ ㋣
3男C	a	a	a	3女C	b°	b°	b 最初音㋣ 低い㋶×
3男D	a	a	a′ ラシド	3女D	a	a	b′ ㋣
3男E	b	c	c	3女E	b	b°	㋣ b°

第3表の2
低学年用新曲階名唱8番

新曲の階名唱問題別一覧表				問題　8番　ハ長調			$\frac{3}{4}$拍子
氏名	素読	リズム	音程	氏名	素読	リズム	音程
2男A	a	a ♩𝅗𝅥|𝅗𝅥♩	b ドレド	2女A	b	b	b
2男B	a	a	a′	2女B	b	b°	b°
2男C	a′	b	b	2女C	b′	b′ 二分音符ののび	b′
2男D	a′	a′	a′	2女D	a	a′ 二拍子	a
2男E	c	c	c	2女E	b	c	b
3男A	a	a′	a	3女A	a	a′ 𝅗𝅥𝅗𝅥|𝅗𝅥𝅗𝅥 三拍子	a
3男B	a	a′	a	3女B	b° ゆっくり	b° 𝅗𝅥𝅗𝅥|𝅗𝅥𝅗𝅥	b°
3男C	a	a	a	3女C	b° ゆっくり	b 𝅗𝅥𝅗𝅥|𝅗𝅥𝅗𝅥	b°
3男D	a	a	a	3女D	a	b′ 𝅗𝅥𝅗𝅥|𝅗𝅥𝅗𝅥	b″
3男E	a	c	c	3女E	b	b′ 𝅗𝅥𝅗𝅥|𝅗𝅥𝅗𝅥	b′ ソの出だし

第4表の1　　第1回　高学年用新曲階名唱課題曲（その1）

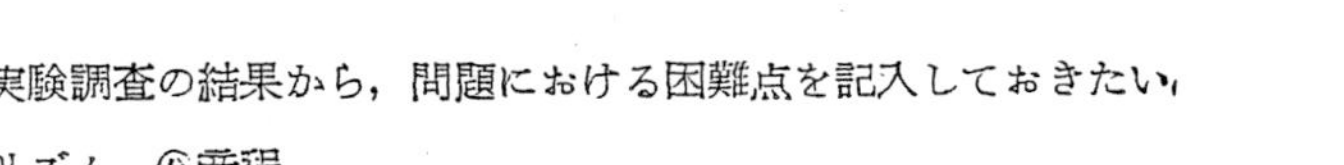

注・4年女生の実験調査の結果から，問題における困難点を記入しておきたい，

㋑素読　㋺リズム　㋩音程

・特に困難と思われる問題は，問題番号を○でかこんである。

・△印　やや困難と見られる箇所　×印　だいぶ困難と見られる箇所

第4表の2　　第1回高学年用新曲階名唱課題曲（その2）

第4表の3　　第1回高学年用新曲階名唱課題曲（その3）

第4表の4　　第1回高学年用新曲階名唱課題曲（その4）

第４表の５　　第１回高学年用新曲階名唱課題曲（その５）

第５表の１　　高学年用　新曲階名唱

各要素別ａｂｃの関係グラフ（その１）

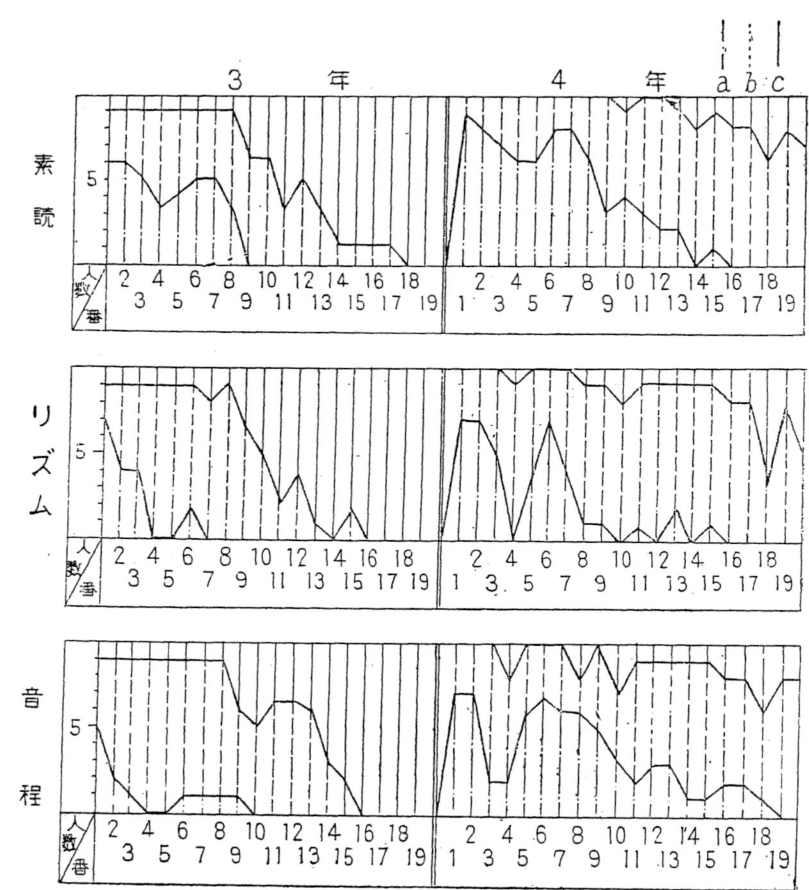

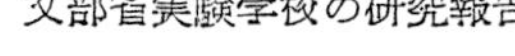

第5の2

各要素別ａｂｃの関係グラフ（その2）

第5表の3　　**素読・リズム・音程の関係グラフ**

第6表の1

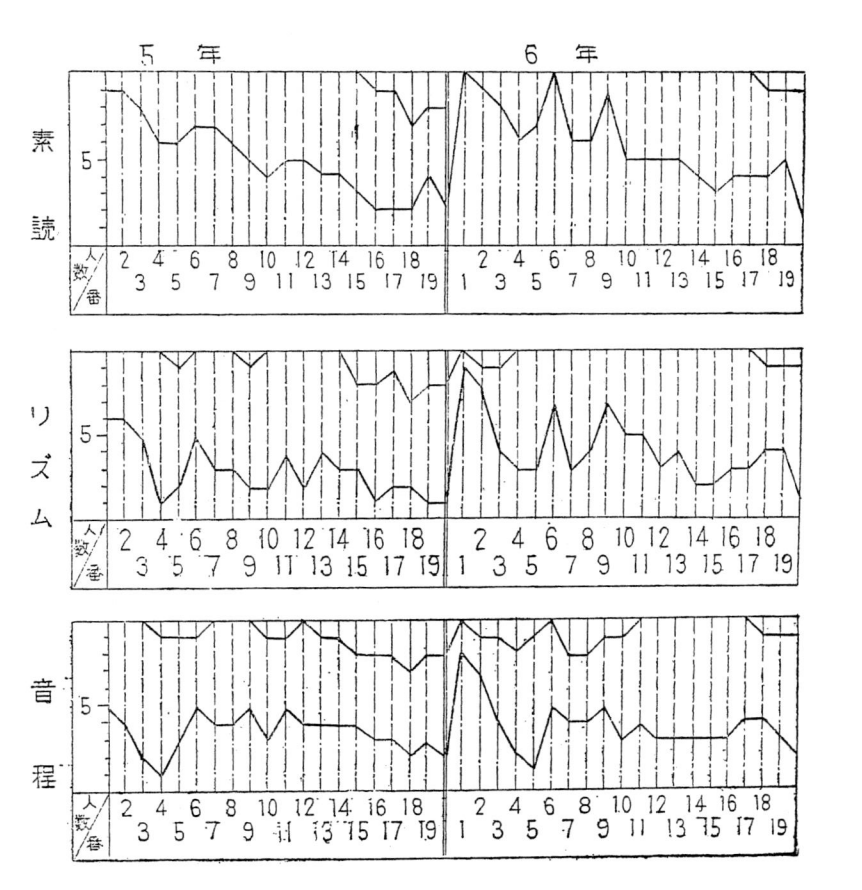

第1回高学年用新曲階名唱問題別一覧表　4番

問題

(注)。リズム　㋑ ♩. ♪　㋺ ♩.♬♩　㋩ ♫ ♫ ♩ ♩

△6男BCには低学年用を実施した

新曲の階名唱問題別一覧表				問題　4番　ハ長調　$\frac{4}{4}$拍子			
氏　名	素　読	リズム	音　程	氏　名	素　読	リズム	音　程
4男 A	a	b° ㋑△ ㋩○	a′	4女 A	a	b° ㋑△ ㋩○ ㋺○	a ラーファ
4男 B	a	b° 付点に一回出すと正しくなる	b ミソソファミレド うたいにくい	4女 B	a′	b° ㋑△	b° ラーファレ
4男 C	b	b ㋩× 付点	c°	4女 C	b° ソー㋣△	b′ ㋑△ ㋩×	b 音程とぶ ソード
4男 D	b ㋩ 早いよみ	b′ ㋑× ㋩× ㋺×	b ㋯㋣レミ ラーファ	4女 D	b ドシードシ	c ㋑× ㋩× ㋺×	c 不安定
4男 E	b° 早いよみ むずかしい	b′ ㋑○ ㋩○	b°	4女 E	b°	b′ ㋑× ㋺△	b° ㋯ 最初
5男 A	a	b ㋑× ㋩ ㋺△	b°	5女 A	a	a ㋺○	a
5男 B	a′	b″ ㋑× ㋩× ㋺×	b″ ㋯の最初の出だし	5女 B	a	b° ㋑△ ㋩○ ㋺△	b● リズムがややこしい
5男 C	b ソ ㋣ ラ	b′ ㋑× ㋺×	b″ ラファ㋯ ソー㋣×	5女 C	a	b ㋑㋺㋩△ リズムがむずかしい	b° 出だしの㋯㋶ない
5男 D	b°	b ㋑× ㋩△	c 急に下る所がむずかしい	5女 D	b°	b ㋑△ ㋩△ ㋺△	b° ㋶
5男 E	b°	b ㋑△	b°△ 大体可	5女 E	a	b ㋑× ㋺△	b″ 音程不安
6男 A	a	b ♩と♩の関係知っているができない	b 5.6.7.と節	6女 A	a	a	a
6男 B	a	a	a	6女 B	a	b●	b° ラファ↓よい ミソソファミレド
6男 C	b°	b° ㋑× ㋺×	b° はじめの音と出すとよい	6女 C	a	a	b° ミソソファミレド 下降
6男 D	b	b 付点	c● 下降 レファラ	6女 D	a	b ㋑△ ㋺△	b 7.8小節不安定 ミソソファ
6男 E	b	b′ ㋑× ㋩× ㋺×	c°	6女 E	b	b ㋑△ ㋩○ ㋺×	b ミソソファミレド 下降の音程むずかしい

第6表の2

第1回高学年用新曲階名唱問題別一覧表　5番

問題

(注) リズム　㋑ 𝅗𝅥 ♩ | 𝅗𝅥 ♩ |　㋺ ♫ ♫ ♫ |

新曲の階名唱問題別一覧表問題5番ハ長調$\frac{3}{4}$拍子							
氏　名	素　読	リズム	音　程	氏　名	素　読	リズム	音　程
4男 A	a′	a 3拍子△	a′	4女 A	a′ (ロ) よみにくい	a′ (ロ)	a
4男 B	a	b ラファの音程	b ラソミミレミド ♫付点の方がやりよい	4女 B	a′ (ロ) よみ	a′ 三拍子○	a′ (ロ)の高さをつけるのがむづかしい
4男 C	b	b (ロ)	b ラソソミレミド ↓ ↓↓↓ ㋫㋹㋞	4女 C	a′ (ロ) よみ	a″ (ロ)	a
4男 D	b 早いよみ (ロ)	b 𝅗𝅥♩𝅗𝅥 𝅗𝅥♩.♪ ♫♫♫ 不安	b° ミ ソ ㋞	4女 D	b 早いよみなり	b″	b″ ㋶
4男 E	b° 早いよみ	b° (ロ)	a	4女 E	b° (よみ)早い	b° (ロ)	a
5男 A	a	b (ロ)△	b°	5女 A	a	a′ (ロ)○	
5男 B	a′ (ロ)	b° (イ)	b° 高音一声が出しにくい	5女 B	a	a′ (ロ)	
5男 C	b	b° (ロ)	b ラーソソーミ㋹	5女 C	a	b° (イ)不安 (ロ)むづかしい	a′ ㋯ ㋹ レ
5男 D	a′	b° (イ) (ロ)	c ドミソ㋛より ラーがとれぬ	5女 D	b°	b (ロ)△	b 最初のドソ
5男 E	b° △	b (イ)	b ドミソド	5女 E	b ラー→㋯	c° ♫♫♫ 𝅗𝅥♩𝅗𝅥 ♩△ ♫♫♫×	b 音程やや不安
6男 A	a	b°	b (イ) 歌いにくい	6女 A	a	a	a
6男 B	a	a	b ㋣と㋶と同じになる	6女 B	a	b°	c ソミレミ 四分音符
6男 C	a	b	b 始めの音を出すとよい	6女 C	a	a	c ラソソミレド 不安定
6男 D	b	b	b″ ソファミレド	6女 D	b	b 終りの小節不良	b ラソソミレドラファの［判読不能］むづかしい
6男 E	b	b	b ラソソミレド ×	6女 E	a	b	c 終りの2小節不安定

第6表の3

第1回高学年新曲階名唱問題別一覧表　6番

問題

(注)・リズム ㋑ ㋺

新曲の階名唱問題別一覧表問題16番＝長調 $\frac{3}{4}$ 拍子							
氏名	楽譜	リズム	音程	氏名	楽譜	リズム	音程
4男A	B°	㋑ ㋺△ B	A°	4女A	B°	㋑△ ㋺ B	A
4男B	B	㋑× ㋺× B	B′ ソミレ ソミソファレド	4女B	B°	㋑ ㋺ B	B° つづけるところむづかしい
4男C	B″	㋑× B	B	4女C	B° 早いよみむづかしい	㋑ ㋺ B′	B°
4男D	B	㋑△ ㋺△ B′	B″ ㋺レドシラ	4女D	B°	㋑ ㋺ B°	B°
5男A	Bよみ	㋑ ㋺ B	B°	5女A	A′	A	A
5男B	B°	㋑ B°	B°	5女B	A	のリズム B°	A
5男C	B′	㋑ ㋺ B	B°	5女C	B°	B	Aよみにくい
5男D	B	㋑ B	C° 高音とぶ音	5女D	B′ よみおそい	㋑△ B	B°
5男E	C° とぶ音×	㋑ C	C°	5女E	B″ よみむづかしい	㋑ ㋺ C	B
6男A	B°	㋑△ ㋺ B′	B°	6女A	A	A	A
6男B	B″	㋑ B″	B″ ファミ㋺ミソ	6女B	A	㋑ A″	A
6男C	B	㋑ ㋺ B	B	6女C	A′	㋑ A°	A′
6男D	B°	㋑△ B	B′	6女D	A′	㋑ ㋺ B°	B°
6男E	B″	㋑ B″	B′	6女E	B° ソミファレド	㋑ B	B ソ㋺レミド

(チ)　問題(4)ついて(第3表の1)

主として音程に問題がある。

2年　シド(半音がうまく表現できない) 4名，高いほうのよみ困難5名，

3年　ドド(最初の音を出すこと不安定) 6名，ミラ(ラの音程不安)

(リ)　問題(8)について(第3表の2)

主としてリズムの面に問題がある。

2年　教師の示範がないと，無理である。

3年　のリズムの表現はむずかしく，女生4名はbである。

これは最初の2分音符が2拍じゅうぶん伸びきれないために，3拍子がくずれてしまうのである。今までの平常の学習において，あまりこのリズムを経験していないことが，この問題を困難なものにしていると考えられる。そこで最初にしっかり3拍子をとらせて，そのタクトにのって歌わせると，比較的らくにしかも正確な表現をするようになつた。

2　結果の考察　(高学年の部)

(イ)　第1回　高学年用新曲階名唱の各要素別abcの関係グラフ(第5表)や第1回新曲の階名唱問題別一覧表(第6表)などから判断をしてみると，学年が進むにつれて，各面とも少しずつ進歩していることが認められる。

特に3・4年は著しい差を見せている。これは3年生の1か年間に行つた読譜指導のあらわれと見ることもできる。

(ロ) 素読について

・3年もある程度は読めているが，ハ長調は4年以上に徹底しているということができる。特に4年生は過去1か年の読譜指導の効果をよく表わしている。

・ヘ・ト長調は4年以上は 40~70% 程度良好な者がいる。

4年 35%・5年 50%・6年 75% 5年があまり効果があがつていないのは，男生の中に読めない児童が3名もはいつているためである。かれらはまた音程やリズムの面もあまりかんばしくない。

・その他の調べについては，5年は平均約 20%，6年は平均 40% である。5年は，4年当時にハ長調から新しくヘ調へ，そしてさらにト長調へと次々に新しい調子に移つているため，やや混乱をしている面もあるように思われる。また，リズムや音程を気にしすぎたり，いわゆる素読でなく，ある程度音程や，リズムを加味して読んでいるため，つかえるという現象も各学年幾人か見えている。

(ハ) リズムについて

・各学年とも（4）が著しく悪いのは，この課題曲はハ長調ではあるが，弱起の4分の4拍子という曲である上に，♩. ♪‖♫‖♫ ♫♩ ♩‖ などいろいろなリズムが組み合わされており，しかも音程の面でもラ～ファレ，出だしのミ，♫ ♫ の早いリズムを用いてミソソファなどだいぶむずかしい要素もおり込まれている。そこでリズム・音程の面でつまずき，ただわずかに6年だけが30% a をとつている。

・（6）のリズムは ♫♩ ♩ で各学年とも容易に読めている。

4年 80%　5年 50%　6年 75%

・（7）（8）の6拍子 |♩ ♪♩ ♪‖♩. ♩ ♪‖♫♫‖ などはまだだいぶ不徹底である。

4年 20%　5年 30%　6年 35%

・ ♪♪♪ ♪ のリズムを用いている（9）は4年は約 10% が a であるが，5年は 20%，6年は 70% で，やはり児童にとっては困難度の高いリズムになつている。

・付点音符，細かいリズム，3種以上の異なった音符の組合せ，シンコペーション，最初に休符がくるリズムなどはだいぶむずかしい。

(14)・（5）（|𝄾 ♪♪ |♩ ♩ |）を除いて，6年のリズムの成績が比較的良好なのは，器楽的な訓練によつてリズム符に対する理解力や感覚が身についているためと考えられる。

・5年は一般に成績がおちているが，器楽的な訓練に欠けていることと，前に述べたように，男生に理解や表現の能力の劣つているものがいるためである。

・3年は（1）から（3）まで組 0% 程度可能 |♩ ♩ ♩ |♩ ♩ ♩ 𝄽‖♩ ♫ |♩ ♩ ‖　また（6）は 20% 程度可能である。 |♫ ♩ ♩ |♫ ♩ ♩ |

これらは昨年度のリズム調査の結果と一致してい。

(ニ) 音程について

・4年は（3）と（4）を除いて，（1）～（9）まで a 約―70% という好成績をおさめている。これは低学年のころの階名模唱，聴音，昨1か年間の読譜指導，器楽練習などが効を奏したあらわれと見ることができる。

- 5年は（3），（4），（5）を除いて（1）～(15) まで，a一 約40 %という成績であまりかんばしくない。
- 6年は（4）と（5）を除いて約 35～50%，ことに（1）と（2）は 70～80% を示ているが，これは器楽，特に男生のハーモニカ熱が主としてハ長調の曲（他の調子のものはハ長調に移調して活用する）にかたよらせていることをうらがきするものであろう。

（4）と（5）の成績がよくないのは，あまり慎重に考えすぎて，かえって音程を不安定なものにしてしまっているためである。

- 各学年とも著しく困難な問題（4）（第6表参照）

跳躍音　ラ～ファ　ファがふらついてしまう。

細かいリズムの音進行 　ミソソファが不安定.

（第7小節）

ラ→ファは音進行そのものからも，ある程度むずかしい上に ♪ というリズムが加わって，ますます困難度を高めている。ドラファという4度の分散和音唱を数回行って，あまり無理がなく正しい音程をとらせることができた。また，第7節　ミソソファはあわせないで落着いて歌うことによって少しも無理がなく正しい歌い方ができた。

- 4年，5年は（3）がむずかしい。

第5小節のファの出だしが不安定になりやすいこと，第6小節のソからドへ下る音が下りきれずあいまいになると，第7小節のミソファレがリズムの不明確さとともに，音程もふめいりょうなものとなりやすい。

- 5年，6年は（5）がむずかしい。

第5小節のラファのファがあいまいになりやすく，また第7小節の，ラソソミレミド 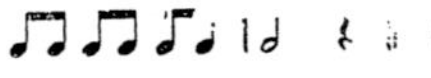 の細かい音進行がふめいりょうな音のはこびになりやすい。

- 他の問題については，第4表，第5表を参照していただきたい。

（ホ）　各要素の関係について

素読・リズム・音程の関係グラフ（第5表の1．2．3）より相互の関係を見ると，特に6年生において相関度が高いということができる。他の学年においても一般に関係をもつているように見受けられる。

3年においては素読の面がだいぶ目だつてよいが，これはまだ，読むことと，リズム感覚や，音程感覚が結びつかないということのあらわれと見ることができる。

4年においては特にリズムの面の訓練（リズムの音符とリズム感覚の結びつけ）の不足がよくあらわれているが，音程の面はだいぶ徹底していることが見られる。

5年においては，音程・リズムの感覚の訓練の不足がめだっている。これは低学年の時代において感覚的な訓練に欠けていたということが原因しているようである。

6年においては，素読・リズム・音程の相互の相関率が高いということができる。ただこの学年においては，音程の面でやや劣つているが，これは，頭の中では理解しているのに表現ができない，すなわち歌う面の欠除を表わしているように思われる。

（ヘ）　個人別の読譜能力について

4年以上各学年男，女1名ずつをあげて，そのだいたいの状態を，個人別の実験調査表によつて，述べてみたい。表が小さいので，単に困難点をあげるという程度にすぎないが，いくつかの例をあげることができると思う。

第7表の1　　個人別調査表（その1）

（注）⑤としてあるのは5番がむずかしいということ。△不安定　×不可　B°〜良し。B′〜やゝ不良

新曲を階名で歌う能力はどうか（高学年用）検査年月日 昭和27年 4月28日（1〜10）5月3日（11〜20）									
○テストの時間(1〜10)18分(11〜20)24分		4年 1組 ㊚			氏名	4男 B		検査者 鈴木（1〜10）梶野（11〜20）	
番号	調	楽読	リズム	音程	番号	調	楽読	リズム	音程
1	ハ	A	A	A′ ㋫× レドソになる	11	ヘ	B	♩. ♪♩♩○ B°	B′ レレ㋹レド
2	ハ	A	A′	A′ ドラソ 不降不安定	12	ト	B	♪♪ ♪△ B	B° ソ㋫ ミレ
3	ハ	A	B°	B ソー㋹×	13	ト	B	♫♩♩× B′	ソラソ㋣㋯レドラ B′
4	ハ	A	B° 付点は一回出すと正しくなる	B ミソソファミレド うたいにくい	⑭	ト	B	♩♩♫♩♩△ B	低音がでない B″ ミファシ ラーソラシ㋹ド
⑤	ハ	A	B ♫ 付点の方がやりよい	B ラファの音程× ラソ㋷ミレミド ミになる	15	変ロ	B′	♪♫♩♩○ ♪♫♩♩△ B′	B′ ソソラ㋩ソ
6	ハ	A	A 調子がよいのでやさしい	A′	16	ニ	B	♩. ♪♫♩♩× ♫♫♫× B′	B′ ソ㋯レ ソ㋯ソファレド
7	ハ	A	A	B ドドド㋹× ミになる	17	変ホ	B	♩♫♩♩△ B‴	㋶×低い方の音がはずれる B′
8	ハ	B°	B ♩. ♩♪ ♫♫△	B′ ラソファミレ㋹ド 不安定	18	イ	C° 跳躍音×	♫♩♩♪○ B′	ソラソ㋯× B″ レ㋹㋹ ソラシ㋛㋫
9	ヘ	B	B ♫♬♫♫が ♪.♬♪.♬となる	B′ ♪♬の音程 レレドシド不安定	19	イ短	B°	♩. ♪♩♩○ B	B° ミミ㋶×シ
⑩	ヘ	B	B	B′ 低い音不安定	⑳	ニ短	B′ ミー㋹ド	♫♩♩× B″	ミ㋹ミラ㋹ーラ C° ㋣×㋛×

⌒ 低音がでにくい　○ 発声きれい，口のあき方よし　⊂ 読むより歌った方がやさしいという。

考　察　4男Bについて　学業（中）音楽（中の上）

- 素読　（7）までA　ハ長調はほとんど可能，ヘ・ト長調もあまり無理ではない。
- リズム　♩　♪♩　♩　は正しくとれる。
- 音程　やや不安定，特に（9）以下は
- 総合的に見て，ハ長調の問題（⑨まで）は，ほとんど無理なく階名唱ができる。またヘ長調，ト長調も可能である。

第7表の2　　個人別調査表（その2）

新曲を階名で歌う能力はどうか（高学年）検査年月日 昭和27年 4月10日（1〜15）5月3日（16〜20）									
○テストの時間　不明		4年 1組 ㊛			氏名	4女 E		検査者 梶野	
番号	調	楽読	リズム	音程	番号	調	楽読	リズム	音程
1	ハ	A	A	A	11	ヘ	B°	♪. ♪♪♪△ B	B°
2	ハ	A	♩♩. ♩△ B°	レ㋛△ミド A	12	ト	B°	♪♪ ♪× B	B°
3	ハ	A	♩♫♩♩ B° 手で打ってからよし	A	13	ト	B°	♫♩♩△ B	B° とぶ音△
4	ハ	B°	♩♫× B° ♫♫♩♩△ ♫	最初の㋯△ B°	14	ト	B°	♩♩♫× B′	B° ドラソ㋯×
5	ハ	早いよみ B°△	♫♫♫ B°	A	⑮	変ロ	よみ△ B′	♪♪♪♩♩△ B	B°
6	ハ	A	A	A	16	ニ	B°	♫♫♫○ ♩. ♪♫△ B	B°
7	ハ	A	♩♪♩♪△ B	A	17	変ホ	B°	B°	B° 低い音△
8	ハ	B°	♩. ♩♪△ B°	息がつづかないから B	18	イ	B	♫♩♪△ B	ソラソ㋛×ファミ B° 急にとぶところ
9	ヘ	B°	B′ ♫♪♪. ♪が ♩. ♪♩. ♪になる	A″	19	イ短	B°	♩. ♪♩♩△ B	B° ドシ㋶×
10	ヘ	B°	B ♩♩♩♩. ♪△ ♩♫♫	低い音△ B°	20	ニ短	とぶ音 ㋣×㋛×㋶ B′	♫♩♩× C°	B″ ㋣×シシラ ㋣×

以下 五月三日 音程はほとんど正しい

（付）○音楽が大好きといつている。木琴を好み3年2学期から

○発声自然で音程が正しい。自発的に学習している。

考　察　4女Eについて　学業（下）音楽（中の下）

- 素読　ハ長調はきわめてらくに読んでいる。

　　ヘ・ト長調もあまり無理がなく，以下も比較的にらくである。
- リズム　$^6/_8$拍子や付点音符でややまごついている。
- 音程　ハ長調はいずれも正確で，他もだいたいよろしい。
- 総合的に見てリズムの面で欠けたところが見えるが，ハ・ヘ・ト，は無理がなく学習できると考える。

第7表の3　個人別調査表（その3）

新曲を階名で歌う能力はどうか（高学年用）					検査年月日 昭和27年 4月27日				
○テストの時間　不明			5年1組 ㊚		氏名 5 男 B			検査者 梶野	
番号	調	素読	リズム	音程	番号	調	素読	リズム	音程
1	ハ	A'	B°	B° 音程一段に不安	11	ヘ	A'	B°	B°
2	ハ	A'	♩♩ ♩ Ⓐ B°	B ラ—㋣ ラ	12	ト	A'	B ♪♪♪×	B°
3	ハ	A'	♩♫♩♩ ♩ Ⓐ B	B' ミソ㋣㋹ド	13	ト	B	B ♫♩ ♩△	B'' 臨時記号うまくつかめない
4	ハ	A'	♩. ♪× ♫♪♩ ♩△ B''	B' ㋯の出だし△	14	ト	B°	♩♩♩♩♩ ♩× B' むずかしい	B°
5	ハ	A' ♫♫♫	♩ ♩♩♩ ♩△ B	B° 高い音声がでない	15	変ロ	B°	♪♩.♫♩ ♩ B°	B°
6	ハ	A'	A'	A'	16	ニ	B°	♩.♪♫♩♫♩△ C°	B°
7	ハ	A'	♩♩ ♪示唆 B°	B°	17	変ホ	B°	B°	ドドレミドレ㋠ミ B°
8	ハ	A'	♩ ♪ Ⓐ B 三拍子のばすこと。	B°	18	イ	B	♫♩ ♩ ♪ B' 付点ののびが足りない	ソラソ㋠× B 高音の発声困難
9	ヘ	A'	♪♪♪ ♪△ B''♪ ♪♪♪△	A'	19	イ短	B°	♩. ♪♩ ♩△ B°	ミミ㋹シ㋣ミミ B 高音の発声困難
10	ヘ	B°	B''	B° 低い音出にくい	20	ニ短	B'	♫♪ ♪ △ B''	ミ㋹ミミレ㋣シ B' 高音の発声困難

（注）第2回目にはよろしい。

（付）・高い声が出ない（ハ以上からむりである）・音程やや不安定

・音楽への積極性は乏しい。ことに歌うことはきらいである。

考　察　5男B　学業（中の上）　音楽（中の下）

・素読　ハ・ヘ・ト長調は非常によろしい。他もなかなかよろしい。

・リズム　♪ ♪♫ のリズムのみ容易である。他はB級である。

・音程　ハ・ヘ調はだいたいよろしいが，（3）（4）（13）などはむずかしい。他は本人には少しも無理がないようである。

・総合的に見て感覚面に欠けているため，読譜を歌にむすびつけることは無理である。楽器　木琴，ハーモニカで無理なく表現する。

第7表の4　個人別調査表（その4）

新曲を階名で歌う能力はどうか（高学年用）					検査年月日 昭和27年 4月15日				
○テストの時間（1～20）37分			5年1組 ㊛		氏名 5 女 C			検査者 梶野	
番号	調	素読	リズム	音程	番号	調	素読	リズム	音程
1	ハ	A	A	A	11	ヘ	A	A	A
2	ハ	A	A	ド㋛㋹さがる B°	12	ト	A	B° ♪♪ ♪°	A
3	ハ	A	B°	㋹× B°	13	ト	A	A	A
④	ハ	A	B ♩.♪♫♫ ♪♪♪♪ ♪×	出だしの㋯高い B° ㋹×	14	ト	A	A	A
5	ハ	A	B° ♪♪♪ 不安× ♫♫ リズム×	A' ㋶ ㋠×	⑮	変ロ	B°	♪♩.♫♩ ♩ B° △	A よみにくい
6	ハ	A	A	A	16	ニ	B°	♩.♪♫♩♫♩△ B	A よみにくい
7	ハ	A	A	A	17	変ホ	B	A' 二段目	B° よみにくい ㋶×
8	ハ	A	A	A	18	イ	とぶ音 B°	A'	B°
9	ヘ	A	B' ♪♪♪ ♪× ♪♪♪ ♪×	A	19	イ短	A	♩ ♪♩ ♩ B°	ミミ㋹ ゆっくり B ラ㋯×
⑩	ヘ	A	B°	シレ㋣× 低い音 B シレ㋠ ㋣が出ない	⑳	ニ短	B	♫♩ ♩. B' ♪♫♫×	ミ㋹ミ 知らない B' ラ㋣ラ

（付）・音楽に積極性をもっている。クラブ活動にも参加している。

・発声自然，音域も広い（イ—ヘ）

考　察　5女Cについて　学業（中の下）　音楽（中の上）

・素読　ハ・ヘ・ト調はきわめてらくである。他も比較的にらくに読んでいるので，無理はないと思われる。

・リズム　付点音符については，楽譜を見て自分の力でつくり出すことができない。

・音程　ほとんど正しく表現できる。

・総合的に見ると，リズム符の面で欠けているところが見えるが，5年生程度の読譜学習は無理がなく進められると思われる。

第7表の5　　個人別調査表（その5）

新曲を階名で歌う能力はどうか（高学年用）					検査年月日 昭和27年 4月25日(1～10) 5月 2日(11～20)				
○テストの時間 1～10(18分)1～20(28分)			6年1組 ㊚		氏名	6 男 B		検査者	鈴木(1～10) 梶野(11～20)
番号	調	素読	リズム	音程	番号	調	素読	リズム	音程
1	ハ	A	A	A	11	～	B°	♩. ♪♩ ♩× B'	B″ 音程不安定
2	ハ	A	A	B° ファ㋛ラソ ㋮になる	12	ト	B°	B	B ドー㋮× ソラシド あいまい
3	ハ	A	A	ソードの下降不十分 A	13	ト	B'	B	B とぶ音×
4	ハ	B	B 付点	C° 下降 レファラ	14	ト	B°	B	B' 低音× ミファソ
5	ハ	B	B	B″ ラソファレ ミド	15	変ロ	B°	[音符] B'	B 早つくり×
6	ハ	A	B°	リズムパターンよいため よい B°	16	ニ	B°	♩. ♪♫ △ B	B' リズムにのれない
7	ハ	B	B 6拍子歌いにくい	B°	17	変ホ	B°	B°	B°
8	ハ	B°	A	C°	18	イ	B'	[音符] B	B° とぶ音不十分
9	～	A	A	リズムパターン B°よいためよし	19	イ短	B°	♩. ♪♩ ♩ △ B'	B° ドー㋹×
10	～	B	付点前のリズムBにのってしまう 一回やると完全になる	B	20	ニ短	B'	[音符] B	B ラ㋛ラ ファ

（付）・音楽活動中，歌うことはあまり好まないが，ハーモニカの演奏を好んでいる。

・注意散漫なところが見える。むやみにいそぐ傾向がある。

考　察　6男Bについて　学業（中）　音楽（中の下）

・素読　ハ長調はだいたいよいが，4，5，7はあまりよくない。他はだいたいよろしい。

・リズム　付点音符の表現があいまいである。

・音程　歌うことによる音程表現はよくない。ハーモニカでらくに表現する。

・音階練習を行うことにより．ある程度の音程を正すことができた。

74

第7表の6　　個人別調査表（その6）

新曲を階名で歌う能力はどうか（高学年用）					検査年月日 昭和27年4月25日				
○テストの時間 1～10(12分) 11～20(14分)			6年1組 ㊛		氏名	6 女 C		検査者	鈴木(1～10) 梶野(11～20)
番号	調	素読	リズム	音程	番号	調	素読	リズム	音程
1	ハ	A	A	A	11	～	A	[音符]	A
2	ハ	A	A	A	12	ト	A	B° [音符] △	A
3	ハ	A	A	A	⑬	ト	A	A，	A やさしい
4	ハ	A'	A	ミソソファシレド B°	14	ト	A	[音符] △ B	A'
5	ハ	A	A	不安 ラソソミレ ミド B	⑮	変ロ	B°	[音符] B	A'
6	ハ	A	A	A	16	ニ	A'	♩. ♪♫ △ A'	A'
7	ハ	A	A	A	⑰	変ホ	A	A	A やさしい
8	ハ	A	B	ミレ㋛ド B 下らない	18	イ	A	[音符] 6拍子	A
9	～	A	[音符] B 6拍子になる	B°	19	イ短	A	♩. ♪♩ ♩㋐	B° ミー㋮×
10	～	A	A	A	⑳	ニ短	B°	B°	ミ㋹ミ× ㋫×

（付）　音楽への積極性あり，・発声自然で美しい。

・自然に曲想を表現をしている（ ＜＞ など）

考　察　3女C　学業（中）　音楽（中の上）

・素読　いずれもきわめて優秀である。テンポも早い。

・リズム　付点音符でちょつとふめいりょうになるが，2回目には正しく表現できる。

・音程　ほとんど問題とするところなし。

・総合的に見て，この程度の能力の児童達はただ楽譜を読むということでなく，自然の曲想表現をする事もできる。小学校6か年の読譜能力としては一応の標準型と思う。

75

第3章　第2次研究計画と準備

第1回の実験研究・調査を実施して，3年以上の読譜能力の発達について，問題点をつかませることができた。そこでいつそう解明をはかるために，問題を分析し，新曲を作成して第2回のテストを実施した。

1 問題の作成

特に次の諸点に留意して問題を作成した。今回の問題数は 10 題とした。

i　前回において素読は各学年とも，リズムや音程面に比してあまり困難を感じていない。（リズムや音程がむずかしくなると，素読のテンポがおそくなるという程度である。）そこで第2回は，音程とリズム，ことにリズムの面を重視した。

ii　各問題は素読・リズム・音程についての観点を明確にして作製した。観点は次のとおりである。

問題番号

1　音程を主とする。

たとえば順次進行においてドシラシドとシからドへ進むのが自然であるところを，ドシラシラと変えてある。

2　音程を主とする。　3度の跳躍音　ファレファ・ドラシ

3　リズム $\frac{4}{4}$ ♩. ♪ ♩ ♩

音　程　ミーラ

4　素　読　ソード・ラドラ　音程　跳躍音

5　リズム $\frac{2}{4}$ 𝄾 ♪ ♫ | ♩ ♩ ‖ ♪ ♩ ♪ ‖

6　リズム $\frac{3}{4}$ ♩ | 𝅗𝅥 ♫ | 𝅗𝅥 |　（弱起のリズム）

7　素　読　高音の読み

リズム　$\frac{4}{4}$ 𝅗𝅥 ♩ ♩ | 𝅗𝅥 ♫ ♩ ♩ |

8　素　読　早い読み（細かい音符が並んでいる）

リズム　$\frac{3}{4}$ ♫ ♫ ♫ ‖ 𝄾 ♪ ♫ ♫ ‖

9　リズム　$\frac{6}{8}$ 𝅗𝅥 ♫♪ ‖ 𝅗𝅥. ♩ 𝄾 ‖

10　素　読　跳躍音・高い音。

リズム　♩ ♬♬

音　程　跳躍音（ソード）高い音（ミーソ）

2 研究調査の実施および結果の考察

第1回高学年新曲階名唱の実験調査と同様の方法によつて調査を行った。今回は観点がきわめて明確であったので，第4回に比較して簡単であるし，また問題数も 10 題で第1回の半分であるし，児童の読譜能力も少しずつ養われてきているために，調査者も児童もらくな気持で実験調査をすることができた。

実験調査は2年の男1名の特別対象児童と，3年以上の選ばれた児童（第1回の調査の対象となつた児童）を対象として行った。

☆　結果についての考察（第8，9，10表参照）

（イ）素読について

- 学年的に見て一応進歩しているが，(6)(7)番は5年が低下している。
- 60% 以上のものがよめるのは次の通りである。

4年　1，2，3　5年 1，2，3　6年　1，2，3，4，5，6，7

これらは単なる素読として読んでいるのでなく，リズムを意識して読むために素読がつまずくという現象が見える。

• (8) (6) (10) はどの学年にも困難である。 1年は 20%～40% 良好である。

(ロ) リズムについて

• 素読と同様に5年が低下している。

• 60% 以上のものが正しくとれる問題は　4年 (1) (2) 5年 (1) (2) 6年 (1) (2) (3) (6) である。

• 3年には (8) (9) (10) 番は全然とれない。

• 6年の (5) 番はできていない。　30%

第8表の1

第2回　新曲階名唱課題曲 （その1）

注・4年女生の実験調査の結果から，困難点を記入しておたれい。

・特に困難と思われる問題の問題番号を○でかこんである。

・△印　やや困難と思われる箇所　・×印　だいぶ困難と思われる箇所

・㋑素読　㋺リズム　㋩音程

第8表の2

第2回　新曲階名唱課題曲 （その2）

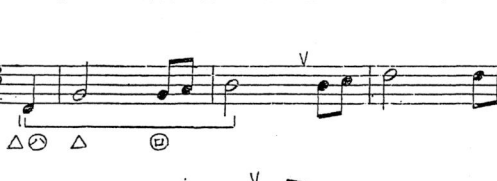

7

ゆっくりになる

8

△ ㈧

△ ㈫ ㈧

9

△ ㈫

10

△ ㈫㈧ △ ㈫

第9表　**第2回　新曲階名唱ａｂｃ関係グラフ**

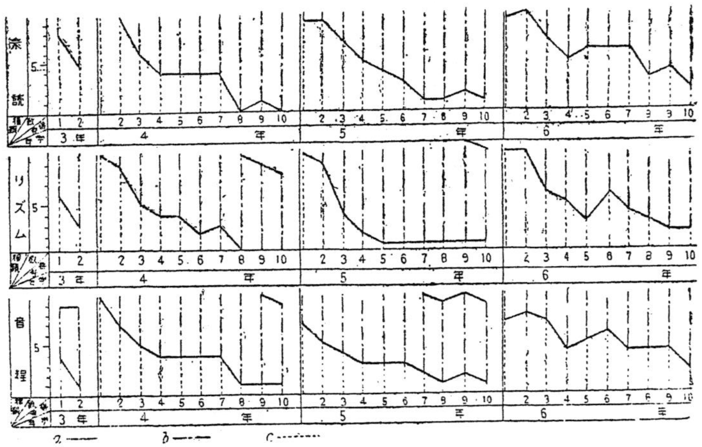

素読

リズム

音程

3年　4年　5年　6年

a　b　c

(ハ)　音程について

- 素読と同様のカーブを描いているが，5年はやはり全体としてあまりよくない。
- ハ長調でリズムも4分音符の並列である1・2番は，4年がいちばんよい。
- 60％以上のものが正しい音程のとれるものは，次の問題である。

　4年 (1)，(2)　5年 (1)　3年 (1)，(2)，(3)，(6)

- (8)，(9)，(10) は全体として困難である。

(ニ)　素読・リズム・音程の相互の関係について

- 4年　三者とも非常に密接に関係している。訓練がゆきとどいているときにはこうした形として現れるように思われる。ただし6番は素読と音程は関係があるが，リズムは異っている。
- 5年　三者ともあまり関係していない。これは訓練の不足をよく表

第 10 表　　新曲階名唱（第２回）

素読・リズム・音程の関係グラフ

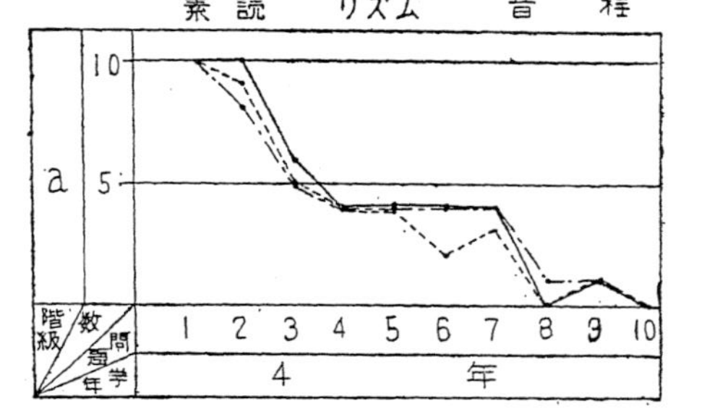

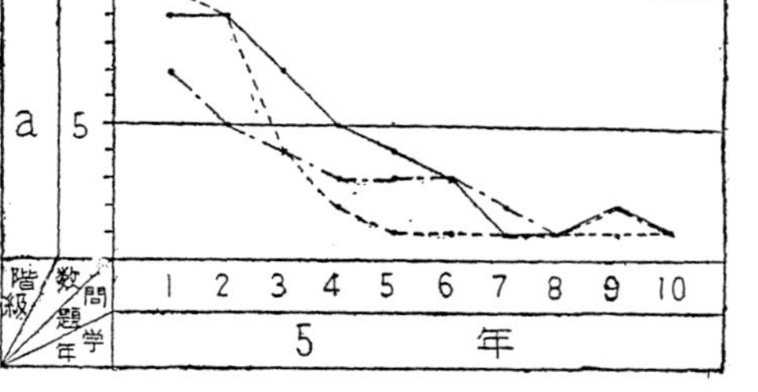

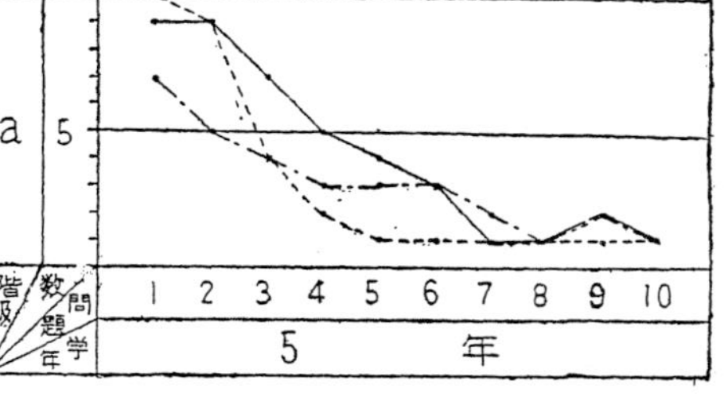

わしているが，ことに感覚的な面の不足が目だっている。特にリズムと音程とはほとんど関係していない。関係を見いだせるのは (3) (8) (9) (10) だけである。

- ６年　三者ともある程度関係がある。

素読と音程とで相関が高いのは，(3) (4) (6) (8) (9) (10) である。

リズムと音程とはあまり関係がない。

こまかい点については問題があるが，４，５，６学年を通じて，大まかに見ると，素読・リズム・音程の三者は相互に関連しているといえよう。

次に問題別，要素別の発達グラフについて考察してみよう。

第 11 表

第２回　新曲階名唱，問題別，要素別グラフ

a　b　c

（ホ）上のグラフの考察

- ５年は (3) (4) (5) (6) (7) がわるい。これは問題を見ると，あまり無理な音程の困難点は見られないから，けっきょく音階系列のはあくがふじゅうぶんということと，男生が高音の発声の面で無理があることが原因と考えられる。

- 上の事項は，(1) (2) を見てもまだ正しい音階系列が身についてないことを，うら書きしていることであるし，6年もあまりかんばしくない。
- (3) (4) (5) (6) (7) 番のできるものは，6年は約年50%，5年は10~40%ぐらいである。
- (8) (9) (10) 番は，学年的発達が順調であるが，一般的にわるい。3年でもわずか20~40% をしめているにすぎない。8(ニ長調) 9(変ホ長調) 10(イ長調)
- 次に個人別調査表をあげて，読譜能力の実状および発達の姿を見よう。

第 12 表の 1　　第 2 回高学年新曲階名唱個人別調査表　(その 1)

新曲を階名で歌う能力はどうか			検査年月日 昭和27年5月11日	
テストの時間 自 至		2年1組 ㊚ 女	氏名 A	検査者 梶野
番号	調	素読	リズム	音程
1	ハ	A	A	A′ ラ̂ソラC
2	ハ	A′	A	A′
3	ニ短	B°	♩. ♪♩♩△ B°	B°
4	ヘ	とぶ音おそし B	B	B′ むずかしい
5	ト	おそい B	𝄾♪♫ | ♩ ♩ |△ ♪♩ ♪∨B″	B そんなにむずかしくない
6	ト	B° おそい	♩ | 𝅗𝅥 ♫ | 𝅗𝅥 △ B′	B
7	変ロ	B おそい	𝅗𝅥 ♩ ♩ △ B″	B′
8	ニ	ラシ㋹ドシラ B′	早いリズム B″ →	B″ むずかしい
9	変ホ	C°	♩. ♫♪ × C°	C° リズムがむずかしいまわりをひくむ
10	イ	C°	𝅘𝅥𝅯𝅘𝅥𝅯𝅘𝅥𝅯𝅘𝅥𝅯 C°	C

新曲を階名で歌う能力はどうか			検査年月日 昭和27年5月12日	
		3年1組 ㊚ 女	氏名 B	検査者 梶野
番号	調	素読	リズム	音程
1	ハ	A′	A′	A′
2	ハ	A′	A′	ドラ㋛ ラファ㋦ B°
3	ニ短	B°	♩. ♪♩♩△ B	低い音△ B°
4	ヘ	B°	♩ ♫ △ B	ソ㋫㋛ B
5	ト	おそい B	𝄾♪♫ | 𝅗𝅥 ♩ |△ ♪♩ ♪∨ B″	B°
6	ト	B	♩ | 𝅗𝅥 ♫ | 𝅗𝅥 △ B	B°
7	変ロ	B′	𝅗𝅥 ♩♩ | ♪♫♩ ♩ ♩ B	B°
8	ニ	B	♫♩ ♩△ ‖ 𝄾♪♫♫ | 𝅗𝅥 𝄽 ‖ B′ △	B°
9	変ホ	B′	㊍ ♫♪ ⊗ B″	B′
10	イ	早いよみとぶ音 C° ∨	♩ 𝅘𝅥𝅯𝅘𝅥𝅯𝅘𝅥𝅯𝅘𝅥𝅯 × C	C°

第 12 表の 2　　第 2 回高学年用新曲階名唱個人別調査表 (その 2)

新曲を階名で歌う能力はどうか			検査年月日 27年5月14日	
自 9.00 至 9.30		4年1組 ㊚ 女	氏名 B	梶野
番号	調	素読	リズム	音程
1	ハ	A′	A′	ドシラ㋛ A′
2	ハ	A′	A″ やゝ不安	㋫ レ ㋫ B°
3	ニ短	A′	♩. ♪♩ ♩ ° B°	B°
4	ヘ	B°	♩ ♫ B°	ソ ラ ファ△ B°
5	ト	B°	𝄾♪♫ | 𝅗𝅥 ♩ △ ♪♩ ♪△ B′	B
6	ト	B°	♩ | 𝅗𝅥 ♫ | 𝅗𝅥 △ B′	出だしの㋛ B
7	変ロ	B°	B°	ゆっくり B°
8	ニ	B	♫ ♩ ♩△ 𝄾♪♫♫ | 𝅗𝅥 ♪|△ B″	早いところ△ B
9	変ホ	B	㊍ ♫♪ B′	B°
10	イ	B′	㊍ 𝅘𝅥𝅯𝅘𝅥𝅯𝅘𝅥𝅯𝅘𝅥𝅯 C°	早いよみ とぶおと B′

新曲を階名で歌う能力はどうか　検査年月日　27年5月13日				
自11.17　至11.36	4年1組　男 ㊛	氏名	C	梶野
番号	調	素読	リズム	音程
1	ハ	A	A	A
2	ハ	A	A	A
3	ニ短	A	A″	A
4	ヘ	A	A″	A
5	ト	A	A″ △	A
6	ト	A′	B° △	A
7	変ロ	A′	B●	A
8	ニ	B°	B°	B°
9	変ホ	B°	B°	B°
10	イ	ゆっくり B	B	B●

第 12 表の 3　第 2 回高学年用新曲階名唱個人別調査表（その 3）

新曲を階名で歌う能力はどうか　検査年月日　昭和27年5月19日				
自 7 45　至	5年1組 ㊚ 女	氏名	B	滝野
番号	調	素読	リズム	音程
1	ハ	A	A′	ドシラシ㋶ B°
2	ハ	A	A′	ラ㋶㋶ B°
3	ニ短	A′	B° △	B°
4	ヘ	B●	B°	B°
5	ト	B●	B° △	B°
6	ト	B′	B°	高い音が出にくい B°
7	変ロ	B●	B°	B°
8	ニ	B●	B	B°
9	変ホ	B●	B°	高い音 B°
10	イ	B●	B △	B°

86

新曲を階名で歌う能力はどうか　検査年月日　昭和27年5月12日				
18 分	5年1組　男 ㊛	氏名	C	梶野
番号	調	素読	リズム	音程
1	ハ	A	A′	A′
2	ハ	A	A′	㋶レ㋶ B°
3	ニ短	A′	A	A′
4	ヘ	A′	B° △	ソラ㋶ソ㋦ B°
5	ト	B°	B°	B●
6	ト	B°	B°	B●
7	変ロ	B°	B° △	B●
8	ニ	早いよみ B	B′ △	B°
9	変ホ	B°	B △	B°
10	イ	B′	B′	B 早いよみ 音程不安

第 12 表の 4　第 2 回高学年新曲階名唱個人別調査表（その 4）

新曲を階名で歌う能力はどうか　検査年月日　昭和27年5月17日				
自 9.45 至 10.10	6年1組 ㊚ 女	氏名	C	梶野
番号	調	素読	リズム	音程
1	ハ	A	A	A′
2	ハ	A′	A′	㋶レ㋶ B°
3	ニ短	ミー㋶ B°	B △	㋶ミレド㋛㋶ B′
4	ヘ	B°	B° △	ソラ㋶㋞ B′
5	ト	B°	B°	B°
6	ト	B°	B	ソ㋦ B
7	変ロ	B°	B°	ゆっくり B°
8	ニ	B	B	ラシ㋹ドシ㋶ソ ㋦ B
9	変ホ	B	B′	㋦ B°
10	イ	とぶ音おそし B	B′	B

87

新曲を階名で歌う能力はどうか。				検査年月日 昭和27年5月6日
12分		6年1組 男㊛	氏名 C	提野
番号	調	素読	リズム	音程
1	ハ	A	A	A
2	ハ	A	A	A'
3	ニ短	A	A'	A'
4	ヘ	A	♩ ♫ △ B°	A'
5	ト	A	𝄾♪♫ | ♩ ♩ B°	A'
6	ト	A	A'	A'
7	変ロ	A'	B°	B°
8	ニ	B°	♫ ♫ ♫ B°	B°
9	変ホ	B°	♩. ♫♪ (△) B°	A'
10	イ	B°	♩ ♬♬ (△) B	B°

（ヘ） 困難点としてあげられる箇所について

○第 12 表の個人表によってだいたい推察することができるが，なおいくつかの要素に分けておもなものをあげてみると，

○素　読・(3)のミラのラが読みにくい。(とびすぎているので)

・早いリズムのところ，高い音，調子が変ると，低学年はきわめて困難となり，おそくなる。

○リズム・(3)の ♩. ♪♩ ♩ は多くのものが正確でない。

・(4)の ♩ ♫ は，思つたよりむずかしいようである。

・(5)の ♪♩ ♩ は学習していないものが多いためか，(6年もほとんど学習してないし5年以下は全然学習していない) 大部分つまずいている。

・(5)の 𝄾♪♫ |♩ ♩ | の不正確なものが多い。

・(6)の ♩ |♩ ♩ ♩ |♩ | はほとんど不正確である。

・(9)の ♩. ♫♪ は知的に理解すると正しい表現になる。

・(10)の ♩ ♬♬ はほとんど不正確である。2・3回反復すると正しい表現ができるようになる。

○音　程・音階系列がしっかり身についていない児童は，(1)(2)あたりも音程が不安定である。

・(5)(2)はあまりむずかしくないらしい。

・(7)のテンポがおそくなるものが見られる。

・(8)の早いリズムの箇所は音程の面もふめいりょうになる。

・(10)の早いリズムの箇所は読みもむずかしい。

（ト） 課題曲 10 題を学年的に配当したらどうなるか

1番	3～4年	6番	(4)～5年
2番	(3)～4年	7番	5～6年
3番	4年	8番	(5)～6年
4番	4年	9番	6年
5番	(4)～5年（リズム困難）	10番	6年

む　す　び

調査研究「新曲をどのように階名唱できるか」について，総まとめしてみるとどういうことになるか。

1.　読譜能力の学年的な発達はどうであるか。

（イ） 2年と3年を比べると，素読・音程・リズムの各面についてその差が著しいことがあげられる。これによつて，3年から本格的読譜にはいるという昨年度の結論の適切であることがらがうらづけ

られるわけである。

（ロ） 3年と4年との差がだいぶあること。ことしの4年は特別よいのかもしれない。それとも昨年の4年が普通よりよくなかつたかつから目だたなかつたのかもしれないが，いずれにせよ3年と4年の差が著しい。

この辺から，3，4年が読譜能力を大いに伸ばす好機ということがでてこないだろうか，これは来年度への課題である。

（ハ） 4，5，6年は少しずつ進歩が認められる。

2, 素読・リズム・音程の読譜能力の各要素の相関関係はどうか。

（イ） 各学年とも各要素は相当程度関係を認めることができる。ただし，リズムと音程とは他に比して関係が少ない。

（ロ） 各学年を通じて，素読がよく，リズムは一般にわるい。これはリズム指導面で欠けている部面があることと，元来リズムをつくり出すこと自体は困難であることが原因と思われる。

（ハ） 音楽的指導のゆきとどいたときは，三要素の相関は高くなる。

3, 各学年における各要譜の困難点

（イ） 2年・すべての点において困難である。耳はなかなか鋭い。
- ごく簡単なリズムはわかる。

（ロ） 3年・低学年用の新曲階名唱はじゅうぶん学習できる能力をもつ。
- 高学年用ハ長調の素読は半数のものは可能であるが，楽譜を見て自分の力で音程やリズムを表現することはむずかしい。まだ記号と感覚が一致しないのである。

（ハ） 4年・第1回高学年用課題，ハ長調の読譜（60～100%）可能で

ある。
- ただし問題(3)(4)はリズム・音楽とも困難である。
- ヘ長調，ト長調の素読，音程の面はやや困難である（30～40% 可能）
- 6拍子のリズムや ♩♪ のリズム，早いリズムはむずかしい。

（ニ） 5年・第1回高学年用課題　ハ長調の素読は約 70% 可能であるが，リズム・音程は約 40% である。
- 特に（3）（4）はリズム，音程ともに非常に悪い。
- 第2回のハ長調の素読，リズムは 90～100%，音程は 50～70%である。
- リズムは高学年用 1～2 番のみが 60%，その他においては 30% である。特に困難なリズムは（4）(16)(19)(20)これは主として付点音符と細かいリズムの音符である。
- 第2回のテストにおいては 4～10 まで非常に困難である。
- 音程面では，第1回の調査では（3）（4）(18)(19)(20)跳躍音（4度，5度，8度）高い音（出だしのミの音）変化音（ミ♯レミ）リズムの早い音などである。第2回も同様である。

（ホ） 6年・第1回　高学年用課題，ハ長調の素読は約 70 %である。リズムは平均 50%，音程も約50%で音程・リズムとも(3)(4)(5)が困難である。
- 第2回のハ長調はよくできている。へ．ト長調の読譜の約 60 %である。その他は 30～40% である。
- リズムの困難点としてあげられるのは，

第１回調査　（14）（15）（20）

第２回調査　（９）（10）

これらは主として付点音符，シンコペーション，６拍子のリズム，早いリズムである。

• 音程の面については，第１回の調査においては（４）（５）第２回の調査においては（10）番が困難点のある問題で，これは跳躍音，早いリズムのところである。

今回の調査を行った結果，特に考えさせられた事がらは，このような総合的な研究をする場合は，各要素が入りまじっているために，よほど問題の作成，調査の観点・方法をはっきりしておいてから研究にとりかからないと評価が主観的になるし，また統計面でも大変な労力を費し，しかも結果は信頼度の乏しいものになってしまうから，相当慎重に，しかしあまり範囲を広げないようにして研究にかからなければ，労多くして効なしということになってしまうことである。第２に，恐ろしいくらい，今までの読譜や，広くいえば音楽経験がめいりように調査の結果の上に現れてしまうという感じである。低学年最初の感覚の訓練の空白，記号と音の結びつけの訓練の不足，音楽経験のかたより（あるものを重視して，あるものを軽く取り扱う）断片的な読譜練習，こうしたものが，かくすところなくグラフの上に描き出されてしまったのである。第３に，高学年に進むほど，やらなければならぬ作業や知的理解が多くなるのに，児童は個性的になって，教科への関心の有無もはっきりしてくるし，また優秀なものと劣等な者の差が大きくなるので，さてどうしたらよいだろうかということである。

これらは新しい年度の研究を進めていくに際して，ぜひとも考えていきたいと思われる事がらである。

今後の問題について

ことしこそは何か一つものにしたいと願っていたが，まだまだ，手落ちばかり多く，ようやく問題の所在を提示した程度にとどまってしまった。

今後の研究として，次のような点について考えていきたいと思う。

（イ）問題はある制限されたものであるから，問題の構成を変えて調査を行う必要がある。

（ロ）選ばれた児童は，ごく少数であるので，まだ行ってない児童について調査し，その結果を比べてみること。

（ハ）継続的に調査を行うこと。

（ニ）困難点の克服法について研究すること。

（ホ）曲想，諸記号，合唱曲等についての理解と表現能力についての問題を研究すること。

補

児童の音楽的発達を促進させるものは何か

児童の音楽的発達を促進させるものは何か

I　この問題をとりあげた理由

読譜能力の発達について研究してみると，歌唱・器楽・鑑賞・創作・リズム反応等の各音楽経験はお互に関連しながら発達していくことがわかる。

ところでこのような音楽的発達には，いろいろな要因を考えることができるわけであるが，わたくしたちは案外簡単に，常識的に，いわゆる勘によって物事を割りきって，処理している。そこでいったい音楽的発達を促進しているものは何か，また逆にこれを阻害しているものは何か，児童の音楽的環境・性格・知能等と音楽的能力との関係はどうかといった諸点を，事実の上から究明したいと考えて，この問題をとりあげた。

II　調査の方法

わたくしたちはこれを次の二つの方法によって実施した。

一つは個人の音楽的発達を，幼児の時代から発達史的に研究し，その中から特に音楽的発達を助長する条件，阻害する条件を分析する方法であり，他の一つは全校児音を対象として，統計的処理によって以上のそれぞれの条件を調査する方法である。

III　個人調査による研究

◆　調査事項の決定

本校事例研究の様式を参考にして原案を作成し，音楽研究委員会（5名）で数回討議研究を行い，次のような調査事項の内容を決定した。

- 本人についての研究　　生徒一般，音楽的生活，読譜経験
- 音楽的環境についての研究　　家庭調査，学校調査

◆ 調査事項の内容

（一） 本人についての研究

（1） 小学校入学以前

（イ） 生活一般面

A．生年月日　　B．出生地（環境の状況を記入する。）

C．既往症――たとえば発熱の激しかつたもの（ことに首から上の病気）

D．妊娠・分娩時の状態

E．食事　睡眠の状態

1. 睡眠の状態はどうであったか。　2. 母乳で育ったか。

3. 離乳はいつごろであったか。　4. 偏食はなかったか。

F．言語の発達

1. 喃語および歌の発生の時期。　2. 片言でなくなった年令。

3. よく話すか，無口のほうか。

G．身体的発達

1. はう，すわる，立つ，歩くは順調と進んだか。
2. 上の動作ができるようになった年令。
3. いろいろな道具やおもちゃなどでいたずらをした年令。

H．性格，行動の発達

1. どのような性格であったか。
2. どのようなあそびに興味を持ったか。

3. 社交性はどうであったか。
4. どのような友人と遊んだか。

I．知的発達

1. 言語の発達はどうであったか……筋道の通った話し方。
2. 文字はいつ，どのようにして習得したか。
3. 数えること，計算することの能力はどのようにして習得したか。

J．だれに育てられたか

1. 音楽に対する教育方針。
2. 主として養育にあたった人の音楽的な教養はどうであったか。

（ロ） 音楽的生活面

A．出生以前における父母の家庭はおける生活状態。

B．出生時の音楽的環境

C．幼時期

1. 音楽的環境　　2. 音楽をきくことを喜んだか。

3. 多くきいたか，好んできいた歌曲の名まえ。

4. 音楽をきいて身体を動かすか――ダンスをする。タクトをとる。はねまわる。

5. 歌はいつごろから歌うようになったか，その歌はどうして覚えたか。

6. 歌うことを好んだか，どのような歌曲を好んだか。

7. 歌う能力はどうか，リズム・音程・発音・表情・歌詞。

8. 器楽的な生活。

- 音の出るおもちゃでどのようなものを与えたか。それに対する反応はどうか。

・楽器を与えたかどうか，その能力はどうか。

9. かってにふしをつけて歌ったか。

10. 楽器を用いて自由に創作的なあそびをすることはどうか。

11. 音楽面の指導者の有無——その人の音楽的素養はどうか。

D. 幼稚園の音楽的な状態はどうであったか。

E. 音楽への興味を起させたものは何か。

音楽への興味を減退させたものは何か。

F. 読譜活動の面

1. ドレミファを覚えたのはのはいつか。

2. どうしておぼえたか。

3. ドレミに対する興味はどうか。

4. 楽譜が読めるようになったのはいつか。

5. 楽譜をだれに教えられたか。

(2) 小学校入学後

(イ) 生活一般面

A. 身体的発達

1. 体格　2. 出欠の状況

3. 身体的諸機能の状態はどうか——特に首から上部について

4. 疾病の状態　耳，鼻，口，声帯の異常，視力，その他

B. 性格行動面の発達

1. 性格は内向性か外向性か。　2. 特色ある性格行動。

3. どんなことに興味をもっているか。

4. 学年が進むにつれて興味がどのように変ってきているか。

5. 社交性はどうか。

6. 社交の状態　長上に対して交友間の本人の位置。

7. 教師に対する態度はどうか。

8. 学級における本人の位置。

C. 知的面の発達

1. 家庭における学習。　2. 知的な面への興味。

3. どの教科に興味をもっているか，その理由。

4. どの教科がきらいか，その理由。

5. 学業成績はどうであるか。

D. 音楽的な面の発達

1. 音楽への興味や関心の状態の変遷。

2. 歌うこと，器楽演奏，鑑賞，創作，リズム表現，音楽史，楽典などについての好ききらい，理由，能力。

3. 音楽への興味・関心を促進させたものは何か。

4. 音楽への興味を減退させたものは何か。

5. 音楽的能力を向上させた要因，低下させた要因。

6. ドレミをいつ覚えたか。

7. 楽譜指導はどのようにされたか。

8. 読譜に対する興味，関心。

9. 読譜能力の実状。

(ロ) 音楽的環境面

1. 家庭調査

A. 家系面——祖父母，親族の音楽的素養関心。

B. 家族構成——続柄，年令，職業学歴，性格，趣味，音楽への関心，宗教への関心。

C. 家庭の音楽への関心。

1. 音楽に対する教育観。　2. 家族の音楽的素養（歌うこと，

楽器の演奏，鑑賞，リズム表現，音楽の知的理解。

3. 好む曲。　4. 音楽的な施設。　5. 楽器の有無とその活用度（だれがどのように）　6. レコードの種別とその活用。

7. 蓄音器の有無とその活用。

8. ラジオの番組でどんなものをきくか。

9. 音楽的な書物。

10. 音楽的な交友。　11. おけいこ。

D. 家庭の経済状態

E. 近隣の状態　　文化，経済，道徳，衛生の面から文化施設の活用。

1. 学校調査

A. 学校の音楽教育方針

B. 音楽教育の運営状況

C. 音楽的施設とその活用状況

D. 学級児童の音楽への興味，関心，どのような商業活動を好むか，その理由

E. 受持教師の音楽への関心とその能力

◆ 被調査者の選定

被調査は次のような基準を設け選定した。

1. 組から2名位。　2. 時間もかかるし，めんどうでもあるので積極的に協力してくれる家庭。

3. なるべく小さいときの記録のある家庭。

4. 音楽的に見て，特長のある子供。

5. 兄弟が在学しているものも選ぶ。

この基準によって，次のような結果になった。

学　年	1　年	2　年	3　年	4　年	5　年	6　年	計
男	1	1	2	2	2	2	10
女	1	1	0	2	1	1	6
計	2	2	2	4	3	3	16

上の表の中で兄弟については次のようである。

男　2人の兄弟　（5年，中1）

男　2　女1の兄弟　（4年，5年，中1）

調査方法

1. 母親に来校していただき，調査の項目にてらして話をきく。

2. 教師が家庭訪問をして，資料を見せてもらったり話をきいたりする。

3. 文書を配布してきく。

4. 受持の教師，学友などから本人についてきく。

◆ 個人調査の具体例

次にその具体例，（音楽の学習成績上のもの，下のもの，兄弟のもの）をあげてみよう。――ここでは特殊事項のみを述べる。

例 1. B君　音楽成績　上　4年

本人についての調査

（1） 小学校入学以前

（イ） 生活一般面

1. 片言はほとんど使わず，平常語から始めた。そのため割合に早くからはっきりと話しはじめた。

2. 動作は活発。

3. 4人兄姉の末っ子で，ほとんど家の中で遊ぶ。

(ロ) 音楽生活面

1. 父はこどものことについてやかましいことは言わない。
2. 母は小さいとき，ある程度邦楽，洋楽を習った。
3. 出生時ごろ，レコードをきいたり，有名人の音楽会に行く。
4. 幼少時にピアノをひくことを喜んだ。
5. いとこの家では家内中でピアノをひき，合唱などをしている。Bは夏冬の休みに1週間ぐらい泊りにいき，音楽的ふんい気に浸っている。
6. 本人は兄や姉から歌を習った。
7. 木琴やピアノの運指のまねも兄弟に習ったが，創作的なことをする機会はなかった。
8. 長姉は現在バイオリンを習らっている。
9. 読譜の指導はだれもしていない。

(1) 小学校入学後

(イ) 生活一般面

A. 身体的発達

1. 身体はじょうぶで病気もない。
2. 色盲であるが，ひけ目を感じてはいない。

B. 性格行動面の発達

1. 外向性である。
2. 末っ子的長所短所ももつが，すなおなこどもである。
3. 現在の住居が郊外なので，外遊びばかりしていたが，最近はそれを学業と結びつけて考えるようになった。
4. 読書を好み，理科，伝記などをよく読んでいる。
5. 友人は同年の子が主で，割合におとなしく遊ぶ。

C. 知的な面の発達

1. この児童の学級は大多数の児童が音楽を好み，また音楽的能力もすぐれているものがいる。歌唱・器楽・鑑賞・創作等の各面とも上の部である。
2. この児童の音楽的能力

歌唱上，器楽上，鑑賞批判力上，創作力中の上，読譜上，特に音楽的な批判力をもっている。読譜については「読めるけどめんどうくさい」と言っている。

(ロ) 音楽的環境面

A. 家系面

1. 特に音楽的素養なし。　2. 母は好きで少し習った。
3. 姉はバイオリンを修業中。

B. 家庭の音楽への関心

1. 自分で演奏はできなくても，せめてもききうる耳はもたせたい。
2. 歌う，ひく，きく，つくることなどは，いとこの家で習い，姉からも習う。
3. レコードがあるが，兄姉が洋楽を好むため，他のものはきかない。
4. 父は銀行の人事部長をしていて，経済的にも豊かのようである。
5. 近所は十二所であるので，各面から見てあまり恵まれていない。

◎要約――音楽をよくした条件

1. 知能が高い。　2. 母親は音楽的素養がある。
3. いとこの音楽的な家によく出入して，関心が助長された。
4. 姉がバイオリンを本格的に修業している。
5. 入学前レコード，ピアノ，木琴に接する機会があった。

6. 兄姉が音楽を好んだ。　7. 明るい性格であった。

例 2. Y子　音楽成績下　5年

（1） 小学校入学前

（イ） 生活の一般面

1. 静かな住宅地に住み，既往症はない。

2. 人工栄養で育ち，多少の偏食がある。

3. 歌の発生などは普通で，多弁の方であった。

4. 身体的発達も普通。

5. 社交性に富んだほう，泣虫であった。

6. 末っ子であった。

7. 筋道の通った話し方はできなかった。

（ロ） 音楽的生活面

1. 父は壮年時代マンドリンを少しやった。

2. 母は音楽的な趣味なし。

3. 近所からダンスのレコードがきこえた。

4. こども向きの歌を喜んで聞いた。

5. 音楽をきいても身体的動作はしなかった。

6. 歌は4歳のとき，次姉のまねをして覚えた。

7. 歌う力はなく，リズム，音程などは無視している。

8. 木琴を与えたが関心がなかった。

9. 歌をくちずさむことはなかった。

（2） 小学校入学後

（イ） 生活一般面

A. 身体的発達

1. 身体は普通であって，扁桃腺は肥大である。

B. 性格行動面の行動

1. 内向性か，外向性かはっきりしない。　2. 興味も変化なし。

3. 社交性に富むが教師に対しては固くなる。

4. 級友間で存在を認められていない。

C. 知的な面の発達

1. 家庭の学習はよくする。

2. 長姉が書道に専心しているので習字は熱心。

3. 学業成績は下であるが，ソロバンはよくできる。

D. 音楽的な面の発達

1. 興味はない。

2. 音楽的能力　歌唱中の下，器楽下，鑑賞下，創作下，リズム反応中の下，読譜下

3. 学級の音楽的関心，ことに女生は関心をもっているが，本人は上述のようにあまり興味をもっていない。

（ロ） 音楽的環境面

A. 家系面

1. 祖母は琴や長唄をした。　2. 母は無趣味。

3. 長男，長女，次男，三女全部音楽への関心なし。

4. 楽器，蓄音器，レコードなど無し。

B. 経済状態

1. あまりよくない。　2. 音楽的施設を利用もしない。

◎要約——音楽的発達を促進させない条件。

1. 知能が低い，ものごとに消極的である。

2. 母親は音楽に対しての興味・関心なし。

3. 兄姉も音楽に対しての興味・関心なし。
4. 級友間で存在が認められていない。
5. 経済的にもあまり余裕がない。
6. 楽器やレコードなどがない。

例 3. 兄弟（長男Ko　二男Ke　長女K）

Ko　男

（1） 小学校入学前

（イ） 生活一般面

1. 経済的にも恵まれ，女中を使い，広い庭で応揚に育った。
2. 幼児期に泣いているときでもレコードをかけるとおとなしくなった。
3. 木琴を買ってやるとたたいて喜んだ。
4. 生後1年8か月でことばを足してやると（ふしは大体あっていた）歌うようになる（　　）は親がつけたところ，お手々ちゅない（で）野み（ち）（行けば）みんなかわいい（小鳥になって）歌を（うたえば）くちゅがなる。
   お山のお猿はまりがすき，とんとんまりつきゃ踊ります。ほんにお猿は道（け）もの。
5. リズム反応や音楽への反応。
   音楽的なひびきまたはメロディーに特に耳を傾け，拍子を合わせる事はなかった。またレコードは幼児向きのものを買って聞かせるようにしたが，特に本人からかけてくれとはいわなかった。ただし，5歳ごろから童謡レコードが非常に好きになり，自分でかけて喜ぶようになった。

6. のんびりと育ったためか，お人よしで一面内気であるが，朗か。
7. 生後3か月で音のする玩具をもち，また新聞を破ったりして喜んだが，生後2年で○や△を書く。

（ロ） 音楽的生活面

1. 4歳まで特に音楽的な素養をひき出すようには教育せず，ピアノをたたかせたり，レコードをきかす程度。

（2） 小学校入学後

1. 小学校1年の時から週1回ピアノの伴奏で合唱した。
2. 2年から5年まではピアノを習わせたが，5年になって勉強がいそがしくなったのでやめた。
3. 読譜は小学2年からしたが，6年になってその興味はなくなった。
4. バイエルは1年間で上がり，ソナチネ，チエルニーは $2/3$ くらいまでする。

Ke　男

（1） 小学校入学前

（イ） 生活一般面

A. 身体的発達

1. 2年5か月で肺門淋巴腺をわずらう。　2. 環境は兄と同様。
3. 切符制度になってきた時代であった。
4. 離乳が兄と違って簡単にできた。
5. 親がかけてやる童謡，レコードを楽しむ程度。
6. 未完成シンフォニーには幼児から関心をもって好んで聞いた。
7. 兄より言語発生が遅れたが片言は使わなかった。
8. 2年3か月ごろ兄といっしょに歌をうたう。（満員電車など）

9. だいてやるとピアノをたたく。　10. 木のぼりがすき。

B. 性格面の発達

1. 兄にも妹にも遠慮する，特に妹には極度にがまんしていた。
2. 無口で大食。　3. 人みしりをしない。
4. 友だちに呼ばれると，何をおいてもとんでいく。兄ほど社交性はない。
5. 幼時には読み書きは教えなかったが，小学校入学時には100までの加減は暗算で出した。
6. 機械なども分解したりした。

C. 音楽的な面の発達

1. 幼時期にレコードをかけると全部ふしを覚えた。
2. 幼少のころはお客の前でよく歌った。
3. ドレミは入学前から知っていた。
4. きく事は好きで，両親がレコードをかけるむずかしい洋楽などもじっときいていた。ただしそれがすむと，童謡をかけてもらえるかも知れぬと思っていたらしい。

（2） 小学校入学後

A. 知的面の発達

1. 1年のとき算数をよくした。　2. 運動を好む。
3. 明るい性格であるが，はでではなく，すこぶるじみでコツコツとつとめるほうである。将来は小学校教師になるといっている。
4. 図画は好きであり，大膽な表現をする。
5. 社会の事象や世界の動きに関心がある。

B. 音楽面の発達

1. 学校から与えられた音楽の宿題は自分で解決するが，自分からす

ることはない。

2. ピアノを1年で始めてから，譜の読み方を教えたが，どんな譜もハ長調で読ませたので，移動ドの譜を理解したのは学校の指導である。
3. ピアノは先生について習い，1年でバイエルをあげたが，身体をこわしたのでやめた。
4. 現在（6年）は宿題のときはひくが，ふだんはひかない。宿題になると数時間ずっと通してひく。
5. ハーモニカは好きらしく，からだからはなさない。
6. 学校では合奏のとき，大太鼓を担当し，本人もこのパートを喜ぶ。

K　女

（1） 小学校入学前

（イ） 生活一般面

1. 環境は変ったがよろしい。　2. 末子なので離乳がおそい。
3. 歌は1年たつと兄2人に習って少しずつやり始めた。
4. 軍国調時代のため，洋楽のレコードをえんりょし，日本的なレコードをかけて音楽的ふんい気を作った程度。
5. 家の中では，兄2人に負けずにケンカもするが，外へ出るとまるっきり無口になる。
6. 整とん好きのきわだつ特長があり，今も同様で，どんな疲れたあとでも，自分の着物を枕もとにきちんとおく。
7. 明るいすなおなこどもである。観察は細かいが，絵などは大膽にかく。
8. 自分から遊びにはいかないが，友人はよく遊びに来る。
9. 勉学の態度もまじめで，書取など覚えるまでやり通す。

（ロ） 音楽的生活面

1. 5歳からバレーを石井みどりバレー研究所に入り学ぶ。
2. 6歳から友松実バレー研究所に入り現在に及ぶ。3度の食事よりバレーを好む。
3. 歌曲は小学校の先生に4年のとき週1回習ったが1年ぐらいでやめる。
4. ピアノは幼稚園のころから学ぶ。1時からだを悪くして中止したが，現在今尾氏に習っている。バイエル・ソナチネ・ツエルニー110，100，ブルグミューラーを終った。本人はバレーのほうを好む。
5. 母親がピアノを多少ひくので，基本的練習を家でする。
6. 読譜はピアノを始めたころから始めた。まずハ長調を消化し，ト長調，ニ長調，ヘ長調は容易に読む，またピアノをひく時はどんなシャープ，フラットがあってもひき直す。
7. バレーの映画は必ず見る。
8. 学校の宿題に出る創作の曲は，だれの手もかりず，自分で幾とおりにも作る。
9. 聴音は相当確か。
10. 専門家にしようとする気持はないが，本人が気持があれば向けてやる。

（ハ） 音楽的環境

A. 家庭調査

1. 父は西洋音楽とりわけ交響曲に関心をもつ。しかし楽器はいじれず単にきく程度，学生時代は音楽部委員をし合唱のメンバーになる。

2. 母はピアノをひき，きくことを好む。5歳のときからピアノを習う。
3. 家庭生活初期においては合唱を好む。最近はこどもと母親が時折行う。
4. 器楽はピアノを中心として，母親と長女が連弾し，長男・次男がこれに合唱をつける。次男はハーモニカ，長女木琴，母親ピアノ，長男が太鼓の合奏もする。
5. レコード鑑賞もする。　　6. 創作などは行わない。
7. 父の好む曲　クロイツェルソナタ(ベートーベン)フィンガルの洞窟（メンデルスゾーン），第六シンフォニー　熱情ソナタ(ベートーベン）小夜曲（モーツァルト）その他多数，おばこ節。母の好む曲　ピアノはシューマンのもの，鑑賞はベートーベンの皇帝，月光，シューマン，バツハ，リスト等。
8. 長男，次男，長女は鑑賞はあまり好まない。
9. ピアノ，電蓄，レコード等あり。
10. 音楽会などは鎌倉のときに行く。
11. 父方の祖父母ともに関心あり，祖父は謡曲，祖母は和洋楽をやる。父の兄弟も非常に好き。母方の祖母は日本物を好む。ピアノをこどもに習わせる。祖母はオルガン等ができた。
12. めいが音楽学校に在学している。
13. 経済的に恵まれている。　　14. 環境もよい。

◎要　約

1. 経済的にゆとりがあった。
2. 両親に相当強い音楽的関心があつた。
3, 知能的にも兄弟3人すぐれ，また努力家である。

4. ピアノ等の楽器が家にあり，さらにレコードなども要求があれば買って興え，さらにおけいこによって，音楽性を伸ばしている。長女のバレーなども間接に音楽的発達に力がある。
5. ３人とも音楽的素質を受けついでいる。
6. 読譜の指導もしている。
7. ６年ぐらいになると勉強が忙しくなるので，音楽への関心が兄２人ともなくなってきた。
8. 兄弟あまり差は認められない。
9. 両親が常に洋楽と関係をもっている。
10. 合奏などをしている。

◆ その他の個人調査のまとめ

◎H男　３年　学業下　音楽中

1. 母はピアノ教育を受けていた。
2. ピアノ，蓄音機があった。
3. 小さいとき歌に合わせてはねまわり，３歳のときレコードで歌を覚えた。
4. 音程は少しはずれていた。
5. 楽器は与えないがでたらめな自作の歌を作った。
6. 幼稚園で児童舞踊を始めた。
7. 学習はしない。理科を好み，書取などできない。
8. ハーモニカを好み，木琴は好かない。
9. 母のほかには音楽に対して関心はない。
10. 蓄音機があり，舞踊練習のときはレコードをかける。
11. 音楽会には年 2～3 回行く。

◎O男　５年　学業上　音楽中の上　知識上

1. 姉３人のあとの初めての男の子のため内気である。
2. 社交性は乏しい。
3. 音楽をきくことは小さいときから好きである。
4. 幼児期にはラジオできく程度。
5. 幼稚園のときはよく歌った。
6. ハーモニカ，ウクレレなど熱心にやり，ものにする。
7. 楽譜に対してあまり関心なし。
8. 学習は熱心で夜の 12 時になってもする。
9. 家で音程をちょっとはずすと姉たちが笑ったりするので，あまり歌いたがらない。
10. 音楽史的なものを好む。自分で参考書を出して調べている。
11. 家庭的に音楽的ふんい気がよく，姉たちはいつも３人でコーラスをしている。
12. 弟（２年）は音に対して鋭い。
13. オルガン，レコードがある。

このほか特色ある事項について記入する。

1. 受持教師からベートーベンの話をきいて興味を起した。
2. 姉がコンクールに出た。
3. 外向性の児童のほうが一般に音楽を好む。
4. 病気などはあまり関係しない。

◎むすび

以上の個人調査によって，音楽的発達を促進する条件をまとめてみると次のようなことになる。

1. 既往症・食事・睡眠などでの特記事項はないし，これらはひどくは関係しない。

2. 知能程度のよいほうがよろしい。
3. この調査においては性格は外向的で朗らかであること。
4. 父母に音楽的関心と素養があること，ことに母親の関心の有無は非常な力をもつこと。
5. 音楽施設があり，それをじゅうぶん利用していること。
6. 母親が常にこどもと音楽的な生活をしようとしていること。
7. 読譜は入学前に習わせなくともよいこと。
8. 幼時の感覚的な刺激がたいせつであること。
9. 身近な人，ことに兄弟姉妹が音楽に関心と興味をもっていること。
10. 経済的にある程度余裕のあること。
11. 本人の向上心をそぐような批評をしないこと。
12. 有名な音楽家の伝記，逸話などを話してやること。
13. 音楽的な行事で発表の機会をもつこと。

さらにこの本人および家庭の条件に加えて，学校における条件は次のようである。

1. 音楽教育に対して全職員がじゅうぶんな関心をもっている。
2. 1週2回，朝の音楽の時間がある。
3. ピアノ2，オルガン5，木琴2，鉄琴3，電蓄1，ポータブル蓄音機2，その他リズム楽器等があり，これをじゅうぶんに活用しているばかりでなく，児童にも自由に利用することを許している。
4. PTAの会合の際，レコード鑑賞の時間がもたれたり，学芸会に母親たちの合唱が行われたりして児童の関心を高めている。
5. 低学年においては各教科と音楽との結合がうまくいっている。

6. 音楽室あり，高学年は専科の教官が指導している。

IV　グループを對象とした調査研究

◆ 調査事項の決定

A. ある学級を使って

1. 音楽が好きになったのはなぜか。
2. 音楽がきらいになったのはなぜか。
3. 楽譜を読むことが好きになったのはなぜか。
4. 楽譜を読むことがきらいになったのはなぜか。

について具体的に記述させた。

B. それをもとにして原案を作製した。

C. 幾人かの児童を呼んで聞き，さらにこれに条件を加えた。

D. 職員の過去の経験をきいた。

E. 最後に音楽研究委員会で決定した。

◆ 実　施

各学年の1組を主体として全員調査を行った。

◆ 調査事項の内容

音楽調べ　　　学年　　組　　氏　名（　　　　　　　　　　）

(一)

1. 音楽でうたうことはすきですか。　はい　いいえ
2. 音楽でがっきをやることはすきですか。　はい　いいえ
3. 音楽で，ふをよむことはすきですか。　はい　いいえ
4. 音楽で，さっきょくすることはすきですか。　はい　いいえ

(二) 音楽がどうしてすきになりましたか。

1. おかあさんが　いつも　うたってくれましたから。
2. うちじゅうのものが　おやすみどきなど　うたいますから。
3. ねえさんやにいさんなどがうたうから。
4. レコードやラジオの音楽をきいておぼえられるから。
5. ピアノ　オルガン　もっきんなどが　うちにあってならえるから。
6. おかあさんにほめられたから。
7. おともだちがよくうたうから。
8. ねえさんがコンクールにでたから。
9. うまいとコンクールにでられるから。
10. えらい音楽をする人のはなしをきいたから。
11. 先生にうまいとほめられたから。
12. うたをうたうのはあかるくてほがらかだから。
13. ちいさいときから　しぜんにすきでした。
14. タクトをふることがおもしろいから。
15. さっきょくをすることがおもしろいから。
16. がくふをよむのがおもしろいから。
17. 音がよくわかるから。

(三) 音楽がどうしてきらいになりましたか。

1. うまくうたえないから。　2. たかいこえがでないから。
3. ねえさんなどがへただというから。
4. がくふをよむのができないから。
5. 先生がへただといったから。
6. おかあさんがへただというから。
7. うちにはもっきんやオルガンなどないから。
8. おとうさんが音楽などやらずにさんすうなどしなさいといったから。

9. うちでうたをうたうとしかられるから。
10. ちいさいときからきらい。
11. 音がよくわからないから。
12. うまくもっきんなどができないから。

◆ 結果の処理

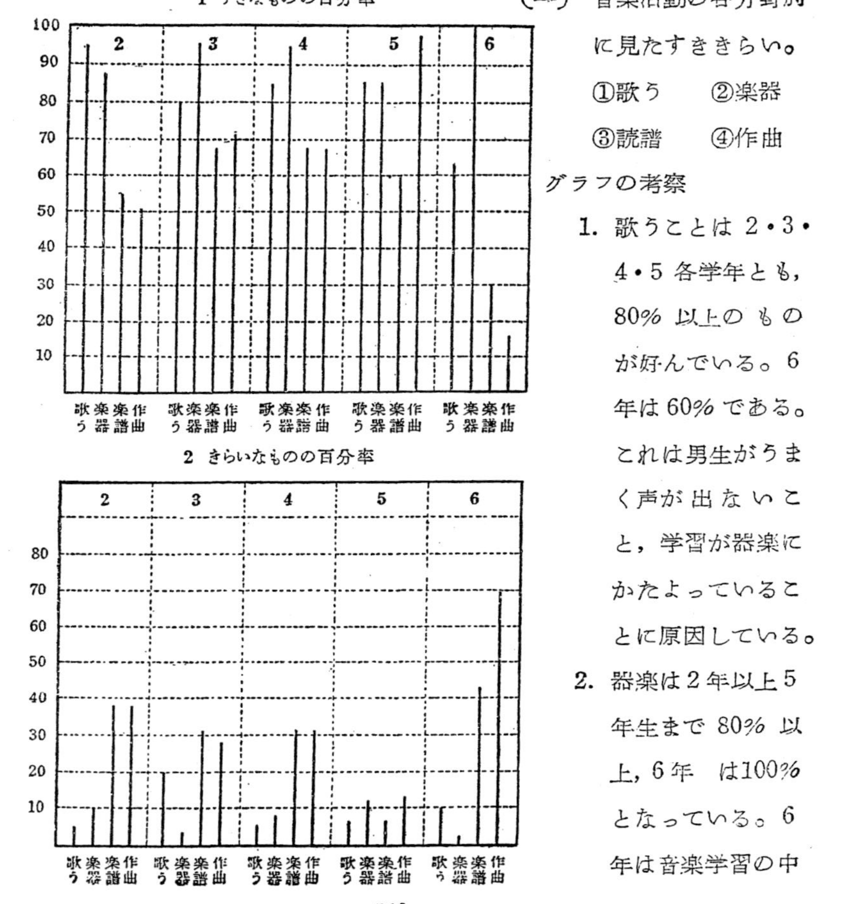

(一) 音楽活動の各分野別に見たすききらい。

①歌う　②楽器
③読譜　④作曲

グラフの考察

1. 歌うことは2・3・4・5各学年とも，80%以上のものが好んでいる。6年は60%である。これは男生がうまく声が出ないことと，学習が器楽にかたよっていることとに原因している。
2. 器楽は2年以上5年生まで80%以上，6年は100%となっている。6年は音楽学習の中に器楽的な要素を多分に取り上げているあらわれと思う，6年の男生はほとんど全員ハーモニカを個人個人で持っている。

3. 読譜については，4年が70%，5・6年としだいに低下している。これは要求が高すぎているためか，また学習の面でふじゅうぶんなためか。

4. 作曲についても読譜と同様な結果を示しているが，5年が90%を越えていること，6年は逆に10%余であることは考えなければならない。5年は過去において3年の3学期に「こどもオペラ」の作曲などしていることが大きく影響しているようである。6年は学習指導でもやや欠けているし，自己表現と自己批判のアンバランスのためかと思われる。

（二） 音楽が好きになった理由

グラフの考察

1. こどものすきになった原因を見ると，約40%以上のものはどの学年も次のとおりである。
   4. レコードやラジオの音楽をきいておぼえられるから。
   12. 歌をうたうのは明るくて朗らかであるから。
   13. 小さい時から自然にすきでした。
   5. ピアノや木琴が家にあってならえるから。
   10. 音楽をするえらい人のお話をきいたから。
2. 個人調査であがっている母親や兄弟姉妹の音楽への興味関心からくる影響があまり出ていない。
3. 先生や母親からほめられることの効果もあまりあらわれていない。このことは個人調査の場合と大部分異なっている。
4. 音楽本来のタクトをふること，作曲すること，楽譜をよむこと，

音がよくわかる等はどれも25%であるのも興味のあることである。

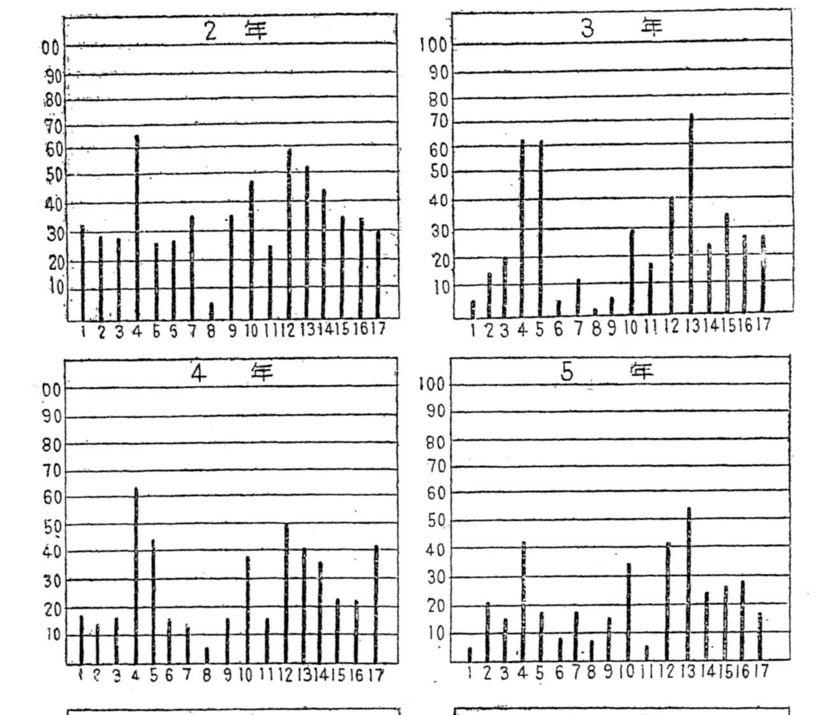

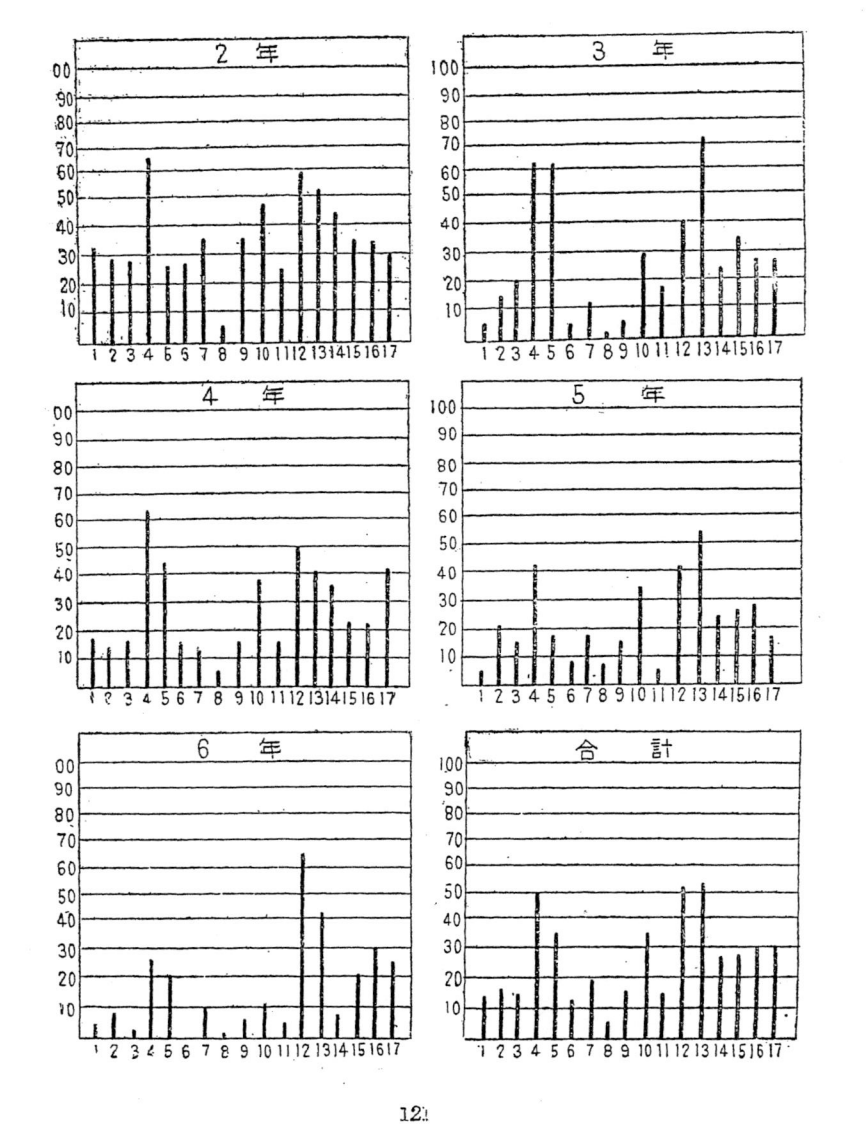

（三） 音楽のきらいな理由

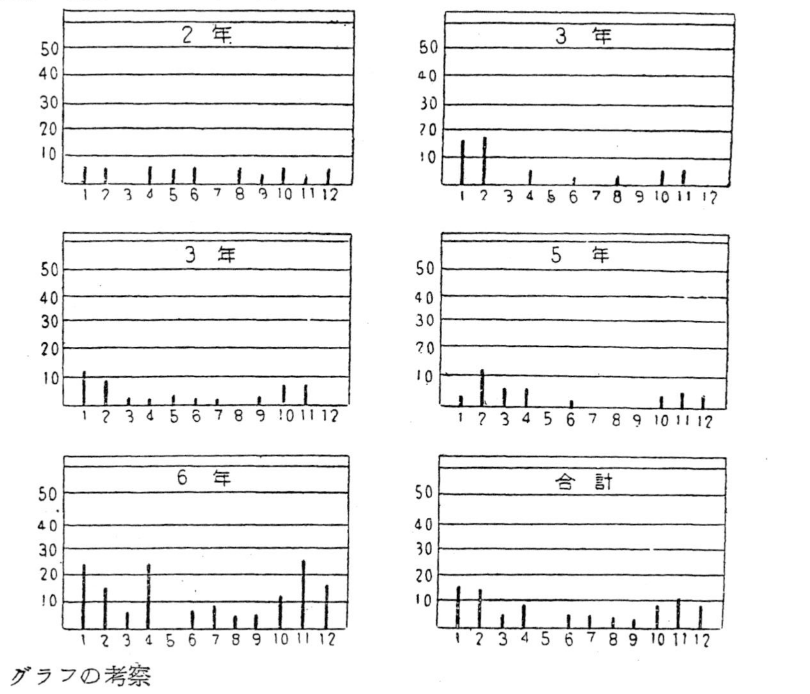

グラフの考察

1. 音楽のきらいなのは，本質的なものにある。

即ち　1. うまくうたえないから。　2. 高い声が出ない。

10. 小さいときからきらい。　11. 音がよくわからない。

2. オルガンや木琴などの楽器のあることはこの場合関係が少ない。

3. 母親や教師，姉妹の批判や冷笑もあまりないらしく，統計的には出てきていない。

4. 特に6年のきらいになった理由をとり上げてみると，

△ 20% 以上

1. うまくうたえないから。　2. 楽譜をよむのができない。

11. 音がよくわからない。

△約 15%

2. 高い声がでない。　12. うまく木琴などができない。

（四） すきになった原因は学年によってどのように変化するであろうか。

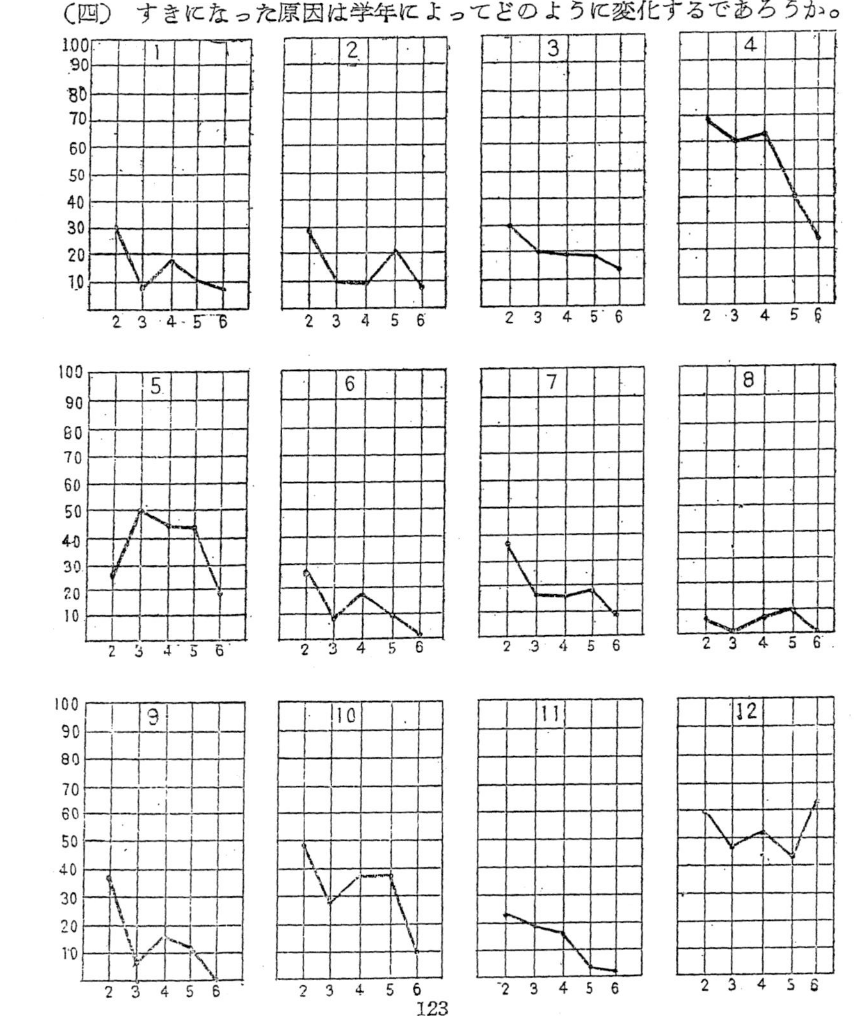

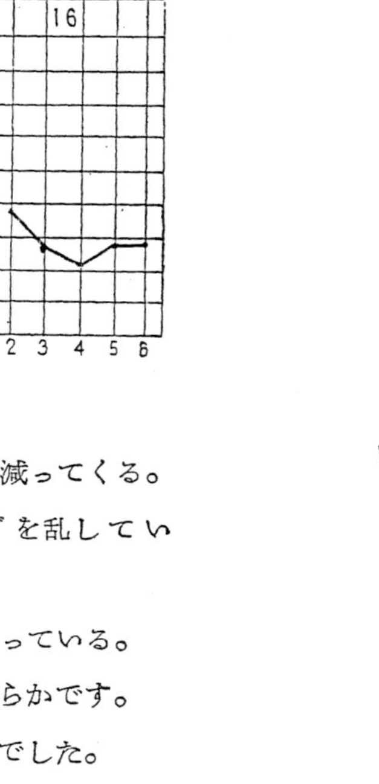

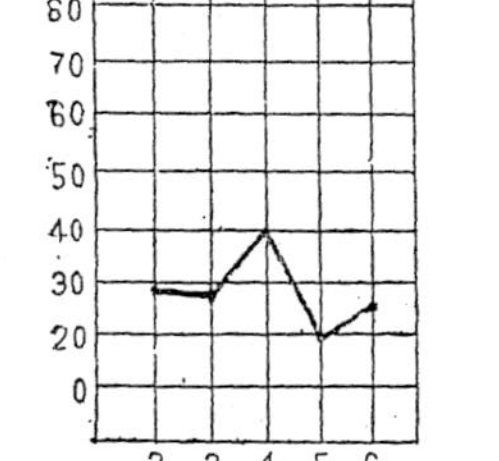

グラフの考察

1. どの項目も高学年に進むにつれて減ってくる。
2. 3年生はいくつかの項目でカーブを乱している。
3. 12, 13 はどの学年も多い理由となっている。
   12 歌をうたうのは明るくて朗らかです。
   13 小さいときから自然に好きでした。
4. レコードやラジオの音楽をきくということや，ピアノや木琴，オルガンを習うということが，6年でぐっと低下している。
5. 先生にほめられるということは，5, 6年になるとあまり直接的にはひびかないようである。
6. タクトをとることも 5, 6年ではきらいになっている。高度のものを要求する場合が多すぎること，自己評価的な気分が多くなっているためか。
7. 4年で音がよくわかるという子が 40% もあることは，興味のあることである。

(五) きらいな原因は学年によってどう変化するであろうか

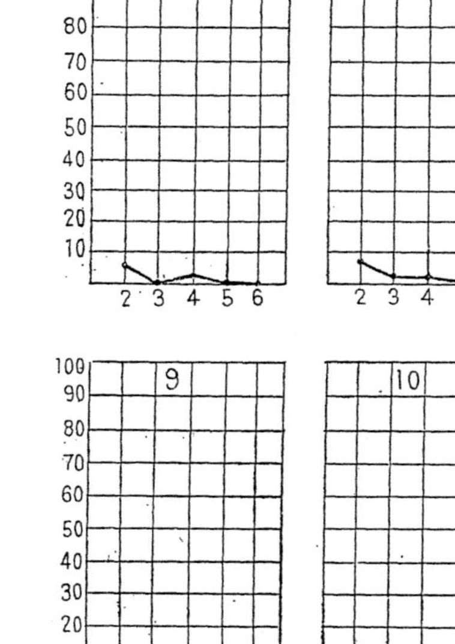

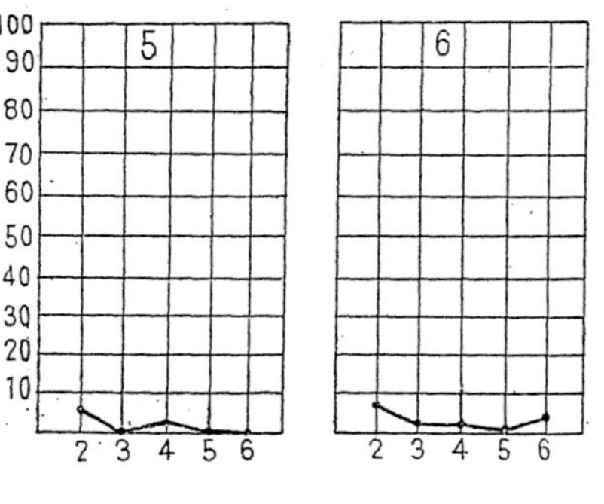

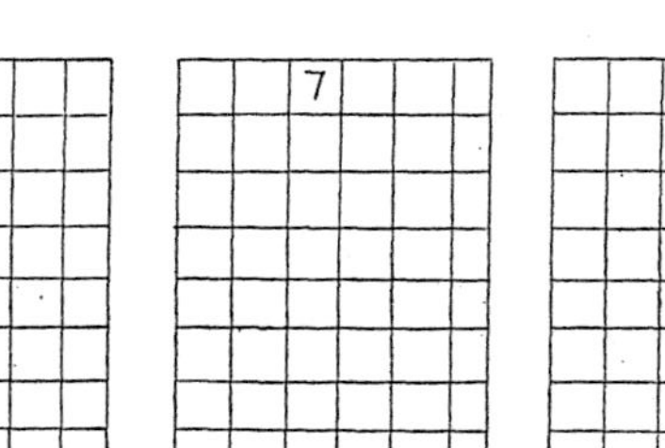

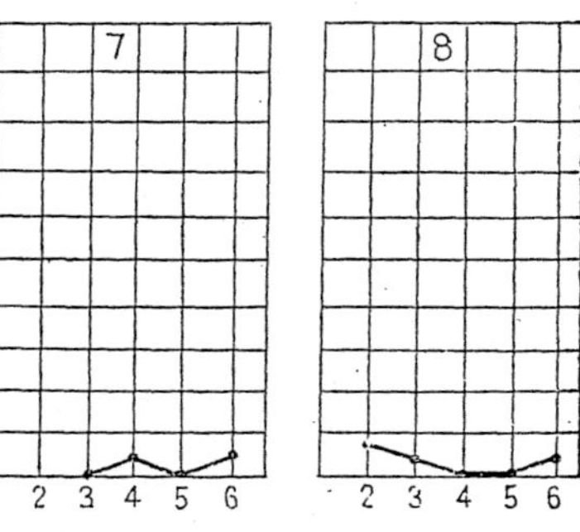

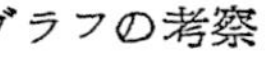

グラフの考察

一般にきらいなものが少ないので，速断することは危険性がある。

1. 高学年になるに従って ①うまくうたえない ②高い声が出ない ④楽譜が読めない ⑪音がよくわからないなどの原因が多くなる。
2. 他の原因はどの学年もたいした変化はない。

結　語

1. 歌唱や器楽演奏などは非常に好まれている。特に器楽は全般の児童に好まれている。
2. 読譜，作曲の分野は高学年にとって重荷となっているらしい。
3. 作曲なども練習したり，機会を与えることによって，相当好むようになる。
4. 好きな原因について

   個人調査の場合は，母親や兄弟姉妹の音楽的関心などが重要な要素であったが，全体調査の場合は他の要因 4，12，13，5，10 が重要な要素になっている。しかし2年生にとっては，そうした家庭の音楽的関心が大きな数字を示していることを忘れてはならない。
5. きらいな要因もだいたい学習の不じゅうぶんなことからくるもので，音楽施設の有無や，母親や教師の賞賛といったものは，それほど重要性を示していない。

◆ 楽譜が好きにになったわけ。

◎ 調査事項の内容

（1） がくふをならうことは

1. すきですからします。　　2. すきでもきらいでもない。
3. すきではないが　ならわないと　いけないからします。
4. すきでないから　やりたくない。

（2） がくふをならうことは　すきです。そのわけは

1. 小さいときからお家の人やおけいこのときならったから。
2. がくふが　よく　よめるから。
3. がくふを見ると　うたい方をおしえてもらわなくてもうたえるから。
4. がくふをならうように　なって　しぜんにすきになった。
5. ピアノや木きんをひくには　がくふをならわないと　よくできないから。
6. がくふをべんきょうすると　うたがうまくなると，家の人や先生がいわれるから。
7. うたをおぼえるのに　はやいから。
8. 大きくなって　音楽のべんきょうをするときにだいじだから。

（3） がくふをならうのは　きらいです。そのわけは

1. がくふなどは　めんどくさいから。
2. どれがドだか　ソだかわからないから。
3. おんぷの長さが　わからないから。
4. おんぷの高さが　わからないから。
5. ハちょうとか　へちょうとかがわからないから。
6. がくふなどは　しらなくてもうたはうたえるから。
7. ゆっくりならよめるが　うたのはやさのようにうたえないから。

◎ 結果の処理

（1） 楽譜をよむことはすきですか。

グラフの考察

この統計は，2，3年は1，2，3，4の中で1つを選定するのをまちがえたため，2つ書いたものが若干あるので，学年の相互比較というのはあまり意味がないが，だいたいの傾向を理解することはできる。

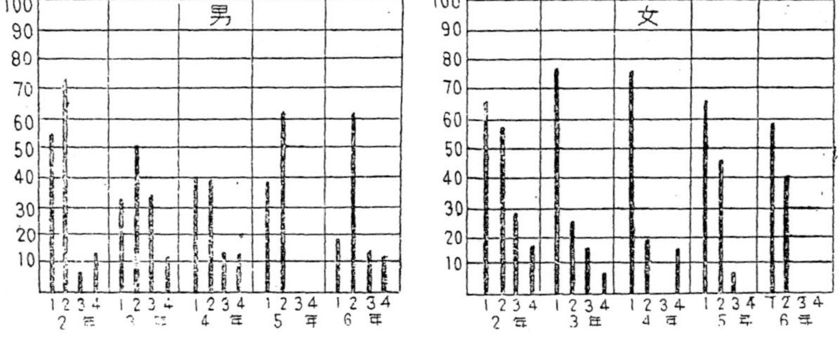

1. 全体として楽譜をきらいなこどもは割合に少ないようである。これは前述の楽譜をならうのが，きらいなこどもたちが 40% ぐらいあるという統計との関係は次のように考えられる。こどもたちは好きかきらいかという形式できかれると，好きでない限りきらいと答える結果と思われる。
2. 6年の男子はあまり好まない。
3. 女子はだいたい 60% のものが好み，男子は 30〜40% の者が好む程度である。

(2) 楽譜をならうことはすきです。そのわけは

男子

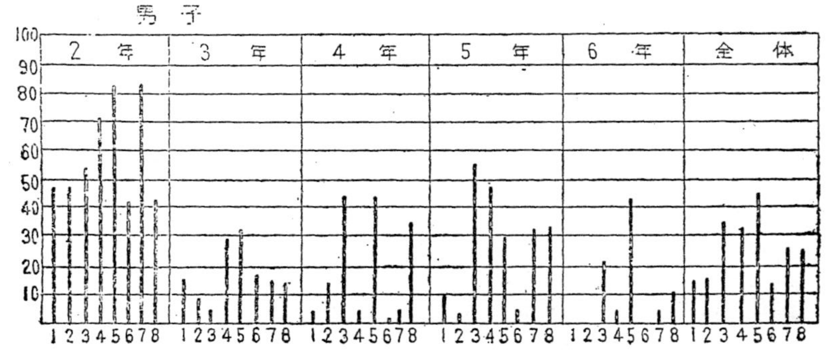

ロ　女子

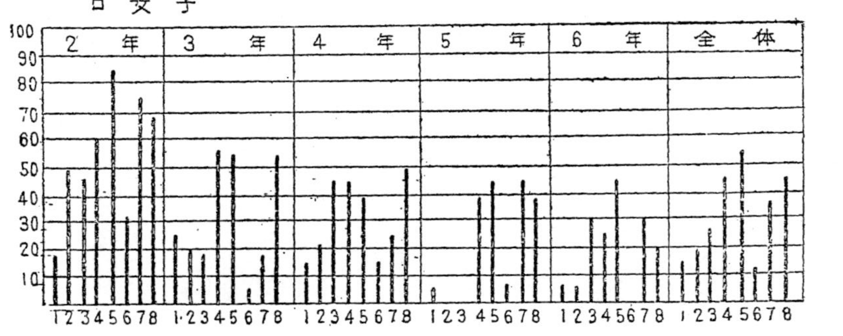

グラフの考察

男子

1. 30% 以上を示しているものは
   ⑤「ピアノや木琴をひくとき楽譜を習わないとよくできないから」である。特に6年生ではそれが圧倒的に多いのは，その価値がじゅうぶん理解できているためであろう。（この級の児童は，合奏をよくやっている）
2. ④の「楽譜をならうようになって自然に好きになった」というのが，4年と6年に少ないのは，楽譜の必要性をめいりょうに認識しているという面と，逆に児童の重荷になっているので，この項が少ないという面と二面考えられるが，後者のほうと考えられる。
3. ③の「楽譜を見ると，うたい方を教えてもらわなくても歌がうたえるから」というのが 30% 前後を占めているのはたのもしい。3年生に少ないのは，当然であって，2年生の数値が高いのは，児童の文章の理解力の不足も手伝っているが，あるいはそれだけ認識しているか。
4. 4年，5年の⑧の「大きくなって音楽の勉強のときにたいせつだ

から」という項が 30% を見せているのもおもしろい。6年生になって減少しているのは，ある程度現実的になったため，表現することを遠慮しているのであろう。

女　子

1. 女子も男子と同様⑤が多い 50% 前後。
2. 男子に比較して，⑧の項が多いのも，女子らしさが見える。
3. ⑥の「先生やお家の人に，楽譜を習うと歌がうまくなるといわれるから」などはどの学年も少ないことは考えてもよい。

（3） 楽譜をならうことはきらいです。そのわけは

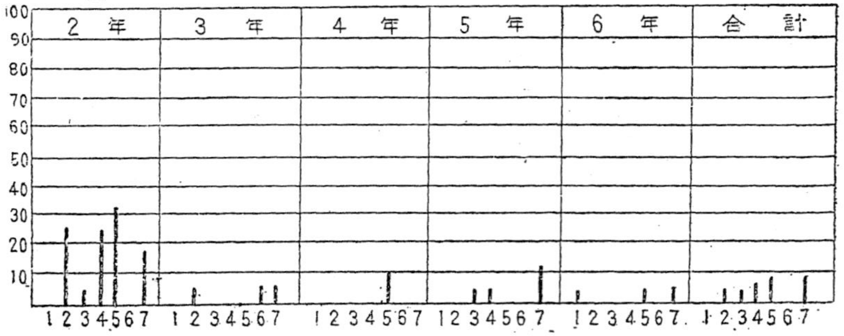

グラフの考察

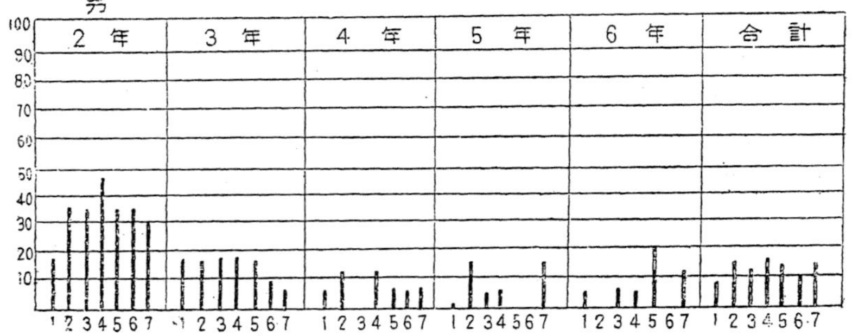

1. 男女ともきらいな原因は大してわからない。
2. 男子の中には

　① がくふなどはめんどくさい。

　② がくふを知らなくても歌える。

　というのが 10% 前後いる。

3. 6年男がハ調とかヘ調とかがわからないというのが 20% ある。
4. 5年は「ゆっくりならよめるが，うたの早さのようには歌えない」という児童が 10% ばかりいる。

　5年男でどれが，ドだかソだかわからないという児童が 10% もいることは，問題とすべきことである。

む　す　び

以上ささやかな研究の結果をまとめてみると，音楽を好きにし，読譜を好きにする原因は

1. たのしい音楽学習であること。

（イ） 児童の興味に合致した学習活動であること。本校においては器楽的な分野の活用にふじゅうぶんな点が，調査の結果にも，はっきり出てきている。児童たちは求めている。そしてそうした面は生活化への大きな橋渡しになる項目である。

（ロ） 児童の能力に応じた学習であること。5年生でも，まだドレミの位置のわからないものがいる。また調号のわからないもの，リズム譜に反応できないものもいる。いたずらに高きをのみ望んではならない。

(ヘ) 音楽経験の各分野をとりあげること。歌唱が不得手でも器楽で救われる子があるし，創作的な面で自己表現の力を満足させる者もいる。また偉大な音楽家の話をきいて感奮する児童も出てきている。そこで教師個人の好みや得手，不得手，施設のふじゅうぶんをできるだけ克服して，音楽経験をとり上げなければならないと思う。

(ニ) 読譜の学習には，機会あるごとにその価値をじゅうぶんに理解させて，器楽活動その他の音楽経験と関連づけて，着実に一歩一歩積みあげてゆくことが望ましい。

2. 学校の音楽的環境をととのえること。

(イ) 施設の充実をはかること。

(ロ) 全体の教師が音楽の教育的意味をじゅうぶんに理解してあたること。

(ハ) 施設をじゅうぶんに児童に活用させること。

(ニ) 全校あげて歌う時間や機会を設けること。

3. 家庭の音楽的ふんい気をつくること。

(イ) 母親を中心として，一家中で歌ったり，きいたりすること。

(ロ) 家庭に音楽的施設のあることは，さらに望ましい。

4. 読譜能力の発達について。

以上，1，2，3 で述べられたような事項が充実して，音楽的な経験が豊富に積まれ，音楽的能力の向上と相まって読譜能力は向上していくのである。

初等教育研究資料第Ⅴ集
音楽科実験学校の研究報告
(1)

MEJ 2320

昭和 28 年 5 月 5 日 印 刷
昭和 28 年 5 月 10 日 発 行

発行者 東京都千代田区神田鍛冶町2の10 目黒三策
印刷者 東京都北区神谷町1の482 若命又男 (新東京証券印刷株式会社)

発行所 東京都千代田区神田鍛冶町2丁目10番地 株式会社 音楽之友社
電話神田(25)805・7593・5283番
振替東京 196250番

定価 83 円

NOTE

株式会社 音楽之友社 刊

定価 83 円